LLWCH

LLWCH

HUNANGOFIANT
ELVEY MACDONALD

I Edith, ac er cof am fy rhieni a 'mrodyr

Argraffiad cyntaf: 2009

℗ Hawlfraint Elvey MacDonald a'r Lolfa Cyf., 2009

Mae hawlfraint ar gynnwys y llyfr hwn ac mae'n anghyfreithlon i
lungopïo neu atgynhyrchu unrhyw ran ohono trwy unrhyw ddull ac
at unrhyw bwrpas (ar wahân i adolygu) heb gytundeb ysgrifenedig y
cyhoeddwyr ymlaen llaw

Dymuna'r cyhoeddwyr gydnabod cymorth ariannol
Cyngor Llyfrau Cymru

Cynllun y clawr: Alan Thomas

Rhif Llyfr Rhyngwladol: 978-1-84771-142-7

Cyhoeddwyd, rhwymwyd ac argraffwyd yng Nghymru
gan Y Lolfa Cyf., Talybont, Ceredigion SY24 5HE
gwefan www.ylolfa.com
e-bost ylolfa@ylolfa.com
ffôn 01970 832 304
ffacs 832 782

1

Yn y dechreuad

EFALLAI MAI SYDYNRWYDD Y ddamwain a seriodd y lluniau ar fy nghof. Coch, glas a melyn y fflamau'n ymledu ar hyd y trawstiau ac arogl mwg yn fy ffroenau; y nenfwd ar dân ac yn cymylu'n gyflym; Mam yn cydio'n dynn ynof i ac Edith gan ein rhuthro ni allan o'r gegin, yn ddiogel o gyrraedd y gwreichion – a disgleirdeb y bore heulog yn fy nallu dros dro; Mam eto'n ymdrechu i dynnu sylw fy nhad, a weithiai yng nghwmni dynion eraill ar gae nid nepell o'r fan. Nhad a'i gyd-weithwyr yn codi'u pennau, yn cyffroi, yn carlamu tuag aton ni a'u lleisiau'n atseinio ar draws y dyffryn, a'r llwch yn codi'n gymylau bychain o gwmpas eu traed. Yna, y lle yn ferw – Yncl Donald, Yncl Hefin a nifer o'n cymdogion agosaf yn ffurfio rhes i basio bwcedeidiau o ddŵr i'w harllwys ar y fflamau. Mam, ac Edith yn ei breichiau, Anti Lydia, Anti Eryl a gwragedd eraill y gymdogaeth yn sefyll yn bryderus ond diogel ar godiad yn y tir yn cefnogi ymdrechion y dynion i achub ein cartre. Finnau'n syllu ar y cynnwrf mawr. Dyna'r lluniau cynta i lenwi fy nghof – pob ffrâm mor eglur heddiw ag roedden nhw'r diwrnod hwnnw, fel petai'r llanast newydd ddigwydd ddoe.

Fu'r dynion ddim yn hir yn atal y dinistr. Y simnai oedd achos y drwg – un o'r simneiau tun hynny welwch chi ambell waith mewn hen ffilmiau cowbois, a godai'n syth o'r stôf haearn yng nghornel y gegin tua'r to a thrwyddo. Aethai ar dân wrth i Mam baratoi cinio. Doeddwn i ddim eto'n ddwyflwydd oed ar y pryd – ac yn llawer rhy ifanc i gofio'r digwyddiad, yn ôl a ddywedai Mam flynyddoedd yn ddiweddarach. Llwyddais i'w pherswadio i'r gwrthwyneb wrth ei hatgoffa am fanylyn roedd hi ac eraill wedi llwyr anghofio amdano, sef bod un o'r dynion wedi gosod polyn i bwyso yn erbyn y wal a dringo arno i ben y to oherwydd nad oedd ysgol wrth law. Hwn yw'r atgof cynharaf sydd gen i o 'ngyrfa ar y ddaear hon, a'r unig un clir am y bwthyn a adeiladodd Nhad ar dir Coed Newydd. Ffarm oedd hon a arloesodd ei hen deidiau John a Betsan Jones, Aberpennar (neu *Mountain Ash*, gan nad arddelid yr enw Cymraeg yn nyddiau'r *Mimosa*). Lleolwyd hi yn ardal Glyn Du, a gawsai ei henwi felly am i'r brodorion losgi'r tyfiant i gyd ychydig yn llai na blwyddyn cyn glaniad y fintai gyntaf o wladfawyr Cymreig ar dir Patagonia.

Tarfodd y tân ar drefn bywyd y teulu bach. Bu'n rhaid inni gefnu ar Coed Newydd a'i fwthyn priddfeini a tho sinc, a mynd i fyw gyda Taid a Nain Jones – John a Myfanwy, rhieni Mam – nes y gellid trwsio'r to a chlirio'r llanast o'r gegin. Doedd dim llawer mwy na milltir o bellter rhwng y ddwy ffarm a, chan 'mod i'n ymwelydd cyson â Glan Camwy, doedd fy nghartre newydd ddim yn lle dieithr i mi o gwbl. Da o beth oedd hynny, gan y bu rhaid inni aros yno am rai wythnosau.

Nid hwn oedd y tro cynta i'r pedwar ohonon ni – Nhad, Mam, Edith a minnau – dderbyn lloches yng Nglan Camwy. Yn Nhrelew, tua thair milltir i'r gorllewin, y gwelais olau dydd gyntaf, gan mai yno roedd fy rhieni wedi setlo'n fuan ar ôl priodi, ac am mai yn y dref y gweithiai Nhad ar y pryd, yn agor ffosydd ar strydoedd y dref fel gwas cyflog i'r Cyngor lleol. Nid dyma eu cartref cyntaf, chwaith. Ar ddyddyn, prin ei goed ifanc, a di-gysgod yn Nhir Halen roedd hwnnw, ond byrhoedlog fu eu harhosiad yno oherwydd cyflwr iechyd Mam ar y pryd.

Chlywais i ddim sôn i mi achosi mwy o drafferth na'r cyffredin iddi hi yn ystod ei beichiogrwydd. Serch hynny, doedd amodau iechyd a gofal meddygol ddim cystal bryd hynny ag ydyn nhw erbyn hyn – yn enwedig ym mhen ucha'r dyffryn. Yn nechrau Chwefror tanbaid 1941 cafodd ei hanfon i Lan Camwy am rai misoedd, er mwyn iddi gryfhau a mwynhau'r awel fwyn a chwythai o'r môr, a chysgod helyg a phoplys uchel ei hen gartre. Wedi iddi adfer ei nerth, symudodd y ddau tua diwedd Mai i fyw i Drelew, mewn tŷ o eiddo Cwmni Masnachol y Camwy, lle gwthiais fy ffordd yn swnllyd o hyderus i'r byd hwn ar ddydd Mawrth, 17 Mehefin 1941.

Ychydig dros naw mis ynghynt y cynhaliwyd priodas Héctor a Sarah MacDonald, pan oedd o'n bedair blwydd ar hugain a hithau bron bum mlynedd yn hŷn, yn dilyn carwriaeth o ryw ddwy flynedd, yn ôl y sôn. Denwyd sylw Nhad ganddi rai blynyddoedd ynghynt, yn ôl f'ewyrth Urien, ei 'brawd bach'. "A fyddet ti'n priodi dy chwaer?" holodd Héctor iddo'n ddisymwth rhyw brynhawn tesog. "Na faswn wir," oedd ateb swta Urien, yn ffieiddio at y fath syniad. "Wel, mi faswn i," cynigiodd yr hogyn nwydus. Ond bu'n rhaid iddo aros tan ddydd Sadwrn, 14 Medi 1940, cyn cael ei ddymuniad.

Mae'n gas gen i glêr, a fu ar adegau yn bla yn Nyffryn Camwy, gan lanio ar ruddiau a gwefusau byth a beunydd, duo ffenestri'r tai a disgyn ar blât gan ddifetha pryd o fwyd. Eto, yn ôl chwedloniaeth deuluol, efallai fod gen i le i ddiolch iddyn nhw am fy modolaeth. Ymddengys fod Héctor yn gyrru wagen ar hyd y ffordd a arweiniai heibio i Lan Camwy pan sylwodd ar Sarah wrth ddrws y bwthyn yn chwifio'i breichiau, naill ai i'w gyfarch neu i'w alw ati. O leia, dyna'i honiad ef. Ei fersiwn hi o'r stori oedd mai'r hyn a wnâi oedd ceisio gyrru ymaith y clêr a ymgasglodd wrth netin y drws, yn ôl eu harfer ar brynhawniau hir yr hafau gwladfaol, mewn ymgais i sleifio i mewn i'r gegin pan gâi'r drws hwnnw ei agor. Pa un bynnag o'r ddwy fersiwn sydd fwya credadwy i'r darllenydd, mae'r gweddill yn ffaith: troes Héctor ei wagen i mewn i dir y ffarm, clymodd yr awenau wrth un o bolion y ffens, a disgynnodd i ddechrau sgwrs serchog â Sarah.

Os gwir ei dadl nad ei alw ati a wnaeth, mae'n amlwg nad ymdrechodd yn galed i gael gwared ag o, fel y gwnaeth gyda'r clêr. A dyna ddechrau perthynas na fyddai ond angau yn ei thorri. Unwyd y ddau mewn priodas yn ei chartref hi, yn ôl arfer y cyfnod, gyda'r Parchedig Tudur Evans yn gwasanaethu. Yno hefyd y bu'r gwledda llawen ar noson fwyn o wanwyn.

Ni fu'r garwriaeth yn gwbl rydd o ddryswch. Mae'n debyg bod Neved, chwaer ieuengaf Sarah, yn tybio bod ganddi hi gystal siawns â'i chwaer hŷn i ennill serchiadau'r ymwelydd cyson. Dioddefodd siom enbyd pan wnaeth ei mam yn eglur iddi nad felly roedd hi i fod ac mae'n ymddangos na fu'r blynyddoedd cynta o fawr gymorth iddi faddau nac anghofio. Un noson, yn fuan wedi fy ngeni, pan ddychwelodd Nhad o'i waith a brasgamu tua'r ystafell wely i weld ei wraig a'i fabi, safai fy modryb yn ei lwybr, a golwg benderfynol ar ei gwedd ifanc.

Fyddai dim modd mynd i mewn i'r ystafell heb ei symud hi'n gorfforol – ond nid gŵr byrbwyll mo Nhad ac ildiodd hithau i'w ymbil taer a rhesymol yn y diwedd. Efallai na chaeodd ei briw o gwbl, gan na phriododd fy modryb erioed, er gwaetha diddordeb amlwg rhai o lanciau'r ardal ynddi. Mae'n bosib, wrth gwrs, nad ei phenderfyniad hi oedd gwrthod pob un o'r darpar garwyr, oherwydd byddai llawer o rieni'r Wladfa'n disgwyl i'w merched ieuenga aros gartre i roi help llaw ar y ffarm ac i ofalu amdanyn nhw yn eu henaint. Efallai na chroesodd feddwl y rhieni pwy fyddai'n gwmni ac yn warchodwyr i'w merched dibriod wedi eu dyddiau hwy.

Ffermwr cysurus ei fyd, yn ôl safonau'r oes, oedd John James Jones, fy nhaid. Clywais fod dyn ifanc a ddaeth un gaeaf i holi amdano yng Nglan Camwy wedi cael ei anfon at y ffos fawr, lle'r oedd John – a nifer o'i gymdogion – yn glanhau'r ffosydd. Roedd cadw'r rheiny'n lân o frigau a phob math o waddod yn hanfodol er mwyn sicrhau effeithiolrwydd y system ddyfrhau, a byddai ffermwyr pob ardal yn cystadlu â'i gilydd i ofalu bod y dŵr yn rhedeg yn llyfn a di-rwystr y gwanwyn canlynol. Holodd y dieithryn pa un oedd JJJ. Pan gododd Nhaid ar ei draed, edrychai ei gymdogion yn syn arno a dywedodd un ohonyn nhw, 'Ond... John Thomas Jones wyt ti'. Câi ei adnabod gan bawb ledled y dyffryn wrth yr enw hwnnw oherwydd ei fod yn fab i Thomas Jones, Glan Camwy, un o aelodau ifanc mintai'r *Mimosa* a dyfodd yn ffigwr dylanwadol yn ei ardal – gŵr unplyg, crefyddol, cadarn ei farn ac uchel ei barch; ffermwr llwyddiannus a ddaeth am gyfnod yn un o gyfarwyddwyr Cwmni Masnachol y Camwy a'r Cwmni Dyfrhau. Bu Thomas hefyd yn aelod o Gyngor Trelew ac ef oedd un o sylfaenwyr Capel Moriah, ac yn flaenor gweithgar yno – er iddo, flynyddoedd yn ddiweddarach, symud ei aelodaeth i'r Tabernacl, Trelew, mewn protest yn erbyn perthynas odinebus y gweinidog gyda'r organyddes. Roedd hefyd yn un o'r arloeswyr prin hynny a gofnododd ei atgofion am hanes cychwyniad Gwladfa Gymreig Patagonia, mewn cyfres o erthyglau a gyhoeddwyd yn *Y Drafod*.

Ei ffarm oedd byd mawr John ac nid etifeddodd ddiddordebau cyhoeddus ei dad. Ond doedd holl ddŵr yr Iwerydd a wahanai'r teulu o'r Hen Wlad ers dros ddwy genhedlaeth ddim wedi teneuo gwaed y Cardi yn ei wythiennau. Efallai ei fod yn ymdebygu mwy i'w fam, Sarah Jones, a ailbriododd gyda Thomas pan nad oedd hwnnw ond yn bedair ar bymtheg mlwydd oed, wedi iddi golli ei gŵr cyntaf, James Jones, a suddodd gyda'r *Denby*, sgwner fach y Wladfa, yn 1868. Dyna'r dyddiau pan fedrai gwragedd y Wladfa ddewis a dethol eu gwŷr a phriodi ddwy a theirgwaith oherwydd bod merched mor brin yno. Yr achos enwog yn ein tylwyth ni oedd Lisa, chwaer fach Thomas Jones, a fu farw'n 34 mlwydd oed wrth esgor ar ferch a oedd yn seithfed plentyn iddi, a hwnnw oddi wrth ei thrydydd gŵr.

Awgrym yn unig a glywais na fu priodas Thomas a Sarah gyda'r dedwyddaf – ac, o gofio ei bod wedi cenhedlu saith o blant i'w hychwanegu at y ddau a oroesodd o'i phriodas gyntaf, efallai na ddeallais yn iawn... Ond, os cywir y gred nad oedd hi'n fenyw hapus, gallaf dystio na throsglwyddodd arlliw o'r annifyrrwch hwnnw i'w mab. Rown o hyd yn edrych ymlaen at gael bod yn ei gwmni, a hoffai Edith a minnau wrando arno'n canu'r gitâr neu ei weld yn dawnsio ar lawr y gegin i'n diddanu gyda'r nos. Byddai'n cydio yn Edith ambell waith a'i chwyrlïo o gwmpas y llawr tra bod Nain, ynghanol ei phrysurdeb, yn dweud wrtho'n swta am fynd o'r ffordd. Ni chofiaf erioed ei weld yn gwgu arnaf, er i mi roi achos iddo droeon.

Fel pob ffermwr da, roedd Taid yn falch iawn o'i offer amaethyddol ac yn ofalus eithriadol ohonynt – roedd yn bleser gweld y casgliad o beiriannau amrywiol wedi eu cadw'n ofalus yn un rhes hir ddisglair ar lain o dir nid nepell o gefn y tŷ. Gwnâi ei orau i 'nghadw rhag chwarae â hwy, er diogelwch i minnau yn ogystal ag i'r peiriannau, bid siŵr. Ond pan fyddwn i'n treulio ychydig o wyliau ar y ffarm, deuwn o hyd i ffyrdd i fynd atynt, er gwaetha pob rhybudd a gorchymyn. Llwyddais unwaith, pan oeddwn tua phum mlwydd oed, i gydio ym mhen siafft y beindar a'i symud oddi ar y bloc pren y gorffwysai arno – ond roedd yn llawer rhy drwm i 'mreichiau ifanc, ac aflwyddiannus fu pob ymgais i'w godi'n ôl i'w briod le. Yn ystod y sgwrs wedi swper y noson honno yn hen gegin fawr Glan Camwy, dywedodd Taid fod 'rhywun' wedi symud un o'r peiriannau. Pwysleisiodd ei bod yn beryglus i blant bach chwarae yn eu plith.

Y bore canlynol, anghofiais y cyfan am y rhybudd, a methu'n union fel y diwrnod cynt. Ar ôl swper holodd Taid, yn fwy penodol y tro hwn, a oeddwn i wedi symud y peiriannau. Rhag wynebu cerydd, atebais "Naddo, Taid", ond ni fedrwn gelu celwydd bryd hynny fwy nag y medra i heddiw, a theimlais fy wyneb yn cochi wrth lefaru'r anwiredd wrtho. "Wel, Elvey bach, mae rhywun wedi gwneud. Wyt ti'n fodlon cadw llygad arnyn nhw fory a gofalu nad oes neb yn eu symud o hyn ymlaen?" Yn rhyfeddol, ni symudwyd yr un peiriant o'i safle heb ganiatâd ei berchennog byth wedyn!

Nid gofal dros ei beiriannau oedd unig gonsyrn Taid. Pan oedd Sarah yn dair blwydd oed ac yn chwarae o gwmpas y tŷ, ymddiddorodd yng nghyllyll gloyw y peiriant medi (neu'r rîper, i bobl y dyffryn) a chyffyrddodd yn un ohonynt â'i llaw dde, gan dorri blaen ei bys anelu, nes ei fod yn hongian wrth y croen. Wrth ei gweld yn llefain a'r gwaed yn llifo dros ei dillad, ni fedrai Taid beidio â beio'i hun am fethu â'i diogelu rhag peryglon ei beiriannau. Ond clywodd Thomas Jones y sŵn a chludodd ei wyres i'r gegin, lle golchodd y briw'n ofalus a rhoi eli o'i wneuthuriad ei hun arno a rhwymo'r bys mewn cadach. Gwellodd hwnnw'n fuan, ond gwyrai ei flaen a'r ewin ryw ychydig, nam a fu'n gyfrwng i atgoffa Sarah am weddill ei hoes na ddylai plant chwarae ond mewn mannau penodol.

Nid Glan Camwy oedd unig chwaraele Taid, oherwydd anturiodd hefyd i'r camp (neu'r paith, fel y'i gelwir yn anghywir yng Nghymru). Benthyciad gwladfaol o'r gair Sbaeneg *campo* yw 'camp', sef cefn gwlad. Nid paith porfaog (*prairie*) mo cefn gwlad Patagonia ond gwastatir, caregog mewn mannau, isel ei dyfiant dreiniog oherwydd prinder glaw, sy'n codi'n raddol o'r Iwerydd tua'r Andes. Arferai Taid fynd i hela ar yr eangdiroedd hyn ar gefn Blanco, ei geffyl gwyn, ac yng nghwmni ei gŵn hela, Rey a Kaiser, a'i ast, Paloma – yr olaf yn chwim fel yr ewig. Bydden nhw'n dychwelyd yn llwythog o gig gwanacos, estrysod a sgwarnogod, ac wyau estrys. Pan fyddai'r gaeaf neu lifogydd yr afon yn difa porfa llawr y dyffryn, arferai Nhaid fynd â'i geffylau i gyrion y camp a'u gadael yno i bori, yn ffyddiog eu bod yn hollol ddiogel.

Aeth i'w cyrchu adref ryw ddiwrnod a methu dod o hyd iddyn nhw. Er chwilio dros ardal eang, nid oedd sôn am y ceffylau. Heb syniad i ble roedden nhw wedi crwydro, dychwelodd adref yn benisel. Y noson honno, breuddwydiodd ei fod yn eu darganfod mewn pant nad oedd wedi'i weld cyn hynny. Drannoeth, cododd yn fore ac aeth tua'r camp i chwilio am safle'i freuddwyd. Cyn bo hir, daeth o hyd iddo a gweld y ceffylau yn pori'n dawel. Credai Mam fod hyn yn brawf bod o leiaf rai breuddwydion yn cael eu gwireddu.

Tiriogaeth Nain a Neved oedd yr ardd flodau a'r berllan fach gyfagos. Fyddai Taid ddim yn galw yno nac yn yr ardd lysiau, chwaith. Don Bautista Barri – Eidalwr byr ei gorff, ystwyth ei gefn llydan a chryf ei freichiau a ofalai am honno. Un o bleserau mawr bywyd oedd treulio amser yng ngardd Don Bautista, ac aroglau'r perlysiau a'r gymysgfa o arlleg, basil a seleri yn llenwi fy ffroenau. Ches i ddim cyfle unwaith i'w gynorthwyo ond dw i'n credu ei fod yn falch o 'nghwmni oherwydd byddai'n siarad yn ddi-baid. Gydag amser, dysgais lawer o eiriau Eidaleg ganddo – nifer ohonyn nhw'n rhai nad oedd plant bach i fod eu hailadrodd, yn ôl a ddywedai Nain ac Anti Neved wrtha i'n gyson.

Yna, cyrhaeddodd yr Almaenwr Wilhelm – cymeriad cyfeillgar er nad oedd ei Sbaeneg mor llithrig ag un Don Bautista. Dysgais ychydig o eiriau estron gan y gŵr hwn hefyd, y cyfan yn rhai parchus. Oedodd yntau ddim yn hir iawn. Ymddengys iddo ymserchu yn Neved a mentro gofyn am ganiatâd Taid a Nain i'w chanlyn. Dwn i ddim a wyddai hithau ymlaen llaw am y cais nac a ymgynghorwyd â hi cyn rhoi ateb nacaol iddo, ond roedd un peth yn sicr – doedd dim modd iddo barhau i weithio i Nhaid.

Cymro gwladfaol oedd yr unig was arall a gofiaf yng Nglan Camwy, ac fel Dafydd y gwas rown i'n ei adnabod. Dyn eiddil yr olwg oedd hwn, ac eithaf swrth ei natur. Swildod oedd ei broblem fawr a'r rheswm, efallai, pam roedd yn ddyn sengl, ac yntau ymhell dros ei hanner cant. Clywais ambell awgrym angharedig nad oedd llawer yn ei ben a châi rhai o'r dynion ychydig o hwyl diniwed wrth dynnu arno. Doedd dim diben rhoi cyfarwyddiadau manwl i Dafydd. Pan ofynnwyd iddo dorri ffynnon, tyllodd yn ddwfn a dal ati er ei fod wedi hen ganfod dŵr a bu'n rhaid i Nhaid ddweud wrtho am roi'r gorau iddi. Gweithredu ar orchmynion pendant oedd unig *modus operandum* Dafydd.

Yn wahanol iawn i bob aelod arall o'r teulu, doedd Taid ddim yn gapelwr selog, ffaith oedd yn destun syndod ac yn achos pryder i blentyn a ddysgwyd i gredu bod enaid y sawl na fyddai'n mynychu addoldy yn golledig i dragwyddoldeb. Bob bore Sul, byddai'n cyrchu Tordo, y ceffyl a arferai dynnu'r cerbyd mawr, a chyfrwyo'r anifail a'i rwymo rhwng y llorpiau, cyn i ni ffarwelio. Dychwelai i'r tŷ'n ysgafn ei gam i smygu ei getyn wrth y tân – a gwên yn goleuo'i wyneb a chrychu ei fwstás – yn fodlon, efallai, o fod wedi cyflawni'i ddyletswydd Suliol. Unwaith yn unig y cofiaf ei weld mewn gwasanaeth yn Tabernacl Trelew. Efallai mai Cymanfa Ganu oedd yr achlysur mawr oherwydd roedd gan Taid lais tenor ysgafn ond swynol iawn, a byddai'n hoff o ganu emynau.

Mae'n rhaid nad oedd Nhaid yn sant chwaith. Cyrhaeddodd ffermwr o'r ardal Glan Camwy rhyw fore yng nghwmni dau was a chyfarfod â Taid wrth y glwyd. Wrth iddynt siarad â'i gilydd, cerddodd y gweision o'r tu ôl iddo a chydio'n dynn yn ei freichiau. Wedi geiriau croes dechreuodd y ffermwr daro Taid yn ddidrugaredd am rai munudau nes ei fod yn gorwedd yn swp o waed. Yna, gyrrodd ef a'i weision ymaith. Pan holais beth oedd achos y fath anfadwaith, ches i ddim ateb, na chlywed wedyn beth oedd ei drosedd. Ces rybudd pendant i beidio â sôn am y digwyddiad wrtho fe nac wrth neb arall a'i fod i aros yn gyfrinach deuluol.

Roedd y cerbyd yn unigryw yn y dyffryn – o leia welais i'r un arall tebyg iddo erioed. Yn ddiamau, hwn oedd *Rolls Royce* cerbydau'r Wladfa. Cerbydau bychain ymarferol oedd y mwyafrif, yn cynnwys sedd yn y tu blaen ar gyfer dau neu dri theithiwr a llawr gwastad yn y cefn i gario nwyddau o'r dre ar ddiwrnod siopa. Roedd i gerbyd mawr urddasol Glan Camwy ddwy sedd, a drysau'n cau o boptu'r sedd gefn. Eisteddai'r gyrrwr, sef Neved gan amla, yn y sedd flaen, a Nain wrth ei hymyl. Yn y sedd gefn y teithiai Edith a minnau mewn steil. Ar achlysuron eithriadol, pan fyddai'r cerbyd yn llawn, caem eistedd ar y llawr wrth draed y teithwyr hŷn. Ar nosweithiau iasoer y gaeaf, byddai'r awel fain yn llosgi'n trwynau, ein clustiau a blaenau'n bysedd, a mawr fyddai'r ymbil ofer ar i Neved yrru'r cerbyd yn gyflymach gan holi'n daer a oedden ni ar fin cyrraedd adre.

Ceffyl mawr brithlas a dibynadwy iawn oedd Tordo a phrin bod angen yr awenau arno i'w dywys ar y ffordd gywir rhwng Glan Camwy a'r dref. Ond, roedd ganddo'r ddawn i ymddwyn yn hynod styfnig ar adegau. Ar strydoedd llydan Trelew roedd cylchfannau bychan ar ganol ambell groeslon er mwyn i blismyn gysgodi rhag yr haul a'r glaw, ar yr adegau prin pan ddisgynnai. Yno, bydden nhw'n sefyll i reoli'r traffig ar ddiwrnodau prysur. Un bore, pan oeddwn i tua naw mlwydd oed ac Edith ychydig dros ei saith, penderfynodd Tordo droi mewn cylchoedd o gwmpas cylchfan gwag, er gwaetha ymdrechion egnïol Neved i'w arwain i'r stryd gywir – ac er difyrrwch mawr i Edith. Ond teimlwn i swildod ac yn wir gywilydd. Yna, cafodd Tordo ddigon ar y gêm, a throes i mewn i'r stryd yr arferai ei dilyn ar ei ymweliadau cyson â'r dref, fel pe na bai dim wedi digwydd. Bu'n rhaid i mi dyfu'n ddyn a dechrau mynychu pwyllgorau cyn i mi synhwyro pa mor rwystredig y teimlai Anti Neved y diwrnod hwnnw wrth i ni droi a throi mewn cylchoedd!

Doedd dim gwaed sipsiwn yng ngwythiennau'r teulu, am wn i, ond bydden ni wedi bod yn fwy sefydlog petaen ni wedi prynu carafán. Pan gyrhaeddodd Hydref 1941, roedd Nhad yn ddi-waith ac yn ôl i Lan Camwy yr aethon ni ein tri. Yn ogystal â chwilio am swydd, yn ystod y gwanwyn a'r haf aeth Nhad ati i adeiladu bwthyn ar dir ffarm Coed Newydd ac wrth i fis Mawrth 1942 ddirwyn i ben symudodd y tri ohonon ni i'n cartre newydd. Yng Nglan Camwy y dathlwyd dydd Calan, yn unol â'r drefn deuluol. Wedi cinio, aeth Nhad ac Urien, brawd ieuengaf Mam, allan i gerdded. Gan wybod nad oedd Nain yn fodlon iddyn nhw fynd i nofio i'r afon, bu'n rhaid cuddio'r bwriad hwnnw rhagddi. Gwyddai Nain fod trobyllau'r afon wedi cipio sawl gŵr ifanc dros y blynyddoedd. Wrth ymdrochi, gwelodd Nhad fod Urien yn suddo i'r dŵr a'i fod yn codi'i law i erfyn am gymorth, a phlymiodd o dan yr wyneb i'w godi i ddiogelwch. Yn ei ysfa i'w achub ei hun, cydiodd y llanc yn dynn am gorff Nhad a'i lusgo i'r trobwll. Gan sylweddoli bod y ddau ohonyn nhw ar fin boddi, rhoes Nhad hergwd nerthol i Urien yn ei fron. Gollyngodd yntau ei afael a chododd y ddau i wyneb y dŵr. Yn dilyn y profiad hwnnw ni fu Nhad, er y gallai nofio fel pysgodyn, yn ymdrochi yn yr afon byth wedyn. Yn ffodus ddigon, roedden ni'n deulu cyflawn yn dychwelyd i Goed Newydd y noson honno. Yno, ychydig dros wythnos yn ddiweddarach – dydd Sadwrn, 9 Ionawr 1943 – y ganed Edith, dim ond ychydig fisoedd cyn i'r tân ddifa'r to. O ganlyniad i'r difrod, ni chawson ni ddychwelyd i'n cartref am rai misoedd.

Yn y cyfamser, bu'n rhaid i Nhad feddwl am ffordd i gynnal ei deulu ac aeth i weithio dros dro i *estancia* 'La Maciega' – *ranch* fawr rai cannoedd o filltiroedd tua'r de. Arhosodd Mam, Edith a minnau yng Nglan Camwy tan iddo ddychwelyd yn yr hydref, pan aethon ni'n pedwar yn ôl i Goed Newydd. Ond doedd y tyddyn ddim yn cynhyrchu digon i gynnal y teulu a phenderfynodd Héctor ei werthu i Yncl Lumley, gŵr ei chwaer hyna, Christina, un arall o'n cymdogion. Gadawson y tyddyn ddechrau Mai 1944 a setlo mewn tŷ ar rent yn Nhrelew – tref ar ei phrifiant a'r fwyaf yn y dyffryn erbyn hynny.

Am gyfnod byr, bu fy ewythr Urien, ac Yncl Silyn, un o'i gefndryd niferus, yn lletya gyda ni; y ddau'n ugain mlwydd oed ac wedi cael swyddi yng nghangen leol Cwmni Masnachol y Camwy. Sefydlwyd yr CMC gan griw o wladfawyr yn y 1880au i allforio cynnyrch y dyffryn a mewnforio nwyddau angenrheidiol ar gyfer cartrefi'r Wladfa – peiriannau ac anghenion amaethyddol eraill yn ogystal â'r ffasiynau diweddara ar gyfer y gwragedd. Hwy hefyd a fewnforiodd geir cynta'r Wladfa. Gwyddai'r ddau'n union sut i dynnu ar hogyn bach a chawn lawer o hwyl yn eu cwmni gyda'r nos. Rown i'n hoff iawn o sŵn hen biano acordian ac fe'i cefais i ddod 'nôl o Lan Camwy. Doedd e ddim yn ei gyflwr gorau – yn wir, dadleuai Mam ei fod wedi chwythu ei blwc ac y dylwn ei daflu i'r ysbwriel. Ond fynnwn i ddim gwneud hynny a straffagliwn yn ofer i geisio cynhyrchu nodau ohono. O bryd i'w gilydd deuai oernad neu ddau o'i fol, a dyna'r cyfan. Un noson, gofynnais i f'ewythrod ei drwsio a phan gydiodd Silyn ac Urien ynddo i geisio darganfod beth oedd o'i le, disgynnodd darn ar y llawr – a chynhyrchodd y tegan newydd 'run nodyn arall byth wedyn! Ni fu taw ar fy edliw iddynt.

Digon cyffredin oedd ein tŷ yn Nhrelew – cegin fawr, ystafell flaen (neu barlwr), a dwy ystafell wely. Ar draws iard gefn fechan roedd ystafell ymolchi gysurus (yn cynnwys tŷ bach) ac ystafell arall i olchi dillad. Wrth ochr y tŷ roedd digon o le i blant bach chwarae. Un o fy hoff deganau oedd fy nhreisicl ac mae'n rhaid 'mod i ar y pryd yn gredwr cryf mewn perchnogaeth gan na châi Edith gyffwrdd ynddo. Cofiaf iddi geisio dod am reid gyda fi unwaith a 'mod i wedi ei gwthio'n ddiseremoni oddi ar y sedd nes iddi ddisgyn ar wastad ei chefn, gan sgrechian crio. Er nad own i ond teirblwydd ar y pryd, mae 'nghydwybod yn dal i bigo.

O flaen y tŷ rhedai stryd hir a llydan. Bob tro yr âi cerbyd heibio, yn enwedig cerbydau trwm, codai cymylau o lwch dros y lle. Ambell waith, byddai'r gwynt hefyd yn chwythu llwch o'i flaen a hwnnw'n chwyrlïo yn uchel i'r awyr gan ddisgyn ar ffenestri a drysau'r tai – gan gynnwys ein tŷ ni. Achosai hyn lawer o waith tynnu llwch i wragedd y dref. Tybed ai hyn oedd y rheswm bod y trigolion cyntaf yn arfer dweud am fy nhref enedigol

Trelew, tre lwyd
Digon o faw, a dim bwyd.

Ond roedd hi'n dref gynnes a'i phobl yn gyfeillgar, siriol a chymwynasgar. Wrth i fi dyfu'n hŷn, teimlais hefyd fod egni a chyffro'n perthyn iddi.

Yr ochr draw i'r stryd safai stordai mawr y cwmni rheilffyrdd a seidins niferus yr orsaf drên. Lle prysur iawn a hynod ddiddorol. Byddwn yn feunyddiol yn pwyso yn erbyn y gât ac yn syllu rhwng y barrau pren ar yr holl fynd a dod, wedi fy swyno'n lân gan sŵn yr injans. Llusgai rhai ohonynt gerbydau nwyddau i mewn ac allan o'r siediau sinc enfawr, gan chwibanu'n sydyn, a gollwng cymylau o ager gwyn neu golofnau o fwg du, hydreiddiol ei arogl. Wrth iddi nosi, gwelwn y trên yn cychwyn ar ei daith fer i Rawson, prifddinas y rhaglawiaeth, neu ar y daith hirach dros ddeugain milltir o gamp i Borth Madryn. Yno, medrai teithwyr ddal bws i dref San Antonio Oeste, tua tri chan milltir i'r gogledd yn nhalaith Río Negro, a dal trên mwy yn yr orsaf honno i Buenos Aires – siwrnai o ryw naw can milltir i gyd. Ar un o'r teithiau hynny un noson yr aeth Yncl Angus, un o frodyr Nhad, i gael llawdriniaeth yn un o ysbytai'r brifddinas ffederal. Cofiaf sefyll gyda Nhad a Mam, Edith ac Anti Neved wrth ffenestr ystafell flaen y tŷ'n edrych ar y trên hir yn gwneud ei ffordd ar hyd ochr y bryniau, a goleuadau'r cerbydau'n chwarae wic-wiw yn gyson lawen wrth fynd heibio ffensydd a pholion cyn diflannu yn y gwyll.

I blentyn bach, roedd hon yn olygfa hudolus, a rhyw ddirgelwch mawr yn perthyn iddi. Ond roedd y tywyllwch yn lleisiau'r oedolion yn cyfleu'r teimlad bod rhywbeth mawr yn gysylltiedig â'r daith a bod fy ewythr yn mynd ymhell, bell i ffwrdd. Credaf mai dyna'r tro cynta i mi glywed y gair 'canser' – enw afiechyd y des i'n gyfarwydd iawn ag ef erbyn hyn, gwaetha'r modd. Bu farw Angus yn fuan wedyn gan adael Anti Nida yn weddw ifanc a 'nghefndryd Ivano ac Ivonne heb dad i ofalu amdanyn nhw.

O weld y symudiadau cyson ar y rheilffordd dechreuais feddwl tybed pa fath o ryfeddodau oedd i'w gweld ar y pen arall. Er na freuddwydiwn bryd hynny am ddinasoedd mawr, nac am wledydd tramor a thraethau aur, taniwyd rhyw chwilfrydedd ynof ynglŷn â phellter, rhyw ysfa rhyfedd am gael gweld golygfeydd gwahanol i'r gwastadeddau brownlwyd diderfyn oedd mor gyfarwydd i mi. Oedd yna fyd gwahanol y tu hwnt i'r bryniau? Un bore, agorais y glwyd ac allan â mi i'r pafin. Mae'n rhaid nad oedd y traffig yn drwm oherwydd llwyddais i groesi'r heol lydan yn ddianaf, a phrysurais tua'r seidins, lle nad oedd ffens i'm hatal. Prin y medrai 'nghoesau groesi'r cledrau haearn ond llwyddais i gyrraedd y trydydd neu'r pedwerydd trac cyn clywed llais Mam yn galw arna i o bell i beidio â symud cam. Yn ufudd, eisteddais ar un o'r cledrau.

Rhedodd Nhad ar draws y stryd, i mewn i'r seidins, cydio ynof a 'nghodi'n gyflym, gan holi, 'Pam daethoch chi yma, Elvey?' cyn rhedeg yn ôl â mi i freichiau Mam. Dwn i ddim pa mor fuan wedyn y daeth injan heibio i gasglu llwyth o un o'r siediau. Doedd dim modd i mi beidio â deall nad oedd fy rhieni yn gwerthfawrogi 'nghamp, ac nad oeddwn i fod ei hailadrodd – ond ches i ddim cerydd. Aeth blynyddoedd heibio cyn i mi sylweddoli mai diolch ac nid dicter oedd y teimlad cryfaf yn eu calonnau'r diwrnod hwnnw.

Yn fuan wedyn, daeth Nani – merch tua dwy flwydd ar bymtheg – i ofalu amdanon ni'r plant ac i ysgafnhau baich Mam, a oedd yn feichiog unwaith eto. Rown i'n meddwl y byd ohoni ac mae gen i atgofion annwyl am ei harhosiad byr yn ein plith. Doedd dim byd hyfrytach i hogyn bach na chael coflaid chwareus a chusan gynnes ganddi.

Erbyn hyn roedden ni wedi byw am ddau fis ar bymtheg yn ein cartref newydd, a hynny yn fwy cyfleus i Nhad fynd i'w waith. Bellach, roedd yntau wedi cael swydd newydd fel gyrrwr lorri yn cludo llysiau a ffrwythau o'r dyffryn i unig ddinas rhaglawiaeth Chubut ar y pryd, sef Comodoro Rivadavia, dinas yr olew a'r nwy, y gwynt a'r llwch mawr, rhyw dri chan milltir tua'r de. Ond un o wendidau'r swydd honno oedd ei fod yn treulio o leia ddwy neu dair noson yr wythnos oddi cartref, ac felly chaen ni mo'i weld mor gyson â chynt. Mawr, felly, fyddai'r croeso iddo ar ei ddychweliad wythnosol. Wrth iddo gofleidio Mam a'i chusanu, gwthiwn innau fy hun yn erbyn ei goesau, mewn gobaith o gael fy nghodi i'w freichiau a ngwasgu'n dynn.

Bu ond y nesa peth i ddim iddo fethu dychwelyd unwaith. Ar y ffordd yn ôl i Drelew ar noson dywyll aeth y blinder, yr oriau hir, ac undonedd y ffordd yn drech nag o a chwympodd i gysgu. Câi ei ddilyn gan berchen y lorri, yntau'n gyrru cerbyd llwythog tebyg. Pan sylwodd fod lorri Héctor yn gwyro bob yn dipyn oddi ar y ffordd ac yn anelu at ddibyn, canodd ei gorn arno'n ddi-baid, ond yn ofer. Ond, os na fedrai'r cysgadur glywed y rhybudd o'r tu ôl iddo, clywodd un ei gerbyd ei hun pan lithrodd ei fraich dros y llyw a phwysau ei ben yn gwasgu'r corn. Diolch i'r sŵn aflafar deffrodd mewn pryd i fedru rheoli'r cerbyd a'i gyfeirio yn ôl i'w lôn ddi-darmac ar yr eiliad olaf. Bu'r braw a gafodd y foment honno'n ddigon i'w gadw'n effro am weddill ei daith, a chyrhaeddodd adref yn ddiogel i adrodd y stori sawl gwaith drosodd.

Yn ddirybudd, anfonwyd fi unwaith eto i dreulio wythnos yng Nglan Camwy. Yno, yr ail ddiwrnod o Hydref 1945, clywais fod Mam wedi cael efeilliaid. Gan ei bod yn dod mor aml i ymweld â ni y dyddiau hynny, rown i'n gyfarwydd â'r fydwraig, Mrs Roberto, a chredwn i sicrwydd mai'r wraig gadarn a ddaeth â'r ddau fabi yn ei bag du – ond eglurodd Mam mai'r *cigüeῂa* (ciconia) a'u gadawodd yn ein cartref. Sut bynnag y daethon nhw, roedden nhw'n aros amdana i pan gyrhaeddais yn ôl adref, a chyflwynodd Mam fi i 'mrodyr newydd, Edi ac Eliot. Roedd fy myd bach dedwydd ar fin cael ei droi â'i ben i waered.

2

Y Gaiman

BELLACH, ROEDDEN NI'N DEULU o chwech. I gadw'r ddysgl yn wastad, deddfodd Mam mai babi Edith oedd Edi ac Eliot fy un i. Gan fod i bob braint ei dyletswydd, ni ein dau oedd yn gyfrifol am gario'r dillad i'w newid a'r poteli i'w bwydo, a mân orchwylion pwysig eraill. Er eu bod yn treulio'r dydd naill ai'n cysgu neu'n sugno a chrio, roedd Edith a minnau byth a beunydd eisiau eu gweld, a byddai Mam yn gorfod ein hanfon ni allan i chwarae er mwyn cael tawelwch i'w magu a gwneud ei gwaith. Ond byddwn i'n hoffi cael ymestyn ar flaenau 'nhraed i gyrraedd at eu hwynebau a'u gweld yn gwenu'n swil. Fe gymerodd hi flynyddoedd i mi ddeall nad gwenu arna i roedden nhw, os oedden nhw'n gwenu o gwbl.

Un bore, galwodd y meddyg i weld y babanod, a dychwelyd eto'n fuan, ac eto fyth. Cynyddodd crio Edi, a daeth yn amlwg bod rhywbeth mawr o'i le arno. Dywedwyd wrth fy rhieni nad oedd yr un o'r ddau fabi yn medru treulio'u bwyd yn iawn oherwydd rhyw nam ar eu stumogau ond fod Eliot yn gryfach na'i efaill, Edi, ac yn medru dygymod yn well â'i gyflwr. Oherwydd nad oedd Mam yn cynhyrchu digon o laeth i'w bwydo, cynghorwyd hi, felly, i chwilio am famaeth iddyn nhw. Cafodd ateb parod gan Anti Manon, ei chyfnither, chwaer i Silyn. Yr unig anhawster oedd bod honno'n byw tua deng milltir tua'r gorllewin, yn y Gaiman, tref fechan hirgul wedi'i gwasgu rhwng afon Camwy a'r bryniau brownllwyd oedd yn creu'r ffin rhwng y dyffryn a'r camp. Doedd dim i'w wneud, felly, ond codi'n pac unwaith yn rhagor. Chawn i ddim mwynhau mynd a dod prysur y trenau ar y seidins na gweld Nani byth wedyn.

Yn ffodus ddigon, roedd yna ystafelloedd gwag (cegin, ystafell ymolchi, ystafell ganol a pharlwr) mewn tŷ yn yr un rhes â thŷ Anti Manon ym mhen isaf stryd Michael D. Jones, ac yno, heb Nani, yr ymgartrefodd ein teulu ni yn Rhagfyr 1945. Rhwng y ddau dŷ, safai siop torri gwallt y Pwyliad Dimitruck, a stiwdio ffotograffiaeth ei fab, Tola. Un tro'n unig y bu'n teulu bach ni yn ei stiwdio gyda'n gilydd a chofiaf ddychryn wrth weld Tola'n rhoi lliain du dros ei ben, ond eglurodd Nhad mai dyna oedd yn rhaid i'r ffotograffydd ei wneud i dynnu llun y teulu.

Yn y parlwr y gwnaeth fy rhieni eu hystafell wely ac yno y cysgai'r babanod hefyd. Yn yr ystafell ganol y cysgai Edith a minnau, a drws y gegin oedd ein drws ffrynt. Wrth ymyl y tŷ, y tu ôl i ffens isel, rhedai un o ffosydd dyfrhau Dyffryn Camwy, y ffos fawr ogleddol, a dim ond tua chanllath i'r de, rhwng yr helyg a'r poplys, llifai afon Camwy yn gyfochrog â hi. Teimlwn yn ddigon hapus yn ein cartref diweddaraf, gan fod yn nhŷ ein cymdogion newydd nifer o blant yn iau na phymtheg oed, a buan aeth ein cartref yn Nhrelew i berthyn i fyd pell iawn y gorffennol. Nilda, merch rhyw flwyddyn yn hŷn na mi, oedd fy ffefryn. Bydden ni'n cadw cwmni i'n gilydd drwy'r dydd ac yn troi ein sylw at bob math o ddifyrrwch diniwed. Hi oedd y gyntaf i agor fy llygaid ynglŷn â rhai ffeithiau allweddol bywyd.

Rhyw fore cynnes, diwrnod neu ddau wedi'r mudo, eisteddem ein dau ar stepen drws ffrynt ein tŷ ni – drws na fyddai byth yn cael ei ddatgloi, oherwydd ei fod yn arwain i ystafell wely Nhad a Mam. Gyda chynifer o fabanod o gwmpas y lle, byddai'r sgwrs yn troi i'r cyfeiriad hwnnw'n weddol aml. Pan eglurais nad Mrs Roberto ond y ciconia oedd wedi dod â'r efeilliaid, gwenodd Nilda'n wybodus a cheisiodd fy narbwyllo mai allan o gyrff mamau roedd babanod yn dod. Sut gallwn i gredu'r fath ddwli? Onid oedd Mam wedi esbonio'r cyfan? 'Drycha,' meddai Nilda gan godi ei sgyrt a phwyntio'i bys yn hollol ddiamwys, 'O fan'na mae babis yn dod.'

'Mae Nilda'n dweud fod babi yn dod allan o fol ei fam – ydy hi'n dweud y gwir?' gofynnais yn anghrediniol. Gwenodd Anti

Manon ond gwyrodd Mam ei golwg yn anghysurus. Dywedodd wrthyf na ddylwn wneud sylw o straeon a mynd yn ôl i chwarae – a gwyddwn ar unwaith fod stori Nilda'n gywir. Ac eto, onid oedd stori'r ciconia yn un llawer mwy credadwy?

Dim ond pum niwrnod wedi i ni symud i fyw i'r Gaiman, taflwyd cysgod du dros ein bywydau. Cerddais i mewn i'r gegin i ganol distawrwydd llethol, y llenni yn tywyllu'r ffenest, ac Edi wedi mynd at Iesu Grist, meddai Mam. Am dro? Nage, i fyw ato. Be, am byth? Ie. Gwrthryfelais. Nid oedd hyn yn deg. Pam na alle fe aros gydag Edith, Eliot a fi? Pam mynd i ffwrdd cyn dysgu siarad, a dysgu chwarae gyda ni? Ond ofer pob protest. Ddaw e ddim yn ôl, meddai Mam.

Cafodd Edith a minnau fynd i'r angladd ym mynwent y Gaiman y prynhawn canlynol am bump o'r gloch, a sefyll gyda'n rhieni gydol y ddefod. Teimlwn yn swil o weld Mam yn wylo'n gwbl agored o flaen pobl ddiarth, a Nhad â'i fraich chwith dros ei hysgwydd gan geisio cuddio'i ddagrau'i hun â'i law rydd. Pan welais yr arch wen fechan yn cael ei gollwng o'r golwg i ddyfnder y twll dwfn oedd o 'mlaen, daeth ton o fraw a thristwch drosof. Chwilfrydedd hefyd, ac annealltwriaeth. Os oedd Mam yn gywir, a 'mrawd bach ar ei ffordd at Iesu Grist, a oedd hynny'n golygu fod rhyw dwnnel yn arwain o'r bedd i'r Nefoedd, rhywle uwchben y cymylau a'r haul? Doedd atebion Nhad a Mam ddim yn plesio'r noson honno. Ond o leiaf roedd yna gysur yn y ffaith fod Eliot gyda ni o hyd.

Yna, anfonwyd fi unwaith eto i dreulio amser yng Nglan Camwy, a fedrai neb fod wedi cynnig ffordd well o dynnu fy sylw oddi ar fy ngholled. Treuliais wythnos hapus yno nes y daeth Nhad ac Yncl Silyn, un o frodyr anti Manon, mewn car mawr to agored i 'nghludo adref ar fore cynnes ar drothwy'r haf. Cefais eistedd ar fy mhen fy hun yn y sedd ôl. Teimlwn fel brenin wrth i'r awel gynnes fwytho fy wyneb ac edrychwn ymlaen at gael cyfarfod unwaith eto â Mam, Edith a'r efeilliaid. Yna cofiais.

Roedd y tŷ'n dawel yn y Gaiman. Gofynnais ymhle'r oedd Eliot. Aeth Mam â fi at ymyl ffenest yr ystafell ganol, lle'r oedd o'n gorwedd yn llonydd a distaw wedi'i lapio mewn siôl wen ar wyneb cwpwrdd ei pheiriant gwnïo. Gofynnais am gael ei ddal ond esboniodd Mam ei fod yntau hefyd wedi mynd at Iesu Grist ac na fyddai'n byw gyda ni rhagor. Sut gallai hynny fod? Roedd o yno, o flaen fy llygaid ac eto, wedi mynd. Y tro hwn teimlwn yn ddig eithriadol. Pam, gofynnais, fod yn rhaid iddo fynd ag Eliot hefyd – oni allai fod wedi bodlonni ar gael Edi? Ond sylwais nad oedd pwynt protestio yn erbyn Mam – roedd yn amlwg ei bod hithau yr un mor anhapus, er yn fwy tawedog. Cerddais allan o'r tŷ i gwyno a dadlau hefo fi fy hun. Bûm yno'n synfyfyrio am amser hir nes y daeth Nilda ataf i chwarae a gwneud i mi anghofio dros dro am fy ngofidiau.

Daearwyd gweddillion Eliot am chwech o'r gloch nos Wener, 21 Rhagfyr 1945, yn yr un bedd â'i efaill, yng nghornel ogledd-orllewinol mynwent y Gaiman, deng niwrnod yn union ar ei ôl. Unwaith eto, cafodd Edith a minnau fynychu'r seremoni ar lan y bedd. Codwyd yr un cwestiynau wrth ddychwelyd adref, a llefarwyd yr un atebion nes y daeth Yncl Tomi, brawd i Nain Jones, aton ni i gael paned o de ar ei ffordd adre i Fryn Crwn. Dau beth a dynnodd fy sylw amdano'r noson honno – fod ganddo atal dweud difrifol a'i fod yn medru cynhyrchu crac anferth fel taran wrth gnoi *pan francés* (bara ffrengig). Torth hirgul, flasus a phoblogaidd iawn oedd hon, gyda chrwstyn caled eithriadol yn y ddau ben. Methiant, fodd bynnag, fu pob ymdrech ar fy rhan i ddynwared ei gamp, er trio'n hir ac aml. Byddai rhai blynyddoedd yn mynd heibio hefyd cyn y cawn ddarganfod y rheswm brawychus dros ei atal dweud.

Wythnos yn ddiweddarach, aeth ein teulu bach ni i fynwent y Gaiman i osod blodau ar fedd yr efeilliaid. Ar ein ffordd allan dyma Nhad yn troi ei ben a sylwi mai fi'n unig oedd yn dilyn ac nad oedd sôn am Edith yn unman. Brysiodd y tri ohonon ni'n ôl a gweld Edith yn gorwedd ar y bedd yn ceisio crafu'r pridd i godi ein brodyr bach allan a dod â nhw'n ôl adref. Gorfu i Nhad ei rhwygo oddi ar y ddaear, a'r pridd ffres yn glynu wrth ei dillad a'i hewinedd. Y noson honno, cododd ei thymheredd yn uchel iawn. Gwaethygodd erbyn y bore, a bu'n rhaid galw'r meddyg. Byddai hi'n llefain y glaw dim ond wrth weld y meddyg yn dod heibio'r ffenest, gymaint ei hofn o bigiadau'r nodwyddau. Yn dilyn cyfnod o ddirywiad cyson, prin y medrai sefyll ar ei thraed heb i Nhad ei chynnal, a chynghorodd Dr Lorenzo fy rhieni i symud o'r tŷ ar unwaith cyn colli Edith hefyd. Roedd gormod o leithder yn yr awyr, meddai, oherwydd agosrwydd y ffos fawr a'r afon. Mewn braw a gofid, penderfynwyd mai'r ateb dros dro oedd symud yn ôl i glydwch Glan Camwy, ein hafan deuluol. Mae Edith yn cofio hyd heddiw amdani'n crwydro'r ffarm ym mreichiau Nhad i weld yr ieir a'u cywion melyn, y moch bach, y gwartheg a blodau'r ardd. Dichon bod Nain yn medru cysuro Mam hefyd, oherwydd gwyddai hithau beth oedd colli efeilliaid yn eu babandod.

Ond dychwelyd i'r Gaiman wnaethon ni wedi i Edith gryfhau, yn ôl i'r tŷ ger y ffos fawr, ac at gwmni Nilda. Byddai ei brodyr a'i chwiorydd hŷn yn galw heibio hefyd, a chaen ni lawer o hwyl yn eu cwmni. Doedd dim pall ar eu dyfeisgarwch a bydden nhw wrth eu boddau'n tynnu coes. Un noson, wrth i ni orffen ein swper, clywson sŵn taro ar ddrws y gegin. Wrth droi 'mhen, clywais sgrech frawychus o enau Edith. Drwy gwareli'r drws syllai tua hanner dwsin o wynebau hyll, fel ellyllon dychrynllyd. Agorodd Nhad y drws a ninnau'n gweiddi arno i beidio, a rhuthrodd yr ellyllon i mewn. Rhedais i gysgodi o dan y bwrdd er i Mam ddweud nad oedd angen i mi frawychu. Tynnwyd y masgiau i ddangos wynebau llawen a chwerthin afreolus ein cymdogion ifanc ar eu ffordd i'r carnifal lleol.

Roedd angen croesi'r ffos i gyrraedd cartre ein cymdogion agosa tua'r de – Evan a Dilys Jones, neu Taid a Nain Plas y Coed i ni, er nad oedden nhw'n perthyn. Dim ond lled stryd a chartre Myrddin Williams ac Anti Nel (cyfnither i Nhaid) oedd rhwng y fan honno a'r afon lydan a dofn a'n gwahanai oddi wrth y ffermydd a Bryn Gwyn. Rown i'n ymwelydd cyson â Phlas y Coed, nid fel cwsmer i'r unig dŷ te a fodolai yn y dreflan ar y pryd ond oherwydd bod Charli'n lletya yno dros dymhorau'r ysgol. Er ei fod ychydig flynyddoedd yn hŷn na mi, byddwn i'n hoffi mynd ato i chwarae, a byddai Edith yn dod hefyd, i gael golwg ar ddol brydferth a drud iawn oedd gan ferched hardd y lle, Gwenno, Gwyneth a Gwalia, hwythau yn eu harddegau hwyr ond yn barod i roi sylw iddi. Fedrai ein rhieni ni fyth ystyried gwariant o'r fath ar ddol. Roedd ym Mhlas y Coed goed ffrwythau toreithiog hefyd, a byddai Dilys yn gwneud teisennau blasus a chacennau o bob math. Evan oedd y garddwr ac, yn wir, doedd dim gardd debyg iddi yn y Gaiman a lliw ac arogleuon ei blodau, ei pherlysiau a'i ffrwythau yn cyffroi pob synnwyr. O'i hamgylch roedd ffens wifrau a rhesi tyn o goed poplys talsyth.

Aeth Edith ar goll un bore, ac ofer bu'r galw taer arni. Câi ambell gilolwg pryderus ei daflu i gyfeiriad y ffos fawr. Cofiai Nhad amdano'i hun yn blentyn chwe blwydd oed yn chwarae ar bont y ffos ddeheuol ger eu cartref ym Mryn Gwyn gyda'i chwaer Eryl, oedd bedair blynedd yn iau. Aeth Eryl yn rhy agos at yr ymyl, cwympodd i'r ffos a chludwyd hi ymaith gan lif y dŵr. Rhedodd Héctor at yr ochr arall gan daflu ei hun ar ei fol i aros amdani. Gwelodd hi'n arnofio tuag ato o dan y bont a chan estyn ei fraich llwyddodd i afael ynddi. Tynnodd hi tuag ato gerfydd ei gwallt gyda holl nerth ei freichiau ifanc, a llwyddodd i'w chodi o'r dŵr i achub ei bywyd. Ond, os oedd Edith wedi cwympo i'r ffos, roedd hi bellach yn sicr o fod ymhell i ffwrdd o'i afael. Ofer fyddai chwilio amdani yno. Doedd hi ddim yn un o dai'r rhes a chroeswyd y bont i chwilio amdani ym Mhlas y Coed. Roedd y glwyd ar gau a neb yn y tŷ. Ond pan ddychwelodd y teulu yno aeth Gwyneth i'w llofft a gweld Edith yn cysgu'n drwm ar ei gwely a'r ddol brydferth yn ei breichiau. Mae'n ddirgelwch sut y llwyddodd i fynd i mewn i'r tŷ.

Ym Mhlas y Coed y cefais fy mharti pen-blwydd cyntaf – parti Charli. Gan nad oeddwn wedi bod mewn achlysur o'r fath cyn hynny, doedd gen i ddim syniad beth i'w ddisgwyl yn y digwyddiad rhyfeddol. Estynnodd Mam becyn bychan i fynd gyda mi. Rhoddais ef i lawr ar fwrdd lle'r oedd nifer o becynnau tebyg, cyn ymosod ar de a danteithion chwedlonol Nain Plas y

Coed a mynd i chwarae gyda'r bechgyn. Ar ddiwedd y prynhawn, wedi blino'n lân, dyma fi'n casglu 'mhethau i fynd adref, gan gynnwys y pecyn oedd yn dal ar y bwrdd. Gorfu i Dilys Jones weithio'n galed i 'mherswadio mai anrheg i Charli oedd hwnnw ac y dylwn ei adael yno.

Cadwai Evan Jones gychod gwenyn yng ngwaelod ei ardd a byddai'r rheiny'n ddigon i 'nghadw ar y llwybr oedd yn arwain o'r pafin hyd at y drws ffrynt. Roedd golwg frawychus a dieithr arno pan wisgai'r penwisg i'w ddiogelu rhag ei wenyn. Os oedd angen y fath wisg arno, rhaid bod y gwenyn yn beryglus. Felly, syllu arno o hirbell a wawn i.

Pan nad oedd hi ond yn ddwy ar bymtheg, cyhoeddwyd priodas Gwyneth gyda Ieuan Williams. Bore'r diwrnod mawr, anfonwyd fi i Blas y Coed unwaith eto'n cludo pecyn gyda'r gorchymyn pendant i'w drosglwyddo i'r briodferch. Gwyddwn y tro hwn nad oeddwn i fod i'w gadw. Anfonodd Nain Jones fi i fyny'r grisiau, lle'r oedd Gwyneth yn paratoi ar gyfer yr achlysur mawr. Cerddais i mewn i'w llofft, a sgrech fechan y briodasferch yn cael ei ddilyn gan leisiau'i chwiorydd yn chwerthin a phryfocio. Er mawr syndod i mi, doedd y nesaf peth i ddim yn gorchuddio corff siapus Gwyneth. 'Mae Mam yn anfon hwn i chi,' meddwn yn swil gan estyn yr anrheg a cheisio gwyro 'ngolwg, cyn rhedeg i lawr y grisiau yn cochi fwyfwy wrth glywed sŵn eu chwerthin yn cynyddu. Cerddais yr holl ffordd yn ôl adref heb ddeall nad arna i y chwaraeodd Nain Jones ei thric diniwed, ond ar ei merch. Wrth i guriadau 'nghalon dawelu, dechreuais bendroni uwchben yr hyn a welais, gan synhwyro fod yna lawer o gwestiynau newydd i'w hateb.

Flynyddoedd yn ddiweddarach, clywais sŵn crio uchel a chynnwrf wrth i mi ddychwelyd o Blas y Coed. Pan gyrhaeddais at bont y ffos fawr, gwelwn Olga, chwaer fach Tola, y ffotograffydd, gyda ffrind iddi, yn rhedeg mewn cylchoedd ar y stryd, yn amlwg mewn poen difrifol ac wedi dychryn. Gwallt melyngoch cyrliog oedd gan fy 'nghymdoges ond roedd ei phen yn ddu dan orchudd o haid o wenyn, ac roedd cwmwl ohonyn nhw'n hofran uwch ei phen. Doedd cyflwr ei ffrind ddim cynddrwg er bod y gwenyn wedi ymosod arni hithau hefyd. Yna, daeth Evan Jones i'r golwg wedi'i wisgo a'i arfogi'n bwrpasol a llwyddodd i achub y merched o'u poen a'u braw. Daeth car y doctor wedyn ac ni welais Olga am rai wythnosau. Cynyddodd fy ofn o wenyn yn ddirfawr wedi'r digwyddiad arswydus hwnnw.

Mae'n debyg 'mod i wedi clywed sŵn y Sbaeneg cyn symud o Drelew. Yn sicr, nid drwy gyfrwng y Gymraeg y rhannai Nilda ei gwybodaeth eang â mi. Does gen i ddim cof o ddod yn ymwybodol o'r iaith – na châi ei siarad byth o fewn muriau ein haelwyd ni – ond fe'i clywn ymhobman arall yn y dre. Dywedir i mi gerdded i mewn rhyw fore yn gofyn yn Sbaeneg, 'Ga i dafell o fara menyn, plîs, Mam?' Gan na chefais ateb, gofynnais yr eilwaith, gyda'r un canlyniad. Pan ofynnais y trydydd tro, dywedodd Mam wrtha i nad oedd hi'n deall Sbaeneg ond byddai'n barod i wrando petawn i'n gofyn yn Gymraeg. Rhaid bod y digwyddiad wedi creu argraff ddofn iawn arnaf, gan na siaradais air o Sbaeneg yn ein cartref ym mhresenoldeb Mam wedi'r diwrnod hwnnw. Hyd yn oed yn fy arddegau, fedrwn i ddim siarad yr iaith gyfoethog honno erioed â hi, a rhaid wrth ymdrech aruthrol i wneud hynny gydag Edith heddiw. Ond buan y daeth yn iaith gyfleus i mi ei defnyddio i gyfathrebu â 'nghyfoedion y tu allan i'n haelwyd. Hyd y gwelwn, doedd neb o blith yr ifanc yn siarad y Gymraeg â'i gilydd yn y dref.

Tref fechan hirgul oedd y Gaiman ar y pryd, a gynlluniwyd ar system grid, fel pob canolfan boblog arall yn y wlad – mewn blociau can metr sgwâr yr un, er mai prin oedd unrhyw floc cyflawn yn ein tref ni oherwydd cyfyngiadau a osodid gan fryn, ffos ac afon. Adeiladwyd y mwyafrif o'r tai a'r busnesau ar y stryd fawr, a fedyddiwyd yn Eugenio Tello, i gofio am un o'r rhaglawiau cynta i lywodraethu tiriogaeth Chubut. Codwyd gweddill y tai ar hyd strydoedd byrrach a redai o gyfeiriad y bryniau tuag at yr afon. Yr un fwyaf canolog o'r rhain oedd stryd Michael D. Jones (neu Michael de Jones, fel y'i gelwid gan yr anwybodus, heb ddeall mai 'D' am Daniel ydoedd).

Un llawr oedd i bob adeilad yn y dref, ac eithrio tri thŷ, hyd nes y codwyd adeilad deulawr y Cwmni Dŵr ar gornel lle mae'r stryd honno'n cyfarfod â'r stryd fawr wrth ymyl y *plaza* (y parc lleol), i wneud cyfanswm o bedwar. Doedd dim tar na choncrid ar y strydoedd, dim ond pridd wedi'i galedi gan draffig, a cherrig a'r rheiny'n tasgu i bob cyfeiriad pan âi ambell gerbyd cyflym heibio. Cyfyrder i mi, *Chapi* Williams, a'r Peiriannydd Pronsato oedd y pechaduriaid mwyaf yn ein stryd ni. Mae'n wyrth nad anafwyd neb gan y cerrig yn hedfan tua'r pafin wrth iddynt yrru heibio yn eu *jeeps* a'u *pick-ups* pwerus. Digwyddai hyn hyd yn oed yn nyddiau glawog y gaeaf, gan fod y dŵr glaw yn llifo i lawr tua'r ffos, ac wyneb yr heol yr un mor galed ag yn yr haf. Roedd y stori'n wahanol yn y stryd fawr, oherwydd arfer naturiol y dŵr i aros mewn mannau isel gan ffurfio pyllau a drôi'n fwd gydag amser. Âi wythnosau heibio cyn i'r haul sychu'r darnau gwlypaf. Cyfrifoldeb yr haul, sylwer, ac nid un Cyngor y Dref oedd gofalu am y gorchwyl hwnnw a thasg amhosib, bron, oedd croesi'r ffordd heb wlychu'r traed.

Tua'r gorllewin, y tu draw i lethr a rannai'r dreflan yn ddwy, llechai'r Gaiman Newydd – er bod y tai prin a safai yno'n ymddangos yn hŷn ac mewn gwaeth cyflwr na rhai canol y dref. Clywais iddo gael ei adnabod fel Pentre Sydyn ar un adeg. Fodd bynnag, yno, o fewn llathenni i'w gilydd, safai caeau pêl-droed y ddau glwb lleol.

Jerwsalem oedd yr enw answyddogol ar ben dwyreiniol y dref – ardal oedd yn ymestyn rhwng yr ysbyty a'r fan lle safai ail fynwent y dref ar safle lle codwyd y capel cynta yn 1877 – am mai yno yr ymgartrefodd nifer mawr o ymfudwyr o'r gwledydd Arabaidd, megis Libanus a Syria, a ddaeth i fyw i'n plith.

Prin oedd y tai a godwyd ar lan ddeheuol yr afon, ac eithrio tai'r ffermydd a arweiniai i gyfeiriad Bryn Gwyn. Wrth ffin ogleddol y dref, arweiniai'r rheilffordd heibio i Fryn Crwn tuag at Dolavon, Las Chapas ac ar draws Hirdaith Edwin i Ddôl y Plu – hanner ffordd tua'r Andes. Rown wedi clywed llawer am y mynyddoedd uchel a godai tua'r wybren yr ochr arall i wastadeddau eang a llychlyd y camp ac yswn am gael eu gweld, yn arbennig pan glywn chwiban boreol y trên wrth iddo ddod allan o'r twnnel ar ei daith hir tua dieithrwch tir pell y gorllewin maith.

3

Hafn y Gweddwon

NI FEDRAI FY RHIENI anwybyddu cyngor Dr Lorenzo. Os oedd lleithder yr afon a'r gamlas yn niweidiol i iechyd Edith yn yr haf, roedd yn amlwg y byddai'n llawer gwaeth yn y gaeaf, er mai isel oedd llif yr afon ac na redai dŵr drwy'r ffos yn y tymor hwnnw. Doedd symud yn ôl i Drelew ddim o dan ystyriaeth gan na fyddai mor hwylus i ymweld â'r efeilliaid. Chwilio am dŷ arall yn y Gaiman, bellter o'r afon a'r ffos, oedd yr ateb, felly, ac yn y dref honno byddai ein cartref mwyach, er bod Nhad yn dal i gludo nwyddau o Drelew i Comodoro Rivadavia. Chwiliwyd yn ofer am tua deng mis.

Rywdro yn ystod y cyfnod hwn, cafodd Mam, Edith a minnau gyfle i gadw cwmni i Nhad ar un o'i deithiau olaf i Comodoro Rivadavia, trichan milltir i'r de. Edrychai Edith a minnau ymlaen at ein hantur fawr gyda chryn gynnwrf gan ein bod ni'n mynd i adael y dyffryn am y tro cyntaf a theithio i rywle pell. Llwythwyd y lorri gyda llysiau a ffrwythau'r dyffryn ac roedden ni ar ein taith rai oriau cyn iddi wawrio ond, cyn gadael y dyffryn hyd yn oed, dechreuodd Edith holi pryd fydden ni'n cyrraedd ac ailadroddwyd y cwestiwn yn ddigon aml i syrffedu ein rhieni. Ymestynnai'r gwastadedd mawr o'n blaenau yr holl ffordd hyd at linell hir y gorwel a wahanai'r ffurfafen dywyll oddi wrth ei chysgod ar y ddaear.

Wedi toriad gwawr, cafwyd brecwast mewn man cysgodol ar ymyl y ffordd, lle na fedrai'r llwch a godai gyda'r gwynt ysgafn ddisgyn i ddifetha ein gwledd. Er gwaethaf gwrthwynebiad Mam, estynnodd Nhad y *mate* i ni a ninnau'n sugno hwnnw am y tro cyntaf gan fwynhau'r ddiod gynnes er mor chwerw'r blas. Yna, cyrraedd Salamanca ac aros i dreulio ennyd yng nghwmni Yncl Urien, a weithiai fel heddwas yno.

Yn fuan wedi ailgychwyn, tynnodd Nhad y lorri unwaith eto at ymyl y ffordd, lle safai gwraig a nifer o blant, yn gofyn am bàs. Doedd dim lle iddyn nhw gyda ni yn y caban ond feiddiai Nhad ddim anwybyddu traddodiad yr anialdir sy'n mynnu nad oes neb yn mynd heibio i'w gyd-ddyn heb gynnig cludiant neu gymorth iddo. Ad-drefnodd y llwyth i greu cornel glyd i'r teulu bach ynghanol y sachau tatws a'r bocsys llysiau a ffrwythau, cyn wynebu cymal olaf ein taith. Y môr, wedyn, yn dod i'r golwg o ganol tes y bore ac, o'r diwedd, y ddinas fawr ei hun. Y noson honno, aeth y pedwar ohonon ni i sinema leol i weld y ffilm ddiweddaraf. Cofio gofyn i Nhad oni fyddai'n well i ni symud ar frys rhag y trên mawr cyflym a ruthrai tuag aton ni. Rhoes ei fraich dros fy ysgwydd ac, yn wyrthiol, aeth y trên dros ein pennau heb achosi unrhyw niwed. Er gwaetha'r braw neu, efallai, o'i herwydd, rown i wedi mwynhau'r profiad.

Yn ôl yn y Gaiman, clywodd fy rhieni fod tŷ yn cael ei osod ar rent yn yr un stryd ond yn nes i fyny, yn Hafn y Gweddwon, fel y gelwid rhan uchaf Heol Michael D. Jones yn answyddogol – enw addas iawn o gofio fod cynifer o wragedd y lle wedi colli'u gwŷr. Gan fod y tŷ ar lethr y bryniau sy'n amgylchynu'r Gaiman tua'r gogledd, a thua dau gan llath ymhellach oddi wrth yr afon a'r ffos, bernid ei fod yn cael mwy o haul a bod ei leoliad yn ein cadw hyd braich rhag y lleithder. Tŷ Philip John fu enw Mam ar y tŷ erioed, oherwydd mai perthynas pell iddi o'r enw Philip John Rees oedd ei berchennog cyntaf a'i fod nawr ym meddiant dau o'i blant. Er mai Neved Rees oedd yn pennu'r rhent, ei brawd Hywel, gan amlaf, fyddai'n galw heibio ar ei geffyl i'w gasglu unwaith y mis ac, yn ddi-feth, byddai'n aros i gael swper gyda ni. Ac yntau'n denor melodaidd, dechreuodd ganu deuawdau gyda Nhad, a byddai'r ddau'n diddanu cynulleidfaoedd mewn nosweithiau llawen a chyngherddau. Alwina Thomas, ein cymdoges, fyddai'n cyfeilio iddynt gyda'i chywirdeb meistrolgar arferol.

Yn Hydref 1946 y symudon ni i'r tŷ, a minnau erbyn hynny'n ddyn i gyd, bedwar mis dros fy mhum mlwydd oed. Hwn fyddai 'nghartref bellach nes i mi dyfu'n oedolyn. Waliau cerrig golau lleol oedd i'r tŷ gyda brics coch o amgylch y ffenestri. Dim ond pedair ystafell oedd yno – cegin, ystafell fyw, a dwy ystafell wely – pob ystafell â dau ddrws mewnol, fel y gellid mynd o'r naill ystafell i'r llall mewn cylch. Arweiniai drws y gegin at hen sièd goed dyllog, lle safai'r unig dap dŵr. Yn wahanol i'n tai blaenorol, doedd dim ystafell ymolchi yn yr adeilad hwn ac allan, y tu ôl i wrych uchel, roedd y tŷ bach heb gyfleusterau. Roedd dau eisteddle yno – un i oedolion ac un is i blant, a phopeth a ollyngid neu a arllwysid drwyddynt yn disgyn yn syth i dwll dwfn oddi tanynt, a chynnwys hwnnw'n weladwy drwy'r cylchoedd agored. Fy ofn i oedd y gwnawn ddisgyn drwy un yr oedolion a suddo i'w waelodion meddal! Roedd y tŷ bach hwn, er yn gyntefig o safbwynt safonau'r dref, eto'n gyfarwydd iawn i ni a dreuliai lawer o amser ar y ffarm, ond yn eithriadol o anghyfleus gyda'r nos. O ganlyniad, roedd angen cadw llestr o dan y gwely. Yna, gan nad oedd bath yn y tŷ, prynwyd padell fawr a gâi ei gosod yn y gegin er mwyn i Mam ein sgrwbio'n lân.

Darganfu Edith a minnau fod yna ddrws ffrynt yn y tŷ, a bod modd mynd mewn cylch oddi yno i'r ardd, i mewn eto trwy'r drws cefn, rhedeg drwy'r gegin i'r parlwr a gorffen yn ôl ar y pafin o flaen yr adeilad. Tra bu Nhad a Mam yn gosod yr ychydig ddodrefn yn eu lle, difyrrem ni'n dau ein hunain drwy redeg rownd a rownd nes gorfodi Mam i roi terfyn ar yr hwyl.

Er byrred y daith o'r naill dŷ i'r llall, roedd hyn fel newid byd, a llawer o bosibiliadau newydd yn agored i ni am y tro cyntaf. Ehangodd ein tiriogaeth, a doedd dim angen poeni am beryglon y ffos fawr na'r afon, mwyach ac, o'n cwmpas, yn cynnig rhyddid, gwelem y bryniau'n ymestyn am byth y tu ôl i'r tai o boptu'r stryd. Daeth Edith a minnau o hyd i gymdogion, cyfeillion a pherthnasau newydd. Tri brawd, yr hynaf tua fy oedran i, oedd y rhai cyntaf – René, Omar a Roli Jones – meibion Anti Glenys (cyfnither i Mam) ac Yncl Elwyn. Roedd yna ferch dlws iawn, hefyd, ychydig flynyddoedd yn hŷn na mi – Arié. Ar wahân i fod yn berthnasau, roedd Elwyn a Glenys yn gyfeillion mawr i Nhad a Mam a chawn fynd a dod i'w cartref mor aml ag y galwent hwy yn ein tŷ ni. Awn draw at y bechgyn bob cyfle neu mi fyddai'r ddau hynaf yn dod ata i i chwarae, ond doedd rhai o'r gêmau hyn ddim wrth fodd Mam, a byddai'n well ganddi petawn i'n aros i chwarae gydag Edith. Dwrdiai yn aml pan fyddwn i'n methu â chyrraedd adref ar amser penodedig. Bob yn ychydig, dysgais fod ffiniau i 'nhiriogaeth na fedrwn eu hymestyn heb dderbyn ei chaniatâd. Credaf mai tua'r amser hwn y gwelais wialen fain am y tro cyntaf ar y silff ben tân.

Yn agos at amser cinio un bore, cyrhaeddodd Yncl Ivor Roberts, cefnder i Nhad, a doedd dim bwyd gan Mam i'w gynnig iddo. Er gwaetha'r cyni, ac er nad oedd dim yn y cypyrddau ar y pryd, ni freuddwydiai fy rhieni ei ollwng o'r tŷ heb gynnig rhywbeth i'w gynnal ar ei daith, ac aeth Nhad allan gyda'r syniad o fynd yn ei lorri i chwilio am fwyd. Gwrthodwyd i Edith a minnau fynd gydag ef ac anfonwyd ni i'r ystafell ffrynt, heb sylwi fod y drws i'r pafin heb ei gloi. Aethom allan ac eisteddais ar stepen y drws – ond rhedodd Edith tu ôl i'r gwrych uchel wrth ochr y tŷ lle'r oedd y lorri wedi'i pharcio.

Roedd yn benderfynol o fynd i siopa gyda Nhad a doedd neb na dim yn mynd i'w rhwystro. Wrth i'r cerbyd symud tuag yn ôl, daliodd yn nolen y drws a cheisio rhoi ei throed ar y stepen i'w galluogi i godi ei hun yn ddigon uchel i Nhad fedru'i gweld drwy'r ffenestr ochr. Ar yr union foment honno, newidiodd Nhad y gêr, llithrodd ei throed hithau a chollodd ei gafael, gan ddisgyn i'r stryd a'i breichiau ar led. Ni sylwodd Nhad fod dim o'i le ac roedd sŵn yr injan yn boddi sgrechiadau Edith, ond gwelai Glenys ac Elwyn, a eisteddai yn eu gardd yn yfed *mate*, y ddrama fechan yn datblygu o'i dechrau i'w diwedd brawychus. Rhedodd hithau i'r stryd gan chwifio'i breichiau i dynnu sylw Nhad ond gan ei fod yn methu deall beth oedd achos y cynnwrf symudodd y lorri ymlaen. Yna, gwawriodd arno fod rhywbeth o'i le. Diffoddodd yr injan a disgyn o'r lorri i weld ei unig ferch yn gorwedd ar y stryd ac olion olwyn dros ei braich dde rhwng y penelin a'r ysgwydd. 'Dw i wedi lladd fy merch fach annwyl i!' gwaeddodd. 'Nac ydych wir,' atebodd Mam, a oedd erbyn hyn wedi dod allan i weld beth oedd achos y cynnwrf. 'Dach chi ddim wedi'i lladd hi, achos mae hi'n crio!'

Nac oeddent, doedd pethau ddim cynddrwg ag y medren nhw fod. Oherwydd bod glaw trwm wedi disgyn am rai dyddiau cyn hynny roedd pwysau'r olwyn wedi gwasgu'i braich i mewn i'r mwd. Yr unig arwydd o'r ddamwain oedd ôl yr olwyn ar ei braich. Aed â hi at y meddyg esgyrn yn Nhrelew ond doedd hi ddim wedi dioddef unrhyw niwed parhaol ac, er na chafodd Yncl Ivor ginio'r diwrnod hwnnw, cafodd lifft yn ôl i'w gartref yn y dref.

Gyferbyn â chartref Anti Glenys, roedd Mary Ann Rogers a'i phlant yn byw. Roedd ei mab, Mansel, yn hogyn llawn hwyl a direidi ac yn dipyn o arwr i mi ond, oherwydd ei fod ryw bum mlynedd yn hŷn, ni chawn ganiatâd Mam i fynd ato i chwarae. O ganlyniad, pan fyddai o'n chwarae gyda René a'i frodyr, a hwythau'n galw arna i o ben arall y bloc i ymuno yn yr hwyl, ni roddai Mam ei chaniatâd. Achosai hyn gryn siom a rhwystredigaeth i mi wrth syllu arnynt o hirbell yn mwyhau sbri wrth chwarae. Ymhen ychydig ddyddiau daethant i ddeall am y gwaharddiad ac ni ofynnwyd i mi wedyn.

Drws nesaf i ni, lle mae Gwesty Tywi heddiw, trigai Mario ac Eurgain Cassani, hithau'n ferch hardd a fagwyd ar ffarm ei rhieni yn ardal Treorci ac yn athrawes yn ysgol gynradd y Gaiman. Roedd yntau'n ŵr ifanc golygus ac afieithus ac, fel ei wraig, enillai ei fywoliaeth fel athro cynradd, ond gyrrai lorri hefyd. Roedd ganddo lais bariton da. Deuai Carlitos, eu mab, aton ni'n aml drwy fwlch rhwng y ffens a wal y tŷ.

Un prynhawn yn ystod gwyliau'r haf, cyrhaeddodd yng nghwmni hogyn bach arall oedd wedi dod ato i aros. Gadawodd ein mamau ni i chwarae gyda'n gilydd gyda'r gorchymyn nad oedden ni i symud o'r fan, ac aethant i siopa. Gan ei bod hi mor braf, penderfynodd y pedwar ohonon ni bod angen gwlychu'n traed. Daethon ni o hyd i raw, tyllais bwll bychan yn yr ardd, a llenwyd ef â dŵr o'r tap. Cyrhaeddodd ein mamau adref a'n cael yn wlyb a mwdlyd o'n corryn i'n sodlau, ond cyn bod Mam yn dechrau ceryddu, gwaeddodd Anti Eurgain. 'Arhoswch yn lle'r ydach chi,' a dychwelodd yn fuan gyda'i chamera. Erbyn hynny, gwelodd Mam ddigrifwch y sefyllfa, a throes ei gwg yn wên. Bu'r llun yn destun hwyl ac atgofion am flynyddoedd wedi hynny, a bu Edith a minnau'n dragwyddol ddiolchgar i Anti Eurgain am ein harbed rhag derbyn cosb. Y gwir yw, na fyddai Mam yn petruso rhag torri gwialen o'r llwyn er mwyn ein disgyblu pan deimlai fod ein hymddygiad yn hawlio hynny. Heddiw, efallai fod dulliau disgyblu Mam i'w gweld yn greulon ond, os gellir beirniadu'r rheiny, byddwn yn fodlon dadlau bod ei safonau hi'n uchel. Gwyddai Edith a minnau i'r dim sut roedden ni i fod ymddwyn ar bob achlysur. Efallai nad oedden ni'n cerdded fersiwn Mam o'r llwybr cul bob tro ond, serch hynny, fe wydden ni sut i'w ddilyn.

Ychydig amser wedi damwain Edith, cafodd Nhad waith fel briciwr gyda'r adeiladydd lleol, Sandro Vitale – Eidalwr a dreuliasai gyfnod yn garcharor rhyfel yng Nghymru. Ni fedrai Sandro ddeall pam bod ein cyndeidiau wedi dewis gadael gwlad mor brydferth a gwâr i ddod i Batagonia o bobman, meddai Nhad. Beth bynnag, codasant ill dau ddau adeilad – Llythyrdy Rawson, prifddinas y rhaglawiaeth, a swyddfeydd Agua y Energía (Dŵr ac Egni), y cwmni dŵr cenedlaethol yn y Gaiman. Yn ystod y cyfnod hwnnw, deuai ychydig arian i mewn i'r tŷ yn gymharol reolaidd, digon i'n cadw mewn bwyd a dillad. Cofiaf gerdded i lawr at y safle adeiladu i gyfarfod â Nhad rhyw ddydd Gwener a chael y fraint o gario papur coch deg *peso*, ei gyflog wythnosol, yr holl ffordd adref, a'r ddau ohonon ni'n dathlu. Ond pan gwblhawyd yr adeiladau fis Hydref 1947, gorfu iddo chwilio am waith unwaith eto.

Erbyn hyn, roedd Mario ac Anti Eurgain wedi symud i dŷ mwy, mewn rhan arall o'r dref, a doedd hi ddim mor hawdd mynd i chwarae gyda Carlitos. Yn eu lle, symudodd gŵr ifanc tal a chydnerth i fyw drws nesaf aton ni. Brodor o Siecoslofacia oedd Radivoi Novak, ar fin dechrau ar ei swydd fel prifathro cynta'r *Escuela Monotécnica* newydd a agorwyd ar safle hen Ysgol Ganolraddol y Gaiman. Roedd angen gofalwr ar y sefydliad newydd a phenodwyd Nhad i'r swydd honno. Byddai modd i ni barhau i fwyta.

Y siop agosaf at ein tŷ ni oedd y *Casa Británica* (Y Tŷ Prydeinig). Safai ar gornel y bloc tai oedd gyferbyn â ni, mewn adeilad mawr gwyn. Ni chofiaf groesi drws y siop honno erioed wrth fynd ar neges. A dweud y gwir, roedd Mrs Howells, ei pherchennog, yn peri ychydig o fraw i mi a gwnawn fy ngorau i'w hosgoi. Roedd y cyfuniad o'r ffrog ddu a wisgai ar bob achlysur, gyda ffedog wen drosti, ynghyd ag wyneb a roddai i mi'r argraff ei bod hi'n berson sarrug, yn fy nghadw i'n solet ar ein hochr ni i'r stryd. Efallai fod y ffaith mai Saesneg a siaradai, yn hytrach na Chymraeg, yn ychwanegu at y pellter a'r dieithrwch.

Can metr tua'r de, groesgornel â'r *plaza,* lle mae Heol Michael D. Jones yn croesi Eugenio Tello, safai siop Bob Williams, Aberystwyth – er mai brodor o Ddeiniolen oedd Bob, a doedd o erioed wedi byw yng Ngheredigion. Câi ei adnabod hefyd fel Bob Martha – cyfeiriad at ei wraig, a gelwid hithau yn Martha Bob! Roedd y ddau yn gyfarwydd iawn i mi oherwydd 'mod i'n eu gweld hefyd yn y gwasanaethau ar fore a nos Sul. Roedd angen ychwanegu atodiad at eu cyfenw oherwydd bod yna Bob Williams arall yn cadw siop ychydig dros gan metr i'r gorllewin oddi wrthynt, ger y ffos fawr, gyferbyn â'r *plaza* – gŵr a elwid hefyd yn Bob Ridi (cyfeiriad at ei fab, Ririd) neu Bob Onnen (cyfeiriad at ei ferch) neu Bob Tew – nad oes angen eglurhad arno!

Oherwydd nad oedd Mam yn ystyried yr enwau hyn yn ddigon parchus, efallai, dysgid ni i alw perchnogion siop Aberystwyth yn 'Yncl Bob ac Anti Martha'. Eu siop hwy a fynychen ni amlaf. Bydden ni'n galw hefyd yn siop Restuccia, a leolid drws nesaf i swyddfeydd gweinyddol Cyngor y Dref ac argraffty *Y Drafod* yn ein stryd ni, prin gan metr o'n tŷ ni. Nid bod angen mynd ymhellach na'r drws ffrynt ar ddiwrnodau pan alwai'r *verdulero* i werthu llysiau ffres neu'r *lechero* i arllwys llaeth o'i duniau mawr gyda'i 'liter'. Neu'r Almaenwr Houffner, i werthu riwbob. Y tri mewn cerbyd a cheffyl.

Y profiad cyntaf a gefais o siopa ar fy mhen fy hun oedd pan anfonodd Mam fi i siop Yncl Bob. Cerddais braidd yn ddihyder at y cownter a holi: 'Anti Martha, ydych chi'n gwybod be mae Mam isio'i brynu gyda'r pum *peso* 'ma?' 'Wn i ddim, Elvey', atebodd gyda gwên. 'Gwell i ti fynd adref a gofyn iddi.' 'Defnyddiwch eich pen i arbed eich traed, Elvey,' oedd cyngor Mam wrth i mi gychwyn am yr eildro y bore hwnnw. Dyma gyngor y bu'n rhaid iddi ei ailadrodd droeon dros y blynyddoedd.

Rhywdro arall anfonwyd fi, eto gyda phapur pum *peso* yn fy llaw, i brynu pecyn o siwgwr o siop y Bob Williams arall. Ririd oedd wrth y cownter a doedd dim siwgwr ar ôl ganddo. 'Popeth yn iawn, mi bryna i'r bêl 'na, 'te.' Wedi cyrraedd adref a dangos fy nhegan newydd, cefais gerydd gan Mam am beidio â chwilio am siwgwr mewn siopau eraill – ac anfonodd fi ar y siwrnai hir i ddychwelyd y bêl i Ririd a gofyn am y pum *peso* yn ôl. Edrychodd hwnnw arna i gan droi'r bêl droeon yn ei law cyn penderfynu nad oedd unrhyw farciau arni a fedrai ei rwystro rhag ei gwerthu wedyn. Rhoddodd yr arian i mi a rhybudd i beidio â phrynu unrhyw beth heb ganiatâd fy rhieni.

Rown i'n gwsmer cyson yn y siop hon bob dydd Llun gan y cyrhaeddai fy rhifyn wythnosol o'r *Billiken*, cylchgrawn yn cynnwys posau, cartwnau, stori gyfres, a gwybodaeth ar gyfer plant oedran cynradd. Un nos Sul ar y ffordd 'nôl o'r cwrdd, gwelais Ririd wrth ymyl y siop yn derbyn llwythi o gylchgronau a phapurau. Gofynnais iddo'n eiddgar a oedd y *Billiken* yn eu plith. Yswn am gael gafael ar y bennod ddiweddaraf o'r stori gyfres a phlediais ac erfyniais arno nes iddo gael llond bol, ac estyn y rhifyn ataf – gan brofi fod ei galon yn feddalach na'r olwg swrth ar ei wyneb. Ac felly, am gyfnod, prynais fy nghopi ddiwrnod ynghynt na'r dyddiad cyhoeddi. Fodd bynnag nid o'i gwirfodd y derbyniodd Mam yr ymyrraeth hon ar sancteiddrwydd y Sabath.

Cynigiai'r drefn newydd hon fantais arall i mi. Ni fyddai angen i mi bellach osgoi'r heddwas, Sargento Figueroa. Dyn byr, hir ei wregys, oedd o, a'r enw ganddo o fod yn ŵr na dderbyniai nonsens gan neb. Roedd ei weld o bell yn codi arswyd afresymol ynof, a theimlwn y byddai'n sicr o ddarganfod 'mod i wedi cyflawni rhyw drosedd neu'i gilydd a'm llusgo gerfydd fy nghlustiau i un o gelloedd Swyddfa'r Heddlu. Y ffordd fyrraf drwy'r cytin mawr i stryd John Caerenig Evans a gymerwn i i'r siop – dilyn cyngor Mam, gan arbed fy nhraed. Oddi yno, dim ond pellter dau hanner bloc oedd gen i i'w gerdded. Yn ddi-ffael ar ben y stryd wrth anelu at y siop, gwelwn y sarjant yn sefyll yn solet ar gornel y pafin o flaen y Bar Avenida – un o'r tafarnau lleol. Roedd yn rhaid i mi ei osgoi. Felly, yn lle cerdded mewn llinell syth, mi fyddwn yn glynu'n dynn wrth ochr fewnol y pafin gyferbyn a chroesi'r stryd fawr o gornel siop Tudor Edwards at gornel y parc, gan geisio osgoi tynnu sylw'r sarjant, nes cyrraedd y ffos ac yna croesi'r stryd i siop Bob Williams. Ar fy ffordd yn ôl, byddwn yn olrhain fy nhrywydd yr un mor ofalus.

Hwn oedd yr haf olaf cyn i mi ddechrau yn yr ysgol gynradd, ac edrychwn ymlaen yn eiddgar at gael gwneud hynny. Yn wir, siomwyd fi flwyddyn ynghynt ar ddechrau'r flwyddyn addysgol, gan na fedrai'r ysgol dderbyn disgybl nad oedd yn chwe blwydd oed cyn rhyw ddyddiad penodol – a disgynnai'r dyddiad hwnnw'n eithriadol o agos at ddiwrnod fy mhen-blwydd. Fodd bynnag, ar ddiwedd y flwyddyn, cafodd Edith a minnau wahoddiad i fynychu dathliadau'r Nadolig yno. Y newyddion gwych a wnaeth i ni gynhyrfu'n lân oedd y câi holl blant y dref anrheg ar ddiwedd y noson. Gan nad oedden ni wedi bod yn yr adeilad o'r blaen, anfonwyd ni i'r ysgol yng nghwmni Rita, cymdoges yn ei blwyddyn olaf, a wirfoddolodd i ofalu amdanom. Er fy mod i'n adnabod rhai o'r plant, teimlwn yn betrusgar ynghanol y dorf mewn awyrgylch a oedd, i hogyn diarth, braidd yn fygythiol.

Canodd y gloch, a gorchmynnwyd y plant i sefyll mewn rhes fesul dosbarth. Oherwydd nad oedden ni'n perthyn i'r un dosbarth, gosododd Rita ni yn y rhes lle safai hi gyda gweddill merched ei dosbarth. Yn fuan wedyn, daeth athrawon heibio i rannu tocynnau – pinc i'r merched a glas i'r bechgyn. Yn ufudd, derbyniais fy nhocyn, a chael gorchymyn i ddal gafael yn dynn ynddo. Ar ddiwedd y gwasanaeth – carol neu ddwy, darnau adrodd, gair gan y prifathro, a golygfa fer yn seiliedig ar ddrama'r geni – aeth y plant allan i flaen yr adeilad. Yno, safai athrawesau wrth fwrdd hir, a llwyth o anrhegion y tu ôl iddynt. Llifai'r plant heibio fesul un, gan gyfnewid tocyn am degan. Wrth i mi agosáu, teimlwn fy llygaid yn pefrio wrth weld pob bachgen yn cydio'n dynn mewn ceffyl pren. Yna, pan ddaeth fy nhro, estynnodd un o'r athrawesau geffyl yn reddfol tuag ataf ac estynnais i gydio'n awchus ynddo ond, pan welwyd mai tocyn pinc oedd gen i i'w gynnig, mynnodd athrawes arall ei gymryd yn ôl. Yr unig degan oedd ar ôl yng nghyflenwad y merched oedd doli blastig binc noeth nad oedd fawr mwy na'm llaw. Trechwyd synnwyr cyffredin gan y system. Doedd neb i gael ceffyl pren yn gyfnewid am docyn pinc. Paciwyd yr holl geffylau pren sbâr, ac aeth pawb adref yn llawen – ac eithrio un hogyn bach anfodlon na wyddai at bwy i droi am gyfiawnder. Hwn fyddai'r tro olaf i'r ysgol gynnal achlysur o'r fath, efallai oherwydd mai ar Nos Ystwyll y daw'r Doethion â'u hanrhegion i blant yr Ariannin, a bore'r 6ed o Ionawr y bydd plant yn codi ar awr annaearol i agor eu hanrhegion yn hytrach nag ar fore dydd Nadolig.

Derbyniais y drefn heb gwyno gan obeithio na sylwai neb pa mor siomedig y teimlwn, ond penderfynais bryd hynny fod yna reolau a oedd wedi'u llunio ar gyfer eu torri. Aeth blynyddoedd heibio cyn i mi ddarganfod nad geiriad rheolau ond y modd y'u dehonglir, sydd ar fai yn amlach na pheidio. Ar fy ffordd adref adolygais fy ngobeithion am yr ysgol. Tybed faint mwy o annhegwch fyddai'n llechu rhwng muriau'r ysgol?

4

Cyffion

Disgynnai Nhad o un o ganghennau niferus teulu estynedig mwya'r *Mimosa*, a Mam o'r teulu ail fwyaf, fel mae'n digwydd. Er mor lluosog yw disgynyddion y ddau dylwyth, dim ond Edith a minnau sy'n hanu o'r ddwy goeden fawr hon, hyd y gwn i. Mae hyn yn destun syndod, o gofio'r modd yr ymblethodd gwahanol ganghennau teuluol Dyffryn Camwy â'i gilydd bron i gyd ar draws pedair neu bum cenhedlaeth, a chofio teneued oedd y boblogaeth.

Teulu Cwmaman (Aberdâr) a Bryn Crwn

Ganed Myfanwy, mam fy mam, yn ferch i Daniel Rhys Evans a Meri Jones, ar ffarm Bryn Hyfryd, yn ardal Bryn Crwn, ger y Gaiman. Dywed y teulu mai un o Sir Benfro oedd Daniel er mae'n bosib mai o Sir Gaerfyrddin y deuai mewn gwirionedd. Ac yntau'n hogyn ifanc, gorfu iddo ymfudo i'r cymoedd i chwilio am waith yn y pyllau glo ac yno, clywodd am ymgyrchoedd Abraham Matthews, D. S. Davies ac Edwin Cynrig Roberts i ddenu ymfudwyr i'r Wladfa. Clywodd hefyd am fenter y Parchedig John Caerenig Evans, gweinidog Moreia Aman, Cwmaman, Aberdâr, un o ddilynwyr Matthews. Clywodd wedyn yn 1874 am fwriad pum teulu o blith cyn-aelodau Evans i'w ddilyn ar draws yr Iwerydd i'r Gymru Newydd.

Rhaid bod John Caerenig Evans yn ddyn o ddylanwad aruthrol i fedru denu cynifer o'i aelodau i groesi'r Iwerydd i ben draw'r byd. Pan glywodd Daniel am eu bwriad, penderfynodd ymuno â hwy, yn hogyn deunaw oed, gan gynyddu'u nifer i wyth ar hugain. Cynhaliwyd gwasanaeth ffarwelio emosiynol iawn ym Moreia Aman. Hebryngwyd hwy ar y daith i Lerpwl gan bum aelod o Saron, Aberaman, a oedd hefyd yn ymfudo ac, yn y porthladd, chwyddwyd y fintai ymhellach gan nifer o ddarpar wladychwyr Cymreig a fyddai'n cyd-deithio â hwy ar fwrdd y *Masculine* i Buenos Aires, lle glanion nhw dair wythnos yn ddiweddarach, ym Medi 1875. Mynnai cyfraith gwlad fod pob mordaith i'r weriniaeth yn glanio gyntaf ym mhorthladd y brifddinas.

Ymhen rhai wythnosau, aethant ymlaen i Ddyffryn Camwy ar y sgwner *Río Negro*. Cawsant lety am ychydig yn Nhre Rawson – rhai ohonyn nhw yn Nyffryn Dreiniog, cartref Eleanor Davies, mam Thomas Jones, Glan Camwy. Aeth y penteuluoedd ar eu hunion i'r Gaiman, at eu hen weinidog, i chwilio am dir i ymsefydlu arno, ond bu'n rhaid iddynt aros yn hir iawn, a gweithio ar diroedd ffermwyr eraill fu tynged llawer ohonynt am y tro.

Bum mlynedd yn ddiweddarach y priododd Daniel a Meri ac ymsefydlu dros dro ar gyrion pentref newydd y Gaiman nes y mesurwyd ffermydd y dyffryn uchaf gan y gwladychwyr Edward Owen a Llwyd ap Iwan. Bryn Hyfryd oedd yr enw a roesant ar y ffarm newydd a ddyrannwyd iddynt yn ardal Bryn Crwn tua chanol y 1880au. Ar aelwyd weithgar a chrefyddol, magodd y ddau naw o blant – y pum ieuengaf ar ffarm Tyddewi, wedi ei phrynu oddi wrth yr arloeswr David D. Roberts, a ddychwelodd i Gymru i adfer ei iechyd bregus. Ef oedd perchennog tŷ cynta'r Gaiman a thad Idris Roberts – y plentyn cyntaf i gael ei eni yn y dreflan newydd. Bu Daniel farw cyn fy ngeni i a dim ond unwaith y cofiaf weld Meri. Roedd hithau'n byw yr ochr arall i'r stryd ac fe greodd Meri ddigon o argraff arnaf i mi ei hailfedyddio. Roedd angladdau yn achlysuron cymdeithasol mawr yn y Gaiman, a thyrrai trigolion o gyrrau'r dyffryn yn eu cerbydau a'u dillad duon i dalu'r gymwynas olaf i'r ymadawedig. Tybiaf mai angladd un o'n perthnasau oedd wedi ein tynnu yn ein dillad gorau i mewn i'w chartref hi.

Yno, eisteddai tair gwraig mewn ffrogiau llaes duon a hetiau duon ar eu pennau a rhwydenni duon yn disgyn dros dri wynepryd pruddglwyfus. Llifai pelydrau'r haul drwy rwyd wen y ffenest y tu ôl iddynt, gan fy 'nallu a'm rhwystro rhag gweld eu hwynebau'n eglur. Gorchmynnwyd fi i gyfarch y tair 'nain' yn eu tro ond, yn fuan wedyn, canolbwyntiais fy sylw yn unig ar yr un a eisteddai yn y canol. Efallai mai'r haul a ngorfododd i ostwng fy ngolwg tua'r llawr a sylwi ar y chwe throed fechan a ymddangosai mewn tri phâr o esgidiau du sgleiniog, tyn a thaclus o dan y ffrogiau. Hoeliodd fy llygaid eu sylw ar y pâr yn y canol, a fedrwn i ddim eu gwyro oddi wrthynt.

Yn wahanol i bob gwraig arall a welswn hyd hynny, gwisgai hon esgidiau a ymestynnai i fyny dros ei migyrnau ac o'r golwg heibio hem ei ffrog. Penderfynais mai bŵts lledr oedden nhw, fel rhai gorau Taid. Y noson honno wrth ein swper, pan ddywedwyd rhywbeth am 'Nain' a minnau'n ansicr at ba un y cyfeirid ati, gofynnais ai 'Nain y Bŵts' oedd yr un dan sylw. Cododd Mam ei phen mewn syndod a gofyn pwy oedd 'Nain y Bŵts', ac eglurais. Esboniodd hithau mai Nain Ifans oedd y 'nain' honno, ei bod hi'n fam i Nain Jones, ac yn nain iddi hi, ac yn hen nain i mi – ac nad bŵts fel rhai Taid a wisgai ond esgidiau fel rhai pob menyw arall, heblaw eu bod yn ymestyn ychydig dros ei migyrnau. Derbyniais yr esboniad ond, rhywsut, 'Nain y Bŵts' fu Meri Ifans yn ein teulu ni o'r noson honno hyd heddiw.

Rwy'n derbyn gair Edith i Meri Ifans fod droeon wedyn yn ein cwmni yn ystod y blynyddoedd cyn iddi hithau ddenu cannoedd o'i chyfeillion i orymdeithio'n barchus y tu ôl i'w harch tua mynwent y Gaiman. Rhaid ei bod yn wraig annwyl a charedig iawn, oherwydd ni fu pall ar sôn Mam amdani ar hyd ei hoes. Cyhoeddodd Meri nifer o ysgrifau diddorol yn *Y Drafod* yn 1943 yn adrodd hanes ymfudiad mintai Cwmaman, Aberdâr, a sut yr ymsefydlodd y teuluoedd arloesol hynny gan ddiwyllio'r dyffryn uchaf, o'r Gaiman yr holl ffordd i'r gorllewin hyd at Dir Halen. Dyma gofnod gwerthfawr o hanes mintai a gafodd lawer llai o sylw na'r un a'i rhagflaenodd ar y *'Mimosa'*.

Ganed deg o blant i Daniel a Meri gan gynnwys Myfanwy (Myfi), fy nain o ochr Mam. Plentyn pengoch direidus ac anturus oedd Gweirydd, yr wythfed plentyn ac, erbyn ei bedair oed, roedd wedi colli ei olwg mewn un llygad. Gwyddai yn iawn sut i fanteisio ar ei 'anabledd', gan hawlio ei ffordd droeon, dim ond drwy dynnu sylw at ei lygad pŵl. Petai'n rhag-weld cerydd am unrhyw drosedd, byddai'n chwalu pob cwmwl drwy anelu ei fynegfys at ei lygaid iach a dweud â goslef athrist, 'Dim ond un llygad sydd gan Gweirydd bach', gan feddalu'r galon galetaf.

Arwr ac eilun mawr Gweirydd oedd Tomi, y brawd hynaf, a oedd ychydig dros ddeuddeg mlynedd yn hŷn nag ef, a threuliai'r ddau eu horiau hamdden gyda'r nos yn difyrru ei gilydd – yr un bach yn dangos ei gampau a'r un mawr yn tynnu arno a'i annog ymlaen. Yn ystod dyddiau gwaith byddai angen Tomi i weithio ar y caeau ac yna, pan ddeuai'n agos at y tŷ, difyrrwch pennaf Gweirydd oedd cerdded yn ddistaw o'r tu ôl iddo a gweiddi 'bŵ', er mwyn gweld ei frawd yn neidio gan gymryd arno ei fod yn brawychu.

Un bore heulog ond oer o Fai ym 1897, chwaraeai Gweirydd yng nghefn yr ardd pan glywodd sŵn wagen Tomi yn dychwelyd i'r buarth, a rhedodd i ffrynt y tŷ. Wrth weld rhai o'i chwiorydd allan yn cyfarch ei frawd ac yn agor y glwyd iddo, ymgripiodd yn llechwraidd ac yn llawn o'i ddireidi bachgennaidd at y wagen. Dringodd ar un o'r olwynion cefn er mwyn cyflawni ei dric arferol – ar yr union adeg pan laciodd Tomi yr awenau a gorchymyn i'w geffylau symud. Gwelodd ei fam y perygl a gwaeddodd ei rhybudd brawychus. Tynnodd Tomi'r awenau – yn rhy hwyr. Roedd yr olwyn, wrth symud, wedi taflu Gweirydd i'r llawr ac wedi troi dros ei ben.

Rhedodd Meri at gorff y bychan a'i godi yn ei breichiau, gan ofyn i Edward chwilio am gymorth, er y gwyddai na fedrai hi na neb arall droi'r cloc yn ôl. Cerddodd tua'r tŷ gan anwesu'r corff diymadferth a llefain: 'Gweirydd bach, 'y machgen annwyl i!' Disgynnodd Tomi oddi ar y wagen gan wybod ei fod wedi lladd ei frawd. Â'i wyneb yn wyn fel y galchen a'i ddwylo'n crynu, ni fedrai yngan gair ac ni siaradodd â neb am ymron i dair wythnos. Pan agorodd ei enau, darganfu na fedrai lefaru fel cynt. Bellach, dioddefai o atal dweud difrifol – aflwydd a lynodd wrtho am weddill ei oes gan sicrhau na fedrai fyth wedyn anghofio am ei ran yn y digwyddiad erchyll. Ond os collodd Gweirydd bach ei fywyd, enillodd anfarwoldeb wrth gamu i mewn i chwedloniaeth y teulu, ac mae llef Meri Ifans i'w chlywed yn atseinio o hyd ar draws Dyffryn Camwy bob tro y bydd un o famau niferus ei thylwyth yn ailadrodd hanes y cochyn bach direidus ar fuarth Tyddewi.

Roedd Anti Mair, a anwyd yn 1900, dair blynedd wedi'r drychineb, yn fenyw denau, dalsyth, annwyl a chroesawgar, â gair caredig i'w ddweud wrth blentyn bach bob amser – ond ni chofiaf ei gweld yn gwenu erioed. Ni fedrwn ddeall hyn hyd nes i mi glywed yr hanes amdani'n ferch ifanc lawen yn ymserchu mewn rhyw lencyn o gymydog golygus nad oedd o dras Cymreig, a gwrthwynebiad ei rhieni yn cynyddu fel y tyfai'r fflam a'i llosgai'n fyw. Gwaharddwyd y berthynas yn derfynol pan geisiodd y gŵr ifanc ei ffurfioli, a gorfu i'r pâr ymwahanu. Y wên drist a welodd gwrthrych ei serch wrth iddynt ffarwelio'r noson honno oedd gwên olaf Mair am amser maith. Ei thynged, fel sawl merch ieuengaf cynifer o deuluoedd, oedd aros gartref i ofalu am ei rhieni. Creulon? Yn ddiamau, eithr nid oedd modd iddi osgoi'r orfodaeth i blygu i drefn ei hoes a'i chymdeithas.

Dywed Edith yr arferai Mam ddisgrifio Mair fel gwraig siriol. Dyna yw fy nghof i am Tomi hefyd ond pam bod gen i atgofion am Nain a'i chwiorydd fel pobl bruddglwyfus tybed? Cofiai Mam am ei theulu fel pobl oedd yn hoff o ganu, a gwn fod hynny'n gywir – etifeddodd ein teulu ni a llawer iawn o'u disgynyddion eraill yr un hoffter am ganu, fel y gwelir yn flynyddol yng nghystadleuaeth y corau teulu yn Eisteddfod y Wladfa, pan fydd côr teulu Daniel R. Evans a Meri Jones yn cystadlu fel y gwna corau disgynyddion Hugh John Hughes, Dalar Evans a Ben Roberts, rhai o deuluoedd cerddorol eraill y Wladfa.

Magwraeth gyffelyb i'r mwyafrif o'i chyfoedion gwladfaol a

gafodd Myfanwy, fy nain, ar ffermydd Bryn Hyfryd a Thyddewi. Mynychodd gapel Bethel y Gaiman bob Sul gyda'i rhieni, brodyr a chwiorydd ac yn ysgol fach y pentref hwnnw y derbyniodd ei haddysg gynradd. Yn bwysicach, efallai, paratowyd hi'n drylwyr ar ei haelwyd ac ar y caeau ar gyfer oes o waith caled fel gwraig ffarm. Adwaenid hi ledled y dyffryn am ei llais soprano peraidd, ac roedd yn ffefryn mewn cyngherddau a 'chyrddau llenyddol'. Mae gan Edith, fy chwaer, gopi o gân a gyflwynwyd i Myfanwy gan Eluned Morgan, gyda'r cyfarchiad canlynol: 'Edrychaf ymlaen at gael eich clywed yn canu hon cyn bo hir.' Yn anffodus, amharodd rhyw aflwydd ar ei llinynnau lleisiol yn anterth ei hieuenctid gan achosi siom ddirfawr iddi hi ac i'w hedmygwyr ac nid ar ei chanu yn unig yr effeithiwyd, gan fod ei lleferydd hefyd yn gryg. Efallai fod yna gyflwr genetig wedi achosi'r golled hon oherwydd mae fwy nag un o'i disgynyddion, gan fy nghynnwys i fy hun, wedi amlygu nodweddion cyffelyb ar draws y cenedlaethau. Dyna un o'r rhesymau pam nad wyf wedi ymuno â chôr ers blynyddoedd lawer. Llais tenor bychan iawn oedd gen i ond, bellach, ymlafniaf yn sedd gefn y Morfa i ddysgu canu bas heb lwyddo'n llwyr hyd yn hyn i gyrraedd y nodau isaf.

A hithau'n dair ar hugain oed, priododd Myfanwy â John James Jones, a oedd bedair blynedd yn hŷn na hi, yng nghartref ei rhieni yn y flwyddyn 1908, a symud i fyw ato ar ffarm Glan Camwy, lle ganwyd chwech o blant iddynt: Gweirydd, a fu farw naw diwrnod wedi'i eni; Sarah; Urien ac Einion (efeilliaid a fu farw ymhen ychydig oriau wedi'u geni); Neved; ac Urien. Arfer cyffredin yn y Wladfa oedd bedyddio plentyn gyda'r un enw ag eiddo brawd neu chwaer a fuasai farw ynghynt.

Er i Thomas Jones ddal i fyw yng Nglan Camwy, ei feibion Dafydd a John oedd yn rhedeg y ffarm. Dafydd oedd yr hynaf o'r ddau ac yn briod ag Annie Walker – geneth hardd iawn yn ôl y sôn – a roddodd iddo chwech o blant. Yn fuan iawn, datblygodd cyfeillgarwch mawr rhwng Myfanwy ac Annie a llwyddai'r ddau deulu ifanc i gyd-fyw'n gytûn. Cymeriad cymdeithasol iawn oedd Dafydd, a dywedir ei fod yn gwybod mwy na neb arall am hanes cynnar y Wladfa a'i fod yn medru diddanu unrhyw gynulliad gyda'i stôr o straeon ac anecdotau. Yn anffodus, roedd o hefyd yn llawer rhy hoff o'r ddiod gadarn, nes iddo fynd yn gaeth iddi. Wrth i'w gyflwr ddirywio'n enbyd, ni fedrodd Annie ddygymod â'r newid anorfod yn ei gymeriad ac, wedi dioddef yn hir, gadawodd ei chartref. Ymhen amser, datblygodd perthynas rhyngddi a gŵr arall. Gwnaed yn eglur i Myfanwy fod ymddygiad Annie yn dwyn gwarth ar y teulu cyfan a gorfodai confensiynau'r cyfnod iddi dorri pob cysylltiad â'i ffrind. Er mor anghymeradwy oedd gwendid Dafydd, rhoddid pwyslais uwch ar deyrngarwch, ffyddlondeb a diweirdeb yng Nglan Camwy – ac ar undod yr endid deuluol. Doedd wiw iddi anwybyddu'r rhybudd.

Oherwydd na tharddai digon o ddŵr o ffynnon Glan Camwy yn ystod un o'r cyfnodau o sychder, dechreuodd Myfanwy yr arfer wythnosol o gario basgedaid o ddillad i'w golchi yn nŵr afon Camwy, rhyw ddau neu dri chanllath o'r ffarm. Gwnâi Annie yr un peth ar y lan ddeheuol ar lain o dir union gyferbyn. Dechreuodd y ddwy siarad â'i gilydd unwaith eto dros yr afon ac adferwyd eu cyfeillgarwch gan lwyddo i'w gynnal am flynyddoedd hyd at farwolaeth Annie – stori fach sy'n dangos teyrngarwch Myfanwy i ffrind a oedd, yn ei barn hi, wedi dioddef cam.

Yn dilyn ymadawiad Annie, disgynnodd holl gyfrifoldebau gwraig y tŷ ar ysgwyddau Myfanwy heb gymorth i'w gael gan neb arall mwyach. Doedd neb ond hi ei hun ar gael i wynebu'r amrywiol dasgau – rhwymo traed ôl y gwartheg ar gyfer eu godro fore a nos yn y *corral*; rhoi'r lloi i sugno; cludo'r bwcedi llaeth i'r seler; separetio; gwneud menyn, caws a llaeth enwyn; hebrwng y gwartheg i'r caeau pori wedi'r godriad cyntaf a'u tywys yn ôl gyda'r nos ar gyfer eu godro'r eilwaith; pobi bara yn y ffwrn frics allanol (ac yno hefyd y rhoddai'r pwdin reis blasusaf yn y byd i'w goginio); gofalu bod cyflenwad digonol o goed tân ar gael yn gyson (ar gyfer ffwrn y gegin a'r lle tân, yn ogystal); golchi dillad; paratoi cinio a swper; cadw'r tŷ yn lân a'r lloriau pren yn disgleirio; trwsio sanau a dilladach eraill; ysgubo'r llwch o'r buarth nes bod y pridd yn wyn a chaled – drwy'r dydd bob dydd, haf, a gaeaf.

Roedd ei thasgau dyddiol yn ddiderfyn. Ni chofiaf weld Nain yn segura nac yn hamddena erioed ac eithrio mewn gwasanaeth, cymanfa neu gyngerdd, a hwyrach bod y rheiny'n sugno'i hegni hefyd. Âi o un dasg i'r nesaf heb orffwys na grwgnach, fel petai wedi cael ei rhaglennu i weithio o fore gwyn tan yn hwyr y nos.

Efallai nad oedd yn syndod fod Thomas Jones, fel mab i deiliwr, yn hoff o wisgo'n dda ac yn berchen ar nifer o siwtiau. Pan ddaeth ei frawd hynaf, Evan Jones Triangl, i edrych amdano ryw ddydd, brysiodd Thomas i ddangos iddo'r siwt wen roedd newydd ei phrynu erbyn yr haf. 'Wel 'di Ifan, un fel hyn ddylset ti ei chael – mae'n ysgafn neis ar gyfer y tywydd poeth.' 'Wel ie,' atebodd Evan, 'pe cawn i rywun i'w golchi a'i smwddio hi.' Trawyd Thomas gan sylw ei frawd gweddw ac meddai wrth Myfanwy, oedd yn dyst i'r sgwrs, 'Doeddwn i ddim wedi meddwl, Myfi, mai chi fyddai'n gorfod ei golchi a'i smwddio hi.' 'Peidiwch â phoeni dim, Taid. Cofiwch chi wisgo'r siwt yr un fath,' oedd ei hateb siriol hithau.

Teulu Sir Aberteifi, Cwm Cynon a Dyffryn Dreiniog

Merch ffarm oedd Eleanor Evans, nes iddi ffurfio'i haelwyd gyntaf gyda'r teiliwr ifanc David Jones, Llangoedmor, yn ne Sir Aberteifi tua chanol y 1840au. Magodd y ddau bum plentyn: Evan (1845), Henry (1847), Thomas (1849), David (1852) ac Elizabeth (1855). Rywdro yn ystod y cyfnod hwn, symudodd y teulu i bentref cyfagos Blaenporth, a bu farw Henry. Gan nad oedd teilwra'n llwyddo i'w cynnal, symud fu eu hanes wedyn i'r Llwydcoed, ger Aberdâr, lle cafodd y penteulu waith mewn pwll glo. Efallai, oherwydd nad oedd yn gyfarwydd â gwaith corfforol caled, neu oherwydd amodau gwaith yn y pwll, bu farw Dafydd yn sydyn, gan adael Eleanor yn weddw i ofalu am y teulu ifanc.

O ganlyniad, gorfu i Ifan a Tomos fynd i'r pwll i gynnal y teulu a hwythau ond yn dair ar ddeg a naw mlwydd oed. Dywedai Tomos, fy hen-daid, nad oedden nhw'n gweld yr haul yn y gaeaf ac eithrio ar y Sul. Tyngodd Ifan na châi Dafydd bach fyth fynd yn agos at y pwll, waeth faint y byddai rhaid iddo yntau ymdrechu i ennill digon o gyflog i roi gwell cyfle iddo.

Yna, clywsant fod cyfarfod cyhoeddus i'w gynnal yng nghapel Ebeneser, Trecynon, i drafod sefydlu Gwladychfa Gymreig ym Mhatagonia. Gŵr ifanc o Wisconsin fyddai'n annerch, sef Edwin Cynrig Roberts, brodor o Sir y Fflint. Y noson honno, roedd y teulu cyfan yno'n gryno a phob un yn cael ei ysbrydoli gan ei ddisgrifiadau llachar o fywyd rhydd yn y Gymru Newydd, am yr hawl i ddefnyddio'r Gymraeg mewn ysgol a chapel, mewn gwaith a masnach, mewn llywodraeth a llysoedd barn. Yn fuan wedyn, cyfarfu Eleanor â Thomas Davies, yntau'n ŵr gweddw ac yn dad i bedwar o blant. Priododd y ddau ychydig cyn teithio i Lerpwl i ddal y llong fyddai'n eu cludo i Batagonia. Hon oedd yr uned deuluol ail fwyaf ar y *Mimosa*. Priododd Ifan, mab Eleanor, â Lisa, merch Thomas, yn 1870. Beirniadwyd ef am briodi'i chwaer, er nad oedd perthynas waed rhyngddynt mewn gwirionedd.

Amlygodd Eleanor agwedd gadarnhaol yn wyneb yr holl drafferthion, yr ofnau a'r gofidiau ar y fordaith, a chlywir straeon amdani'n cynnal ysbryd diffygiol rhai o'i chyd-wladwyr ar adegau o galedi eithriadol. Wrth adrodd hanes y fintai yn aros yn y Bae Newydd am gludiant i ddyffryn Camwy, dywed Abraham Matthews fod Eleanor wedi ceisio godro rhai o'r gwartheg gwyllt a gludwyd o dalaith Buenos Aires, nad oedden nhw erioed wedi cael eu godro cynt. Rhuthrodd buwch arni gan beri iddi redeg i ffwrdd am ei bywyd, gan daflu'i phiser a dweud: 'Dyma andros o wartheg, dyn a'n cato ni. Dyma wartheg a'r ysbryd drwg ynddynt'.

Roedd yn wraig benderfynol. Pan drefnwyd anfon y gwragedd a'r plant o'r Bae i'r dyffryn ar y *Mary Helen*, sgwner a huriwyd i gludo nwyddau rhwng y ddau le, treuliodd y fintai gyntaf o wragedd a phlant bythefnos arswydus yng nghrombil y llong heb fwyd, heblaw am fisgedi sychion, a dim ond ychydig ddŵr. O ganlyniad i'r daith enbyd honno, bu nifer o'r gwragedd yn wael a bu farw sawl plentyn. Pan ddychwelodd y llong i gasglu'r gweddill, gwrthododd Eleanor fynd arni a hefyd Elizabeth (Betsan) Jones, gwraig John Jones Aberpennar. Cerddodd y ddwy wraig a'r mwyafrif o'u plant y daith o ddeugain milltir gan dywys y moch a'r defaid na lwyddwyd i'w llwytho ar y sgwner. Cyraeddasant y dyffryn yn wan a lluddedig, eu dilladau'n garpiau a gwadnau eu traed yn friwedig a gwaedlyd. Eleanor (42 oed) a Betsan (54) oedd dwy o wragedd hynaf y fintai a dwy o'r ychydig rai a ddeuai o gefndir amaethyddol. Dywedir iddynt fod yn brysur yn dysgu gwragedd eraill i odro a gwneud caws a menyn. Flynyddoedd yn ddiweddarach, canmolai'r Parchedig D. S. Davies a nifer o ymwelwyr ac ymfudwyr newydd, letygarwch Eleanor a'i chroeso hael. Waeth pa mor brin y byddai'r bwyd yn ei phantri, llwyddai i ddarparu pryd maethlon ar gyfer pob un a eisteddai o gwmpas ei bwrdd mawr.

Yn 1884 bu Tomos, fy hen-daid, yn wael a symudodd hithau i Lan Camwy i'w nyrsio. Wedi iddo adfer ei iechyd, dychwelodd Eleanor i Ddyffryn Dreiniog ar ddiwrnod gaeafol o law trwm gan wlychu hyd at ei chroen ymhell cyn cyrraedd adref, a bu farw o niwmonia yn fuan wedyn. Fel y dywedodd Tomos, er ei bod hi wedi nyrsio sawl perthynas a chymydog, doedd neb cymwys ar gael i'w nyrsio hi. Ymhlith ei disgynyddion mwyaf adnabyddus mae'r hanesydd Matthew Henry Jones, awdur pum cyfrol werthfawr iawn ar hanes Trelew a'r gwladfawyr cynnar, y cerddor Clydwyn ap Aeron Jones a'r cyfansoddwr Héctor MacDonald.

Gyda'r math yna o amgylchfyd a thraddodiad y tu ôl iddi, daeth Sarah, fy mam, yn gyfarwydd yn ifanc iawn â gweithio'n galed, a dyna fu ei hanes gydol ei hoes gynhyrchiol. Cyn gynted ag y daeth yn ddigon hen i gydio mewn stôl a rhwymo traed ôl y gwartheg, codai'n gynnar i helpu Myfanwy, ei mam, i odro cyn mynd i'r ysgol. Pan gollodd Myfanwy efeilliaid a gorfod gorffwys ar y setl yn y gegin fawr, Sarah, a hithau heb fod eto'n bum mlwydd oed, fyddai'n pilio tatws ac yn glanhau llysiau eraill ar gyfer amser cinio o dan gyfarwyddyd ei mam. Byddai'n paratoi *mate* i'w mam a'i yfed hefyd. Hi fyddai'n gofalu am Neved, a oedd ryw wyth mlynedd yn iau na hi, ac yn magu Urien, a aned bedair blynedd yn ddiweddarach. Bu yntau'n wael iawn yn ei fabandod a gorfu i Sarah ei gario yn ei breichiau am oriau maith bob dydd am wythnosau a gofalu ei fod yn cymryd ei foddion mewn pryd, er mwyn rhyddhau Myfanwy i ymgymryd â'i thasgau dyddiol.

Un o'r cyfrifoldebau a gymerodd Sarah oedd cario dŵr o'r ffynnon. O ganlyniad i godi bwcedeidiau dirifedi o bridd ar gyfer adeiladu sied fawr, ysigodd ei hysgwyddau gan achosi poenau a'i llethodd am weddill ei hoes.

Un prynhawn hydrefol, yn fuan wedi'r dyrnu, cyfarfu Sarah â'i ffrind Mair Hughes yn bugeilio lloi ffarm Glyn Llifon ar gae oedd ar draws y ffordd i Lan Camwy. Dim ond y llinell (ffordd unionsyth) a wahanai'r ddwy ffarm, gan nad oedd llawer o ffermydd y Wladfa wedi'u ffensio y dyddiau hynny. Gofynnodd Mair a hoffai ddod drosodd i chwarae. Cafodd Sarah ganiatâd ei mam ar yr amod ei bod gyntaf yn ymolch, newid ei ffrog a chyrchu'r gwartheg i'r *corral* ar gyfer eu godro. Arferai gyflawni'r orchwyl olaf hon ar gefn ei merlen. Ar ei ffordd i'r caeau pori, gwelodd ei chefnder Elfed yn codi ei law arni. 'Beth ddywedai Nhad petai e'n gweld hwn yn mynd mor gyflym,' meddyliodd, heb sylwi efallai y dylai hithau arafu hefyd. Heb ganolbwyntio ar ei thasg, llaciodd ei gafael ar yr awenau.

Gwyrodd y ferlen tua'r clawdd pridd; baglodd a chwympodd ar ei hochr dros goesau'i marchoges gan orwedd yn llonydd arni. Gwaeddodd hithau i'w annog i godi. Ufuddhaodd y creadur ond roliodd i'r cyfeiriad anghywir gan wasgu Sarah yn dynn a gwthio bachyn y cyfrwy dros ei gwddf a rhwygo'r croen o dan ei gên. Yn fuan, gorchuddiwyd ei dillad glân â'i gwaed. Daliodd ei ffrog wrth y briw i atal y llif coch, sythodd y cyfrwy a'i dynhau ac aeth yn ei blaen i gasglu'r gwartheg. Wedi eu cau yn y *corral*, rhedodd i'r gegin i geisio golchi'r gwaed. Brawychodd ei mam wrth ganfod y fath olygfa ond dywedodd Sarah wrthi am beidio â phoeni gan ei bod wedi gofyn i Iesu Grist ei gwella. Gwnaeth ei thaid bwltis ag eli roedd ef ei hun wedi'i baratoi. Ataliodd hwnnw'r gwaedu a gostwng gwres y briw. Pan dynnwyd ef ymaith a gweld bod us

yn gymysg â'r gwaed sych oedd arno, brysiwyd i olchi'r briw â
dŵr glân, a rhwymwyd y clwy â chadach wedi'i wlychu mewn
cymysgedd o fyrr ac alcohol. Galwai Neved, nad oedd ond tua
phedair oed ar y pryd, ar i Taid fynd â Sera fach at y doctor. Does
dim angen meddyg, atebodd hwnnw – beth ddyliech oedden ni'n
ei wneud yn nyddiau cynta'r Wladfa? Fe wellith Sera'n iawn.
Bob tro yr adroddai Mam y stori cawn hwyl yn chwilio am olion
y graith na lwyddodd blynyddoedd i'w llwyr ddileu.

Mynychodd Sarah Ysgol Tŷ Gwyn, ysgol a oedd, erbyn hynny,
yn cael ei rhedeg gan y wladwriaeth ac yn dysgu drwy gyfrwng y
Sbaeneg. Gorfodwyd y Cymru a oedd yn athrawon yno i beidio â
siarad Cymraeg yn yr ysgol. Gwrthwynebai rhai y drefn newydd
ac fe'u symudwyd i ddysgu plant di-Gymraeg yn ysgolion y camp,
a daethpwyd ag athrawon di-Gymraeg i gymryd eu lle. Doedd
y rheiny'n aml ddim yn gymwys nac yn barod i gydymdeimlo
ag anawsterau ieithyddol plant na fedrai air o iaith swyddogol y
wladwriaeth. Doedd safon yr addysg a drosglwyddid yn Ysgol Tŷ
Gwyn ddim yn ddigon da, a phenderfynodd John Jones a nifer o'i
gyfoedion sefydlu ysgol arall yn yr ardal. Er mai Sbaeneg oedd
iaith swyddogol yr ysgol honno hefyd, roedd Sr Fernández, y
prifathro, yn briod ag un o ferched y gwladfawyr ('Buddug Fawr',
fel y byddai o'n ei galw'n ddireidus) ac yn deall nad gormesu'r plant
oedd y dull mwya effeithiol i'w troi'n Archentwyr gwladgarol.

Yn ei harddegau, anfonwyd Sarah i'r Gaiman i astudio yn yr
Ysgol Ganolraddol. Yn fuan wedyn, penderfynodd ei bod eisiau
dysgu gwnïo. Mynnodd ei thad na fedrai dalu am ddau gwrs a
bod angen iddi ddewis rhwng cwblhau ei haddysg neu ddilyn
cwrs gwniadwraig. Wedi hir bendroni, dewisodd yr ail a chefnu
ar yr ysgol gyda chalon drom. Flynyddoedd yn ddiweddarach
fe wnaeth gydnabod y dylai fod wedi aros yn yr ysgol a symud
wedyn i gwrs hyfforddi athrawon a thalu am gael dysgu gwnïo
wedi iddi ddechrau ennill cyflog. Ond ildio i'r demtasiwn o ennill
annibyniaeth ariannol buan a wnaeth gan nad oedd unrhyw
sicrwydd ganddi ar y pryd o gael aros mor hir ym myd addysg.

Dyna'r awgrym cyntaf a gefais fod Taid yn ŵr gofalus iawn

o'i arian. Fodd bynnag, cytunodd yntau i brynu peiriant *Singer* newydd sbon iddi ac i dalu am y cwrs gyda'r *Academia Arrieta*. Roedd cael Sera'n ôl yng Nglan Camwy yn golygu bod yno bâr arall o ddwylo i helpu Myfanwy. Barn Thomas Jones oedd nad oedd angen i ferched wastraffu blynyddoedd yn dilyn cwrs addysg a chymaint o waith iddynt ei wneud gartref.

Teulu Cilcain a Wisconsin

Yn *Cymry Patagonia*, ymgais arbrofol R. Bryn Williams i adrodd hanes y Wladfa, y gwelais enw Edwin Cynrig Roberts mewn print am y tro cyntaf. Deuthum ar draws y gyfrol fechan ddiddorol hon a holais Mam, 'Ai hwn yw'r Edwin Roberts mae Dada'n sôn o hyd amdano?' Doedd Nhad ddim yn storïwr mawr ond cawn ganddo hanesion am ddigwyddiadau rhyfeddol ei fywyd dieithr ar y camp, ac am y creaduriaid gwyllt a'r dynion hynod y deuai ar eu traws. Ynghanol y rhain, cawn glywed ganddo am gampau beiddgar ei daid o ochr ei fam. Roedd hwnnw wedi cael ei gludo gan ei rieni o'u ffarm rhwng Cilcain a Nannerch dros y môr i dalaith Wisconsin, i chwilio am fywyd gwell. Clywodd yno yn ei arddegau am y mudiad gwladfaol a dod yn un o'i brif ladmeryddion cyn croesi'r Iwerydd i ymuno ag ymgyrch fawr Michael D. Jones. Cyflawnodd Edwin nifer o gampau, megis paratoi'r gwersyll yn y Bae Newydd; ei ymdrechion diflino i fwydo'r fintai mewn cyfnodau o newyn; ei fentrau busnes a'i lwyddiant fel un o ffermwyr mwyaf llewyrchus ei gyfnod; ei deithiau hir ar draws y camp di-ddŵr; ei gyfraniad i lywodraeth y Wladfa a'i diogelwch; ei ymgyrch hyd at odre'r Andes i chwilio am aur a'i wroldeb yn wyneb peryglon o bob math. Doedd ysgolion y wladwriaeth ar y pryd ddim yn arddel hanes Patagonia – nac yn cydnabod bod hanes ein rhan ni o'r wlad yn un cwbl wahanol i'r ardaloedd eraill a'i fod yr un mor bwysig.

Synnais na rannai 'nghyfeillion fy mrwdfrydedd pan ddywedais wrthynt fod enw fy hen-daid yn cael ei grybwyll mewn llyfr hanes. Ni soniais rhagor am y peth a daeth fy edmygedd o

Edwin a fy awydd i wybod mwy amdano yn gyfrinach rhyngof i a 'nheulu agosaf. Er mai hwn, yn ddiamau, oedd arwr fy mhlentyndod, âi degawdau heibio cyn i mi lwyddo i ddarganfod mwy amdano a sylweddoli mawredd ei gyfraniad i lwyddiant y mudiad gwladfaol ac i barhad y Wladfa.

Teulu Aberpennar, Glyn Du a Drofa Bresych

Y pedwerydd ar bymtheg o Ebrill 1866, priododd Edwin ag Ann Jones, y ferch a broffwydodd wrth ei weld yn rhwyfo o'r lan tua'r *Mimosa*: 'Hwnna fydd fy ngŵr i'. Yn ystod yr un gwasanaeth unwyd brawd Ann, Richard Jones, â Hannah, merch Thomas Davies a llysferch Eleanor, Dyffryn Dreiniog. Roedd y brawd a'r chwaer yn blant i'r pâr hynaf ar y *Mimosa*, John Jones, *Mountain Ash* (61), ac Elizabeth (54), y wraig y byddai ef yn ei galw'n Betsan.

Roedd y briodas ddwbl ynddi'i hun yn ddigwyddiad anghyffredin ond yr hyn a'i gwnaeth yn fwy cofiadwy oedd y penderfyniad i gynnal gwledd i ddathlu'r achlysur hapus – y tro cyntaf i hynny ddigwydd yn y Wladfa. Ni welwyd y fath rwysg yno cyn y diwrnod hwnnw. Gorymdeithiodd aelodau'r Fyddin Gymreig (y gwarchodlu a sefydlodd Edwin i amddiffyn y sefydliad rhag ymosodiadau'r brodorion), o Gaer Antur i Blas Hedd, cartref Edwin ar y pryd, i ffurfio bwa o gleddyfau wrth i'r ddau bâr gerdded i'r tŷ i fwynhau'r bwyd roedd y ddwy fam yng nghyfraith newydd ynghyd â'u merched wedi'i baratoi. Ac wrth i'r parau ifanc a'u gwahoddedigion gerdded o gwmpas y ffarm y prynhawn hwnnw, gwelwyd y brodorion yn agosáu am y tro cyntaf, gan achosi cynnwrf eithriadol, a phawb yn rhuthro'n ôl i Gaer Antur. Fel y digwyddodd pethau, ni fu'n rhaid galw am wasanaeth y Fyddin Gymreig i amddiffyn yr ymfudwyr rhag yr ymwelwyr, a oedd ar berwyl heddychlon a chyfeillgar. Wedi iddynt werthu ffarm Plas Hedd i Lewis Jones, ymgartrefodd Edwin ac Ann ar ffarm Bryn Antur yn ardal Drofa Bresych, ar lan ddeheuol yr afon. Nest, eu merch ieuengaf, a'r seithfed o'u wyth plentyn, oedd mam fy Nhad.

Yn Ionawr 1891, dychwelodd Edwin a rhyw hanner dwsin o'i gyfeillion ar daith ymchwil a'u dygodd hyd at ardal Tecka, wrth droed yr Andes. Yn llawn brwdfrydedd, honnodd y fintai fechan eu bod wedi darganfod aur. Llwyddwyd i berswadio'r llywodraeth o werth mawr eu darganfyddiad, a chynhyrfwyd y dyffryn cyfan gyda'u stori. Yn dilyn cyfarfodydd cyhoeddus yn y Gaiman a Threlew, penderfynodd nifer mawr o wladfawyr adael eu gwaith amaethyddol er mwyn rhuthro ar ddeugain fen ar draws y camp tua'r mynyddoedd. Fe ddychwelon nhw ymhen ychydig fisoedd yn waglaw, yn dlotach, ond yn gallach. Serch hynny, cadwodd y cwmni at eu honiad.

Yn 1892, gwerthodd Edwin un o'i ffermydd, a theithiodd i Gymru i ffurfio cwmni i weithio'r gloddfa ar y mynydd a gariai ei enw. Aeth â'i deulu gydag ef, meddai, er mwyn rhoi cyfle iddyn nhw wella'u haddysg yn yr Hen Wlad, gan nad oedd ysgolion uwchradd yn y Wladfa ar y pryd. Wedi ymsefydlu yn y Pant, Bethesda, aeth ati'n ddygn i sefydlu'r *Welsh Patagonian Gold Field Syndicate*. Gwelir mapiau o'r meysydd aur honedig yn y Llyfrgell Genedlaethol, ynghyd â'r *'Memorandum of Association'* a luniwyd gan David Lloyd George, a oedd hefyd yn un o'r prif gyfranddalwyr. Yn ei amser hamdden, manteisiodd Edwin ar y cyfle i ysgrifennu rhywfaint o hanes y Wladfa gyda'r bwriad o gyhoeddi cyfres o ddeunaw cyfrol fechan yn sôn am wahanol agweddau ar y fenter ac i brofi ei bod wedi llwyddo y tu hwnt i bob disgwyliad. Cyhoeddwyd y gyfrol gyntaf ddydd Gwener, 15 Medi 1893, a'i fwriad oedd mynd â chyflenwad i'w gwerthu yn y Wladfa. Bwriadai ymlwybro fore Llun tua Lerpwl i ddal y llong oedd i'w gludo ef a'i deulu ynghyd â dyrnaid o gyfeillion eraill i Buenos Aires, ond bu farw fore Sul o effeithiau trawiad ar y galon pan nad oedd ond yn 55 mlwydd oed. Gyda'i ymadawiad annhymig collodd y Wladfa un o'i chewri ac un o'i chymeriadau mwyaf lliwgar. Collodd ei deulu lawer mwy – gŵr, tad a phenteulu. Collasant eu cynhaliwr hefyd, a phan ddaeth yr arian i ben ymhen rhai blynyddoedd, bu'n rhaid i hyd yn oed y merched chwilio am waith.

Ymhen amser, ailbriododd Ann gyda'r Rhingyll William Jones, a symudodd i fyw i Ben Llŷn. Ymddengys nad oedd y cam hwn wrth fodd o leiaf rai o'i phlant. Dychwelodd y rheiny o un i un i'r Wladfa fel roedd eu hamgylchiadau'n caniatáu iddynt. Y cyntaf i wneud hynny oedd Esyllt, y ferch hynaf, a'i gŵr, Ellis Pennant Jones. Mewn llythyr ati hi, pwysleisia Ann na ddylent ddigio wrthi oherwydd, meddai, 'yr wyf wedi cael cartref cysurus a hapus iawn'.

Teulu'r Gerlan, Río Negro a Bryn Gwyn

I Fangor yr aeth Nest, fy nain, yn 1897, a chael ei chyflogi yn *housemaid waitress* yn y Gwynfryn, cartref rhyw Mrs Vincent, Saesnes fonheddig. Deuddeg punt y flwyddyn oedd ei chyflog. Mewn llythyr at Esyllt, dywedodd ei bod wedi'i tharo'n wael yn fuan wedi dechrau ar ei swydd a bod ei chyflogwraig wedi bod yn garedig eithriadol wrthi yn ystod ei gwaeledd, a dewis talu costau'r meddyg a'r deintydd a ofalodd amdani yn hytrach na'i hanfon adref. Cwpl o flynyddoedd yn ddiweddarach, daeth ar draws Ewen MacDonald, chwarelwr o'r Gerlan. Roedd yntau'n fab i Donald William MacDonald, Albanwr a ddaethai i chwilio am waith yn Chwarel y Penrhyn, ac i Catherine Williams, merch leol. Dysgodd Donald siarad Cymraeg, a honno oedd iaith yr aelwyd lle magwyd eu meibion. Priododd Ewen a Nest yn Eglwys Glanogwen, ym mhlwyf Llanllechid, Sir Gaernarfon, ac yntau'n 24 mlwydd oed a hithau flwyddyn yn iau. Chwarelwr ar streic fyddai o ymhen saith wythnos a diwrnod, oherwydd ar ddydd Iau 22 Tachwedd, cerddodd allan o'r chwarel am y tro olaf. Bron i ddwy flynedd yn ddiweddarach, ar ddiwedd llythyr dyddiedig 8 Tachwedd 1902 a ysgrifennodd Ann o Abersoch at ei phlant yn y Wladfa, ceir y troednodyn canlynol gan Willian Jones:

Mae streic y chwarel wedi difetha Bethesda am byth. Y ffyliaid gwirion yn gwrando ar ryw greaduriaid sydd yn cadw mwstwr er eu lles eu hunain, a damnedigaeth i gannoedd o'r chwarelwyr druain. Mae tros fil o bobl yn gweithio yn y chwarel ar hyn o bryd [...] Allan o'r chwarel mae gŵr Nest. Nid oes gen i lawer o glod i'w roddi iddo ef [...]

Torri'r streic a wnaeth Angus, pan ddychwelodd i'r gwaith wedi i Arglwydd Penrhyn ail agor y chwarel ym Mehefin 1901. Heb gyflog na budd-dal, ni fedrai fwydo'i hun a Catherine, ei wraig ifanc. Canlyniad uniongyrchol ei benderfyniad oedd iddo ddioddef cweir ddidostur un noson dywyll gan rai o'i gyn-gydweithwyr a'i caethiwodd i'w wely am wythnosau. Câi ef a'i geraint eu hadwaen byth wedyn fel 'teulu bradwrs'.

Er gwaethaf hyn, dychwelyd i'r chwarel a wnaeth Cynrig, un o frodyr Nest, gan achosi poen meddwl mawr ychwanegol i'w fam. Meddai Ann mewn lythyr dyddiedig 29 Tachwedd yr un flwyddyn:

Mae yn dda iawn gen i fy mod wedi myned o Fethesda, o'r twrw mawr sydd yno o hyd. Pe baswn i'n byw yn Bethesda cawswn fy ngwawdio a gweiddi bŵ ar fy ôl o hyd. Ni allaf ddweud wrthych pa mor ddrwg ydyw hi yno, a hynny achos fod rai o'r dynion wedi myned i weithio. Mae y mwyafrif yn dal i streicio [...] Streiciwr mawr yw gŵr Nest ac nid yw wedi gweithio ers tri mis ar ddeg.

Yn ystod y cyfnod cythryblus hwn ganed Christina (28 Hydref 1901) ac Edwyn (28 Tachwedd 1902).

Doedd cadw lojwr (sef Cynrig ei brawd) ddim yn ddigon i gynnal y teulu a gorfu i Ewen chwilio am waith. Mae lle i gredu ei fod wedi bod yn pedlera llyfrau. Honnai gwraig oedrannus o Danygrisiau yn ôl yn 1974 ei bod yn ei gofio, a hithau'n blentyn ar y pryd, yn galw yn ei chartref i werthu'r cyfrolau diweddaraf. Dichon nad oedd honno'n swydd lewyrchus iawn, oherwydd ymfudodd y teulu bach i Loegr i wella'u byd, gan ymsefydlu yn Northampton, lle ganed Donald yn Hydref 1905.

Yna, dychwelodd John Jones Bach, fel y gelwid brawd hynaf Ann, i Gymru ar daith i ddenu ymfudwyr i'w Wladfa bersonol yng Ngheg yr Hirdaith. Adroddai Nest fod addewid ei hewythr am diroedd ffrwythlon mewn hinsawdd iach wedi'i pherswadio hi ac Ewen i'w ddilyn. Heb unrhyw amheuaeth, roedd eu byd ar wella. Ond y siom gyntaf oedd darganfod nad oedd tiroedd gan John Jones ar eu cyfer wedi'r cyfan. Rhoes lain o dir iddynt o fewn ffiniau ei ffarm enfawr ei hun. Gan nad oedd y tir a gawsant yn un cynhyrchiol, nid enillent ddigon i dalu'r rhent ac roedd eu bywydau mor amddifad o gysuron y byd hwn â phan roedden nhw yng Nghymru. Pan glywsant fod nifer o wladfawyr Dyffryn Camwy wedi cael tiroedd ar ynys Choele Choel gan Raglaw Rio Negro fel gwobr am agor system ffosydd dyfrhau gyffelyb i un Dyffryn Camwy, ymfudasant i'r man hwnnw ond eto heb fawr mwy o lewyrch, oherwydd bod y ffermydd wedi'u rhannu. Bod yn was ffarm fu tynged Ewen unwaith eto, yn hytrach na dod yn feistr arno fo ei hun. Pan droes i chwilio am gysur mewn cwrw, perswadiodd Nest ef fod gobaith am well bywoliaeth ar un o hen ffermydd ei thad yng ngwladfa Dyffryn Camwy, tua tri chan milltir i'r de ar draws y camp. O leiaf, roedd ganddynt hawl ar ran o'r tiroedd hynny ac ymlwybrodd y teulu tua'r de, gan ymsefydlu ar ffarm y Castell ar gyrion Treorci, a etifeddwyd oddi wrth Edwin. Yno y ganed Héctor, ym Medi 1916.

Ymddengys fod y teulu wedi ymdaflu i fywyd cymdeithasol a diwylliannol eu bro newydd. Barn un o'i gyfeillion dienw yn Y Drafod oedd fod Ewen 'yn ysgolor ac yn ymgomiwr difyr, yn haelfrydig a pharod ei gymwynas [...] yn weithiwr diwyd, yn briod a thad tyner ar ei aelwyd'. Medrai fod wedi ychwanegu hefyd ei fod yn ddarllenwr brwd. Cofiai Mam glywed ei mam hithau'n pwysleisio nad oedd modd colli unrhyw gyngerdd pan fyddai parti Ewen MacDonald yn canu ynddo. Ond doedd llwyddiant ar y llwyfannau ddim yn cynnig bywoliaeth i neb yn y Wladfa. Oherwydd fod y gwynt a'r halen yn erydu'r tir ac, efallai, oherwydd fod alcohol yn erydu nerth Ewen, daeth dydd pan nad oedd y ffarm yn talu'r ffordd ac, yn 1920, bu'n rhaid i'r teulu symud eto – i ffarm Treuddyn, Bryn Gwyn, y tro hwn, a hynny mewn tlodi mawr. Yno y ganed Eryl y flwyddyn honno.

Yn ôl ei dystiolaeth ei hun, cerddai Héctor yn droednoeth i'r ysgol bob dydd oherwydd nad oedd yn berchen ar bâr o esgidiau. Aeth e ddim i'r ysgol ar ddydd Mercher, 15 Medi 1926, ac yntau'n dathlu ei ben-blwydd yn ddeng mlwydd oed, oherwydd gwaeledd ei dad. Tuag un ar ddeg o'r gloch y bore, derbyniodd Ewen ei gymun olaf o law'r Parchedig W. R. Jones, gweinidog Seion. Bu farw ganol dydd – 'wedi dioddef ohono fisoedd o gystudd yn dawel a dirwgnach', meddai *Y Drafod*, rai wythnosau cyn dathlu ei hanner canfed pen-blwydd. Efallai na wyddai Héctor mo hynny ar y pryd ond roedd ei addysg ffurfiol wedi dod i ben. Ni fynychodd yr ysgol genedlaethol wedyn, gan fod cyflwr cyllid y teulu yn ei orfodi i ennill cyflog fel gwas bach. Gorfu i Nest a'i phlant symud i'r Tŷ Capel i ddianc rhag llifogydd 1932 ac yna ddwy flynedd yn ddiweddarach, i dyddyn Coed Newydd, hen gartref ei thaid a'i nain. Yn ystod y cyfnod hwn, mynychodd Héctor Ysgol Mr Dean yn Nhrelew am rai misoedd, lle dysgodd ychydig Saesneg. Roedd yr ysgol breifat hon yn perthyn i'r Eglwys Anglicanaidd, ac am i'w daid, Edwin Cynrig Roberts, ymgyrchu yng Nghymru i godi arian ar ei chyfer, ni bu'n rhaid i Nest dalu ceiniog am yr hawl i'w anfon yno.

Er gwaetha'r bywyd caled, mae'n amlwg bod Héctor yn gwybod sut i fwynhau. Cofiaf ei glywed yn adrodd hanesyn amdano'i hun yn llencyn bywiog yn mynd i ddawns ar ddiwedd diwrnod hir o waith ac yn dychwelyd adref gyda'r wawr y bore canlynol dim ond mewn pryd i newid i'w ddillad gwaith a godro'r gwartheg cyn wynebu gorchwylion niferus eraill y dydd. Dywedodd iddo gwympo i gysgu wrth odro'r nos Sadwrn honno ac na ddeffrodd tan fore Llun – hyd yn oed pan gludwyd ef i'w wely gan ei frodyr! Ond nid goryfed oedd yr esboniad am y digwyddiad hwnnw eithr gorflinder.

Dychwelodd adref yn feddw un noson a chanfod ei fam wrth y drws. Er na thorrodd hi'r un gair wrth iddo droi i mewn i'r tŷ, roedd gweld y siom ar ei hwyneb yn ddigon iddo addo yn y fan a'r lle na wnâi oryfed byth wedyn. Yn ogystal, efallai ei fod yn cofio tra bu byw am y modd y collodd ei dad, ac nad oedd am beri loes cyffelyb i'w fam. Serch hynny, hoffai gyfarfod â'i gyfeillion i wledda a chymdeithasu. Medrai fod yn onest o hunanfeirniadol. Un nodwedd arbennig iawn ohono oedd ei galon feddal. Yn ôl y sôn gan Yncl Urien, collodd ei galon yn llwyr pan oedd yn dal i fod yn ei arddegau, wrth iddo weithio gyda'r criw dyrnu a gweld merch ifanc yn cerdded o'i flaen, a'i gwallt hir at ei chanol yr un lliw â'r gwenith. Wedi cyrraedd ati, gwelodd ei llygaid glas a'i gwên siriol ond bu'n rhaid iddo dyfu'n ddyn cyn ennill ei serch.

Pan ddaeth y dydd hwnnw, bu'n rhaid iddo ddechrau meddwl am gartref iddo'i hun a'i ddyweddi. Gan fod Yncl Glyn yn berchen ar ail dyddyn yn Nhir Halen, daeth i gytundeb ag ef hyd nes y câi ei ffarm ei hun. Yn ystod y cyfnod hwn, trefnwyd cyngerdd pwysig yn y dyffryn isaf. Pan glywodd Héctor fod Sarah yn canu mewn côr, gwelodd gyfle ychwanegol i'w chyfarfod. Er ei fod nawr yn byw ym mhen eitha'r dyffryn, ymunodd â'r côr ac, yn union ar ôl gorffen ei waith yn gynnar, marchogai yr holl ffordd i gapel Moriah i bob ymarfer, gan ddychwelyd wedyn yn hwyr y nos ar draws y dyffryn i gyrraedd ei fwthyn yn Nhir Halen yn oriau mân y bore. Yr adeilad bychan a moel hwnnw fu cartref y ddau am fisoedd cyntaf eu priodas. Onid wyf yn camgymryd, saif o hyd ar ymyl y ffordd. Er nad oes cofeb na phlac i nodi'r fan nac i ddathlu'r achlysur, mae'n bur debyg mai o fewn clydwch ei furiau gwyn y cenhedlwyd fi!

5

Dysgu byw

GYDA THEIMLADAU CYMYSG Y bûm yn edrych ymlaen at gael mynd i'r ysgol. Ers troad yr ugeinfed ganrif, doedd dim ysgolion meithrin nac addysg gynradd Gymraeg yn Nyffryn Camwy, a byddai plant yn dechrau'r ysgol genedlaethol yn y flwyddyn roeddent yn cael eu pen-blwydd yn chwech oed. Rhedai'r flwyddyn ysgol yn ôl y flwyddyn galendr, gan ddechrau ym mis Mawrth a gorffen ym mis Rhagfyr. Ceid wythnos o wyliau yn ystod Gorffennaf i osgoi'r gaeaf ar ei arwaf, yn ogystal â thri mis o wyliau go iawn yn haf hirfelyn tesog Patagonia. Ond, ni chaniateid cofrestru unrhyw blentyn a ddathlai ei ben-blwydd yn chwech oed ar ôl 31 Mai. Rown i ddau ddiwrnod ar bymtheg ar ei hôl hi ac, yn hytrach na chael fy nerbyn ym Mawrth 1947, bu'n rhaid i mi aros am flwyddyn gron arall cyn cael fy nhroed ar risiau'r ysgol gynradd.

O ganlyniad, rown i eisoes wedi cael fy mhen-blwydd yn chwech oed wrth ddechrau yno ym Mawrth 1948 ac yn saith oed drwy gydol pum mis olaf fy mlwyddyn gyntaf. Rhennid y disgyblion rhwng dwy stem pedair awr yr un – un yn y bore rhwng wyth o'r gloch a chanol dydd ac un yn y prynhawn o un tan bump. Cofrestrwyd fi yn stem y prynhawn am y flwyddyn gyntaf, ond yn stem y bore y bûm i amlaf.

Ar y diwrnod mawr, gwisgais fy nghot wen, fel pob disgybl cynradd arall. Pwrpas y wisg yw sicrhau fod pob plentyn yn gydradd yng ngolwg ei gilydd ac yng ngolwg yr athrawon. Ond y gwir yw fod plant y cartrefi cyfoethocaf yn gwisgo cotiau gwyn llawer mwy graenus na chotiau'r plant tlotaf. Roedd y ffaith bod fy nghôt i'n perthyn i'r categori canol yn adlewyrchiad tecach o safonau Mam nag o sefyllfa ariannol ein cartref.

Ymlwybrais tua'r ysgol yn ddewr ac yn llawn gobeithion yng nghwmni René. Er nad oedd o ond ychydig wythnosau'n hŷn na mi roedd ganddo flwyddyn ysgol gron o brofiad. Erbyn cyrraedd, teimlwn yn eithaf petrusgar. Roedd yr iard yn llawn o blant mawr a phopeth o 'nghwmpas i'n ddiarth. Gwaethygodd y sefyllfa pan ddiflannodd René yn fuan er mwyn bod ymhlith ei ffrindiau. Sefais ar fy mhen fy hun wrth ymyl y ffens yn syllu ar y môr gwyn llawn cyffro o 'mlaen heb wybod beth i'w wneud na pha rai i ymuno â nhw. Cerddais at yr adeilad ac i mewn trwy'r drws agosaf ond rhwystrwyd fi gan athrawes a rybuddiodd fi nad oedd neb i fynd i mewn nes y byddai'r gloch yn canu. 'Cer i chwarae gyda dy ffrindiau,' dywedodd yn garedig – ond doedd dim golwg o René yn unlle. Cerddais yn ddiamcan at gyrion yr iard, a chlywais lais yn holi: 'Wyt ti'n newydd, wyt ti?' a chaeodd tua hanner dwsin o fechgyn y dosbarthiadau ucha o 'nghwmpas a throi mewn cylch tyn gan weiddi – yn rhy swnllyd ac aflafar i mi allu deall geiriau eu croeso.

Er nad oedd eu bwriadau'n gas, teimlwn ar y pryd fod hon yn weithred fygythiol, a thasgodd y dagrau o'm llygaid er gwaethaf pob ymdrech i'w rhwystro. Rhaid bod y cynnwrf wedi tynnu sylw'r athrawon oherwydd daeth un ohonynt aton ni a gwasgaru'r cylch. Eurgain Thomas de Cassani, Anti Eurgain, fy hen gymdoges a mam Carlitos, oedd yr athrawes annwyl honno. Rhoes ei braich amdanaf a 'nhywys tua'r adeilad – yn groes i'r rheolau – a dangos i mi ym mha ystafell roedd fy nosbarth. Arhosodd i siarad â mi nes y canodd y gloch. Yna, sefais gyda'r disgyblion eraill – pawb mewn rhesi o flaen eu dosbarthiadau – cyn symud yn drefnus i'n hystafelloedd ar orchymyn yr athrawesau dosbarth.

Sr Santiago Vidal oedd y prifathro ac er nad oedd ganddo ofal dosbarth, mi fyddai'n rhoi ambell wers o bryd i'w gilydd. Treuliai lawer o'i amser yn rhybuddio'r disgyblion pa mor bwysig oedd ymddwyn yn gwrtais a disgybledig. Byddai rhai disgyblion yn ofni cyffroi ei ddicter ac ni feiddiai neb gamfihafio yn ei ŵydd, er y byddai'r rhai hy yn chwarae triciau arno. Am ryw reswm, cyfeirient ato fel 'El Sapo' (Y Llyffant). Dysgais yn ddiweddarach mai'r rheswm dros y llysenw oedd fod croen ei wddf yn hongian o dan ei ên, fel un llyfant.

Roedd angen dringo saith gris i ddianc o'r sefydliad hwn – pob un fesul blwyddyn ac i bob blwyddyn ei hathrawes. Bu'r flwyddyn gyntaf yn un gymharol hapus. Gan fod Mam wedi 'nysgu i wneud symiau elfennol a darllen yn y ddwy iaith ers i mi gyrraedd fy mhum mlwydd oed, doedd tasgau'r dosbarth ddim yn ormod o dreth ar fy 'ngallu. Rown i hefyd yn ddigon hoff o'r athrawes, gwraig y prifathro, a 'nghyd-ddisgyblion, ac enillais gyfeillion newydd. Yn raddol, deuthum yn gyfarwydd â'r gyfundrefn a dysgais sut i'w derbyn a'i defnyddio. Wrth i mi ddechrau fy ail flwyddyn yno, ymunodd Edith â'r ysgol.

Lleolwyd yr ysgol mewn dau hen adeilad cyfochrog, un ohonynt yn gyn-westy – y cyntaf erioed yn y dreflan – a'r llall yn hen siop. Yn yr hen westy, bellach, mae cartref Ysgol Gerdd y Gaiman, a Siambr Cyngor y Dref yn yr ail adeilad. Erbyn heddiw, rheolir ysgolion Chubut gan weinyddiaeth addysg y dalaith, ond nid felly roedd pethau yn fy nghyfnod i. Gan nad oedd Tiriogaeth Chubut wedi ennill statws talaith ar y pryd, gweinyddid hi gan y llywodraeth ffederal, drwy Raglaw a gâi ei benodi yn Buenos Aires, fil o filltiroedd i'r gogledd, a hwnnw wedyn yn dirprwyo nifer o'i swyddogaethau. Roedd y Cyngor Addysg rhanbarthol, y corff cyfrifol am redeg yr ysgolion, yn atebol i'r gyfundrefn hon. O ganlyniad, sefydliad cenedlaethol oedd Ysgol Bartolomé Mitre – Rhif 34, y Gaiman – fel pob ysgol arall yn Chubut bryd hynny. Cariai'r ysgol hon enw Arlywydd cyfansoddiadol cyntaf Gweriniaeth yr Ariannin, dewis addas iawn o gofio taw ef oedd yn llywodraethu'r wladwriaeth pan ymholodd y Mudiad Gwladfaol Cymreig am yr hawl i ymsefydlu ym Mhatagonia a phan gyrhaeddodd y *Mimosa* y Bae Newydd.

Doedd cyflwr yr adeiladau ddim yn rhy ddrwg am y flwyddyn neu ddwy gyntaf wedi i mi ymuno ond, erbyn y drydedd, roedd y to'n gollwng mewn ambell ddosbarth, a'r glaw yn llifo ar y waliau neu'n disgyn i ganol y llawr, gan nad oedd cyllid y Cyngor Addysg yn ddigonol. Weithiau byddai'n rhaid symud desgiau, rhag i'r dafnau wlychu'r disgyblion a'u llyfrau, felly diolch byth mai pur anaml y byddai hi'n glawio. Oerni iasol ganol gaeaf rhwng Mai a Gorffennaf oedd y gwir broblem gan fod gwynt main yn chwythu drwy dyllau yn y ffenestri a chan nad oedd tân coed y gwresogyddion a leolid yn gyfleus wrth ddesg yr athrawes yn ddigon cryf i gynhesu'r ystafell. Byddai croen blaenau 'mysedd i'n binc ac ymylon fy nghlustiau'n llosgi, diolch i'r oerni. Weithiau, byddai'n gynhesach cael rhedeg allan yn ystod amser chwarae nag yn eistedd yn y dosbarth. Ar y diwrnodau oeraf, caem wisgo'n cotiau cynnes. Ambell waith, petai'r athrawes mewn hwyliau da, byddai'r plant (neu, o leiaf y merched) yn cael tyrru o gwmpas y gwresogydd.

Testun difyrrwch i'r plant, ac ychydig o fraw i rai, rhaid cyfaddef, oedd yr ystlumod a drigai yn nho'r adeilad. Cynyddodd eu nifer yn y fath fodd fel nad oedd lle iddynt oll yn y nenfwd, a byddent yn hongian ben i waered wrth un o waliau allanol y brif fynedfa. Felly, doedd dim dewis gennym ond cerdded heibio i'r ystlumod ar y ffordd i mewn, profiad anghysurus iawn i rai o'r merched, a chlywyd aml i sgrech wrth iddynt synhwyro cynnwrf adenydd rhai o drigolion cysglyd y wal ddu.

Gofalai'r gyfundrefn addysg yn dda am iechyd y disgyblion ac ymwelai'r nyrs ysgol â phob dosbarth yn ei dro i archwilio pennau a thraed. Rhybuddiwyd ni un bore fod pob plentyn i gael chwistrelliad rhag rhyw glefyd neu'i gilydd. Bu'r nodwydd hir a fyddai'n cael ei gwthio i'n cnawd gan achosi'r poen mwyaf dirdynnol yn destun siarad brwd am weddill y dydd. Y bore canlynol, petrusgar iawn oedd o leiaf un o'r disgyblion a ymlwybrai tua'r ysgol. Ar ôl hel meddyliau dros nos, down i ddim yn edrych ymlaen at y profiad poenus. Pan ddaeth yr awr, gorchmynnwyd ni i ffurfio rhes hir, fesul dosbarth, o flaen yr ystafell feddygol. Syniad da iawn, yn fy marn i, oedd gadael i'r merched fynd yn gyntaf. Er nad oedd y rhagolygon yn dda wrth i mi weld ambell wyneb dagreuol yn cerdded allan, penderfynais ymwroli. Doedd bechgyn ddim yn llefain.

Pan gyrhaeddodd fy nhro i, cerddais i mewn i'r ystafell lle safai'r meddyg a'r nyrs amdanaf. Yn ufudd, gollyngais fy nhrowsus ac arhosais am y pigiad mileinig ond, cyn gynted ag y cododd y meddyg y chwistrell, diflannodd fy ngwroldeb a rhedais i ochr arall y ddesg. Anwybyddais bob cais, anogaeth a gorchymyn i ddychwelyd, a daeth y nyrs ataf yn amyneddgar gan geisio 'narbwyllo mai'r peth call oedd derbyn fy nhynged yn ufudd, ac nad oedd angen i mi ofni dim. Wrth iddi agosáu ataf, dechreuais redeg o amgylch y ddesg ac, er bod fy nhrowsus o gwmpas fy sodlau, methodd gael gafael ynof. Safai'r meddyg yn amyneddgar â'r chwistrell yn ei law yn barod ond, yn y diwedd, bu'n rhaid iddo gynorthwyo'r nyrs. Mewn fawr o dro gorchmynnwyd fi i bwyso 'nwylo ar y ddesg a chydiodd y nyrs ynddyn nhw – rhag i mi gael fy nhemtio i ddianc. Er gwaethaf fy ofnau, doedd y pigiad ddim hanner cynddrwg ag rown i wedi'i rag-weld ac, ymhen dim o amser, rown i'n ôl yn y dosbarth yn ymuno â'r côr yn twt-twtian am y fath ffwdan roedd rai plant llwfr yn ei greu.

Tua'r un cyfnod, creodd fy nghenedligrwydd broblem i mi na lwyddais i'w chlirio am flynyddoedd. Holodd rhai o 'nghyfeillion fi un prynhawn ai Cymro own i. 'Wrth gwrs taw e,' oedd fy ateb parod. 'Dwyt ti ddim yn Archentwr, felly.' 'Wrth gwrs 'mod i,' meddwn i. 'Elli di ddim bod yn perthyn i'r ddwy genedl, rhaid i ti ddewis pa un rwyt ti eisiau bod,' meddent. Mewn dryswch, rhedais at Mam, ffynhonnell pob gwybodaeth. 'Archentwr o dras Cymreig ydych chi,' oedd ei dyfarniad, a rhedais allan i oleu'r amheuwyr ond yn rhy hwyr gan nad oedd ar neb eisiau gwrando – *Galenso pan y manteca* (Cymro bara menyn) fyddwn i mwyach. Dyna pryd y dechreuais freuddwydio am gael byw yng Nghymru ac ymuno â byddinoedd Arthur a Glyndŵr. Gyda chefnogaeth nifer dda o Gymry dewr a phenderfynol, bydden ni'n sicr o ennill buddugoliaeth.

Daeth fy ail flwyddyn yn yr ysgol gynradd i ben gyda dyfodiad yr haf ychydig ddiwrnodau cyn y Nadolig. Fel pob plentyn arall yn yr Ysgol Sul, roedden ni'n edrych ymlaen yn eiddgar at y cyngerdd a gynhelid Noswyl Nadolig yn yr Hen Gapel i gofio'r Geni. Roedd llawer o baratoi ac ymarfer yn digwydd a disgwylid i bob plentyn gymryd rhan drwy ganu, adrodd neu actio. Doedd dim angen llawer o berswâd arnon ni i wneud hynny oherwydd gwyddem mai pinacl y noson fyddai dosbarthu'r anrhegion a oedd yn llwytho'r pinwydd tal hardd a addurnai'r llwyfan. Byddai llawer o ddyfalu beth y byddai Santa Clôs wedi ei adael i ni ac nid oedd perygl i ni gael ein siomi gan ei haelioni.

Ein harfer ni fel teulu oedd treulio dydd Nadolig yng nghwmni Nain MacDonald, sef Nest Cynrig Roberts, mam Nhad. Ers blynyddoedd roedd hi'n byw yn y Gaiman gydag un o'i merched, Anti Annie, a'i hwyresau Meriel ac Elda. Noson debyg i'r arfer oedd yr un a gafwyd y nos Sul honno wrth i ni chwarae gyda'r anrhegion newydd a minnau wedi llwyr ymgolli yng nghyfoeth fy myd bach diddos. Yna, yn blygeiniol ar fore dydd Mawrth, dyma Edith yn rhuthro i mewn i fy ystafell wely a'm h'ysgwyd: 'Mae Dada'n sâl. Deffrwch, mae Dada'n sâl.' Wel, rown *i* wedi bod yn sâl droeon, hefyd, heb i neb greu'r fath stŵr, a throais i wynebu'r wal yn ddioglyd. Dyma hi'n fy ysgwyd unwaith eto. 'Codwch, mae Dada'n gorfod mynd i Drelew.' Roedd hyn yn newid pethau. Gwyddwn cystal ag unrhyw un mai dim ond pobl oedd yn wael iawn a gâi eu cludo i'r dref honno am wellhad. Camais tuag ystafell Nhad a Mam. Es i ddim ymhellach na'r drws. Roedd Nhad yn eistedd yn ei ddyblau ac yn gwingo mewn poen. Dwn i ddim sut rown i wedi llwyddo i gysgu drwy'r holl stŵr, ac yntau wedi bod yn udo mewn gwewyr drwy'r nos ac wedi cyfogi droeon. Wedi gweld nad oedd yn gwella, bu'n rhaid i Mam alw ar gymydog am gynhorthwy i'w godi o'i wely a mynd i alw ar Dr Fernández, ein meddyg teulu. Ni fu hwnnw'n hir cyn cyhoeddi: *Peritonitis.*

Roedd apendics Nhad wedi'i falu yn gribinion gan niweidio'i ymysgaroedd. Nid oedd y fath beth ag ambiwlans ar gael yn Nyffryn Camwy y dyddiau hynny a bu'n rhaid ei ruthro mewn car preifat i Drelew, lle cafodd lawdriniaeth y prynhawn hwnnw gan y llawfeddyg yn *Sanatorio Trelew* (*Sanatorio* yw'r enw a roddir ar ysbytai bach preifat ledled y wlad). Y cyfan y llwyddodd y llawfeddyg i'w wneud oedd glanhau a chau'r briwiau mewnol. Hwn oedd yr achos cyntaf o'r fath iddyn nhw ei wynebu yn Nyffryn Camwy ac nid oedd yr adnoddau na'r profiad ganddyn nhw i'w wella. Cafodd ei drin am oriau. Caewyd yr agoriad a hysbyswyd Mam nad oedd ganddi obaith i'w weld yn dychwelyd adref yn fyw. Mater o amser fyddai hi mwyach.

Anfonwyd Edith a minnau i aros yng Nglan Camwy, ein hafan ym mhob cyfyngder. Gan ein bod yn arfer mynd yno i dreulio Nos Calan ac i groesawu'r Flwyddyn Newydd, yn ogystal ag i gael wythnosau hir o wyliau bob haf, doedd hwn ddim yn newid sylfaenol ar ein trefniadau arferol ar yr adeg honno o'r flwyddyn. Y gwahaniaeth pennaf oedd na fyddai Nhad a Mam yn rhan o'r dathliadau ac na fyddem yn dychwelyd mor fuan i'r Gaiman – datblygiad rown i'n ei groesawu. Cawsom ymweld â'r ysbyty bron yn ddyddiol ond down i ddim yn hoffi gweld Nhad yn gorwedd yn ei wely a golwg mor druenus o lipa ar ei wedd. Gwyddwn oddi wrth y sgyrsiau tawel rhwng Taid a Nain a Neved fod pryder gwirioneddol am ei fywyd.

Gwawriodd Dydd Calan 1950 â'i newyddion da. Cyhoeddodd Dr Viglione: *Año Nuevo, hombre nuevo!* ('Blwyddyn Newydd, dyn newydd'), gan godi calon Mam a rhoi gwên ar ei min am y tro cynta ers bron i wythnos. Yn rhyfeddol, ac yn erbyn pob rhagolwg meddygol, roedd cyflwr Nhad wedi troi ar wella, er ei fod yn parhau i fod yn eithriadol o wan ac yn gorfod aros yn yr ysbyty am gyfnod ychwanegol. Pan ryddhawyd ef ar ddiwedd chwe diwrnod ar hugain, rhybuddiwyd ef nad oedd y llawdriniaeth wedi bod yn gyflawn a bod angen iddo fynd i Buenos Aires am driniaeth ychwanegol cyn gynted ag y byddai wedi cryfhau. Haws dweud na gwneud. Nid oedd yn yr Ariannin bryd hynny, ac nid oes hyd heddiw, wasanaeth iechyd cenedlaethol cyffelyb i'r un y gwyddon ni amdano yng ngwledydd Prydain. Rhaid oedd i bob claf dalu am bob triniaeth ac am ei wely a'i fwyd. Dim arian, dim triniaeth, meddai'r drefn – ar wahân i'r hyn a ddarperid yn ysbyty'r gwasanaeth iechyd yn Nhrelew, lle enbydus o annigonol ei adnoddau. Byddai'r daith i'r brifddinas ffederal yn rhy gostus i gyllideb y teulu, heb sôn am dalu am wasanaeth yr Ysbyty Prydeinig yn Buenos Aires, y sefydliad meddygol lle'r anfonid pob claf o'r dyffryn a fyddai naill ai'n wael iawn neu'n ariannog iawn. Roedd ein sefyllfa yn argyfyngus oherwydd nid yn unig roedd Nhad nawr mewn dyled sylweddol i'r meddyg a achubodd ei fywyd ond roedd hefyd yn anabl i gyflawni ei ddyletswyddau yn yr *Escuela Monotécnica*.

I oresgyn yr argyfwng, penderfynodd Mam fod yn rhaid iddi hi ennill arian i gadw dau ben y llinyn teuluol ynghyd. Roedd hi eisoes yn gwnïo llawer o'n dillad ni a gwyddai'r gymdogaeth am ei medrusrwydd. Ni fu'n hir cyn casglu nifer o gwsmeriaid ffyddlon. Byddai gwragedd yn galw yn ystafell flaen ein tŷ, lle cadwai'r Singer, i gael eu mesur ar gyfer ffrogiau a gwisgoedd eraill, a threuliai Mam oriau hir yn llunio patrymau sialc ar bapur cyn eu torri a'u pinio ar ddeunydd cyn torri hwnnw, ac yna eu gwnïo. Byddai gweddwon yn gofyn am ffrog ddu ar gyfer eu blwyddyn gyntaf o 'mwrning' neu am sgert ddu i fynd gyda gwyn a llwyd 'hanner mwrning' ail flwyddyn eu gwedd-dod. Yr arian a enillai Mam o'r gwaith hwn oedd unig incwm y teulu ar y pryd.

Mae'n rhaid bod gobeithion Nhad i gael gwellhad llwyr wedi pylu'n ddifrifol yn ystod y misoedd cyntaf wedi iddo ddychwelyd o'r ysbyty. Ond roedden ni'n dal i fyw mewn oes o wyrthiau. Casglwyd digon o arian ymhlith y teulu agosaf a chyfeillion i'w anfon, ganol Mai, ar y bws i San Antonio ac oddi yno ar y trên i'r brifddinas ffederal, lle câi ail lawdriniaeth i dynnu'r apendics (neu cymaint ag oedd ar ôl ohono) ac i drwsio unrhyw niwed arall oedd heb gael sylw yn Nhrelew. Trist oedd ffarwelio'r noson honno. I gadw cwmni i Mam ac i'w helpu i'n gwarchod, daeth Yncl Urien i aros gyda ni.

Ers i ni symud o Drelew ac iddo yntau gael ei anfon i gynnal cyfraith a threfn ym mherfeddion y camp, dim ond yn achlysurol rown i wedi'i gyfarfod. Dwy nodwedd arbennig o'i ymweliadau oedd llawenydd a hwyl ei gwmnïaeth ddifyr, a'r anrhegion lliwgar y byddai'n eu tynnu o'i gês wrth gyrraedd. Doedd y tro hwn ddim yn eithriad, a chafodd Edith a minnau oriau o fwynhad yn chwarae gyda'r bêl fawr a'r ddol hardd a estynnodd i ni. Dau newid amlwg a ddilynodd ymddangosiad fy ewythr oedd bod mwy o fwyd ar ein platiau a bod llawer o bobl ifanc yn galw heibio i'n cartref. Doedd Urien byth yn unig, wrth i gyfeillion niferus gasglu o'i gwmpas ddydd a nos, fel clêr at siwgwr. Roedd wedi datblygu'n ŵr ifanc golygus, dros chwe throedfedd o daldra, a gwallt golau tonnog ar ei ben ac roedd wedi casglu stôr o storïau a llawer iawn o jôcs – nifer ohonynt yn amheus eu hiwmor (a fyddai'n sicr o ysgogi Mam i'w geryddu, 'Urien, rhag dy gywilydd di!') – a medrai ddiddanu'r cwmni a dyrrai o'i gwmpas.

Clywais stori (nid o'i enau ef) amdano'n cael ei adael ar ei ben ei hun yng Nglan Camwy yng nghwmni Gwyneth, cyfyrderes iddo, pan oedd y ddau tua chanol eu harddegau. Ar ôl cinio, aeth Urien allan i gyflawni'r tasgau amaethyddol a roddwyd iddo yn absenoldeb Taid. Pan ddychwelodd i'r tŷ, roedd Gwyneth yn aros amdano'n hollol noethlymun. Syllodd arni'n syfrdan, cyn rhedeg allan o'r golwg. Ddychwelodd o ddim nes gweld cerbyd y teulu'n cyrraedd rai oriau'n ddiweddarach. Rhoddwyd ar ddeall i mi hefyd mai dyna'r unig dro iddo ddianc rhag her o'r fath! Ymadawodd â'i gartref yn fuan wedi hynny i chwilio am waith, ac efallai iddo ehangu ei orwelion. Yn sicr, doedd dim gronyn o swildod yn perthyn iddo erbyn iddo ddod aton ni i'r Gaiman, a châi gwmni nifer o ferched siriol y dref.

Oherwydd nad oedd gwely sbâr yn y tŷ, rhannai Urien fy ngwely i, ac ystyriwn hynny'n fraint ac yn hwyl. Byddwn yn syllu ar rifau ei oriawr yn tywynnu yn y tywyllwch, ac yn breuddwydio am gael un debyg i wisgo ar fy ngarddwrn. Sylwn ei bod hi ymhell wedi canol nos ar fy ewythr yn dod i'r gwely ambell waith – ac eto, byddai wedi codi o 'mlaen i bob bore. Efallai nad oedd hynny'n llawer o gamp o gofio nad own i'n deffro'n gynnar a 'mod i'n eithriadol o hoff o 'ngwely. Diwrnod fy mhen-blwydd yn naw oed, cododd yn gynharach nag arfer, am dri o'r gloch y bore. Roedd wedi trefnu gyda Tudor Edwards, dyn busnes lleol a redai wasanaeth tacsi, i'w gludo i Drelew i gyfarfod â'r bws o San Antonio. Rai oriau'n ddiweddarach, roedd o'n ôl yn y Gaiman yng nghwmni Nhad. Wrth reswm cafodd Nhad groeso gwresog iawn wedi taith bedair awr ar hugain dros fil pum cant o gilomedrau. Cawsai lawdriniaeth galed ac yntau wedi'i wanhau, ond cafodd adferiad llwyr a chynyddai ei bwysau'n raddol. Cyn gynted ag y byddai wedi adennill ei nerth, medrai ddechrau gweithio unwaith yn rhagor – ond byddai'n rhaid iddo chwilio am swydd newydd. Ynghanol ein llawenydd, bu'n rhaid i Edith a minnau dderbyn bod Yncl Urien yn gorfod dychwelyd i'w waith ond gwasgwyd arno i ddod 'nôl i ymweld â ni.

Ychydig dros fis yn ddiweddarach, ymunodd Nhad â staff Compañía Minaco, o dan oruchwyliaeth dau Almaenwr, J. Haag ac O. Lange. Cwmni o Buenos Aires oedd hwn, yn rhedeg chwareli caolin mewn taleithiau gogleddol. Roedden nhw newydd agor chwarel tua chan milltir i'r gorllewin o'r dyffryn, ar gyrion dwyreiniol Hirdaith Edwin. Nhad fyddai'n goruchwylio'r gweithlu bychan o weision brodorol, gan sicrhau bod y caolin yn cael ei lwytho a'i gludo i Buenos Aires. Yr anhawster mwyaf oedd nad oedd tai wedi'u codi eto ger y chwarel anghysbell a gorfodid y dynion i gysgu ar lawr yn yr awyr agored. Un noson, teimlodd Nhad ryw greadur byw yn symud yn araf dros ei gorff. Rhewodd ei waed ac ni symudodd flewyn er bod pob greddf yn ei berson yn gweiddi arno i daflu'r tresmaswr mor bell i ffwrdd ag y medrai. Wedi eiliadau hir, cwblhaodd yr ymlusgiad y broses o groesi drosto a mynd ymlaen ar ei daith fel pe na bai'n ymwybodol iddo fod yn agos at berson dynol.

Er gwaetha'i ddiffyg profiad yn y maes a'r amgylchiadau, ymdaflodd Nhad ei hun i'w ddyletswyddau newydd gyda brwdfrydedd. Am ryw fis neu ddau, ymddangosai fod popeth yn iawn yn y gwaith, a digon o dasgau diddorol a newydd yn mynd â'i fryd a'i sylw. Yn bwysicach, cyrhaeddai'r cyflog yn rheolaidd ar ddiwedd pob mis. Yna, dechreuodd y cyfnod rhwng pob siec ymestyn a, chyn bo hir, byddai misoedd cyn i'w gyflog gyrraedd ei boced. Yn raddol, byddai'n rhaid iddo aros am wythnosau ar y tro cyn dychwelyd adref. Unwaith, bu oddi cartref am dri mis.

Haag oedd y partner a adawyd gydag ef i'w hyfforddi ac i chwilio am ragor o dir i'w fwyngloddio. Yn rheolaidd, byddai angen tanio ffrwydron i chwalu'r tir er mwyn cyrraedd at y mwyn. Bob tro y digwyddai hynny, taflai Haag ei hun yn reddfol i'r ddaear, ac aros yno am hydoedd mewn braw. Yn ystod yr eiliadau hynny, roedd yr Almaenwr yn ôl yn ei wlad a adawsai ryw bum mlynedd ynghynt, a'r creithiau a adawyd gan y rhyfel yn ailagor ar ei gorff, ei feddwl, ei gof a'i enaid. Erbyn hyn, roedd ei bersonoliaeth yn ansefydlog a'i dymer yn oriog, a doedd dim modd rhag-weld sut yr ymatebai i wahanol sefyllfaoedd. Yn ogystal ag ymgyfarwyddo â'i swydd newydd roedd yn rhaid i Nhad hefyd ddysgu sut i ysgogi gweithwyr anfoddog, a sut i ddygymod â byw yn unigeddau'r camp yng nghwmni dyn yn dioddef o afiechyd meddwl trwm.

Gyda brwdfrydedd eithriadol y paratowyd y flwyddyn honno ar gyfer Eisteddfod y Wladfa a oedd i'w chynnal yn y Gaiman, mewn pabell fawr wedi'i chodi ar y cyrtiau tennis ym mharc y dref (lle mae adeilad cangen leol Banco del Chubut heddiw). Roedd Nhad a chefnder i Mam, Tedi Williams, yn ymgeisio ar yr unawd bas. 'Y Fellten' oedd y darn prawf. Bu Nhad yn ymarfer yn ddyfal bob dydd Sadwrn am wythnosau, gydag Alwina Thomas yn cyfeilio iddo ac roedd yr ymarfer olaf i'w gynnal yn ei chartref hi, sef y tŷ drws nesaf i ni. Tuag amser swper y noson honno daeth neges i ddweud na fyddai Nhad yn cyrraedd adref y diwrnod canlynol ac i hysbysu Alwina na fyddai'n dod i ymarfer. Yn wir, ni fyddai hyd yn oed yn cyrraedd mewn pryd i gystadlu'r diwrnod wedyn chwaith. Gwrthododd Haag ganiatâd iddo adael y gwaith nes ei bod hi'n amser cinio dydd Sadwrn. Doedd yr hen 'Brockway', sef y lorri fechan a yrrai, ddim yn medru ei gael i'r Gaiman cyn canol y prynhawn ac, erbyn iddo ymolch a newid, byddai'r gystadleuaeth drosodd. Feddyliodd neb am ofyn i'r pwyllgor symud y gystadleuaeth. Ond dyna fo, cewri, ac nid dynionach y medrai cystadleuwyr a'u hyfforddwyr eu trafod fel y mynnent, oedd trefnwyr eisteddfodau'r dyddiau hynny!

Rown i eisoes wedi bod yn Eisteddfod y Wladfa yn Nhrelew (1947) ac, o bosib, yn Arwest Dolavon (1946). Ond nid anghofiaf am Eisteddfod Trelew tra bydda i byw. Y diwrnod hwnnw, teithiodd y pedwar ohonon ni'n llawn cynnwrf ar y trên ac ymlwybro tua Neuadd Dewi Sant, lle cefais fy recriwtio i werthu rhaglenni. Synnais wrth fynd o res i res fod cynifer o'r gwragedd yn mynnu rhoi mwy o arian i mi na'r pris rown i'n gofyn amdano. Gan i mi ddadlau mai 'mhris i oedd yn gywir, dwedodd pob un gyda gwên garedig, 'O wel, cadwa di'r newid'. Busnes da yw hwn, meddwn wrthyf fy hun a chyflymais fy ngham, a brysio i godi cyflenwad arall – ond, o'r siom! Rown i wedi gwerthu'r ugain rhaglen gyntaf ddeg *sentafo* yr un yn is na'r pris. Aeth bob senten a gefais dros ben i dalu'r gwahaniaeth, a dychwelais i'm sedd yn waglaw ond yn gallach. Mae'n dda gen i ddweud na fu'r Eisteddfod ar ei cholled.

Treuliodd y pedwar ohonon ni'r prynhawn a'r nos yn mwynhau'r ŵyl heb feddwl unwaith sut y caen ni deithio yn ôl i'r Gaiman, gan nad oedd y trên yn rhedeg mor hwyr yn y nos. Yn ffodus, cafodd Nhad afael yn Mario ac Anti Eurgain ac adref â ni gyda hwy – Mam ac Edith yng nghaban y lorri a Nhad a minne'n rhewi yn y cefn am y pymtheg cilomedr hiraf i mi eu teithio erioed mewn awel finiog.

Ni chynhaliwyd Eisteddfod yn 1948 oherwydd pryderon ariannol ond daeth criw o bobl ifainc at ei gilydd i drefnu Eisteddfod lai ar gyfer yr ieuenctid yn 1949, a gynhaliwyd yn y Gaiman. Roedd nifer o gystadlaethau i blant yn y Rhestr Testunau a chofiaf gystadlu ar yr adrodd i fechgyn dan 12 oed. 'Y bachgen fu'n ffeind wrth ei fam' oedd y darn prawf a gofalodd Mam a'r wialen fain 'mod i wedi dysgu pob gair a goslef yn gywir erbyn y diwrnod mawr. Serch hynny, ail wobr a ges i. Credai Mam i mi gael cam, gan 'mod i lawer gwell na'r bachgen mawr a enillodd y wobr gyntaf ac yntau heb roi'r pwyslais dyledus ar unrhyw frawddeg, yn ôl a ddywedai hi.

Gyda'r blynyddoedd, dysgais fod nifer mawr o famau yn mynd yn flynyddol drwy'r un felin, er bod sawl un, yn wahanol i Mam, yn barod iawn i godi stŵr wrth bawb ond eu plant eu hunain. Rown i'n ddigon bodlon â'r canlyniad, oherwydd bu hi'r nesaf peth i ddim i mi beidio â chystadlu o gwbl. Cawswn fy nghofrestru dan ffugenw ac, yn y rhagbrawf, galwyd y cystadleuwyr i eistedd gyda'i gilydd ar y llwyfan. Wedi i ryw hanner dwsin o fechgyn adrodd, dim ond fi oedd ar ôl. Cerddodd yr arweinydd at y meic a darllen rhestr hir o ffugenwau a chyhoeddi'r alwad olaf cyn cau'r rhagbrawf. Wrth iddo ddychwelyd i eistedd wrth fy ymyl, mentrais sibrwd yn ei glust taw fi oedd un o'r rhai a alwyd. 'Pam na fyddet ti'n dweud,' holodd gan ruthro tuag at y meic i rybuddio'r beirniad a minnau'n meddwl mai dyna'r union beth oeddwn i newydd ei wneud. Tybed a holodd ei hun, 'Pam ma'r hogyn 'ma'n eistedd ar y llwyfan o hyd?'

Cynhaliwyd Eisteddfod yn Nhrelew yn 1950 o dan oruchwyliaeth yr un pwyllgor ifanc ac egnïol ond ni fu'r un ohonon ni yno oherwydd cyflwr iechyd Nhad a chyflwr economi ein haelwyd. Nawr, tua diwedd y flwyddyn, roedd yntau wedi gwella ac yn ôl mewn gwaith – ac wedi bod yn ymarfer yn galed ond yn ofer ar gyfer cystadlu yn Eisteddfod y Gaiman. Er gwaetha'i siom na allai ddychwelyd mewn pryd, ymlwybrodd Mam, Edith a minnau tua'r Eisteddfod. Yno cwrddais â 'nghyfaill ysgol Delano Thomas oedd yn cicio pêl wrth un o goliau cae pêl-droed bychan y parc ac ymunais yn yr hwyl. Cyn hir, penderfynodd Delano ei fod eisiau mynd i mewn i'r babell. Wrth gerdded tua'r fynedfa, sylwais fod fy esgidiau gorau, glân bellach yn llwyd gan lwch. Beth ddywedai Mam? A chofiais nad oedd gen i docyn nac arian i dalu amdano. Rown i wedi bod mewn sefyllfa gyffelyb wrth yr Hen Gapel tua thair blynedd ynghynt ac wedi torri i grio wrth rag-weld na chawn fynd i mewn at fy nheulu a'r cyngerdd bron â dechrau. Edrychodd y porthorion arnaf, a holi beth oedd yn bod. Bryd hynny dywedyd wrthyf am beidio â phoeni ac i mewn â mi i glydwch y capel llawn.

Y tro hwn, doedd dim disgwyl i fachgen mawr naw mlwydd

oed golli dagrau. Eglurais fy amgylchiadau wrth Delano gan feddwl gofyn iddo ddweud wrth Mam am anfon Edith at y fynedfa gyda 'nhocyn. 'Dim problem', meddai, 'ffordd hyn rydw i yn mynd i mewn,' gan godi godre'r babell a gwthio'i hun oddi tani. Dilynais yn ufudd a chanfod fy hun rhwng y llwyfan a'r rhes flaen, a llais yr arweinydd llwyfan yn taranu drwy'r meic. Dyna'r unig dro erioed i mi gyflawni trosedd o'r fath ac ychydig a feddyliais 'mod i'n perthyn i linach anrhydeddus y degau (os nad mwy) o'r Cymry amlwg hynny sy'n osgoi talu am docyn i gael mynediad i faes Eisteddfod yng Nghymru!

Er syndod mawr i mi, chymerodd neb y mymryn lleiaf o sylw ohonon ni. Wyddwn i ddim ymhle yn y babell roedd Mam ac Edith ond gwelais 'mod i'n sefyll mewn safle freintiedig iawn a phenderfynais aros yno i fwynhau'r digwyddiadau lliwgar ar y llwyfan. Dywedodd Mam wrthyf yn ddiweddarach ei bod hi eisoes wedi prynu tocyn i mi ac wedi'i ddangos i'r porthorion, ond wyddwn i 'mo hynny ar y pryd.

Cofiaf wrando ar Yncl Tedi yn canu 'Y Fellten' yn hwyliog ac yna'r beirniad yn dyfarnu'r wobr gyntaf yn haeddiannol iddo – a theimlo ton o dristwch yn llifo drosof wrth gofio am siom Nhad. Dilynwyd y dyfarniad gan adroddwyr, partïon a chorau. Cefais fy nghyfareddu nid yn unig gan agweddau diwylliannol yr ŵyl ond hefyd gan frwdfrydedd y cystadleuwyr a'r gynulleidfa; y bwrlwm gweithgaredd a'r prysurdeb o gwmpas y llwyfan; y perfformiadau a'r cymeradwyo; tyndra'r gynulleidfa wrth wrando ar y beirniadaethau a'r ymateb i'r dyfarniadau; teimladau cryfion y rhai a wyddai fod ffefryn wedi cael cam; a dirgelwch dwys seremoni'r Cadeirio. Medraf ail-fyw nawr y wefr a deimlais y prynhawn hwnnw pan alwyd ar y bardd buddugol i godi ar ei draed neu ar ei thraed, ei weld yn cael ei gyrchu i'r llwyfan gan ddyrnaid o aelodau'r orsedd, sef casgliad o gynenillwyr, heb unrhyw wisg i'w gwahaniaethu oddi wrthym ni, feidrolion, a meistr y ddefod yn cyhoeddi mai enw'r Prifardd oedd Elfed Price. Er 'mod i'n adnabod yr enillydd yn dda, roedd clywed ei enw'n cael ei gyhoeddi o'r llwyfan ynghanol yr holl rwysg yn gwneud i mi deimlo 'mod i'n edrych ar ddyn diarth a bod yna wawl newydd o gwmpas ei berson. Ymunodd Nhad â ni cyn diwedd y dydd a dychwelodd y pedwar ohonon ni adref yn hwyr y noson honno wedi cael diwrnod wrth ein bodd. Cododd enw Haag droeon yn ystod ein swper hwyr, ond ni wyddem fod newidiadau ar fin digwydd yn y gwaith.

Pan ddechreuwyd adeiladu argae ar draws afon Camwy ganol y 1950au, mewn safle nid nepell o'r chwarel, clywid sŵn ffrwydradau yn dod oddi yno'n feunyddiol wrth i'r peirianwyr rwygo'r graig. Roedd treulio'r rhan fwyaf o'r dydd yn taflu'i hun ar ei hyd ar y ddaear yn ormod o boen i Haag, a dychwelodd yn fuan wedyn i Buenos Aires. Nhad, bellach, fyddai'n gyfrifol am redeg y gloddfa o ddydd i ddydd.

Yna, daeth y newydd ysgytwol bod Yncl Elwyn wedi cael swydd yn nhalaith Mendoza, ymhell dros fil o gilomedrau oddi wrthym, yng ngorllewin y wlad ar y ffin â Chile a bod Anti Glenys a'r plant yn bwriadu symud yno gydag o i fyw. Mae Edith yn cofio o hyd am dristwch Mam wrth ffarwelio â nhw, ac mae'r cof am y diwrnod yn dal i greu rhyw deimladau anesmwyth yno' innau. Yn ddiweddarach, ymfudodd Anti Manon a'i phlant i Galiffornia, ac ni welais Nilda fyth wedyn. Fe gollodd y Wladfa lawer iawn o'i phobl ifanc a'u teuluoedd o'r 1930au ymlaen. Yr angen i chwilio am waith ac am swyddi gwell a gipiodd hwy ymaith ac ni ddychwelodd y mwyafrif erioed i fyw yno, er gwaetha'r hiraeth a'u llethai hwy. Cyn bo hir, ymfudodd Mario ac Eurgain Cassani a'r plant i Buenos Aires, gan adael bwlch yr un mor fawr ar eu hôl.

Rhywdro yn ystod y cyfnod hwnnw, cefais fy rhuthro i *Sanatorio Trelew* i dynnu fy apendics. Roedd dau wely yn fy ystafell – un i mi a'r llall i Mam wrth iddi gadw cwmni yn ystod yr wythnos y bûm yn yr ysbyty. Cerddodd Nhad a Mam gyda mi i'r theatr, gan aros i wylio'r driniaeth drwy ffenest fechan yn y drws. Camais at y 'gwely' yn ddyn dewr yng nghwmni'r nyrs ond dechreuais wegian pan welais olion yr hyn a dybiwn i oedd gwaed y truan a fu'n gorwedd yno o 'mlaen i. Eglurwyd wedi'r llawdriniaeth mai olion rhyw hylif meddygol nad oedd wedi'i glirio yn y golch oedd yr hyn a welais. Rhoddwyd fi i orwedd a rhwymwyd f'ysgwyddau, f'arddyrnau, fy mhengliniau a'm migyrnau ac eglurwyd mai er mwyn fy rhwystro rhag symud yn annisgwyl y gwnaed hynny. Dyma golli dogn arall o wroldeb. Y cam nesaf oedd chwistrellu'r anesthetig i fy mol. Pan welais faint enfawr y chwistrell a hyd y nodwydd, diflannodd gweddill fy ngwroldeb a dechreuais grio. Arswydais pan welais yr offer a estynnwyd i'r llawfeddyg, a gofynnodd hwnnw a fyddai'n well iddynt osod gorchudd dros fy wyneb. Atebais yn gadarnhaol, a gosododd y nyrs ffrâm fetel uwch fy mhen i gynnal y gorchudd.

Derbyniais ofal rhagorol yn y *Sanatorio* a gwellais yn fuan, er i mi orfod aros yno am wythnos, yn ôl arfer y cyfnod. Dychwelais adref yn teimlo'n dipyn o arwr i adrodd yr hanes wrth fy nghymdogion a'm ffrindiau. Yn ystod yr wythnos, rown wedi derbyn nifer o ymweliadau gan gyfeillion fy rhieni. Yno hefyd y cefais y fraint o groesawu Yncl Urien a'i wraig newydd sbon. Merch ifanc hyfryd iawn oedd Celina Olwen Rowlands, un o chwech o blant William Rowlands, brodor o Lanuwchllyn, a'i wraig Sarah, un o blant niferus Ben Roberts o'r Bala a Lizzie Freeman o Scranton, Pennsylvania. Bu'r pâr olaf hwn yn gyfrifol am boblogi hanner Cwm Hyfryd, ac mae llawer iawn o'u disgynyddion, fel had Abraham, yn amlwg yno ac yn Esquel o hyd. Gweithiai Celina fel nyrs yn yr Ysbyty Prydeinig yn Buenos Aires a chyfarfu ag Urien yn ystod cyfnod o wyliau a dreuliasai yn y dyffryn.

Un o hoff adegau'r diwrnod i Edith a minnau oedd cael mynd allan i eistedd ar stepen y drws ffrynt tra byddai Mam yn paratoi swper, a gweld y byd a'i dad yn mynd heibio. Rhuthrai ambell un yn ôl o'i waith at ei wraig a'i blant tra byddai eraill yn cerdded yn fwy hamddenol, fel petai neb yn aros amdanynt. Byddai ambell un arall yn rhedeg i lawr i'r siop, newydd sylwi ei fod yn brin o datws neu olew ar gyfer swper. Gyrrai lleiafrif breintiedig yn eu ceir. Byddai'r ddau ohonon ni'n cadw ein llygaid i weld Albert, cefnder i Nhad, yn ymlwybro heibio. Hwn oedd uchafbwynt ein hadloniant. Roedd Yncl Albert yn byw gyda'i wraig, Ethel, a'i ferch, May nid nepell o ben y twnnel, y tu ôl i ben uchaf heol Michael D. Jones. Awn i fyny i chwarae gyda nghyfnither, oedd rhyw flwyddyn yn hŷn na mi, a gyda Ruby, ffrind pennaf Edith ar y pryd. Roedd Albert yn berchen ar gramoffon, a chaen ni fenthyg hwnnw o bryd i'w gilydd ynghyd â dyrnaid o recordiau. Dyna pryd y clywais lais peraidd y tenor David Lloyd am y tro cyntaf.

Gwaetha'r modd, roedd Albert yn rhy hoff o'i ddiod a byddai wedi yfed llawer gormod bob nos ar ei ffordd adref o'r gwaith. Ein difyrrwch ni oedd ei weld yn dod rownd cornel siop Yncl Bob a cheisio cerdded i fyny'r hafn. Ni lwyddai i gamu mewn llinell syth ac anaml y llwyddai i aros ar y pafin. Baglai'n gyson hefyd, a champ aruthrol ar ei ran oedd llwyddo bob tro i osgoi torri'r botel win a gariai adref. Un noson, cariai botel olew coginio yn y llaw arall. Wrth gyrraedd y Casa Británica, baglodd ar draws carreg ac, wrth gwympo i'r llawr er gwaethaf ei ymdrechion acrobatig i gadw balans, cadwodd ei law dde yn uchel yn yr awyr. Nid y botel win oedd yr un a orweddai'n deilchion ar y stryd. Pan ddarganfu Mam beth oedd testun ein hwyl, fe'n ceryddodd ni'n hallt, a mynnai na ddylen ni fyth wedyn aros i wylio'r fath olygfa. Credai hithau bod gan y mwyaf truenus o blant dynion yr hawl i'w urddas, ac ni fynnai'n gweld yn chwerthin ar ben neb. Manteisiodd hefyd ar y cyfle i bwysleisio peryglon diodydd alcoholaidd. Anaml y gwelid diodydd ar ein haelwyd ni, nid oherwydd ein bod yn deulu dirwestol ond oherwydd ein tlodi, dybiaf i. Pan ddaeth dyddiau gwell, hoffai Nhad gymryd gwydraid o win o bryd i'w gilydd gyda'i ginio, a chaen ninnau flasu ychydig ohono ambell dro, mewn gwydraid o ddŵr. Caem hanner gwydraid o seidr bob nos Calan hefyd i groesawu'r flwyddyn newydd wrth i'r cloc daro deuddeg o'r gloch, a byddai hyd yn oed Mam, Nain ac Anti Neved yn ymuno â ni yn y ddefod honno. Serch hynny, cawn yr argraff y byddai'n well gan Mam beidio â gweld diodydd alcoholaidd yn y tŷ.

Nid Albert oedd yr unig un yn ein teulu ni a oedd yn goryfed.

Bu farw Nhaid, Ewen MacDonald o sirrosis yr afu. Ar ochr Mam, gwyddwn am hanes Yncl Dafydd, brawd i Taid Jones, a fu farw ychydig dros flwyddyn cyn fy ngeni, hefyd o effaith y ddiod Ambell dro, galwai Gwylfab, cefnder i Mam, heibio am bryd o fwyd neu am baned a byddai arogl fflat hen ddiod bob amser yn llifo oddi ar ei anadl yntau. Cofiaf amdano'n treulio noson oer o aeaf yn cysgu ar lawr ein cegin oherwydd nad oedd ganddo unman arall o fewn cyrraedd i roi ei ben i lawr ar ôl bod yn yfed drwy'r dydd mewn tafarn leol, a Mam yn dannod fod Nhad (nad oedd yn tywyllu drws tafarn) wedi cynnig iddo aros gyda ni dros nos. Er ei fod yn ddyn mwyn a chyfeillgar, ofnai hithau y gallai achosi niwed i Edith a minnau.

Cystal i mi gyfaddef 'mod i wedi tyfu i fod yn hoff iawn o win coch ond, wedi gweld â'm llygaid fy hun sut y dinistriwyd bywydau ac aelwydydd unigolion oedd yn perthyn mor agos i mi o ganlyniad i'w camdriniaeth o alcohol, cymerais benderfyniad yn gynnar iawn yn fy mywyd i gadw hyd braich oddi wrth bob cyffur. Wedi hynny, dros gyfnod byr o flynyddoedd, collais dri chefnder – eto o ganlyniad i oryfed. Heddiw, clywir yn feunyddiol am drais rhywiol, torpriodas, llofruddiaethau a thrychinebau eraill o ganlyniad i'r ddiod.

Erbyn hyn, ni chyffyrddaf â diod alcoholaidd o unrhyw fath – hyd yn oed yn y mesur lleiaf – er fy mwyn fy hun a rhag gosod temtasiwn yn ffordd rhywun arall a fedrai fod yn wannach ei ewyllys na mi a'i arwain ar ddisberod. Gwn fod mwyafrif y bobl yn yfed yn gymedrol ond nid wyf am fentro darganfod yn rhy hwyr nad wyf i yn un ohonynt.

6

Ar y llwybr cul

CYN I MI FYND i gysgu bob nos, arferai Mam gynnal defod fer. Penliniai ger fy ngwely i gydadrodd Gweddi'r Arglwydd gyda mi, a'r weddi fach hon i ddilyn:

Rho fy mhen i lawr i gysgu,
F'enaid bach i ofal Iesu.
Os byddaf farw cyn y bore,
Derbyn Iesu fi i'th freichie. Amen.

Dichon fod y geiriau hyn i fod o gymorth i mi gysgu'n dawel ond, ambell noson, yn enwedig wedi i mi dyfu'n ddigon hen i ddeall am beryglon y byd mawr, byddai myfyrio uwchben ystyr y ddwy linell olaf yn fy llenwi â meddyliau anesmwyth a thywyll, ac edrychai'r bwganod a symudai yn y gwyll neu yng ngolau gwan y lleuad ar waliau'r ystafell yn fygythiol a brawychus. Yn ffodus i mi, ddaeth dim byd peryclach drwy'r ffenest na chysgod symudiadau cangau acasia yn treiddio drwy ddeunydd tenau'r llenni.

Âi Mam drwy'r un seremoni wrth wely Edith. Yna, wedi rhoi cusan nos da i ni, byddai'n diffodd y golau, ac yn disgwyl i ni gwympo i gysgu ar unwaith. Anaml y digwyddai'r fath ryfeddod gan y byddwn i, o leiaf, yn cael fy nghadw'n effro am oriau gan y cysgodion neu gan fy nhuedd i ail-fyw anturiaethau mwyaf llwyddiannus y dydd. Hefyd, byddai brwydr nad oedd wedi cael ei setlo yn ystod y dydd, yn digwydd rhwng y ddau gymeriad a ymlafniai y tu mewn i mi. Ofnaf na lwyddodd yr un distaw, darllengar, synfyfyrgar a hoff o'i gwmni ei hun na'r un allblyg, hoff o gwmni a sylw pobl eraill, llawn hwyl a sbri, i ennill goruchafiaeth derfynol hyd heddiw.

Dau weinidog oedd yn gwasanaethu capeli Undeb Eglwysi Rhyddion y Wladfa yr adeg honno. Sefydlasid yr Undeb yn ystod y 1920au gyda'r bwriad o sicrhau cryfder cyllidol i ofalu am gyflogau gweinidogion. Er bod y Wladfa wedi magu dyrnaid o fechgyn a gysegrodd eu bywydau i'r weinidogaeth, Y Parchedig Tudur Evans, Bryn Gwyn – mab i'r Parchedig J. Caerenig Evans, un o sylfaenwyr a gweinidog cyntaf Bethel – oedd yr unig un ohonynt i dreulio'i oes yn bugeilio praidd ei fro. Er 1930, roedd ganddo gyd-weithiwr o Gymro, y Parchedig E. R. Williams, a ymgartrefai ym Mryn Crwn. Gwasanaethai'r ddau holl gapeli Cymraeg y dyffryn a hefyd gapeli Seion, Esquel, a Bethel, Trevelin, ambell haf, pan groesent y pedwar can milltir o baith sy'n uno'r dyffryn a'r Andes.

Cyn symud o Drelew rown i wedi bod yn mynychu Ysgol Sul y Tabernacl, lle cafodd Edith a minnau ein bedyddio gan y Parchedig Tudur Evans. Yno roedd Jean, merch ifanc fywiog y Parchedig E. R. Williams, yn dysgu'r plant lleiaf. Hi oedd fy athrawes gyntaf. Cefais y fraint o gyfarfod â Jean flynyddoedd yn ddiweddarach, a hithau wedi ymddeol o'i gwaith fel cyfieithydd gydag Unesco yn y Swistir.

Yr Eglwys Gatholig oedd y man addoli amlycaf yn y Gaiman ac yno y tyrrai mwyafrif y teuluoedd Cristnogol nad oedd o dras Cymreig – y gwragedd a'r plant yn bennaf. Lle diarth oedd hwnnw i ni, rhywle i gadw draw oddi wrtho. Rown i'n gyfarwydd â gweld merched tua deuddeg oed yn ymlwybro yn eu ffrogiau gwyn i dderbyn eu 'cymun cynta' o bryd i'w gilydd, a gwyddwn fod hwnnw'n achlysur mawr yn eu bywydau. Wrth i mi dyfu, byddai rhai o 'nghyfoedion yn yr ysgol yn mynd drwy'r ddefod honno ac mi fyddwn i'n tosturio wrthynt wrth eu gweld yn cymryd cam mor rhyfeddol i golledigaeth a'u cadwai oddi wrthon ni, aelodau cadwedig Bethel. Wedi dweud hynny, fe wyddwn fod yna o leiaf ddau beth yn gyffredin rhyngon ni: cynhaliai'r ddwy eglwys

eu gwasanaethau mewn ieithoedd oedd yn ddieithr i fwyafrif
y boblogaeth – Cymraeg a Lladin. Ac roedd ganddyn nhw eu
catecism, fel roedd gennyn ni ein Rhodd Mam.

Ar y deuddegfed dydd o Hydref, sef Dydd yr Hil (gŵyl i
gofio'r dydd y darganfu Colombus gyfandir America), cynhaliai
aelodau'r eglwys orymdeithiau ar hyd y stryd fawr, yn cludo
delwedd o'r Forwyn Fair ar y blaen, a band bychan, tila ei sain,
yn cyfeilio i'r aelodau a ganai nifer o ganeuon crefyddol megis:

O María, Madre mía,	(O Fair, fy Mam,
O consuelo del mortal –	O, gysur y meidrol,
Amparadme y guiadme	Gwarchod fi ac arwain fi
A la patria celestial.	I'r famwlad nefol.)

Yn amlach na pheidio, byddai dau neu dri o gŵn yn chwyddo'r
prosesiwn. Unwaith, gwelais hogyn bach o dras Cymreig yn eu
dilyn ar ei feic, heb gymryd mymryn o sylw o'r ffyddloniaid yn
y cefn a geisiai ei yrru ymaith – nac o'i fam a ymdrechai mewn
cywilydd i'w alw'n ôl heb dynnu gormod o sylw ati hi ei hun. Y
Tad Juan Muzio (neu 'Padre Juan' fel y'i galwen ni o) oedd yr
offeiriad, henwr a oedd wedi gwasanaethu Catholigion y dref ers
blynyddoedd maith. Un noson dileuad, wrth brysuro tua'r dref,
ni lwyddodd i weld y bont a disgynnodd ar ei ben i'r ffos. Yn
ffodus iddo, clywyd ei alwad am gymorth ac achubwyd ef mewn
pryd heb iddo ddioddef dim byd gwaeth nag ychydig o annwyd.
Bu dyfalu am achos y ddamwain a chlywyd awgrymiadau am ei
hoffter honedig o win coch. Ond daethpwyd i'r casgliad, ymhlith
Catholigion a phawb arall yn ddieithriad bron, mai cyflwr ei
olwg a thywyllwch y nos oedd yn gyfrifol am ei anffawd.

Cynhaliai'r Brodyr Rhyddion eu cyfarfodydd hwy mewn hen
gapel cerrig tua hanner ffordd tuag at Jerwsalem, yn hanner
dwyreiniol y dref. Sbaeneg oedd iaith gwasanaethau'r ddau
addoldy, er bod rhai siaradwyr Cymraeg amlwg yn eu mynychu.
Ond croesi afon Camwy i lenwi ein costreli â dŵr ein ffydd yng

nghapel Bethel y gwnaem ni, y mwyafrif o addolwyr Cymraeg ein hiaith. Ymlwybrem ar hyd y llwybr cul a arweiniai o'r bont at y capel. Ers symud i'r Gaiman, hwn oedd ein cyrchfan bob Sul – fore, prynhawn a nos, ynghyd ag ambell noson o'r wythnos waith – a chan ein bod yn treulio gymaint o amser yno, daeth i fod fel rhyw fath o estyniad i'n cartref. Wedi blynyddoedd hir o absenoldeb yng Nghymru, ac wedi'r rhwyg cataclismig a siglodd seiliau eglwysi'r Wladfa yng nghanol y 1960au gan osod ein teulu ni ar ochr anghywir yr hafn ddofn a grëwyd ganddo, teimlaf 'mod i'n dychwelyd adref bob tro y camaf i mewn i'w byrth. Ie, pyrth, oherwydd roedd, ac mae, yno ddau adeilad – a chamaf drwyddynt i'r cynteddau gyda'r parch mwyaf, gan gofio am yr hen wynebau annwyl a fu'n cefnogi'r achos.

Codwyd Y Capel Newydd, fel y'i gelwir, ar lain hardd wrth drofa ar lan ddeheuol afon Camwy, nid nepell o bont yr afon. Gan fod yr adeiladwyr yn ymwybodol o fygythiad llifogydd yr afon, penderfynwyd codi lefel y tir oddi tano cyn gosod y seiliau. Agorwyd ef yn swyddogol yn 1913, a daeth yn destun balchder nid bychan i'r aelodau. Yr adeilad hwn yw 'Eglwys Gadeiriol' y Wladfa. Mae harddwch syml ei furiau cadarn yn tystio i grefft a chariad y seiri maen a choed a fu'n gyfrifol am ei godi ymron i ganrif yn ôl – pobl fel y ddau saer coed dawnus Llewelyn Griffiths ac Egryn Evans. O'i flaen tyf pinwydd uchel sydd wedi taflu'i gysgod caredig yn ffyddlon, Sul ar ôl Sul, dros genedlaethau o selogion – selogion sy nawr yn prinhau, yn enwedig y siaradwyr Cymraeg yn eu plith. Ar draws y llain wastad o dir ac yn agosach at y drofa, saif adeilad cynharach, a gaiff ei adnabod gan bawb fel 'Yr Hen Gapel'. Codwyd hwn yn y 1880au, yn dilyn ymweliad y Parchedig Michael D. Jones, a oedd yn feirniadol o ansawdd y 'capel cerrig', sef addoldy cynta'r dref, a godwyd ar frys yn 1877 gydag adnoddau prin gan y minteioedd a ddilynodd y Parchedig John Caerenig Evans yn 1875 ac 1876. Dymchwelwyd y capel wedi iddo gau, er i'r fynwent – lle gorffwysai gweddillion cynifer o arloeswyr y dyffryn uchaf – aros yno hyd at ei chodi yn 1950. Hwn oedd capel cynta'r Wladfa i fod â mynwent ar ei dir. Saif

Capel Moriah a'i fynwent wladfaol, sydd bellach o fewn ffiniau Trelew, hyd heddiw fel cofeb i'r fintai gyntaf.

Defnyddiai'r Ysgol Sul y ddau adeilad. Yn yr Hen Gapel y cynhelid dosbarthiadau'r oedrannau cynradd, a'r ieuenctid gyda'r oedolion yn y Capel Newydd. Lili Ritchie, un arall o ddisgynyddion J. C. Evans, oedd athrawes y plant lleiaf yn Bethel ac, yn ogystal ag adrodd storïau'r Beibl, byddai hefyd yn dysgu'r AbieC i ni. Oherwydd nad oedd llawer o'r plant yn ddigon hyddysg yn y Gymraeg, roedd angen iddi gynnal llawer o'r gwersi drwy gyfrwng y Sbaeneg. Ar ddiwedd yr awr, ymunai'r dosbarthiadau i glywed ystadegau presenoldeb ac adnodau'r plant, cyn gwneud y casgliad, gweddïo a chanu emyn cyn troi tuag adref. Deuai'r emynau o'r *Caniedydd Cynulleidfaol Newydd, Caniedydd yr Ysgol Sul* a *Perorydd yr Ysgol Sul*. Athrawesau eraill a roddodd eu hamser yn ddiarbed i'n diwyllio a'n meithrin yn y ffydd Gristnogol oedd Trofana Evans, Mrs Day, Mam, Mair Roberts a Tegai Roberts, ei merch a Henry Roberts.

Er mai cyfran fechan o drigolion y Gaiman a ffurfiai drwch aelodaeth Bethel, deuai nifer da o ffyddloniaid o'r ardaloedd gwledig cyfagos i chwyddo'r gynulleidfa, yn enwedig i'r cwrdd nos, pan nad oedd gwasanaethau yn cael eu cynnal yn Seion (Bryn Gwyn), Salem (Lle Cul), Bethlehem (Treorci) a chapel anenwadol Bryn Crwn. Teithiai'r mwyafrif mewn cerbyd a cheffyl. Yr eithriad oedd William Williams, un o organyddion Bethel a drafaeliai mewn *sulky* – cerbyd ysgafn dwy olwyn nad oedd yn fawr o dreth ar egni ei geffyl. Parciai'r teithwyr eu cerbydau yn erbyn y gwrych uchel ar ochr ddwyreiniol y capel – a gadael y ceffylau rhwng y llorpiau gydol y gwasanaeth. Cyrhaeddai rhai aelodau mwy cefnog na'i gilydd yn eu ceir, gan eu gadael o fewn pellter diogel i'r anifeiliaid!

Pan na fyddai'r naill weinidog na'r llall yn bresennol, cynhelid cyfarfodydd gweddi a fyddai yng ngofal y diaconiaid, gyda chyfraniadau weithiau o'r llawr, er mai hwyrfrydig oedd mwyafrif yr aelodau i ufuddhau i wahoddiad y cyhoeddwr. Serch hynny, gellid dibynnu o hyd ar Abel Richards i lenwi bwlch. Byddai ganddo ddarlleniad pwrpasol ac emyn poblogaidd i gynhesu'r gynulleidfa, cyn iddo benlinio i'n harwain mewn gweddi. Byddai honno, gan amlaf, yn weddi hir gan roi'r cyfle iddo fynd i hwyl. Yn ddi-ffael, cofiai Abel am yr angen i edifarhau am ei ffaeleddau ac i erfyn am faddeuant ei Iachawdwr, ei lais yn llawn cryndod a'r dagrau'n llifo ar ei ruddiau. Yna, distawrwydd llethol am ychydig eiliadau ond a deimlai fel oes gyfan, nes gwneud i mi weddïo am iddo gael nerth i gyrraedd ei Amen. Rhywsut, fe lwyddai bob tro. Yna cerddai'n bwyllog tua'i sedd, a'i ysgwyddau'n crymu. Ymdrechwn i beidio ag edrych i gyfeiriad Edith yn ystod y weddi gan y gwyddwn fod ei llygaid ar agor led y pen a'i gwên lydan yn sicr o 'nhemtio i chwerthin – gweithred cwbl waharddedig yn llyfr rheolau Mam.

Rhoddai Mam bwyslais mawr ar ymddygiad cwrtais a bonheddig, ar ufudd-dod, ffyddlondeb a theyrngarwch. Ar y ffydd Gristnogol hefyd – sail gadarn ei moesoldeb, ei gwerthoedd a'i ffordd o fyw. Nid trosedd yn ei herbyn hi yn unig fyddai torri'i rheolau. Byddai'r troseddwr yn atebol hefyd i Awdurdod uwch. Un o'i rheolau euraidd oedd fod rhaid i Edith a minnau ymddwyn yn wâr o fewn muriau'r capel. 'Gwylia ar dy droed pan fyddech yn myned i dŷ Dduw,' atgoffai ni bob tro y byddwn yn dal i chwarae a siarad wrth gyrraedd at y drws. Camai hithau dros y trothwy gyda defosiwn a oedd bron â bod yn Gatholig ei naws.

Mynychai'r tri ohonon ni'r capel deirgwaith y Sul – erbyn deg o'r gloch i'r cwrdd bore ac adref erbyn amser cinio; dychwelyd ar ras erbyn dau o'r gloch mewn pryd i'r Ysgol Sul ac adref i de; a brasgamu'n ôl eto erbyn chwech ar gyfer y cwrdd nos. Ymunai Nhad â ni yn y cyntaf a'r olaf.

Ceryddai Mam fi am fod gam neu ddau y tu ôl iddi ond cefais gysur mawr pan atgoffodd Nhad hi un noson nad oedd fy nghamau cyn hired â'u rhai nhw – a rhoes hynny esgus i mi arafu fwy eto fyth. Dilynem y patrwm hwn gydol yr hydref, y gaeaf a'r gwanwyn. Ceid trefn wahanol yn ystod gwyliau'r haf, pan fyddai'r Ysgol Sul yn cau ar ôl dathliadau'r Nadolig tan ddechrau'r tymor ysgol y mis Mawrth canlynol. Cynhelid Cwrdd Gweddi neu bregeth yn y bore, ac i'r gwrthwyneb gyda'r nos. Ar y Suliau heb bregethwr, caem ddau gyfarfod gweddi. Byddai'n rhaid dysgu adnodau hefyd, ie, adnodau ac nid adnod, a cherdded at y sedd fawr bob nos Sul i'w hadrodd wrth y pregethwr neu un o'r diaconiaid. Yna, disgwylid atebion i gwestiwn neu ddau a godai o'r adnodau.

Adroddai Nhad hanesyn amdano ef a'i gyfaill Joffre James yn dweud adnod yn Seion, Bryn Gwyn. Un o'r gwynfydau oedd gan Joffre. Pan ddywedodd y gweinidog, 'Da iawn, pwy lefarodd y geiriau yna?' a neb o'r plant hŷn yn ateb, mentrodd Nhad i dorri'r distawrwydd ac ateb yr amlwg: 'Joffre', meddai, gan edrych yn syn a chochi hyd at ei glustiau pan dorrodd y capel cyfan i chwerthin. Ar achlysuron arbennig, byddai'r plant wedi dysgu emyn a bydden ni'n morio canu gerbron y gynulleidfa. Doedd pob un o blant yr Ysgol Sul ddim yn bresennol gyda'r nos ond doedd gan Edith a minnau ddim dewis.

Ar adegau byddai gen i rywbeth llawer gwell i'w wneud â'm hamser. Dyna pryd y dechreuai Mam anghytuno gyda 'mlaenoriaethau, gan achosi gwrthdaro rhyngon ni – gwrthdaro a fyddai'n cryfhau wrth i mi dyfu'n hŷn. Ymhen rhai blynyddoedd, a ninnau yn ein harddegau cynnar, mentrodd Elfed, fy nghyfaill agosaf yn yr Ysgol Sul, ddysgu 'adnod' newydd i'w frawd bach gan addo ychydig arian iddo'n 'wobr' am ei dweud. Y nos Sul ganlynol, a'r plant i gyd yn sefyll mewn dwy res o flaen y pulpud, syfrdanwyd y gynulleidfa pan adroddodd Reni:

Cofia wraig Lot,
wilber yn mynd ar drot,
heibio stôr Huws,
i lawr i'r Co-op
i brynu pry cop.

Disgynnodd distawrwydd llethol dros y capel, ac ofnwn y

gwaethaf. O'm safle diogel yn yr ail res, gwelwn wynebau anghrediniol yr aelodau, rhai yn gwyro'u llygaid tua'r llawr ac eraill yn teimlo'r angen i dynnu hances i chwythu'u trwynau. Mentrodd Edith wenu nes iddi weld wyneb Mam yn gwgu arni o'i sedd a dwrn caeedig o flaen ei thrwyn yn darogan gwae pe meiddiai chwerthin. Roedd tarfu ar naws ddefosiynol y gwasanaeth yn bechod marwol yng ngolwg Mam.

Herber Evans, un o gyfeillion penna Nhad, diacon a nai i'r gweinidog, y Parchedig Tudur Evans, oedd tad y pechadur. Y noson honno, ar ôl mynd adref, rhybuddiodd Herber ei fab ieuengaf na ddylai ailadrodd ei gamp fyth eto, rhag iddo gael ei wahardd o'r capel am weddill ei oes. Y nos Sul ganlynol, dyma oedd 'adnod' Reni: 'Roedd Wil Hughes yn ddyn call cynt, ond ffŵl twp yw e nawr. Mae e'n cau ei falog y tu ôl.'

Meddyliais fod y byd ar ben ac ofnais y disgynnai mellten o'r entrychion i'n taro ni oll. Bu'n rhaid i Edith frathu ei thafod rhag wynebu llid Mam ond, o godi 'ngolygon, gwelais fod rhai o'r ffyddloniaid yn cael trafferth i gadw wyneb syth, ac aflonyddai eraill yn eu seddau. Clywyd pesychiad neu ddau, ac ambell ymgais lletchwith i fygu chwerthiniad. Plygai Herber ei ben mewn cywilydd. Yn ddigynnwrf, symudodd y gweinidog ymlaen at y plentyn nesaf fel pe na bai dim o'i le.

Dim ond un testun trafod oedd ar y ffordd adref ac wrth y bwrdd swper y noson honno, a chawsom gyfarwyddiadau manwl a gwaharddiadau pendant. Er hynny, ni ddysgodd Edith a minnau unrhyw adnod mor gyflym na'i hadrodd yn amlach nag a wnaethom gyda'r 'adnodau' newydd hyn. Yn y diwedd, llwyddodd Edith i gael Mam i weld doniolwch y sefyllfa ac i wenu. Serch hynny, rhybuddiodd ni'n gadarn i ofalu peidio â symud blewyn petai rhywun yn efelychu camp Reni yn y dyfodol. Ni ddychwelodd yntau i gapel Bethel am weddill ei blentyndod – nac wedi hynny, am wn i. Cyfarfûm ag ef yn ddiweddar ac, er nad yw bywyd wedi bod yn ordrugarog wrtho, roedd ei sgwrs yr un mor llawen ag erioed a hynny mewn Cymraeg cyhyrog teilwng o'i dad.

Nid dyna'r unig enghraifft o arddull feistrolgar a hunanfeddiannol Tudur Evans o ddelio ag amgylchiadau anodd. Un nos Sul, pan oedd ar ganol traddodi ei bregeth, cyrhaeddodd ei frawd Caerenig – nad oedd yn gapelwr selog – i'r oedfa gan eistedd yn union y tu ôl i ni. Dilynwyd ef gan chwa drom o arogl diod, chwerw ei sawr. Yn y man, ac yn gwbl annisgwyl, torrodd y brawd afradlon allan i ganu geiriau a oedd yn hollol anghyfarwydd i mi, ond a glywais lawer gwaith wedyn ar record gan Ritchie Thomas, Penmachno.

Unwaith eto, rhewodd fy ngwaed, oherwydd doedd hyn ddim fod i ddigwydd ym Methel. Gwrandawodd y gweinidog yn astud fel pawb arall ar yr *impromptu* heb symud blewyn na dangos unrhyw anfodlonrwydd. Pan orffennodd y gytgan gyda'r geiriau 'Am achub hen rebel fel fi', bu ennyd o ddistawrwydd a phawb yn codi'u pennau ac edrych i gyfeiriad y pulpud i weld sut y byddai Tudur Evans yn ymateb: 'Do,' meddai yn ddigyffro, 'yn wir, fe ddaeth i achub hen rebeliaid fel ti a fi, a phob rebel arall sydd yma heno,' neu eiriau cyffelyb, ac aeth ymlaen â'i bregeth fel pe na bai dim byd allan o'r cyffredin wedi digwydd. Gwrandawodd Caerenig yn astud, a distaw, am weddill y gwasanaeth.

Cyfeiriais eisoes at William Williams, cyfeilydd lliwgar a gyrhaeddai'r capel yng nghwmni ei gi bach gwyn blewog, byr ei goesau. Erbyn fy amser i, doedd o ddim yn fynychwr cyson ond mi fyddwn i'n hoff o'i weld yn cerdded i mewn – yn hwyr ond yn urddasol, newydd ymwroli mewn tafarn leol – ac yn camu ymlaen i'r sedd fawr a'r ci bach yn ei ddilyn ac yn neidio i'w gôl. Oddi yno, âi at yr harmoniwm ar ei ben ei hun bob tro y deuai'r alwad i ganu emyn. Hyd yn oed ar y nosweithiau Sul hynny pan oedd y gynulleidfa'n denau, medrai'r hen gerddor greu'r argraff fod yna gapel llawn yn canu, a phob emyn i'w glywed yn llawn gobaith a hyder. Ar derfyn y gwasanaeth, dychwelai am ysbaid i'r dafarn i ychwanegu at y gwydraid a gawsai cyn y cwrdd nos.

Cyfeilydd penigamp arall oedd Alun Jones, ond Alwina Thomas a Bertie MacBurney fyddai yno gan amlaf, a Delyth Rees yn llenwi bwlch o bryd i'w gilydd. Alwina, gan amlaf, fyddai'n cyfeilio i Edith a minnau pan fyddai disgwyl i ni ganu unawd neu ddeuawd ar achlysuron arbennig, ond cyfeiliai'r ddwy arall i ni'n achlysurol.

Tra byddai plant eraill yn cael rhyddid i fwynhau oriau hir y diwedydd i ymlacio, roedd disgwyl i ni, blant yr Ysgol Sul, fynychu'r *Band of Hope* a'r Ysgol Gân, a gynhelid yn eu tro ryw unwaith yr wythnos yn yr Hen Gapel. Eto i gyd cawn gyfle yn ystod y paratoadau hyn i gyfarfod â ffrindiau na fyddwn i byth yn cael eu gweld o dan unrhyw drefniant arall, a chael chwarae yn eu cwmni am ryw hanner awr. Wrth dyfu, sylweddolodd rhai ohonon ni fod mantais mewn mynd yno'n gynnar ac ymestyn yr hwyl.

Byddai'r chwarae'n troi'n chwerw ar adegau, pan âi rhai o'r bechgyn hŷn dros ben llestri a chamymddwyn, a mawr fyddai'r galw am drefn o du'r athrawesau. Bu'n rhaid disgyblu rhai ohonynt yn llymach nag arfer unwaith ac, oherwydd fy mod i'n fab i un o'r disgyblwyr (sef Mam), dialwyd arna i. Wrth i ni gerdded adref, rhedodd haid o'r troseddwyr heibio o'r tu ôl i ni gan weiddi'n uchel ac anelodd un ohonyn nhw fonclust annisgwyl tuag ata i, a 'nharo'n galed ar fy moch wrth redeg heibio. Nid oeddwn am grio o flaen fy nghyfoedion, yn arbennig yng ngŵydd y merched, a gredai fod y digwyddiad yn un digri iawn.

Nid mater o fynd i'r capel yn unig oedd Cristnogaeth i Mam, ond ffordd o fyw. Er gwaethaf ein tlodi, roedd hi'n disgwyl i ni roi esiampl i bawb arall ar sut i ymddwyn – a ymddangosai'n annheg i ni'n dau. 'Wedi'r cyfan,' dadleuem, 'nid plant pregethwr ydan ni.' 'Nage wir,' atebai Mam, 'rhai drwg iawn yw'r rheiny, gan amlaf.' Disgwylid i ni wisgo'n daclus, cribo'n gwallt – a oedd yn fy achos i'n llawn '*Glostora*' rhag i'r gwynt ei chwythu – a gofalu bod ein 'sgidiau'n disgleirio.

Dim ond wrth chwarae o gwmpas y tŷ yn ystod yr wythnos roedd hawl gennym i fod yn 'flêr' ond doedd dim gobaith i ni gael chwarae ar y Sul, ac achosai hynny rywfaint o dyndra yn y berthynas rhwng Mam a minnau. Rown i'n hoff iawn o gicio pêl ond chawn i ddim gwneud hynny rhwng Ysgol Sul a chwrdd nos. Wrth i mi dyfu a chyrraedd fy arddegau, a darganfod hyfrydwch y gêm bêl-droed, cynyddodd y tyndra.

Yn ogystal â gwneud y tro fel festri, defnyddid yr Hen Gapel fel neuadd gyngerdd fechan ac yno y câi dathliadau Gŵyl y Glaniad eu llwyfannu'n flynyddol ar Sadwrn olaf Gorffennaf, Cyngerdd Nadolig yr Ysgol Sul, a nifer o Gyrddau Llenyddol. Nodwedd hynod y Cyrddau Llenyddol oedd mai cystadleuaeth llinell goll oedd yr unig beth ynddynt y gellid ei ystyried yn agos at fod yn 'llenyddol'. Gellid eu disgrifio fel nosweithiau llawen ar gyfer talent lleol, gyda'r pwyslais ar hwyl a difyrrwch. O bryd i'w gilydd, cynhelid hefyd gyrddau cystadleuol, gan anelu at safonau ychydig yn uwch mewn tri maes: adrodd, canu ac ysgrifennu cerddi bychain, stori fer neu draethawd. Beth bynnag yr achlysur, doedd dim dewis gan Edith a minnau. Rhaid oedd eu mynychu a byddai'r ddau ohonon ni'n adrodd, yn canu fel unigolion ac yn aelodau o bartïon a chorau. Yn y digwyddiadau hyn y daethon ni, fel llawer o'n cyfoedion, i gyfarwyddo â pherfformio'n gyhoeddus, i gystadlu ac, yn raddol, i fwynhau gwneud hynny'n arw iawn.

Gwyddai pawb fod gwladfa o ystlumod yn llochesi yn yr Hen Gapel, rhwng y to a'r nenfwd. Bydden nhw'n ymddangos weithiau wrth i sŵn ein canu eu deffro, neu eu dychryn, efallai, gan eu hysgogi i hedfan yn ôl ac ymlaen uwch ein pennau. Achosai hyn i'r merched wichian a dal eu pennau rhag i'r angenfilod fachu yn eu gwallt. Chwerthin a wnaem ni, y bechgyn dewr, a rhoi llaw drwy'n gwallt i'w dacluso o bryd i'w gilydd gan geisio edrych yn hollol ddidaro – oni bai bod y gelynion yn dod yn rhy agos. Thalai hi ddim i ni ddangos unrhyw ofn, ond rhaid cyfaddef y gwyrai pawb eu pennau wrth i ambell ystlum ddeifio tuag atom fel peilot *kamikaze*. Tarfwyd ar sawl cyngerdd gan yr ymwelwyr hyn, a chofiaf un neu ddau berfformiad yn dod i ben ynghynt na'r disgwyl wrth i aelodau o barti neu gôr wasgaru i'r pedwar ban yn wyneb y bygythiad oddi fry.

Bob Pasg, deuai aelodau capeli'r dyffryn at ei gilydd ar gyfer

Cymanfa'r Groglith, a byddai llawer o waith paratoi. Tabernacl Trelew a Bethel y Gaiman oedd yr unig adeiladau ddigon mawr i gynnal yr achlysuron hyn. Rown i wrth fy modd yn cael cymysgu â chyfoedion o gapeli eraill a dod yn ffrindiau â hwy. Cynhelid cyfarfodydd yn y prynhawn i drafod maes llafur yr Ysgol Sul gyda'r plant a'r bobl ifanc, a chyflwyno'r gwobrau i enillwyr y profion blynyddol llafar ac ysgrifenedig; torri am de yn y festri, a dychwelyd i'r capel ar gyfer y cwrdd nos i wrando ar yr oedolion yn mynd drwy'u pethau.

Bydden ni'n cymryd rhan yn yr arholiadau llafar ac ysgrifenedig ar faes llafur y flwyddyn. Ar gyfer y prawf cyntaf, byddai angen dysgu pennod osodedig o'r Beibl ar ein cof i'w hadrodd gerbron dau arholwr, a grwydrai o gapel i gapel i wrando ar blant y dyffryn. Felly, roedd angen cael sawl 'practis' gerbron Mam. Ar yr adegau aml hynny, a minnau'n gwrthryfela am ei fod yn torri ar draws fy chwarae, dibynnai Mam ar bresenoldeb y wialen fain ar y silff ben tân. Wedi'n gorfodi i fynd dros y bennod berthnasol nifer o weithiau, doedd dim peryg i Edith na minnau anghofio'n geiriau. Ond mynnai Mam fod angen i ni wybod hefyd beth oedd ystyr pob brawddeg a lefarem, er mwyn ein harbed rhag rhoi pwyslais anghywir ar ambell air. Roedd hon yn wers ar bwysigrwydd trylwyredd y paratoi – gwers a fu'n gymorth mawr i mi ar y pryd ac am weddill fy oes.

Doedd yr ail dasg ddim yn gymaint o dreth ar gof neb, gan fod yr awr a gaem i roi ein hatebion ar bapur yn hen ddigon o amser i daclo pob cwestiwn yn bwyllog ac yn synhwyrol –ym mhresenoldeb dau arholwr teithiol arall. Roedd gwybod bod llyfr Cymraeg yn wobr i enillydd y marciau uchaf ym mhob ystod oed yn ysgogiad arbennig o dda i blentyn a hoffai ddarllen, a bu hyn yn gyfrwng ardderchog i mi gasglu llyfrgell fechan werthfawr iawn. Yn fy arddegau, sylwais nad oedd y rheolau yn gwahardd neb rhag cystadlu yn yr oedrannau hŷn ac, oherwydd mai'r un oedd y maes llafur, er bod y cwestiynau'n wahanol, bu o gymorth amhrisiadwy i ychwanegu at fy nghasgliad.

Ceisiais ddyfalu droeon ymhle y câi Undeb Eglwysi Rhyddion

y Wladfa afael ar y llyfrau Cymraeg, gan nad oedd siopau'r dyffryn yn eu gwerthu. Cwmni Masnachol y Camwy yn eu mewnforio, efallai, tan i hwnnw fynd i'r wal yn y 1930au. Efallai hefyd fod yr Undeb wedi manteisio ar yr ychydig wladfawyr a fedrai fforddio teithio i Gymru i ddod â llyfrau yn ôl o bryd i'w gilydd. Cafodd y llyfr cyntaf i mi ei ennill pan oeddwn tua saith oed ddylanwad mawr arnaf. *Ein Hen, Hen Hanes*, llyfr bach clawr coch gan Ambrose Bebb, oedd hwnnw. Darllenais ef ganwaith. Wrth fynd o bennod i bennod o Garadog hyd at y Llyw Olaf, teimlwn don o Gymreictod a gwladgarwch yn tyfu ynof, ynghyd â theimlad enfawr o anfodlonrwydd gyda'r hyn a ystyriwn yn anghyfiawnder anfaddeuol tuag at fy nghenedl.

Nid oedd rhaglen flynyddol Bethel yn gyflawn heb Gymanfa Ganu, pan fyddai'r capel yn orlawn – a'r canu'n ardderchog, yn ein meddyliau ni. Yr haf hwnnw (1949), ymledodd y sôn fod Clydwyn yn dod adref i dreulio'i wyliau ar ffarm ei dad, Aeron Jones, Rhymni. Rown i'n gyfarwydd ag enw'r Athro Clydwyn ap Aeron Jones oherwydd fod Mam yn sôn cymaint am ei chyfyrder o gerddor nes creu iddo statws mytholegol yn ein tŷ ni. A bod yn deg â Mam, roedd Clydwyn yn adnabyddus nid yn unig yn y dyffryn ond hefyd yn Buenos Aires.

Ac yntau'n arweinydd corau a cherddorfeydd yn Buenos Aires, yn feirniad eisteddfodol sicr ei farn, ef oedd y cerddor mwyaf llwyddiannus i ddod o'r Wladfa, a'r cyntaf i gael addysg gerddorol o safon prifysgol, ac ef, yn ddiamau, oedd yr unig un erioed o'n plith i ennill ei fywoliaeth fel cerddor proffesiynnol. Roedd o'n dipyn o seren, yn ogystal, oherwydd bod un o'i gorau'n canu mewn rhaglen wythnosol ar Radio Excelsior, un o orsafoedd y brifddinas ffederal. Ar y nosweithiau hynny, yn enwedig pan fyddai'r derbyniad yn wael, byddai'r pedwar ohonon ni'n eistedd â'n pennau'n dynn o amgylch y radio, rhag colli nodyn. Doedd dim gobaith gan gerddor mor amlwg i ymweld â'r fro heb gael ei wahodd i arwain Cymanfa Ganu yng nghapel mwya'r dyffryn. Clywyd ei fod wedi derbyn y gwahoddiad ar yr amod ei fod yn cael cynnal rihyrsal y Sul blaenorol – profiad newydd sbon i bawb yn y dyffryn. Edrychwyd ymlaen yn frwd a phan gyrhaeddodd y noson, doedd dim sedd wag yn Bethel. Eisteddai pawb fesul llais: baswyr ar y chwith, tenoriaid ar y dde, a'r sopranos a'r contraltos yn y canol.

Dechreuodd yr hwyl gyda'r emyn cyntaf. Pawb ar eu gorau yn canu nerth eu pennau ac wedi dim ond dwy linell, dyma lais Clydwyn yn codi uwchben y canu 'Na, na, na!' a phawb yn edrych yn gegrwth arno. 'Neb i edrych ar eu *Caniedydd* ond arna i, os gwelwch yn dda, er mwyn i ni gydganu. A pheidiwch â llusgo – canwch fel petasech chi'n falch o fod yma. Sopranos, cofiwch fod angen i chi daro pob nodyn yn lân heb slyrio o un i'r llall. Baswyr – dysgwch y geiria!' Edrychai rhai o'r gwragedd ar ei gilydd heb goelio'u clustiau – doedd neb wedi siarad fel yna â nhw o'r blaen. 'Fe gawn ni drio eto. Rhowch eich *Caniedydd* i lawr. Pob llygad arna i! Nawr 'te, o'r dechrau. Cord!' Ufuddhawyd. Yn anfoddog. Pe medrai llygaid saethu, byddai corff Clydwyn yn hongian yn gelain dros ymyl y pulpud. Aed ymlaen â'r canu ac, erbyn y trydydd emyn, roedd pawb wedi deall yr hyn a ddisgwylid oddi wrthynt, pawb yn dilyn yr arweinydd, a muriau Bethel yn atseinio'r canu gorau a glywyd yn y Gaiman erioed.

Er bod pawb yn gytûn yn eu syfrdandod, roedd y farn yn rhanedig ar y ffordd allan – rhai'n dal i deimlo'n ddig, eraill yn meddwl mai dyna'r profiad mwyaf ysbrydoledig iddynt ei fwynhau mewn oes o ganu. Ymhlith y rhai a gafodd eu taro gan garisma'r arweinydd ifanc diarth oedd Edith, a hithau ond yn chwech oed. Doedd dim taw arni ar y ffordd allan nes i'n rhieni addo'n bendant y câi gyfarfod â'i harwr newydd. Roedd hanner y dorf wedi rhuthro adref, ond arhosai'r hanner arall yn frwd i gael ysgwyd llaw â Clydwyn. Pan gyrhaeddodd ei thro, ni fedrai Edith dynnu ei llygaid oddi arno a'i geiriau cyntaf wrth gychwyn ar ein ffordd adref oedd, 'Fel Clydwyn dw i isio bod pan fydda i'n fawr'. Dydw i ddim wedi cyfarfod â neb arall a ddewisodd ei gyrfa mor ifanc â hynny. Er gwaetha'r grwgnach, roedd Bethel yn orlawn y nos Sul ganlynol a'r Gymanfa yn llwyddiant ysgubol.

7

Nid ar fara'n unig

DOEDD Y FFAITH EI fod erbyn hyn mewn swydd gyfrifol am y tro cyntaf yn ei fywyd ddim yn gwella sefyllfa faterol fy nhad. Dychwelai adref yn hwyr ar nos Wener ac eithrio ar gyfnodau pan fyddai pwysau mawr arno i anfon cyflenwadau mwy na'r arfer o gaolin i Buenos Aires. Ar adegau felly llithrai pythefnos yn dair wythnos neu fis hyd yn oed heb i ni ei weld – ac mi fu unwaith am gyfnod o dri mis yn methu dychwelyd adref. Gan nad oedd teleffon yn y chwarel nac yn ein tŷ ni, yr unig gyfrwng ar gael iddo i gyfathrebu â Mam oedd gyrru am ryw dri chwarter awr o'r chwarel i'r orsaf drên agosaf a rhoi llythyr yng ngofal y gârd, a fyddai wedyn yn ei adael yng ngorsaf y Gaiman, i'w gasglu gan ddyn y post.

Er gwaetha'r cyfrifoldeb, bychan oedd ei gyflog ac annigonol ar gyfer magu teulu. Doedd ei statws newydd ddim yn dylanwadu chwaith ar y modd annibynadwy y derbyniai ei dâl. Gan ein bod yn byw o'r llaw i'r genau, doedd dim arian gynnon ni wrth gefn i brynu bwyd a dillad. Wrth i wythnosau lifo heibio heb i'r trosglwyddiad gyrraedd y banc yn Nhrelew, doedd dim dewis ganddo ond gofyn i berchennog un o'r siopau am ganiatâd i ni brynu bwyd heb dalu amdano ar y pryd, ar y ddealltwriaeth y gwnâi setlo'r bil pan gyrhaeddai ei gyflog. Ar y dechrau, gweithiai'r system yn llyfn ond, ar gyfnodau hirach na'i gilydd, tueddai gŵr y siop i anesmwytho. Aed i ddyled yn siop y groser, siop y cigydd, y siop fara, a hyd yn oed yn y siop ddillad.

Roedd hwn yn brofiad dieithr ac annymunol i blentyn wrth gael ei anfon ar neges – yn enwedig pan fyddai'r siopwr yn holi'n ddigon uchel nes bod pawb yn ei glywed, 'Pryd yn union mae dy dad yn dod adref?' Neu, 'Dwed wrth dy dad na fydd modd i chi gael rhagor o fwyd os na dderbynia i dâl erbyn nos Wener'. Gwyddwn fod pawb yn deall ystyr y sylwadau. Byddai 'ngwrid yn dwysáu pan fyddai un o 'nghyfoedion yn digwydd bod o fewn clyw ac mi gerddwn allan yn ceisio ymddangos yn ddidaro, er bod fy wyneb yn fflamgoch, gymaint fy nghywilydd a 'mhryderon am ein dyfodol. Er i hyn mae'n siŵr achosi cryn ddigalondid i Mam ei hateb bob tro oedd, 'Mi wellith pethe pan ddaw cyflog Dada'.

Yn ystod y cyfnodau hiraf o aros yn ofer i fanna Minaco ddisgyn ar ein bwrdd, heb arian i dalu am fwyd, doedd gan Mam ddim byd i'w roi i ni ond 'bara llaeth' i ginio, ac i swper. Paratoai'r saig hwn drwy dorri darnau o fara ar bob swpled (sef ein gair ni am fowlen gawl), ac arllwys llaeth cynnes drostynt. Roedd Edith wrth ei bodd yn ei fwyta ond fedrwn i mo'i ddioddef. Ac eithrio rhoi diferyn ohono mewn paned o de, ni lwyddais erioed i yfed llaeth anifail heb iddo droi ar fy stumog. O ganlyniad, ni fûm yn hir cyn protestio ac i ddatgan fy anfodlonrwydd. Heddiw sylweddolaf cymaint o boen a achosai hyn i Mam, a chywilyddiaf wrth gofio amdani'n ymddiheuro un noson am nad oedd ganddi unrhyw beth arall i'w gynnig i mi. Bu dod yn berchen siop fwyd yn uchelgais fawr gen i am gyfnod hir bryd hynny.

Daeth sôn am ein hargyfwng i glustiau teulu Glan Camwy. Efallai mai Mam a ysgrifennodd atyn nhw i ofyn am gymorth, neu mai ymwelydd â'n cartref a dynnodd eu sylw. Un diwrnod, marchogodd Taid yr un cilomedr ar hugain rhwng Glan Camwy a'r Gaiman ar geffyl llwythog o gynnyrch gardd Don Bautista. Cyn gynted ag y daeth y cyflenwad i ben, cyrhaeddodd Anti Neved ar y trên dan gludo bag mawr arall o fwyd, a oedd yn llawer rhy drwm iddi ei gario. Maes o law, cludodd Yncl Lumley neges gorlwythog arall oddi wrthyn nhw yn ei gar. I'r ymgyrch hon mae'r diolch ein bod wedi llwyddo i gadw'r blaidd rhag y drws dros y misoedd hynny.

Cafwyd arwyddion twyllodrus ambell dro fod pethau ar

wella. Pan own i tua deng mlwydd oed, daeth Nhad adref yn cario beic merch ail law a brynodd yn un o siopau Trelew. Wrth ein boddau, bu Edith a minnau'n ymarfer yn ddyfal arno nes ei feistroli. Nid camp fechan oedd honno, oherwydd bod ei ffrâm wedi camu gan wneud y broses o'i lywio'n anos. Serch hynny, cyn pen dim, rown i'n ei ddefnyddio i siopa neu i fynd am dro, ac ehangodd fy nhiriogaeth. Gymaint ysgafnach oedd hyn na chario bag trwmlwythog neu dun pum litr o Karasin yn fy llaw pan anfonai Mam fi ar neges.

Tua deufis yn ddiweddarach, atebais ddrws y ffrynt. Perchen un o siopau Trelew oedd yno yn holi a oedd Nhad adref. Pan atebais na fyddai'n ôl tan nos Wener, gofynnodd am gael gair â Mam. Pan ddaeth hithau i'r drws eglurodd ei fod wedi dod i gasglu'r taliad olaf am y beic. Atebodd hithau y galwai Nhad heibio i'r siop y tro nesaf y deuai adref, ac aeth yntau ymaith braidd yn anfoddog. Fel y digwyddodd pethau, ni ddychwelodd Nhad y Sadwrn hwnnw oherwydd pwysau gwaith. Am amser hir wedi hynny, roedd arna i ofn ateb y drws.

Yr wythnos ganlynol, digwyddais gerdded i mewn i ystafell wely fy rhieni yn chwilio am Mam, a gwelais hi'n eistedd ar erchwyn y gwely â'i phen yn ei dwylo a dagrau'n llifo ar ei gruddiau. Heb ddweud gair, rhoddais gam yn ôl a chau'r drws mor dawel ag y medrwn, rhag iddi sylwi 'mod i wedi'i gweld yn wylo. Dylwn i fod wedi mynd ati i holi beth oedd o'i le, ac mae'n siŵr y byddai wedi hoffi cael rhywun i'w chysuro. Ond ar y pryd, teimlwn 'mod i'n ymyrryd ar ei phreifatrwydd a down i ddim eisiau ychwanegu at ei chywilydd. Yn ddiweddarach, dychwelais i'w hystafell a gwelais lythyr ar y gwely oddi wrth ddyn y siop feiciau yn gofyn am ei arian. Doedd o ddim yn llythyr cas, ond suddodd fy nghalon i bwll o dristwch wrth ddarllen ei eiriau plaen.

Pan gyrhaeddodd cyflog Nhad, aeth yntau ar ei ben i glirio'i ddyledion. Talodd am feic Edith a phrynodd un mawr du yn anrheg i mi. Er ei fod yn llawer rhy fawr, meistrolais ef o fewn dim a chawn grwydro'r dref o un pen i'r llall a thu hwnt arno.

Doedd dim angen i mi boeni am alwadau gan berchnogion siopau – roedd o wedi talu'n llawn amdano.

Roedd Mam yn gyfarwydd â gweithio'n galed gydol ei hoes ac erbyn hyn roedd angen iddi ofalu yn y bore bod ei phlant yn cael eu bwydo, a'u bod yn lân a thrwsiadus ar gyfer mynd i'r ysgol. Mewn cyfnod pan fyddai cyflenwad trydan y Gaiman yn cael ei dorri'n ddyddiol am oriau hir, byddai ar gael yn y cartrefi am ddwy neu dair awr yn unig o dri o'r gloch y bore ymlaen. Arferai Mam, felly, godi am dri i smwddio ein dillad a mynd yn ôl i'r gwely am awr neu ddwy cyn codi a wynebu diwrnod arall o waith caled. Ymhell cyn i ni ddihuno, byddai wedi llenwi'r sosban fawr â dŵr o'r tap a chynnau'r tân i'w ferwi er mwyn golchi dillad yn y badell fawr.

Tasg galed fyddai hon yn y gaeaf, a'r awel oer yn llifo i mewn drwy welydd tyllog y sièd goed tra byddai hi'n sgwrio'r dillad ar y pren sgwrio â'i dwylo noeth. Gan nad oedd peiriannau yn ein tŷ ni, dim ond drwy ddal y dillad un pen ymhob llaw a'u troi nes eu gwasgu'n dynn â nerth ei breichiau y medrai gael gwared â rhywfaint o'r dŵr cyn eu hongian ar y lein. Rhedai'r dŵr ar ei dwylo ac, erbyn gorffen y dasg, roedd y rheiny'n wyn gan lwydrew. Dychwelai i'r tŷ gan eu gwasgu dan ei cheseiliau neu mewn tywel, yn dioddef o losg eira. Esboniodd i Edith y byddai eu rhoi o flaen y tân yn fwy poenus, gan fod rhaid cael gwared ar y llwydrew yn gyntaf a chynhesu'r dwylo yn araf cyn eu rhoi wrth wres y stôf. Yn ystod y blynyddoedd hynny, byddai croen ei bysedd wedi cracio'n barhaus, a doedd dim arian ar gael i brynu unrhyw fath o eli neu hufen i wella'r briwiau. Wedi i ni adael y tŷ i fynd i'r ysgol erbyn wyth o'r gloch, roedd angen golchi llestri brecwast, glanhau'r tŷ, yn ogystal â chlirio'r llwch ar silffoedd y ffenestri, y pentan a'r cypyrddau – tasg hanfodol yng nghartrefi Patagonia. Hyn oll cyn dechrau ar ei gwaith fel gwniadwraig, a pharatoi cinio erbyn i ni gyrraedd adref am un.

Disgwyliai Mam i ni wneud ein rhan hefyd o gwmpas y tŷ, ac un o 'ngorchwylion i oedd torri coed tân. Doedd honno ddim yn dasg hawdd i'w chyflawni oherwydd bod y fwyell yn drom a phren y coed *algarrobo* a gludai Nhad yng nghefn y lorri o'r camp yn eithriadol o galed i'w dorri. Dyna oedd ei rinwedd, hefyd, gan y byddai'n llosgi'n araf iawn. Ar ddiwrnodau oer, byddwn i'n cario llwyth rhy fawr, er mwyn arbed mynd allan i gasglu un arall. Wrth i ddarnau ddisgyn ar lawr y gegin sylw Mam fyddai, 'Dyna beth yw baich dyn diog, Elvey'.

Ar gais arweinyddion Undeb Eglwysi Rhyddion y Wladfa yn 1947, cytunodd Esgob Eglwys Fethodistaidd yr Ariannin (EFA) anfon gweinidog i wasanaethu'r bobl ifainc oedd wedi colli'r Gymraeg, a sefydlu achos Sbaeneg yn Nhrelew. Y gŵr a benodwyd oedd y Parchedig Paul Williams, cenhadwr 33 blwydd oed o Bennsylvania – o dras Cymreig o ochr ei dad a Daneg o ochr ei fam. Perthynai i Eglwys Fethodistaidd Wesleaidd yr Unol Daleithiau. Trefnwyd iddo gynnal gwasanaethau Sbaeneg yn y dwsin o gapeli a ddaliai ar agor ar y pryd. Ond pharhaodd ei genhadaeth ddim yn hir.

Ganol y gaeaf, cyrhaeddodd y Parchedig Harri Samuel o Gymru ar ei ffordd i'r Andes i wasanaethu capeli Bethel Trevelin a Seion Esquel. Perswadiwyd ef i oedi yn y dyffryn tan i'r gwanwyn ddadmer yr eira yng Nghwm Hyfryd. Cofiaf ei arhosiad byr yn ein plith a chael chwarae gyda'i fab bychan, Rhun, oedd tua phum mlwydd oed ar y pryd. Ond, er byrred ei arhosiad, roedd yn ddigon hir i roi terfyn ar weinidogaeth fyrhoedlog Paul Williams. Roedd presenoldeb Harri Samuel wedi cynnau gobaith newydd yng nghalonnau arweinyddion y capeli ac edrychent ymlaen nawr at gael denu gweinidogion Cymraeg i'w ddilyn. Cyfeiriodd Paul Williams ei gamre tuag at dref San Carlos de Bariloche, wrth droed yn Andes, rai cannoedd o filltiroedd i'r gogledd o Esquel, a sefydlu cangen gynta'r EFA yn y dref.

Yn 1951, gan na ddaeth gweinidog newydd o Gymru, cytunodd EFA i sicrhau gwasanaeth pedwar o weinidogion yng nghapeli'r Undeb – tri Archentwr ac un Cymro. Y cyntaf i gyrraedd oedd y Pastor Manuel Garófalo i Drelew. Hyd at hynny, roedd y capeli wedi dibynnu llawer gormod ar wasanaeth diflino y Parchedigion Tudur Evans ac Evan R. Williams, gan adael pwysau trwm ar eu hysgwyddau. Cyn lleied oedd yr arian a delid iddynt, byddai'n rhaid i'r ddau ffermio er mwyn cynnal eu teuluoedd. Yn 1953 dychwelodd Paul Williams, y tro hwn i weithio yn y Gaiman, lle lletyai gydag Antie Annie. Gan gofio am brofiad anffodus 1948, trefnwyd yn well ar ei gyfer a chydweithredodd yn dda gyda'r ddau weinidog Cymraeg. Yn ddiweddarach y flwyddyn honno, bu farw E. R. Williams yn frawychus o sydyn gan adael bwlch enfawr ar ei ôl, bwlch nas llenwyd yn briodol byth wedyn.

Anfonodd EFA dri o ddarpar weinidogion o'u Coleg Diwinyddol i Ddyffryn Camwy dros wyliau'r haf. Treuliodd Eugenio Schneider, Alejandro Garavano a'r llencyn dwy ar bymtheng mlwydd oed David Arcaut eu hamser yn gwerthu llyfrau Cristnogol ac yn pregethu yng nghapeli'r Undeb ledled y dyffryn o Rawson ar yr arfordir hyd at Dir Halen yn y gorllewin. Cawson nhw eu cartrefu mewn rhan o adeilad yr hen Ysgol Ganolraddol. Cegin, ystafell ymolch ac un ystafell wely gyda lle i osod tair matras ar lawr, oedd eu lle ty a'u pencadlys am yr haf. Yn ogystal â phregethu ddwywaith neu dair bob Sul, ffurfiasant Gymdeithas yr Ieuenctid a chynhalient wersyll haf a ddenodd lawer iawn o bobl ifanc dros bymtheg oed. Daethant â chyflenwad o lyfrau darllen Cristnogol lliwgar yn llawn straeon difyr – pob un yn cynnwys moeswers. Sbaeneg oedd iaith y llyfrau yn ogystal â'r cyfarfodydd.

Gydag ymdrech fawr a phob yn dipyn, llwyddodd fy rhieni i ddod o hyd i arian i mi brynu'r casgliad cyfan o bedair cyfrol oedd wedi denu 'mryd. Byddai'r tri o hyd yn barod i roi yn hael o'u hamser i mi a daethant yn gyfeillion mawr i 'nheulu. Un nos Sul, dychwelodd y tri yn ôl yn gynnar o'u gwasanaethau a phenderfynu ymuno â ffyddloniaid Bethel, gan eistedd yn y sedd gefn. Yn ystod y gwasanaeth, cofiodd David nad oedd bwyd yn eu cwpwrdd, ac estynnodd nodyn i'r lleill yn holi: 'Beth a gawn i'w fwyta heno?' Yr ateb ar gefn yr un darn papur oedd: *'Dios proveerá'* (Duw a ddarpara). Ar y ffordd allan o'r capel, holodd

Nhad a hoffen nhw ddod aton ni i swper, ac ni fedrai ddeall pam y chwarddai'r tri gŵr ifanc mor afreolus. Chwarddodd yntau pan glywodd yr eglurhad. 'Gyda beth 'da ni'n mynd i fwydo pawb heno, Héctor – does dim yn y tŷ ac eithrio sbariwns cinio,' holodd Mam ar y ffordd adref. Galwodd Nhad yn nhŷ ei chwaer, Anti Annie, a rhwng ei sbariwns hi a'n rhai ni, llwyddodd Mam i baratoi pryd blasus i ddiwallu archwaeth y saith ohonon ni.

Ym 1954, dyma ddarpar weinidog arall yn curo ar ein drws. Herbert Perrín, gŵr ifanc o dalaith Córdoba, a myfyriwr diwinyddol yn Buenos Aires ac ar ei flwyddyn ymarfer. Daeth yn gyfaill agos iawn i'n teulu ni ac ymwelai yn gyson â'n cartref. Ac yntau'n fariton swynol ac yn hoff iawn o ganu, treuliai oriau ben bwy'i gilydd yn ymarfer gyda ni. Yn y Gaiman, darganfu'r Sol-ffa, a daeth yn genhadwr brwd iawn dros y system. Ofnaf i mi ei ddiflasu droeon wrth bwyso arno i ddod gyda mi i gicio pêl yn yr ardd pan fyddai'n well ganddo drafod ei waith a cherddoriaeth gyda Mam a Nhad.

Flwyddyn neu ddwy'n ddiweddarach, cyrhaeddodd y Parchedig David John Peregrine, brodor o'r Tymbl. Daethai i olynu E. R. Williams ac ymsefydlodd yn y Gaiman. Roedd yntau, fel Paul Williams, yn ŵr di-briod – ffaith nas anwybyddwyd gan y gwragedd. Roedd yn ŵr golygus, tal a thenau, tawel, a gwelw ei wedd.

Gyda chaniatâd yr arweinyddion lleol, manteisiodd Paul Williams ar bresenoldeb mintai o bobl ifanc yr EFA a ddaethai o Buenos Aires i gynnal gwersyll ieuenctid, i gael eu cymorth i addasu rhan o'r hen Ysgol Ganolraddol yn gartref ar gyfer y ddau ohonyn nhw. Cwblhawyd y gwaith o fewn pythefnos; roedd y gweinidog yn ŵr ymarferol iawn, ac wedi cael llawer o brofiad ym musnes adeiladu ei dad. Yn wahanol i'w gyd-letywr, siaradai Sbaeneg cyhyrog er gwaetha'i acen ddieithr, ac roedd yn ifancach o lawer nag ef. Gyrrai gar hefyd. Deallwyd maes o law taw hen dacsi *yellow cab* wedi'i dwtio a'i ailbeintio oedd o.

Tybiaf mai cyfraniad pennaf Paul Williams oedd cynnal diddordeb aelodau ifainc Bethel. Sefydlodd Glwb Ieuenctid i rai rhwng 15 a 25 oed ac roedd pawb iau yn meithrin yr un uchelgais: brysio i ddod yn ddigon hen i gael ymaelodi. Brysiodd Edith gymaint nes iddi gael ei derbyn yr un pryd â mi, flwyddyn cyn ei hamser. Er i mi dderbyn sawl cymwynas ganddo, ni fedraf honni i mi ddod yn agos at y gweinidog caredig hwn.

Ar y llaw arall, treuliais lawer o amser yng nghwmni David John Peregrine. Oherwydd y deuai, fel pob pregethwr arall, i fwyta swper gyda ni o bryd i'w gilydd, deuthum i ddeall ei fod yn medru chwarae gwyddbwyll, gêm rown i'n hoff iawn ohoni er nad yn feistr arni, a threfnwn i fynd ato i gael gêm o bryd i'w gilydd. Dangosodd lyfrgell yr hen ysgol ganolraddol i mi hefyd, a gynhwysai lyfrau Cymraeg, Sbaeneg a Saesneg, a chefais bob rhyddid ganddo i fenthyca llyfrau, er 'mod i'n amau a oedd ganddo'r hawl i wneud hynny. Byddwn yn cymryd tua hanner dwsin ar y tro. Llawer yn ddiweddarach, derbyniwyd cyflenwad mawr o lyfrau o Gymru, wedi'u hanfon gan R. Bryn Williams, ac agorwyd Llyfrgell R. J. Berwyn i'r cyhoedd. Dyna pryd y darllenais *Cysgod y Cryman* am y tro cyntaf, a dod yn gyfarwydd ag enw Islwyn Ffowc Elis.

Cerddai DJP o gwmpas y dref mewn trowsus du a streipiau llwyd, crys gwyn, gwasgod lwyd golau a siaced ddu, â golwg braidd yn freuddwydiol arno. Credai rhai ei fod yn edrych fel bardd ac, yn wir, deallwyd yn ddiweddarach ei fod yn ymddiddori mewn barddoniaeth.

Daeth y merched ifanc i'r casgliad bod yna gyfrinach garwriaethol drasig yn ei hanes, oherwydd y tristwch a lechai yn ei lygaid golau. Sylwyd gyda diddordeb ac mewn syndod, ei fod yn codi nifer o'i bregethau nid o adnodau'r Beibl ond o emynau – rhai William Williams Pantycelyn ac Ann Griffiths yn bennaf. Mentrai ddangos rhywfaint o hiwmor llechwraidd, yn ogystal, a oedd yn anarferol ym mhulpudau'r dyffryn ar y pryd. Nid yn annisgwyl, gwelwyd mwy o bobl ifanc yn tyrru tua Bethel, a dichon bod hynny'n wir am gapeli eraill y pregethai ynddynt hefyd.

Daeth rhai o'r pregethwyr brodorol o hyd i wragedd ymhlith

merched capeli'r Wladfa. Dyna arwydd fod y berthynas rhwng rhai o aelodau'r Undeb a'r EFA yn tynhau. Roedd yn arwydd hefyd o newid agwedd yn ein plith. Digwyddodd priodasau cymysg yn y Wladfa ers degawdau lawer, ac roedd enghreifftiau niferus yn ein teulu estynedig ni o'r ddwy ochr – yn enwedig ymhlith y merched.

Yn amlach na pheidio, byddai priodas gymysg yn anghymeradwy yng ngolwg llawer, yn bennaf oherwydd ei fod yn golygu gostyngiad yn nifer y cartrefi lle byddai'r Gymraeg yn iaith yr aelwyd ac yn ei gwneud hi'n anos sicrhau ei pharhad ymhlith aelodau'r genhedlaeth nesaf. Rown i wedi hen glywed pobl (gwragedd yn bennaf) yn twt-twtian pan fyddai merch o dras Cymreig yn priodi 'Sbaenwr'/'Lladinwr'/'Estronwr' er bod y cyfan yn Archentwyr glân gloyw, a rhaid i mi gyfadde 'mhen amser bod uniad o'r fath yn achosi tristwch i mi hefyd. Nid ymwrthod â'u cefndir Cymreig a wnaent, dadleuai Edith, ond derbyn nad oedd digon o fechgyn o dras Cymreig mewn oed priodi ar ôl yn y Wladfa wrth i nifer ohonyn nhw ymfudo i ddinasoedd pell i chwilio am waith. Yno, byddent hwythau hefyd yn priodi merched o genhedloedd eraill ac yn magu teuluoedd di-Gymraeg. Mae'n wir dweud, hefyd, i lawer iawn o ferched ifainc adael y dyffryn i ennill eu bywoliaeth – canran uchel yn cael eu denu i nyrsio yn yr Ysbyty Prydeinig yn y brifddinas ffederal.

Daeth Metron o'r ysbyty hwnnw i chwilio am staff ymhlith merched y Wladfa ar ddechrau'r Ail Ryfel Byd. Roedd eu hangen ar gyfer llenwi'r bwlch a grëwyd pan groesodd nifer mawr o nyrsys o dras Seisnig o Buenos Aires i Lundain i wirfoddoli'u gwasanaeth i'r lluoedd arfog Prydeinig.

Arferai llawer o deuluoedd y Gaiman ddiflannu o'r dref dros yr haf i fynd ar eu gwyliau – i lan y môr, gan amla. Nid oedd yn anghyffredin i'r mamau a'r plant aros yno pan fyddai'r tad yn gorfod dychwelyd i'w waith ar ôl rhyw bythefnos. Glan Camwy fyddai'n cyrchfan ni ac anaml iawn y gwelswn i y tonnau'n torri ac arogli'r heli yn awel gynnes traethau Playa Unión neu Playa Galesa.

Dydw i ddim yn cofio Nhad yn cymryd gwyliau o'i waith, a dim ond un erioed a gafodd yn ystod ei gyfnod gyda chwmni Minaco. Yn naturiol, roedd Mam eisiau manteisio ar y gwyliau ysgol i dreulio cyfran sylweddol o'r haf yng nghwmni Nhad, a chytunwyd ein bod yn symud ato i'r chwarel, gydag Edith a minnau'n rhoi croeso brwd i'r syniad. Newidiodd patrwm ein gwyliau felly ac nid o dan gysgod coed deiliog Glan Camwy y caen ni chwarae mwyach ond ar dir sych a charegog y camp. Doedd y mwynhad ddim mymryn yn llai, gan fod rhamant yn nieithrwch y camp a'r cilfachau di-rif y bydden ni'n eu darganfod yn ddyddiol. Buon ni yno unwaith yng nghwmni Garavano, Schneider ac Arcaut, a dreuliodd wythnos gyda ni. Cerddodd Mam, Edith a minnau, yn cario hambwrdd a bag yr un at yr orsaf, lle'r oedd y tri gŵr ifanc yn aros amdanon ni. Gwisgai Edith ei sbectol haul newydd sbon ar ei thrwyn ers y bore bach.

Pedwar peth a gofiaf am y daith honno. Mynd drwy'r twnnel am y tro cyntaf, a'r tri phregethwr yn tynnu coes Edith oherwydd nad oedd wedi tynnu'i sbectol haul. 'Sbectol i weld yn y tywyllwch, ai e?' holodd David. Yna, Edith yn holi a oedden ni ar fin cyrraedd, a ninnau ond hanner ffordd i Ddolavon. Yn drydydd, arafwch y trên. Mewn un man ar y camp, a elwir Y Bedol, lle'r oedd angen i'r trên ddringo'n gyson i ben gwastadedd cymharol uchel, medrai unrhyw redwr gwerth ei halen ddisgyn o'i gerbyd yn un pen o'r bedol a rhedeg i'r pen arall ymhell cyn i du blaen y trên gyrraedd yno. Y pedwerydd yw'r hambwrdd a'i gynnwys. Gan wybod y bydden ni ar y trên am oriau, roedd Mam wedi paratoi amrywiaeth o ddanteithion blasus a hawdd eu bwyta ar daith o'r fath, digon ar gyfer y chwech ohonon ni. Wedi bwyta'n gyson ar hyd y daith, doedd hi ddim yn syndod gweld nad oedd briwsionyn ar ôl erbyn i ni gyrraedd gorsaf Las Chapas a disgyn oddi ar y trên. Yno, arhosai Nhad amdanon ni i'n cludo yn y *Brockway* i'r chwarel, a chawson ni wythnos hynod ddifyr yng nghwmni llawen a chwareus ein gwesteion ifanc.

Yr eildro, doedd dim angen dibynnu ar y trên, gan fod y *Brockway* bach ar gael i'n cludo o'r Gaiman. Ar fore hyfryd o haf, eisteddai Mam gyda Nhad yn y caban bychan, ac Edith a minnau yn y cefn, lle'r oedd Nhad wedi gosod matras lydan a'r holl drugareddau ar gyfer byw oddi cartre am gyfnod hir wedi'u pacio'n dynn o'n hamgylch er diogelwch. Cerbyd bychan oedd hwn, ac injan wan yn ei yrru bron mor araf â'r trên ar hyd y ffordd gerrig, ac yn arafach byth wrth ddringo ambell allt. Oherwydd nad oedd gwydr ar ffenest fechan cefn y caban, medrai'r pedwar ohonon ni siarad â'n gilydd.

Gwelsai Edith a minnau Nhad wrth ei waith yn y chwarel y tro cynt, yn dangos i'w ddynion sut roedd rhwygo'r caolin o'r llethr gwyn. Doedd dim peiriannau yno o gwbl a chaib a rhaw oedd prif offer pob chwarelwr. Yr unig adnodd arall at eu gwasanaeth oedd deinameit, a ddefnyddid yn gynnil. Ar adegau felly, ni châi Edith na minne fod yn agos at y chwarel a doedd dim dewis gynnon ni ond syllu o ddiogelwch y feranda arnyn nhw'n tanio, a gweld y cwmwl gwyn yn codi i'r awyr cyn clywed y ffrwydrad. Torrid y caolin yn dalpiau amrywiol eu maint a'u glanhau o unrhyw amhurdeb cyn eu cludo ymaith mewn lorri i orsaf drên Las Chapas i gychwyn ar eu taith i Buenos Aires.

Caniataodd Nhad i Edith a minnau ddysgu sut i yrru'r cerbyd (neu'r 'trên bach', fel y galwen ni'n dau ef) i gario'r gwastraff i'r domen – ar yr amod mai dim ond o dan ei oruchwyliaeth y caem ei ddefnyddio. Rhaid i mi gydnabod i mi droseddu yn erbyn ei orchymyn ar sawl achlysur. Roedd rhywbeth cyffrous yn yr her o gyflymu'r cerbyd a'i frecio ar y funud olaf. Yn hollol anghyfrifol, ni feddyliais unwaith beth fyddai ein tynged petawn i'n brecio'n rhy hwyr ac yn disgyn gyda'r 'trên bach' i waelod y dibyn gyda'r sbwriel.

Amser cinio, byddai Mam yn canu'r gloch a grogai o un o drawstiau'r feranda i hysbysu Nhad a'r dynion eraill fod y bwyd yn barod. Ond pan fyddai Edith a minne wrth y tŷ, byddai'n ddadl rhyngon ni'n dau pwy gâi ganu'r gloch. Ofnaf i mi fanteisio'n annheg ar y ffaith 'mod i ychydig yn dalach a chyflymach na hi. Mi fyddai Mam yn coginio ar ein cyfer ni'n pedwar ac ar gyfer Iorwerth Morgan ac Elfed Parry, dau o gyfeillion Nhad a weithiai yn y chwarel am nad oedd eu ffermydd yn talu erbyn hynny. Byddai'n rhaid i'r dynion groesi hafn 'afon storm' (a grëwyd gan lif byrhoedlog ond nerthol dŵr glaw trwm stormydd haf) a dringo at y gwastadedd lle safai'r tŷ. Nid nepell o'r tŷ, yr ochr draw i hafn arall, codwyd sièd fawr heb waliau ochr iddi, lle'r oedd melin i falu rhai blociau caolin yn fân fel blawd ar gyfer profi ei ansawdd. At y pwrpas hwn, disgwylid i Nhad wisgo mwgwd rhag iddo anadlu'r llwch. Mae'n debyg na wnaeth hynny fawr o wahaniaeth. Flynyddoedd yn ddiweddarach, dywedodd Dr Viglione fod effaith y llwch ar ysgyfaint Nhad yn union fel un silicosis ar ysgyfaint glöwr.

Yn wahanol iawn i'n tŷ ni yn y Gaiman, roedd yna ddŵr rhedegog yn yr ystafell ymolch ac yn y gegin. Ynghlwm wrth y tŷ, codwyd gweithdy saer eang yn llawn offer pwrpasol at anghenion y chwarel. Yno yr adeiladodd y saer gerbyd pren i Edith a minnau, a chawsom lawer o hwyl yn rhuthro'n gyflym i lawr y rhiw. Cawsom ambell godwm boenus hefyd. Treuliai Nhad hefyd ambell awr gyda'r nos yno'n llunio celficyn y byddai ei angen yn y tŷ, ac un neu ddau ar gyfer ein cartref yn y Gaiman, yn ogystal. Adeiladodd gerbyd bychan ar gyfer dol Edith, a bu hithau yn ei wylio yn hollol ddiamynedd nes iddo'i gwblhau. Byddwn innau yn ei wylio'n mesur, llifio, planio, gludio ac eto'n dysgu dim oddi wrtho. Ni ddysgais chwaith sut i godi wal nag i drwsio injan car, er i mi syllu arno droeon yn gwneud hynny. Roedd gen i lawer mwy o ddiddordeb mewn gweld y cynnyrch gorffenedig nag yn y gwaith manwl o'i greu. Efallai fod Mam wedi rhoi gormod o bwyslais ar yr angen i gadw'n lân ac nad own am drochi 'nwylo a 'nillad mewn paent, sement a saim.

Un o atyniadau mawr y gwyliau oedd mynd i nôl dŵr. Yr arfer oedd llwytho tanc dŵr mawr fflat yng nghefn y *Brockway* a gyrru'r lorri fechan ar hyd ffordd droellog a arweiniai i mewn i hafnau dyfnion rhwng creigiau cochion at lan afon Camwy. O droi i mewn i hafn benodol ryw bedair neu bum cilomedr o'r afon, cyrhaeddem at lecyn lle'r oedd Nhad wedi tyllu ffynnon ac wedi adeiladu wal gron o'i chwmpas, a chlawr pren drosti i rwystro anifeiliaid rhag cwympo i mewn iddi. O dan do sièd, gerllaw, roedd yna beiriant petrol yn pwmpio'r dŵr i'r tanc.

Roedd hon yn broses a ddigwyddai o leiaf yn wythnosol ac yn amlach fel rheol, gan fod angen digon o ddŵr ar gyfer diwallu anghenion y gegin a'r gawod foreol, yn ogystal â chyflenwi tapiau dŵr ar gyfer bythynnod y gweision. Ambell dro, arferai Mam a ninnau fynd yno gyda Nhad, i gadw cwmni iddo. Yn uchel ar nifer o'r creigiau, porai geifr Doŷa Ciriaca Espinel yn dawel fel pe na baent yn sylwi ein bod wedi cyrraedd. Roedd digon o le yno i redeg a dringo a neidio a phob math o gampau eraill i losgi egni. I goroni'r cyfan, byddai Mam yn ein galw i wledda ger craig isel, lle'r oedd wedi taenu lliain bwrdd gwyn ar y pridd, ac arno bob math o ddanteithion blasus roedd hi wedi'u paratoi y bore hwnnw. Ni fyddai'n anarferol i ni gael cwmni madfall neu ddwy a fanteisiai ar yr haul i dorheulo fel delwau dioglyd ar y graig, heb falio dim am ein presenoldeb.

Heb amheuaeth, roedd y rhain yn wyliau gwahanol iawn i rai Glan Camwy – yn sicr yn fwy anturus. Daethon ni i nabod y gweision yn ddigon da i'w cyfarch wrth eu henwau ac i gynnal ambell sgwrs â hwy, er nad oedd Mam yn rhy fodlon ein gweld yn cyfeillachu â'r dynion diarth hyn. Don Miguel Calfú oedd yr hynaf ohonyn nhw, a chawn yr argraff ei fod ymhell dros oed yr addewid. Wrth i ni grwydro rhwng y bythynnod un noson cyn amser swper, fe'i gwelson ni o'n coginio yn yr awyr agored a gwahoddodd ni i ddod i mewn i'w fwthyn i rannu rhywfaint o'i fwyd. Adroddodd nifer o straeon pur amheus wrthon ni cyn i ni adael ar frys wedi clywed llais Mam yn ein galw i swper.

Manuel Fernández oedd enw un arall, gweithiwr dygn, llawer ifancach a pharod iawn ei wên, y deuthum yn eithaf hoff ohono. Ond, am ryw reswm, doedd Manuel ddim yn hapus ag amodau'r gwaith, ac aeth yn eithaf llafar ar y mater. Ceisiodd Nhad osgoi anghydfod ond dilynodd Manuel ef i'r tŷ a phan fethodd â chael ei ffordd, tynnodd gyllell finiog o'r waun a gadwai yn ei wregys a'i phwyso yn erbyn stumog Nhad. Holais pam na fyddai wedi rhoi dwrn ar drwyn y gwas. Oherwydd y byddai wedi fy nhrywanu cyn i mi godi 'mraich, atebodd Nhad. Yn hytrach, ymresymodd yn bwyllog â'r chwarelwr nes llwyddo ymhen amser i'w ddarbwyllo i roi ei gyllell o'r neilltu. Wedi clywed am yr antur fach honno, bûm ychydig yn fwy gofalus wrth grwydro yn y chwarel ac ni fu Edith na minnau wedyn yn nhai'r gweithwyr. Dysgais hefyd fod modd i ddyn amddiffyn ei hun yn fwy effeithiol drwy ddefnyddio'i dafod na thrwy godi dwrn. Un araf ei lid oedd Nhad wrth ddisgyblu ei blant hefyd, a chlywodd Edith o'n cynghori person i gyfrif hyd at ddeg cyn taro plentyn, ac os nad oedd deg yn ddigon hir, yna i fynd ymlaen i gyfrif hyd at gant.

Ac eto, roedd o'n hoff o wrando ar ornestau bocsio ar y radio, gan fynychu ambell ornest leol hefyd. Daeth gŵr ifanc o Chile i weithio i'r chwarel. Cofiaf mai Higuera oedd ei gyfenw. Un penwythnos, daeth i lawr gyda Nhad i dreulio penwythnos yn y Gaiman. Er ei fod yn lletya mewn gwesty lleol, gyda ni y byddai'n swpera bob nos. Honnai ei fod yn focsiwr profiadol ac wedi bod yn bencampwr yn ei fro. Ysai am ddod i'r Gaiman byth ers iddo glywed Nhad yn adrodd am gampau ein dyn post lleol, Lewis Morgan James, neu 'Elwyn' i'w ffrindiau am ryw reswm.

Gan fod James yn ymarfer mewn sièd fechan yn y Gaiman ar gyfer ei ornest nesaf, cytunwyd y câi Higuera fynd yno i baffio am ychydig rowndiau gydag o. Ar ôl nychu Nhad cefais gerdded gyda'r ddau ar noson dywyll, oer a gwlyb i'r 'gampfa' fechan ar y stryd fawr, nid nepell o'n cartref. Ymhen ychydig funudau, roedd James a Higuera yn wynebu'i gilydd o fewn hyd braich i'r man lle safwn yn eiddgar wrth ymyl Nhad. Doeddwn i erioed wedi gweld dau ddyn yn bwrw'i gilydd o'r blaen yn unman ond mewn comics, a down i ddim yn mwynhau'r profiad. Cyn bo hir, aeth yn ormod i mi a gofynnais i Nhad a gawn fynd adref. Chwarae teg iddo, aeth â mi yn ôl yn ddirwgnach a dychwelodd eto mewn pryd i weld ei gyd-weithiwr yn erbyn y rhaffau ac yn gweiddi ei fod wedi cael digon.

Tybed a fyddai'r hogyn o Chile wedi mentro i'r sgwâr bocsio

gydag 'Elwyn' pe gwyddai ei fod yn bencampwr Chubut, ei fod wedi curo bocswyr o daleithiau'r gogledd, a'i fod wedi ennill yr hawl i fod yn aelod o garfan yr Ariannin i gystadlu yng Ngêmau Olympaidd Llundain 1948, drwy guro pob un o'i wrthwynebwyr. Ond cafodd ei ddiarddel pan ganfuwyd iddo guro pencampwr proffesiynol yr Ariannin yn ei bwysau. Ni chofiaf weld Higuera yn y Gaiman wedi hynny a gadawodd y chwarel i chwilio am fyd gwell, digon pell o ddyrnau celyd James y Post.

Bellach, byddai Edith a minnau'n treulio fwy o amser bob haf ym Minaco nag ar y ffarm. Yn wir, cofiaf i ni dreulio dau haf cyfan yno ddwy flynedd yn olynol. Yn haf 1953 a minnau'n ddeuddeg oed, i osgoi gwres llethol ganol dydd, byddwn yn llechu yn yr ystafelloedd gwely yn darllen yr ychydig gylchgronau a orweddai o gwmpas y lle. Brithwyd eu tudalennau â straeon am arferion anllad Farouk, cyn-frenin yr Aifft, a hanesion hynod o frawychus am lywodraethwr gwaedlyd yr Undeb Sofietaidd, Joseff Stalin, gan gyfeirio at y ffaith iddo drin milwyr Gwlad Pwyl yn waedlyd. Bu rhyfel yn destun arswyd i mi byth wedyn, ac ofnwn gael fy ngorfodi i frwydro ryw ddydd.

Pan ddaeth y llyfrau prin a'r cylchgronau i ben, cydiais un diwrnod yn y Beibl. Hwn fu fy neunydd darllen bob amser siesta o hynny ymlaen. Darllenais ef o glawr i glawr ddwywaith – yn Gymraeg y flwyddyn gyntaf ac yn Sbaeneg yr un ganlynol. Petasech chi'n holi yn y Gaiman y dyddiau hynny beth oedd y gwahaniaeth pennaf rhwng Catholigion a Phrotestaniaid, yr ateb fyddech chi'n debycaf o'i glywed fyddai: 'Dydy'r Catholigion ddim yn darllen y Beibl', ond gwyddwn fod hynny'n wir am lawer o Brotestaniaid hefyd. Ar y llaw arall, dyfarniad un offeiriad Catholig oedd: 'Ni all y sawl nad yw'n darllen y Beibl nabod Duw, ac ni all y sawl nad yw'n nabod Duw gael bywyd tragwyddol'. Fodd bynnag, rhaid cyfadde bod peth o gynnwys y Beibl yn anaddas ar gyfer hogyn yn ei arddegau cynnar.

Cofiaf sgwrs dros swper un noson, a ni'n pedwar a Iorwerth ac Elfed yn trafod pob math o bynciau oedd wedi tynnu'n sylw yn ystod y dydd, pan gododd rhywun gwestiwn ynglŷn â ffydd.

Gwyddwn fod Mam yn rhoi pwyslais enfawr ar ei pherthynas â'i Duw a'i bod yn cyfathrebu ag ef yn gyson drwy gyfrwng gweddi, a bod Nhad yn cael cysur mawr mewn canu emynau fyddai'n berthnasol ar gyfer gwahanol achlysuron a chyfnodau yn ei fywyd. Datganodd Edith ei ffydd lwyr yn Nuw, a chadarnhaodd Iorwerth ac Elfed eu bod hwythau'n credu yn y Goruchaf hefyd. Gan fod pawb yn gwirfoddoli gwybodaeth ynglŷn â natur a graddau eu cred, mentrais innau agor fy ngheg. Rown i'n credu'r hyn a ddywedai'r Beibl am Dduw yn creu'r bydysawd a'i fod wedi anfon Iesu Grist i'r byd i achub dynoliaeth, meddwn, ond down i ddim yn teimlo 'mod i'n berson crefyddol gan nad own i'n meddwl am y pethau hyn o hyd.

Cawsom ymwelydd annisgwyl un bore Sadwrn braf, sef aelod o staff gwesty bychan *Las Chapas*, a oedd yn ymyl yr orsaf drên a'r ffordd fawr i'r Andes. Gan nad oedd ar ddyletswydd, penderfynodd fynd allan am dro, tua'r chwarel. Gyda'u croeso arferol, cynigiodd fy rhieni iddo aros i ginio. Roedd yn dal gyda ni erbyn diwedd y prynhawn, ac eisteddodd wrth ein bwrdd i fwynhau'r te. Wrth i'r haul ostwng ar yr wybren ac i awel y diwedydd leddfu'r gwres disgwylien ni iddo adael ond doedd dim sôn am hynny ac arhosodd i swper hefyd.

Erbyn hyn roedd hi'n dywyll a dywedodd nad oedd am fentro cerdded adre oherwydd fod yna fedd neu ddau yn y cyffiniau, ac ofnai gyfarfod ag eneidiau'r meirw. Dechreuodd hynny ddadl rhyngddo a Mam, a haerai fod yr eneidiau hynny naill ai wedi hen gyrraedd y nefoedd neu yn y lle arall. Ni chredai hithau ym modolaeth y purdan, a llai fyth yn syniad anysgrythurol a ffôl y dyn hwn. Na, roedd o wedi gweld goleuadau droeon yn hofran uwchben y beddau, meddai yntau, arwydd bendant fod yr eneidiau'n dal heb gychwyn ar eu taith. Byddai'n well iddo aros i gysgu gyda ni, a chysgodd ar lawr y gweithdy.

Un bore heulog hyfryd, cyrhaeddodd Yncl Alun, un o gefndryd Mam, yn cludo newyddion drwg. Roedd Yncl Edwin wedi marw y noson cynt o drawiad ar y galon yn 51 mlwydd oed. Yn unol ag arfer y wlad, byddai ei angladd yn codi o'i gartref ym Mryn Gwyn y prynhawn hwnnw. Gan fod taith ddwy awr o leiaf i gyrraedd y Gaiman, ac angen newid, byddai amser yn brin, ond, diolch i gymwynasgarwch ein cymdoges agosaf, llwyddasom i gyrraedd cyn bod y fintai o alarwyr yn gadael y tŷ.

Cludodd Alwina Thomas ni i Fryn Gwyn yn ei char cysurus. Aethom i mewn i'r parlwr gan gyfarch Nain, ei meibion a'i merched a'u teuluoedd. Torrodd Edith i wylo ond sobrwyd hi gan gerydd Anti Christina: 'Does dim angen i ti grio, Edith fach, mae Yncl Edwyn wedi mynd i le gwell.' Dwn i ddim a deimlai Nain yr un fath, a hithau wedi colli ei hail blentyn, ond tybiaf fod llawer o ddoethineb yng ngeiriau ei merch hynaf. Wedi i'r Parchedig Tudur Evans gwblhau'r gwasanaeth byr, dilynwyd y fan gefn agored a gludai'r arch yn araf yr holl ffordd i fynwent y Gaiman gan brosesiwn hir o gerbydau yn cludo'r teulu mawr a chyfeillion niferus Yncl Edwin ac Anti Bronwen.

Oherwydd y diffyg galw am y caolin, dioddefwyd toriadau ysbeidiol ym Minaco, gan orfodi Nhad a'i gyd-weithwyr i chwilio am waith dros dro mewn llefydd eraill er mwyn ennill arian i'w digolledu. Yn ystod un o'r cyfnodau hyn bu'n gweithio ar ffarm ac roedd rhan o'i waith yn cynnwys gyrru tractor treigl. Dychwelodd adref un diwrnod â'i fraich mewn rhwymyn yn amlwg mewn poenau difrifol.

Gwrthododd gymorth gan Edith ac esboniodd iddo gael damwain wrth geisio trafod y fraich fetel oedd yn rheoli'r rhaw. Gollyngodd y gyrrwr y rhaw gan wasgu braich Nhad yn erbyn corff y peiriant ond, wrth glywed ei floedd boenus, llwyddodd i atal y rhaw cyn iddi wahanu'i fraich oddi ar yr ysgwydd. Gwasgwyd bôn ei fraich dde allan o'i siâp fel pe na bai cyhyrau ar ôl ynddi, ond roedd yn ffodus na thorrodd yr asgwrn. Y syndod mawr, yn ôl y meddyg, oedd nad oedd ei groen yn dangos unrhyw niwed, ar wahân i gleisiau amryliw, er bod y cnawd wedi'i rwygo a'r cyhyrau wedi'u twistio. Gyda chymorth Ynyr Jones, cyn-focsiwr a wyddai gryn dipyn am ffisiotherapi, llwyddodd i adfer ei fraich ac adennill ei nerth ymhen ychydig wythnosau, a diflannodd y clais melynddu erchyll a fuasai yn ei haddurno cyhyd.

Ac eithrio'r diwrnodau cyntaf wedi'r ddamwain, dychwelodd i weithio ar y ffarm fel cynt. Dichon nad oedd dewis ganddo am fod angen arian arno i fwydo ei deulu. Dro arall, bu'n gyfrifol gyda'i gyfaill agos, Herber Evans, am adeiladu festri'r Hen Gapel, a thai bach i ddynion a merched. Byddai mynd i lawr atyn nhw i'w gweld wrth eu gwaith yn rhoi pleser mawr i Edith a minnau ac ni châi Mam unrhyw drafferth i'n perswadio i fynd â the prynhawn i Nhad. Llenwai Mam y fasged â brechdanau, teisennau, a thermos yn llawn o de poeth. Treulien ni lawer gormod o amser yno, gan rwystro'r ddau gyfaill rhag mynd ymlaen â'u gwaith.

Deuai Elfed atom ar brydiau a dechreuodd o a minnau grwydro i'r pant coediog sy'n gwahanu tir y capel oddi wrth yr afon. Wrth weld bod pedair coeden yn tyfu'n agos at ei gilydd fel petasen nhw'n bolion pedair cornel sièd, dyma fynd ati i dorri canghennau ac adeiladu welydd o'u cwmpas a tho uwchben y rheiny. Am rai wythnosau, roedd gynnon ni rywle clyd i guddio ynddo rhag y byd ac i siarad a chynllunio pob math o anturiaethau. Yna daeth y mater i sylw'r diaconiaid, a chawson ni orchymyn i ddinistrio'r ffau, rhag i rywun ei defnyddio at bwrpas anllad. Gan na fedrai neb ei gweld ynghanol y goedlan a'r llwyni trwchus, mor annhebygol fyddai hynny. Ni bu dewis ond ufuddhau. Meddyliais yn ddiweddarach tybed ai ein hamau ni o gamddefnyddio'r lle roedd y diaconiaid.

8

Ar gyfeiliorn

DOWN I DDIM LLAWER hŷn na rhyw chwech oed, pan aeth Nhad a Mam, Edith a fi i'r gêm bêl-droed gynta i mi ei gweld erioed. Ar brynhawniau Sul y câi gêmau Cynghrair Bêl-Droed Dyffryn Camwy eu chwarae, fel yn y mwyafrif o drefi'r wlad. Ond nid gêm gynghrair arferol oedd hon, gan na fyddai Mam byth wedi cytuno i ddod yno ar Ddydd yr Arglwydd nac i ganiatáu i'r un ohonon ni ei dorri.

Yn y Gaiman Newydd – o fewn llathenni i'w gilydd, safai caeau pêl-droed dau glwb y dref: *Gaiman Football Club* (neu Gaiman Ffóbal i'r bechgyn) ac *Argentinos del Sur* (Archentwyr y De). Caeau moel, caled, heb yr un blewyn glas yn tyfu arnyn nhw oedd y ddau, a dim ond ffens wan o'u hamgylch, a chytiau sinc prin eu darpariaeth wrth ymyl er mwyn i'r bechgyn newid. Nid oedd yno dai bach na chyfleusterau ymolchi. Ond yno byddai bechgyn cyffredin y dref yn trawsnewid (fel Clark Kent yn troi yn *Superhombre*), ac yna rhedeg ar y cae megis arwyr i dderbyn gwrogaeth y dorf.

Dau dîm y dref oedd yn chwarae y tro hwn fel rhan o ddathliadau dydd datganiad annibyniaeth taleithiau Afon Plata oddi wrth Sbaen y 25ain o Fai 1810 – *Gaiman Football Club* yn eu crysau coch a du, ac *Argentinos del Sur* yn eu lliwiau gwladgarol. Nid oedd eisteddle i'w gael y dyddiau hynny a safai'r cefnogwyr mewn rhes ddwbl o gwmpas y cae – y gwragedd a'r plant yn pwyso ar y ffens dila a'r dynion yn gadarn y tu cefn iddynt, tra byddai eraill yn sefyll ar eu cerbydau i gael gwell golwg – a phawb yn cymeradwyo'u ffefrynnau yn groch.

Cefais fy swyno'n llwyr gan y gêm, yn wir fedrwn i ddim tynnu fy llygaid oddi wrth y rhedeg a'r taclo, y ffugio a'r pasio, y cicio a'r sgorio, yr annog a'r cwyno. Cynnwrf y dorf, hefyd, a'r bonllefau byddarol a groesawai gôl, arbediad gan y gôl-geidwad neu ergyd yn eillio'r croesfar. Does dim angen i mi gau fy llygaid i fedru gweld y gôl a ddaeth â'r sgôr yn gyfartal: 4–4. *Argentinos del Sur* yn pwyso gyda munud neu lai i fynd a chroesiad o'r asgell chwith yn darganfod pen y chwaraewr byrraf ar y cae. Hwnnw'n codi i'r awyr ar gwmwl o lwch yn uwch na'i farciwr, yn penio'n galed a chywir ac yn rhwydo, gan anfon hanner y dorf i berlesmair a'r hanner arall i ddiflastod llwyr. Fedrwn i ddim tewi â sôn wrth y bwrdd bwyd y noson honno am fy arwyr newydd. Doedd dim diben i mi holi Mam am ddigwyddiadau'r prynhawn am nad oedd ganddi'r mymryn lleiaf o ddiddordeb yn yr hyn a welodd, ac, yn rhyfeddol, siaradai'n ddirmygus am y gamp drwy ddefnyddio geiriau megis 'oferedd', 'cicio awyr' a 'gwastraff amser'. Nhad oedd yr arbenigwr yn ein tŷ ni a'i gyfrifoldeb ef fu ateb y cwestiynau diderfyn. Siom i mi oedd ei glywed yn dweud yn bendant na wyddai pryd y byddai'r gêm nesa – efallai na fyddai un am amser hir. Yn amlwg iawn i mi, roedd o wedi deall sut roedd y gwynt yn chwythu.

Wrth i mi dyfu a mynychu'r ysgol, cefais wybod am fodolaeth Cynghrair Bêl-droed Dyffryn Camwy ac am dimau Porth Madryn (Almirante Brown a Deportivo Madryn), Trelew (Huracán, Racing ac Independiente), Rawson (Germinal) a Dolavon (Deportivo Dolavon). Dechreuais wrando bob bore Llun ar ganlyniadau'r diwrnod cynt ac ar adroddiadau lliwgar y llygad-dystion. Yswn am gael gwybod mwy. Gan mai dim ond bryn oedd yn gwahanu tai stryd Michael D. Jones oddi wrth y Gaiman Newydd, rown i'n hen gyfarwydd â chlywed Mam yn twt-twtian neu'n mynegi ei gwrthwynebiad wrth glywed sŵn y cymeradwyo ar y Sul yn atseinio ar draws y dyffryn neu pan fyddai'r timau buddugol a'u cefnogwyr yn ymlwybro'n orfoleddus o lafar trwy'r dref wrth i ni gerdded tua'r cwrdd nos. Wedi gweld fy ngêm gyntaf, roedd y sarff wedi sibrwd yn fy nghlust a'r ysfa am gael bwyta rhagor o'r afalau newydd yn dwysáu ynof. Gofynnais yn ddi-baid, ond yn ofer, am yr hawl i fynychu'r gêmau gyda'm ffrindiau, nes i mi gael cyfarwyddyd mor ddiamwys â'r un a gafodd trigolion Eden, sef bod yr hawl hwnnw hefyd yn ffrwyth gwaharddedig.

Fodd bynnag, wedi i mi ddarganfod bod bechgyn y dref yn dod at ei gilydd tua chwech o'r gloch bob nos i chwarae pêl-droed ar lain o dir y *plaza* (parc y dref, union gyferbyn â Phlas y Coed), deuthum yn un o'r ffyddloniaid. Yn anfoddog, ac nid ar unwaith, y rhoddodd Mam ei chaniatâd. Bydden ni'n aros yno tan na fedrem weld y bêl na'r pyst, a chofiaf am un achlysur pan fu'n rhaid i Edith ddod i ddweud bod y swper ar y bwrdd. Roedd y cyfan yn hwyl aruthrol a'r chwaraewyr o gwmpas yr un oedran â mi ond, wedi i lanciau hŷn a dynion y dref ymuno â ni ar eu ffordd adref o'r gwaith a phob tîm yn cynnwys ugain neu fwy o aelodau, prin byddai'r cyfle i'r rhai iau gyffwrdd â'r bêl. Byddai'n gwella tua'r diwedd, pan gofiai'r gwŷr priod fod yna beryg i serch eu gwragedd oeri mor gyflym â'r swper ar y bwrdd.

Ar y cae hwnnw y clywais sylwadau sarhaus yn cael eu taflu tuag ata i am y tro cynta erioed. Dim byd i'w wneud â'm ffaeleddau amlwg fel chwaraewr, am wn i. Cyfeirio at liw fy ngwallt a 'nghroen oedd y geiriau a waeddid ataf: *feriado* (am fod 'dydd gŵyl' yn cael ei ddangos yn goch ar y calendar); *ladrillo* (bricsen), *culo de mono* (pen-ôl mwnci), ac yn y blaen. Rown i wedi hen gyfarwyddo ers cwpl o flynyddoedd â chael fy ngalw yn *colorado* (cochyn), *Galenso pan y manteca* (Cymro bara menyn) neu *Chumái* (llygriad o 'Shw' mae?') ar y stryd ac yn yr ysgol. Siomwyd fi'n arw gan y duedd newydd hon. Ond gwaethygu wnaeth y gwawdio a bu'n rhaid i mi fagu croen trwchus ac esgus nad oedd ots gen i beth a ddywedai neb – er bod fy nghalon i'n suddo. Yn anochel mewn cymuned mor fychan, cyrhaeddodd y llysenwau newydd yr ysgol ac, yn sydyn, down i ddim mwyach yn gydradd â 'nghyfoedion. Wrth i'r llysenwau hyn gael eu hailadrodd o flaen plant eraill, chwarddai pawb fel petaen nhw'n ei weld yn ddigri ac yn mwynhau fy ngweld yn gwrido – ac rown i'n gwrido mor hawdd. Wrth i mi geisio dal fy nhir ac ateb gwawd â gwawd a hynny'n mynd yn gylch dieflig, troes yr amgylchfyd llawen a chyfeillgar rown i'n gyfarwydd ag o'n dalwrn poenus.

Pan glywais Nhad a Mam yn trafod yr angen i Edith dderbyn gwersi piano gydag Alwina Thomas, mynnais innau gael yr un fraint, heb feddwl am y dreth a roddai hynny ar gyllideb egwan y teulu. Awn i gartref Alwina am wers bob nos Fawrth cyn swper ac am awr bob prynhawn Iau i ymarfer, gan nad oedd piano yn ein tŷ ni. Ar ddiwedd pob blwyddyn, awn i Drelew i sefyll arholiad gerbron panel o dri arholwr. Er 'mod i'n ddigon digyffro a didaro wrth deithio yng nghar Alwina yng nghwmni Edith a dau blentyn arall, teimlwn ryw ias yn rhedeg drwy 'nghorff wrth i ni gerdded i mewn i'r ystafell fawr lle'r arhosai'r arholwyr a'r piano amdanon ni. Serch hynny, pan ddeuai 'nhro i eistedd wrth yr offeryn, awn drwy'r darnau'n hollol hyderus.

Rhoddodd yr hyfforddiant hwn gyfnod o bleser aruthrol i mi a bu'n gyfrwng i gynyddu fy hunanhyder, yn enwedig pan gawn air o ganmoliaeth gan yr athrawes neu'r arholwyr. Serch hynny, wynebwn un anhawster mawr, sef y gwrthdaro rhwng fy ngwers wythnosol ag awr olaf y pêl-droed yn y *plaza*. Golygai hynny adael y gêm dros awr ynghynt na'r arfer gan fod angen i mi alw gartre i ymolchi'n gynta. Yn fuan, darganfu Alwina 'mod i'n hepgor y molchi wrth ruthro yn fy chwys o'r cae i'r wers, a phwysleisiodd yr angen i mi o leia olchi 'nwylo cyn cyffwrdd â'r piano. Er gwaetha fy hoffter o'r offeryn a'r ffaith 'mod i'n llwyddo i ennill marciau llawn ymhob arholiad blynyddol, penderfynais un diwrnod roi'r gorau i'r gwersi. Rown eisoes wedi aberthu awr wythnosol o bêl-droed ers rhai blynyddoedd er mwyn y piano, a down i ddim am golli mwy. Serch hynny, ar adegau teimlwn i mi wneud camgymeriad mawr wrth gefnu ar rywbeth rown i mor hoff ohono, ond diflannai bob teimlad o edifeirwch wrth i mi ymuno â'r garfan gref o gicwyr pêl y *plaza*.

Roedd llawer iawn o regi i'w glywed ar y cae, yn enwedig pan fyddai rhywun yn colli'r bêl mewn tacl. Yn achlysurol, collai ambell un ei dymer ac, wrth i'r gwrthdaro gynyddu, gwaethygai natur y rhegfeydd gan droi'r awyr yn biws yng ngwres yr iaith aflednais. Bron â bod yn ddiarwybod i mi, ac mewn ymgais ymwybodol ar fy rhan i fod 'yn un ohonyn nhw', o dipyn i beth cydymffurfiodd fy iaith innau â iaith y gweddill. Ymdoddais yn esmwyth i'r drefn, a dechreuais fyw bywyd dwbl. Ni feiddiwn adael i fy rhieni na neb o bobl y capel glywed fy iaith anweddus newydd. Gwyddwn hefyd na fyddai'r athrawon chwaith yn derbyn y fath ymddygiad. Cyfyngwyd hi'n ofalus, felly, i gwmni 'nghyfoedion mewn mannau penodol megis cae'r *plaza* a'r ysgol amser chwarae.

Yn fuan, dechreuais esgeuluso 'ngwaith ac anwybyddu awdurdod ysgol a chartre. Dysgais sut i ymddwyn yn hyf a dechreuais gwestiynu rhai o orchmynion Mam. Nid ceisio'i pherswadio, mwyach, fel yn achos cicio pêl ar y Sul, ond holi pam y dylwn i fynd ar neges a mynd allan i dorri coed tân, neu pam y dylwn i ddysgu adnod ar gyfer y Sul neu gerdd a chân ar gyfer y 'Cwrdd Llenyddol', a minnau'n mwynhau darllen comic neu wrando ar y radio ar y pryd. 'Parchwch eich mam, Elvey,' dywedai Nhad pan glywai'r protestiadau hyn, a'i gerydd yn llwythog o siom. Roedd y pryder a achosai fy ymddygiad yn amlwg i bawb a rhaid cyfaddef i Nhad orfod ailadrodd ei rybudd ar draws y blynyddoedd.

Yn goron ar y cyfan, derbyniodd fy rhieni adroddiad llafar gwael amdanaf o'r ysgol. Yn ôl yr athrawes ddosbarth – a hanai o un o daleithiau'r gogledd – roedd fy acen yn rhy Gymreig, yn enwedig wrth ddarllen. Cawn drafferth i gysoni'r feirniadaeth hon gyda chanmoliaeth Eurgain Cassani y flwyddyn flaenorol, pan aeth â fi i Ddosbarth 6, gosod llyfr nad own i wedi'i weld cyn hynny o dan fy nhrwyn a gorchymyn i mi ddarllen cwpwl o baragraffau yn uchel gerbron y disgyblion. 'Dyna sut mae darllen yn synhwyrol,' dywedodd, cyn fy nhywys yn ôl i Ddosbarth 3.

Yn ddiddorol iawn, dair blynedd yn ddiweddarach, cyfeiriwyd mewn erthygl yn *Y Drafod* at recordiad gan y BBC ohonof yn adrodd y Gwynfydau. Rhubuddiai'r awdur (gwladfawr wedi ymgartrefu yng Nghymru) fod fy llediaith yn arwydd o ddirywiad y Gymraeg yn y Wladfa. Teimlwn wrth ei ddarllen nad oedd modd i mi ennill. Fodd bynnag, rhybuddiwyd Mam gan athrawes Dosbarth 4 na fyddwn i'n symud ymlaen i Ddosbarth 5 oni fyddwn i'n dangos mwy o ymroddiad yn fy ngwaith ac yn datblygu acen mwy Archentaidd.

Clymodd fy stumog pan glywais am y bygythiad ond penderfynais na fyddwn i'n dangos hynny i neb. Os oedd y byd yn fy erbyn, ni châi'r byd mo'r pleser o 'ngweld i'n gwingo nac yn ildio. Treuliais weddill tymor yr ysgol yn gwneud yr hyn roedd yn rhaid i mi ei wneud a dim mwy. Ond ni newidiodd fy acen (rhy Gymreig neu'n rhy Archentaidd) hyd heddiw am wn i – o leiaf, ymdrechais i ddim erioed i feithrin acen wahanol. Siom enbyd, er nad annisgwyl, oedd gweld ar ddu a gwyn fy adroddiad blynyddol yn dweud yr hyn a wyddwn eisoes, sef 'mod i'n gorfod treulio blwyddyn arall yn Nosbarth 4.

Y fath warth. Dim ond plant na fedrai ddarllen, na gwneud syms, nac ysgrifennu traethodau neu blant hollol annisgybledig a gâi eu cosbi yn y fath fodd – a down i ddim yn ystyried fy hun yn perthyn i'r naill garfan na'r llall. Gwyddwn hefyd gymaint o boen a achosai'r gwymp hon ar ein haelwyd ni, a chymaint o ofid a grëwyd, yn arbennig i Mam. Fe olygai hyn hefyd y byddai Edith yn ymuno â mi yn yr un dosbarth y flwyddyn ganlynol. Yn fy ngwely bob nos y teimlwn yr ergyd galetaf, a threuliwn fy amser yn dychmygu'r hyn a allai fod, fel y medrwn ymlacio a chwympo i gysgu tan y bore.

Down i ddim yn un o'r codwyr gorau gyda'r wawr. 'Fel y drws ar ei golyn, felly y try y diog yn ei wely,' atgoffai Mam fi o bryd i'w gilydd. Er ei bod yn galw arnaf yn hen ddigon cynnar, erbyn i mi ymolch, gwisgo a bwyta 'mrecwast, cyrhaeddwn yr ysgol gyda dim ond munudau i'w sbario cyn wyth o'r gloch a chael ein tywys i mewn i'r dosbarth. Er Gorffennaf 1951, pan agorwyd yr adeilad newydd, roedd mwy o bellter gen i i'w gerdded i'r ysgol ym mhen draw'r dref – ac roedd angen codi'n gynt. O ganlyniad, ceisiwn arbed cwpwl o funudau drwy gerdded ar hyd y cytin a redai rhwng y bryn a'r tai ar ochr ddwyreiniol ein stryd cyn ailymuno â'r stryd fawr wrth yr adeilad (Siambr Cyngor y Gaiman ar hyn o bryd) lle'r oedd siop y Co-op wedi cymryd rhan o'r hen ysgol drosodd.

Yno, byddwn yn ymuno â nifer o blant ac yn cydgerdded â hwy – yn ein cotiau gwynion – am tua chwe bloc at yr ysgol. O bryd i'w gilydd, byddwn yn cydgerdded ag un o ferched fy nosbarth. Rown i'n ei hadnabod ers i mi ddechrau mynychu'r Ysgol Sul ac yna'r ysgol, ac wedi dod yn hoff ohoni oherwydd ei ffordd addfwyn a difalais. A doedd y ffaith ei bod hi'n hynod brydferth ddim yn anfantais o gwbl yn fy ngolwg i. Rhyw fore, teimlwn fy nghalon yn cyflymu wrth ei gweld, a rhyw gynnwrf yn cyniwair yn fy stumog. O dipyn i beth, doedd neb arall yn cyfrif, a byddwn i'n ysu am gael bod yn ei chwmni ac yn teimlo'n eithriadol o anfodlon ac anhapus pan fyddai hi'n cerdded gyda rhywun arall.

Doedd dim sôn fod cariadon gan yr un o 'nghyfoedion ac, yn wir, roedd merched yn rhywbeth i'w cadw hyd braich – ar yr wyneb, er byddai'r bechgyn yn hoff o ymffrostio bod 'hon a hon' yn eu ffansïo ond nad oedd ganddyn nhw ddiddordeb. Roedd clywed y siarad hwn yn sbarduno pob math o freuddwydion nefolaidd yn fy mhen. A dechreuais freuddwydio amdani hi, ac am y diwrnod y byddwn wedi tyfu'n ddigon mawr i ofyn iddi fod yn gariad i mi.

Ar y llaw arall, yn y byd real, fedrwn i ddim cysoni'r 'fricsen' neu'r 'pen-ôl mwnci' gyda'r tywysog roedd ei angen i ofalu ar ôl gwrthrych fy serch. Hefyd, ers i'r meddyg lleol fy hysbysu bod angen llawdriniaeth arnaf i sythu asgwrn fy nhrwyn (a blygwyd rywdro yn ystod fy mabandod heb i neb sylwi) nid âi bore heibio heb i mi deimlo'n druenus o annheilwng wrth syllu yn y drych. Yn ystod oriau'r dydd, felly, rown i'n ddigon gwrthrychol i wybod mai ofer fyddai pob ymdrech ar fy rhan i'w denu. Dyma ddechrau cyfnod anhapus iawn ar droad fy arddegau. Serch hynny, pan ddeuai'r cyfle ar y ffordd adref o'r ysgol neu o'r Ysgol Sul, gwnawn fy ngorau glas i gerdded yn ei chwmni hi. Dyn a ŵyr beth a feddyliai hi na pha mor amyneddgar roedd hi'n gorfod bod.

I goroni'r cyfan, ces fy mhigo'n gas yn fy mhen ac oherwydd 'mod i'n crafu'r tosyn a dyfai yno'n gyson, aeth yn grachen fawr nad oedd gwella arni er gwaethaf ymdrechion y meddyg a'r eli a roddid arno. Er mwyn cael gwared â'r hen aflwydd poenus, penderfynodd y meddyg fod yn rhaid eillio 'mhen. Y bore canlynol cerddais i'r ysgol â beret yn gorchuddio fy moelni. Roedd y capan du hwn yn ddilledyn cyfarwydd ymhlith dynion o dras Basgaidd ac wedi'i fabwysiadu gan ddynion o genhedloedd eraill – fy Nhad yn eu plith – ond doedd neb wedi gweld plentyn yn ei wisgo o'r blaen. Yn unol â'r drefn, ffurfiwyd rhesi fesul dosbarth ar gyfer y seremoni ddyddiol o wrogaeth i'r faner cyn i bawb ymrannu i'w dosbarthiadau. O fewn eiliadau, gorchmynnwyd fi i ddadorchuddio 'mhen a bu'n rhaid ufuddhau. Cochais wrth glywed chwerthiniad cyffredinol tua dau gant o blant a gweld bod gwên ar wyneb ambell athrawes hefyd. Yn ystod y bore, bu'n rhaid i mi esbonio droeon wrth athrawon a chyfoedion, a dioddef y gwawdio – proses a barhaodd nes i'r briwiau wella ac i 'ngwallt aildyfu.

Dechreuodd fy ail flwyddyn yn Nosbarth 4 yn dda wrth i athrawes ifanc newydd sbon ddod yn gyfrifol am ein dosbarth. A hithau newydd dderbyn ei diploma fel athrawes drwyddedig, teithiai Señorita García bob dydd o'i chartref yn Nhrelew. Ni fu'n hir yn ennill calonnau'r mwyafrif o'r disgyblion, gan fy nghynnwys i. Ymhen ychydig wythnosau roedd hi wedi siarad â Mam gan ei sicrhau 'mod i'n gweithio'n ddyfal ac yn effeithiol. Doedd dim angen iddi bryderu am fy acen – doedd dim byd o'i le arno. A chanmolodd fy ymddygiad. Rown wrth fy modd yn clywed Mam yn ailadrodd yr adborth hwn ac adenillais rywfaint o falchder a hyder. Penderfynais wobrwyo ei chanmoliaeth drwy ofalu dilyn ei chyfarwyddiadau i'r blewyn.

Un o hoff ffyrdd y bechgyn o dreulio egwyl rhwng gwersi oedd chwarae 'plismyn a lladron'. Tasg y rhai olaf oedd sefyll ar wasgar gryn bellter o 'orsaf' yr heddlu a rhedeg i bob cyfeiriad pan ddeuai'r 'plismyn' ar eu gwarthaf, i'w dal a'u cludo i'r ddalfa. Wedi carcharu pob lleidr, cyfnewidiai'r ddwy garfan eu safleoedd a dechrau o'r newydd. Petai dim ond un o'r lladron â'i draed yn rhydd wrth i'r gloch ganu, ei dîm ef fyddai'n ennill y gêm. Un bore, rown i'n un o'r tri lleidr rhydd ola. Er nad oedd fy nhraed yn chwim, medrwn osgoi'r 'plismyn' drwy ochrgamu a llwyddais i gadw 'mhellter rhagddynt tra bod eu sylw ar y ddau arall, cyflymach na fi. Gan nad oedd ond munudau cyn i'r gloch ganu, meddyliais mai syniad da fyddai cilio o'u golwg er mwyn sicrhau'r fuddugoliaeth. Fy nghamgymeriad cynta oedd rhedeg i mewn i'r sgwâr yng nghefn yr ysgol lle'r oedd y faner yn cael ei chodi i ben polyn tal bob bore a'i thynnu i lawr ar ddiwedd y diwrnod ysgol. Gan fod adeilad y rhan honno o'r ysgol ar siâp U, doedd yno unman i ddianc heb gamu i mewn i'r adeiladau – yr hyn oedd yn waharddedig yn ystod amser chwarae gan awdurdodau'r ysgol yn ogystal â chan reolau'r gêm.

Yn y man tawel hwnnw, safai llawer o'r merched mewn clystyrau ger y welydd yn mwynhau gwres yr haul ac yn siarad â'i gilydd. Ond daeth plisman ar fy ngwarthaf, yn cael ei ddilyn gan hanner dwsin o rai eraill, a 'ngwasgu i'n dynn yn erbyn wal gan gyhoeddi bod pob lleidr nawr wedi'i ddal. Gan anghofio nad own yn y *plaza*, gollyngais y rheg waethaf a gwyddwn amdani, a llaciodd y llabwst ei afael... ynghanol distawrwydd llethol.

O blith y clwstwr o gotiau gwynion oedd nesaf ataf, clywais lais Señorita García yn dweud yn ddig: 'MacDonald! Rwyt ti'r un fath â phob un arall.' Heb ddweud dim mwy nac edrych arnaf, cerddodd i mewn i'r adeilad a'r merched yn ei dilyn gan daflu ambell gilolwg gwgus a beirniadol tuag ataf. Safai'r bechgyn i gyd yn fud.

Rhuthrais i mewn i'r ystafell ddosbarth ar ei hôl, ond gwrthododd drafod y mater a gorchmynnodd fi i ddychwelyd i'm sedd. Disgynnodd y byd yn deilchion ar fy mhen. Gwrthododd yr athrawes siarad â mi am wythnosau wedyn ac eithrio i drafod y gwersi. Yna, yr un mor sydyn ag y cyrhaeddodd, symudwyd hi i ysgol arall ac ni welais mohoni byth wedyn. Bûm yn hiraethu'n hir ac yn ofer amdani. Er mai dirywio a wnaeth fy nisgyblaeth wedi hynny, glanhaodd fy iaith. Cafodd y digwyddiad ddylanwad enfawr arnaf ac nid wyf wedi rhegi byth wedyn, hyd y gwn, a theimlaf yn anesmwyth wrth glywed rhegfeydd, waeth beth fo'r achlysur neu'r cyfiawnhad.

Señor Luis Miguel oedd olynydd Señorita García am weddill y tymor – yr unig athro cynradd gwrywaidd i mi ei gael. Oherwydd iddo fod yn athro arnaf am gyfnod cwpl o flynyddoedd ynghynt, gwyddwn mai dwy ffordd oedd ganddo i ddisgyblu. Taflai ddarn o sialc at bwy bynnag fyddai'n siarad yn lle gwrando arno'n traethu, ac roedd ganddo annel eithriadol o gywir. Plygais fy mhen unwaith gan achosi i'r sialc a anelwyd ataf daro un o'i ffefrynnau a eisteddai'n dawel yn union y tu ôl i mi, a siomodd Sr Miguel o weld honno'n cwyno'n gyhuddgar. Cosbai enghreifftiau o anufudd-dod yn llawer llymach, drwy orfodi troseddwyr i ysgrifennu can llinell mewn inc erbyn y bore canlynol. Dim ond y gegin a wresogid yn ein tŷ ni, ac roedd hi'n annioddefol o oer i weithio yn y parlwr ym misoedd y gaeaf. Rhaid, felly, oedd aros i Mam glirio'r bwrdd ar ôl swper. Doedd rhyw awr cyn mynd i'r gwely yng ngolau gwan y lamp karasîn ddim yn ddigon i wneud y gwaith cartref ac ysgrifennu'r llinellau.

Y tro cynta i mi dderbyn y gosb, cyflwynais gan llinell namyn un iddo. Wedi cyfri'r llinellau, gorchmynnodd fi i ysgrifennu pum cant erbyn y bore canlynol. Gofynnai hyn am gryn orchest ar fy rhan. Pan welodd mai pedwar cant naw deg a naw llinell oedd ar fy rhestr, anfonodd fi i weld y prifathro. Plediais flinder a thywyllwch dros fy anallu i gyfrif yn gywir. Atgoffodd y gŵr hwnnw fi mai llesol i ddisgybl oedd gofalu am ei ymddygiad ac ufuddhau i gyfarwyddiadau'r athrawon – cyn fy anfon yn ôl i'r dosbarth i gario ymlaen â 'ngwaith yn hogyn da.

Yn achlysurol ers dechrau'r tymor, roedd dau fachgen o Gaiman Newydd wedi dechrau cydgerdded gyda mi ar y ffordd adref. Roedd Mario a José yn hŷn na mi ac roedd yr olaf hefyd yn llawer talach – yr unig un o 'nghyfoedion i fod yn dalach na mi ar y pryd. Cawn yr argraff na feddyliai'r athrawon yn uchel iawn ohonynt a cheryddent hwy'n gyson am bob math o fân droseddau. Dau o bechodau mawr Mario oedd ei anufudd-dod cyson a'i hoffter o siarad pan ddylai fod yn gweithio – siarad am unrhyw bwnc dan haul ac eithrio'r dasg dan sylw. Pryfocio pawb o'i gwmpas braidd yn gas a wnâi José, gan godi gwrychyn disgyblion eraill.

Wrth i ni gerdded adref un amser cinio, cododd dadl rhwng Mario a minnau ac, yn annisgwyl, tarodd ddau ddyrnod yn fy wyneb. Hwn oedd y tro cyntaf erioed i un o 'nghyd-ddisgyblion fy mwrw. Gan ei fod yn rhedwr hynod gyflym diflannodd o'r golwg ynghanol y cotiau gwynion cyn i mi fedru dod dros y sioc. Fel petai o wedi cael blas ar y profiad, cyflawnodd yr un gamp sawl gwaith wedi hynny yn ystod yr wythnosau canlynol. Yna, cyn gynted ag i Mario roi'r gorau i ymosod arnaf, dyma José yn troi gyda mi tua'r cytin, a rhoi ei fraich dros fy ysgwydd gan ddweud ei fod eisiau bod yn gyfaill i mi. Cyn iddo orffen ei frawddeg, trawodd ddyrnod ar fy nhrwyn, ac wrth i mi gydio yn fy wyneb, teimlais ei ddyrnau ar fy nghorff. Down i erioed wedi ymladd â neb o'r blaen a doedd gen i ddim syniad sut i amddiffyn fy hun.

Yna, cerddodd i ffwrdd yn hamddenol fel petai dim anghyffredin wedi digwydd. Euthum adref yn fy nagrau, a'r siom a'r cywilydd yn brifo mwy na'r cleisiau a'r briwiau. Glanhaodd Mam y gwaed oddi ar fy wyneb a dywedodd wrthyf am gofio osgoi'r bechgyn drwg o hynny ymlaen. Haws dweud na gwneud, meddyliais wrth gytuno. Sut medrwn i gadw draw oddi wrth gyd-ddisgyblion oedd yn fy nghwmni yn yr ysgol ac ar hyd y ffordd adref?

Ar ôl cyrraedd ceg y cytin rhyw amser cinio a gweld bod José yn aros yno amdana i, llwyddais i ochrgamu a rhedeg ymlaen i stryd M. D. Jones gan dybio na fyddai'n meiddio ymosod arnaf yng ngŵydd pawb, ond, doedd dim oedolion ar gyfyl y lle. Llwyddodd i afael yng ngodre fy nghot wen wrth i mi gyrraedd cartref Hannah Elin, un o'n cymdogion. Y tro hwn, am y tro cynta, gwelais gasineb yn ei lygaid ac am y tro cyntaf, hefyd, ymdrechais i amddiffyn fy hun. Ceisiais daro'n ôl ond nid oedd fy mreichiau'n ddigon hir i achosi unrhyw niwed iddo. Er gwaetha'r sŵn, ni ddaeth gwraig y tŷ i'm harbed rhag y gweir, a bu'n rhaid i mi ei dioddef yn ddigymorth. Unwaith eto, wedi iddo gwblhau ei orchwyl, cerddodd ymaith yn dalog a digynnwrf. Wrth y bwrdd cinio, gofynnodd Nhad pam na fyddwn i wedi fy amddiffyn fy hun ac esboniais nad own i'n medru cyrraedd ato i'w frifo. Cofiaf ei anfodlonrwydd a'i rwystredigaeth a'r olwg bryderus ar wyneb Mam.

Yn ddisymwth, es i argyfwng llawer gwaeth o 'ngwneuthuriad fy hun a ddinistriodd fy hunan-barch yn llwyr. Ar ddiwedd un amser chwarae, holodd Mario ai *hi* oedd fy nghariad. Llithrodd sawl diwrnod heibio cyn iddo ailgydio yn y testun. Y tro hwn, yn hytrach na gwadu, ildiais i'r demtasiwn a chytunais fod gwirionedd yn yr hyn a ddywedai. O hynny ymlaen, nid oedd taw ar ei holi nac ar ei syched am fanylion go bersonol. Wrth ailadrodd y math o straeon ymffrostgar rown i wedi'u clywed droeon o enau bechgyn eraill, tyllais ffynnon ddyfnach i mi fy hun. Cyn bo hir, lledaenodd Mario storïau carlamus ymhlith rhai o'r bechgyn eraill, a deuai'r rheiny ataf yn wên i gyd i holi am fwy.

Rown i wedi'i difwyno hi. Dychrynais yn lân a cheisiais feddwl am ffordd i'w rhybuddio am yr hyn oedd wedi digwydd, ac ymddiheuro. Ond sut y medrwn i wneud hynny a hithau byth ar ei phen ei hun? Y bore pryd y cyrhaeddodd diwedd y byd, gwelais hi'n cerdded heibio gyda geneth arall wrth i mi droedio o'r cytin ar bafin y stryd fawr. Cyfarchais hwy'n siriol fel arfer ond aethant heibio gan droi eu pennau. Rhewodd fy ngwaed a gwridais. Roedd *hi*'n gwybod. Roedden nhw i gyd yn gwybod. Fy ngofid oedd 'mod i wedi achosi cywilydd a phoen enfawr iddi hi. Iddi hi, o bawb.

Tybed a oedd unrhyw beth a fedrwn i wneud i gywiro fy ngham? Â chydwybod euog a chywilydd nad oeddwn erioed wedi'i deimlo o'r blaen, cawn drafferth enbyd i ganolbwyntio ar fy ngwaith. Dwn i ddim a sylwodd yr athro dosbarth fy mod i'n ymddwyn yn wahanol i'r arfer. Byddwn yn sicr o dderbyn cosb llawer llymach na chawodydd o sialc ar fy mhen neu orchymyn i ysgrifennu can mil o linellau: 'Na ddywed anwiredd amdani hi'.

Ychydig ddiwrnodau yn ddiweddarach, gwelais hi ar ei phen ei hun. Wrth i mi gamu tuag ati i ymddiheuro, troes ei phen a cherddodd ymaith – a chiliais mewn siom a lletchwithdod. Bu'r misoedd canlynol yn burdan, a'r unig gysur i mi oedd canfod ar ddiwedd y flwyddyn y cawn symud ymlaen i Ddosbarth 5. Petai'r ddau fwgan yn cael eu dal yn ôl yn Nosbarth 4, byddai gen i well siawns o osgoi'r ymosodiadau corfforol parhaus.

O bryd i'w gilydd, tynnid fy sylw oddi ar fy ngofidiau gan wybodaeth am ryfeddodau'r byd mawr o 'nghwmpas. Wrth gydgerdded tua'r ysgol un bore Llun gyda Delano, clywais sôn am enwau dieithr clybiau pêl-droed proffesiynol – Boca Juniors, River Plate, Racing Club, Independiente, San Lorenzo, Huracán, ac eraill. Yn dilyn hynny, roedd yn rhaid i mi gael gwybod am ganlyniadau prif gynghrair yr Ariannin. Yna, ychwanegodd Delano fod modd clywed adroddiadau byw o gêmau'r gynghrair hon ar y radio bob prynhawn Sul, a dyna greu achos tyndra newydd yn ein cartref ni.

Tua phum mlynedd ynghynt, cerddodd Nhad i'r tŷ yn cario teclyn a darn hirgul o wydr ar ei flaen wedi'i orchuddio gan resi o rifau, a rhes o fotymau oddi tano. Wedi llawer o droi botymau a llithro dros bob math o synau annaearol, daeth seiniau cerddoriaeth i'n clyw. Set radio yw hon, cyhoeddodd Nhad, a dyma fi'n cael fy machu. Chawn i byth ddigon o wrando ar y siarad, y canu, y trafod a'r dramâu. Gosodwyd y set ar gwpwrdd a adeiladodd fy Nhad at y pwrpas a byddwn yn ei chynnau bob tro y cerddwn i mewn i'r gegin.

Hwn oedd achos un o gwynion mawr Mam, a ddadleuai 'mod i'n treulio llawer gormod o amser yn gwrando ar y radio yn hytrach na gwneud fy ngwaith ysgol. Y gwir yw, rown i wedi ymgolli yn rhaglenni diddorol nifer o orsafoedd Buenos Aires fel na fedrwn wneud fy ngwaith oni bai fod y set ymlaen. Radio El Mundo, Radio Belgrano a Radio Splendid oedd fy ffefrynnau oherwydd, efallai, mai hwy a glywid orau ar y tair tonfedd.

Roedd patrwm pendant i'r gwrando yn y blynyddoedd cynnar. Darlledid fy hoff raglen, sef *Tarzán, Rey de la Selva* (Tarzan,

Brenin y Jyngl) – am chwech o'r gloch am ryw chwarter awr o
nos Lun i nos Wener yn cyflwyno antur arwrol wythnosol y cawr
dewr a orfodai meidrolion fel fi i wrando'n astud ar ei gampau.
Yna, byddwn yn gorfod diffodd y radio ac ni fyddai hawl i'w
chynnau wedyn tan ugain munud wedi saith, i wrando ar *Héctor
y su Jazz*. Diffodd y set drachefn nes bod y pedwar ohonon ni'n
eistedd i wrando ar y *Glostora Tango Club* gyda cherddorfa tango
Alfredo de Ángelis am bum munud i wyth tan ddeng munud
wedi'r awr. Yna gwrandawem ar 'opera sebon' radio El Mundo:
Los Pérez García, am tua deng munud neu chwarter awr bob nos
ar ddyddiau gwaith.

Câi'r set ei diffodd wedyn er mwyn i ni fwynhau ein swper a
chael cyfle i sgwrsio. Ni châi ei chynnau wedyn nes bod Edith a
minnau'n mynd i'n gwelyau. Heb i fy rhieni sylwi, clustfeiniwn
o 'ngwely wrth iddynt wrando ar y nofel bob nos rhwng deg o'r
gloch a hanner awr wedi. Gan amlaf, byddai honno'n para mis,
ac un arall yn dilyn, gyda'r un cast, nes i mi ddod yn gyfarwydd
iawn â lleisiau'r actorion. Prin fyddai'r gwrando ar y radio yn
ystod y Sadyrnau a byth ar y Sul. Newidiodd y drefn honno yn
dilyn newyddion syfrdanol Delano am y darllediadau o'r caeau
pêl-droed. Byddwn yn rhuthro adref o'r Ysgol Sul a llwyddo i
gyrraedd y tŷ cyn bod ail hanner y gêmau'n dechrau. Y tro cyntaf
i hynny ddigwydd, bu dadl fawr rhwng Mam a minnau wedi
iddi hi ac Edith gyrraedd adre, dadl a barodd am dymor cyfan.
Bygythiwyd y wialen fain unwaith neu ddwy, ond doedd dim yn
tycio.

Roedd y gêm, neu'r fersiwn radio ohoni, wedi cydio ynof
yn anhygoel o gryf. Onid oedd y sylwebwyr yn disgrifio pob
symudiad yn fanwl a chyflym, ac yn cyfleu'r cyffro yn y fath fodd
nes i mi deimlo 'mod i ar y cae? Ac onid oedd bloedd orfoleddus
y sylwebydd i groesawu pob gôl yn cyfleu moment dyngedfennol
na ddylid ar unrhyw gyfrif ei cholli? Yn ddiarwybod i mi fy hun,
deuthum yn gefnogwr mawr i Boca Juniors a byddwn yn chwilio'n
amyneddgar ar y deial am orsaf fyddai'n darlledu ein gêm 'ni'.
Byddai pob un o goliau Boca yn destun gorfoledd di-ben-draw

a'r rhai a rwydwyd yn ein herbyn yn achosi i mi ddisgyn i bwll dwfn o ddiflastod – byddai torcalon colli gêm yn para o leia tan ganol yr wythnos ganlynol, pan ddechreuwn edrych ymlaen at y gêm nesa. Roedd edrych ymlaen at y 'clasuron' a'r gêm yn erbyn River yn arbennig, yn creu cyffro iasol a fyddai'n cynyddu wrth iddi agosáu. Er gwaetha'r artaith wythnosol hon, roedd yn rhaid gwrando ar y gêmau – a'u gweld â llygaid y dychymyg. Byddai'r sylwebwyr yn derbyn newyddion o'r caeau eraill, yn ogystal, ac roedd testun dathlu ychwanegol pan glywid am unrhyw gôl a sgorid yn erbyn River – gelyn pennaf Boca Juniors – yn arbennig os oedden 'ni' wrthi'n colli ar y pryd.

Allwn i ddim meddwl am adloniant gwell, ond sut i berswadio Mam i roi ei chaniatâd i mi gael gwrando'n wythnosol? Y cyfaddawd cynta a gynigiais oedd troi'r sain mor isel fel na fedrai neb ond fi ei glywed, a hynny drwy eistedd ar fwrdd bychan â 'nghlust dde'n sownd wrth y set. Cytunodd hithau yn anfoddog iawn y Sul cynta hwnnw. Roedd cil y drws wedi'i agor a daeth gwrando ar y gêm bob Sul yn rhan o fy hawliau parhaol, er na fu Mam byth yn hollol fodlon. Hyd y cofiaf, honno oedd yr ornest gynta erioed a gollodd Mam gydag un o'i phlant.

Dechreuodd fy nhymor llawn cynta fel gwrandawr ffyddlon (1954) braidd yn sigledig i Boca Juniors. Yna, daeth seren newydd i oleuo'r ffurfafen: José Borello, a adwaenid wrth y llysenw Pepino gan ei ffans. (Pepino, bachigyn o Pepe sydd, yn ei dro, yn llysenw cyffredin ar y rhai a fedyddiwyd yn José.) Sgoriodd bedair gôl ar bymtheg mewn un gêm ar ddeg ac enillodd Boca'r bencampwriaeth o bedwar pwynt.

Medraf restru enwau'r tîm hwnnw ar fy nghof hyd heddiw heb betruso na baglu. A goliau Pepino oedd yn benna cyfrifol am ennill y bencampwriaeth, gan ei ddyrchafu yn fy ngolwg i binacl rhestr fy eilunod a disodli Tarzán. Er na welais erioed mohono'n chwarae gwyddwn fod ganddo'r ergyd galetaf i daro unrhyw rwyd erioed, y gallu i arwain y llinell flaen a'r ymroddiad i ymladd am bob pêl – heb sôn am y dyfalbarhad i redeg ar ôl pob pêl pan gollai dacl, i adennill meddiant.

Gwawriodd bore'r wyrth fel unrhyw ddiwrnod arall. Ni chofiaf ymhle'n union yn yr ysgol y digwyddodd nac am y geiriau a lefarwyd, gymaint oedd effaith y foment arnaf. Yr unig beth oedd yn cyfrif oedd y wên, ei gwên siriol hi. Yn gwenu arnaf i a neb arall. Ni feiddiwn ei holi pam. Oedd hi wedi maddau i mi? Beth rown i wedi'i wneud i haeddu'r fath fraint? Siaradai a gwên ar ei gwefusau fel petasai dim wedi digwydd erioed – heb yngan gair i edliw. Gan mai hon oedd ei blwyddyn ola yn ysgol y Gaiman, naill ai roedd ei natur hawddgar arferol wedi trechu ei dig neu roedd am ffarwelio â mi ar delerau da.

A'r haf yn dynesu a'r dyddiau'n ymestyn, teimlwn fod y byd yn braf ac yn llawn gobaith. Bob tro y medrwn, cerddwn wrth ei hochr hi ar fy ffordd adref o'r ysgol ac, yn enwedig, o'r Ysgol Sul. Er mawr syndod i mi fy hun, rown i'n fwy na pharod i golli ugain munud o'r gêm bêl-droed ar y radio er mwyn ennill y cyfle anhygoel hwn. Yn yr Hen Gapel, eisteddwn yng nghanol yr ail res ac, yn ddi-ffael, eisteddai hithau yr ochr arall. Mi fyddwn i'n mwynhau cael sgyrsiau byr â hi rhwng pob eitem, a disgwyliadau di-rif yn cyniwair yn fy nghalon a chwalu fy amheuon.

Yn ddiweddarach, sobrwn. Efallai mai'r rheswm pam yr eisteddai wrth fy ochr oedd na fynnai'r un o'i ffrindiau ddioddef cael eu gweld yn agos ataf. Er 'mod i wedi troseddu yn ei herbyn, roedd *Hi* nawr yn ddigon mawrfrydig i faddau a dangos cyfeillgarwch tuag ata i, a down i ddim am wneud unrhyw beth i golli'r fraint honno. Cefais achos pellach i gynhyrfu pan wahoddwyd yr ysgol i gymryd rhan mewn achlysur yn y dref. Ymhlith y cyfraniadau, ffurfiwyd parti i berfformio dawns draddodiadol. Er mawr syndod a llawenydd i mi, dewiswyd fi i fod yn bartner iddi hi. Cwestiwn cyntaf Mam oedd pryd fyddai'r cyngerdd? Pan glywodd ei fod i'w gynnal ar nos Sul, gwaharddodd fi rhag cymryd rhan ynddo, gan chwalu 'ngobeithion yn chwilfriw unwaith eto. Plediais ac erfyniais yn gryfach nag erioed, ond i ddim diben – a bu'n rhaid i mi dynnu allan o'r parti.

Beth oedd yr ots, wedi'r cyfan? Bellach, roedd hi'n symud i'r ysgol uwchradd ac yn tyfu'n ferch ifanc, a minnau'n aros am flwyddyn arall ymhlith plant cynradd. Pa hawl, pa obaith oedd gen i i geisio ennill ei serch? O hynny ymlaen, mi fyddwn i'n canolbwyntio ar ddangos fy ochr orau iddi hi ac i'r byd cyfan, gan ymdrechu i gadw'i chyfeillgarwch, a dyna'r cyfan. Y gwir trist oedd na wyddwn ei bod hi ymhellach oddi wrtha i nag erioed.

Doedd honno ddim yn flwyddyn dda i Edith chwaith. Roedd yr un athrawes a 'ngorfododd i i ailadrodd Dosbarth 4 nawr yn ei dal hi'n ôl yn Nosbarth 5 am resymau digon tebyg – er gwaetha'r ffaith bod fy chwaer wedi gweithio'n gydwybodol a diwyd.

9

Yn y diwedd

Prin fu llwyddiant Pepino wedi 1954. Plagiwyd ef ag anafiadau ac, fel llwynog Williams Parry, 'diflannodd, darfu megis seren wib'.

Enillodd ei safle chwe gwaith yn nhîm cenedlaethol yr Ariannin, ond fel eilydd bob tro, er nad oedd y dewis cyntaf yn ei safle hanner cystal sgoriwr ag ef. Doedd y ffaith mai fo oedd y dewraf yn y bocs a'i fod wedi sgorio un o'i goliau dim ond pum metr o'r llinell ganol yn cyfrif dim. Barn y mwyafrif oedd mai'r ffugio, y pryfocio, a'r gallu i ddangos pwy oedd y clyfra a ddangosai pwy oedd yn wirioneddol ddawnus. Serch hynny, ac er bod Boca Juniors wedi ennill tlysau di-ri oddi ar hynny, carfan pencampwyr 1954 a'i seren ddisgleiriaf, Pepino Borello, yw'r tîm y cofir amdano gyda balchder gan fwyafrif hen gefnogwyr y clwb.

Wrth chwarae ar gae llychlyd yr ysgol, sgorio gôls fel y gwnâi Pepino oedd fy niddordeb ysol i. Gan na feddwn mo'r gallu i fynd heibio i neb ac eithrio pwy bynnag fyddai'n arafach na mi, drwy ymdrechu'n galed fel y gwnâi ef, y llwyddais i gyrraedd y nod bob tro. Er iddi ddod yn amlwg yn gynnar nad oedd dyfodol i mi ar y caeau pêl-droed, breuddwydiais droeon am y dydd pan gawn wisgo crys rhif 9 Pepino a sgorio goliau di-ri dros Boca Juniors.

Gwyddwn mai chwilio am waith i 'nghynnal fy hun a 'nheulu trwy chwys fy nhalcen fyddai fy hanes. O wybod am hynt Mario ac Eurgain Cassani, Yncl Elwyn ac Anti Glenys ac eraill, doedd dim angen gallu ymenyddol uchel i sylwi nad oedd hynny'n beth hawdd i'w wneud yn Nyffryn Camwy. Tuedd gynyddol ymhlith llanciau a merched ifanc ers y 1930au oedd osgoi diweithdra a'r tlodi a ddeuai yn ei sgil, drwy chwilio am swyddi yn y dinasoedd mawrion – yn Buenos Aires yn bennaf, ond hefyd yn Comodoro Rivadavia a hyd yn oed mewn taleithiau pellach megis Santa Fe, Salta a Mendoza neu, yn waeth fyth, mewn gwledydd tramor. Ni ddychwelai'r mwyafrif ond ar wyliau achlysurol, gan ymsefydlu a chreu teuluoedd yn y dinasoedd lle'r oedd eu gwaith, gan beri i'r Wladfa a'i Chymreictod wanhau fwy fyth. Pobl o gefndiroedd gwahanol fyddai'n llenwi'r bwlch enfawr a adewid ar eu hôl. Ymfudodd Yncl Silyn a dilynodd Anti Manon rai o'i phlant i Galiffornia, gan mai yno y cawsant hwythau swyddi. Ni welais Nilda fyth wedyn. Er na sylwn ar y pryd, roedd talpau niferus o'r Wladfa Gymreig yn prysur ddiflannu ar y bysiau tra bod y mewnlifo parhaus o daleithiau'r gogledd yn cyflymu'r broses gymhathu di-droi'n ôl a ddechreuasai ddegawdau ynghynt. Wyddwn i ddim, chwaith, mai ewyllys wleidyddol gref a hunanlywodraeth yn unig a fedrai atal y dirywiad.

Yr *Unión Cívica Radical* (yr Undeb Ddinesig Radical), oedd plaid mwyafrif y gwladfawyr ers ethol yr Arlywydd Hipólito Yrigoyen am y tymhorau 1916–22 a 1928–34. Beirniadwyd yn hallt benderfyniad y Cadfridog asgell dde José Felix Uriburu, arweinydd *coup d'état* cyntaf Gweriniaeth yr Ariannin, i'w ddisodli yn 1930. Ni fu llawer o gariad tuag at y gwŷr arfog ymhlith pobl Dyffryn Camwy wedi hynny, os bu cynt. Dwysaodd eu cefnogaeth i'r UCR pan ddaeth llywodraeth filwrol newydd i rym drwy ail *coup* yn 1943, a chyflwyno deddf yn ymgorffori gwersi ar y grefydd Gatholig yng nghwricwlwm yr ysgolion cenedlaethol, ymhlith mesurau amhoblogaidd eraill.

Er gwaethaf eu hunfrydedd, nid oedd eu pleidleisiau yn ddigon niferus i greu unrhyw argraff ar ganlyniad yr etholiad arlywyddol am y tymor 1946-1951, ac etholwyd y Cadfridog Juan Domingo Perón mewn etholiad glân a chywir. Dichon na fu enw'r un llywodraethwr Archentaidd erioed mor gyfarwydd i bobl ledled y blaned ag un Perón. Wrth i ni dyfu'n hŷn, amlhau fyddai'r cyfeiriadau ato ef a'i wraig hardd, y gyn-actores radio a sinema boblogaidd a adwaenid bellach fel Evita. Byddai eu lluniau yn

ymddangos ar gylchgronau poblogaidd, clywid lleisiau'r ddau ar
y radio, ac roedd sôn am eu gwaith yn y bwletinau newyddion
a'r papurau newydd. Tybiai llawer fod ei llaw hi i'w gweld mewn
llawer o bolisïau blaengar y llywodraeth, megis caniatáu pleidlais
i ferched ac adeiladu ysbytai ac ysgolion.

Ond cyfyngwyd ar allu Perón i weithredu'i bolisïau pan
lwyddodd llywodraeth Unol Daleithiau America i berswadio
gwledydd eraill i atal cysylltiadau masnachol â'r Ariannin er mwyn
cosbi tueddiadau ffasgaidd Perón – er eu bod yn rhoi cefnogaeth i
nifer o unbeniaid gormesol ac annymunol eraill ledled y cyfandir.
Methiant alaethus fu ymgais Perón i geisio gwneud y wlad yn
hunangynhaliol. Heb orfod wynebu cystadleuaeth oddi wrth
fewnforion, gostyngodd safon y cynnyrch brodorol, a chododd y
prisiau'n ddifrifol, gan gynyddu chwyddiant a rhoi straen ar allu
ariannol gwraig y tŷ. I fygu beirniadaeth, ceisiodd Perón reoli'r
wasg a'r cyfryngau, yn ogystal â'r llysoedd a'r undebau llafur.

Gan nad oedd statws talaith i diriogaeth Chubut, rheolid hi
gan swyddogion anetholedig wedi'u penodi gan y llywodraeth
ganolog yn Buenos Aires – system nid yn annhebyg i'r un a
fodolai yng Nghymru cyn dyddiau'r Cynulliad. Y Rhaglaw oedd
arweinydd y tîm hwnnw, yntau wedi ei benodi (ei wobrwyo,
ambell dro) gan yr Arlywydd. Byddai llawer o'r rhaglawiaid
hyn yn cyrraedd y dalaith yn anfoddog gan ganolbwyntio ar
weithredu polisïau oedd wedi'u llunio yn y brifddinas ffederal.

Yn aml, byddai'r rhain yn amhoblogaidd ymhlith trigolion
Dyffryn Camwy a Chwm Hyfryd. Y mesur mwyaf andwyol oedd
hwnnw gan y llywodraeth i estyn cymhorthdal i gynhyrchwyr
gwenith. Amaethwyr afon Plata'n unig a allai fanteisio arno.
Bellach, doedd dim modd i ffermydd bychain Chubut gystadlu
yn erbyn ffermwyr cyfoethoca'r wlad yn y marchnadoedd mawr.
Rhoes hyn ergyd farwol i ddau ddiwydiant llewyrchus iawn
yn y Wladfa. Yn anochel, daeth cynhyrchu gwenith i ben ac, o
ganlyniad, caewyd hefyd felinau blawd y dyffryn a'r cwm. Doedd
y ffaith bod gwenith y Wladfa wedi ennill y wobr gyntaf mewn
arddangosfeydd yn Chicago a Pharis ar droad y ganrif ac yn dal

i gael ei gydnabod fel gwenith o safon uchel yn cyfrif dim. Gan nad oedd gan y rhanbarth Lywodraethwr etholedig, na senedd i'w gefnogi, roedd yn gwbl ddiymadferth i'w amddiffyn ei hun. Aflwyddiannus fu'r ymdrech i chwilio am ffynonellau eraill i leddfu'r colledion, a chollodd llawer o ffermwyr – John Jones, fy nhaid, yn eu plith – brif ffynhonnell eu hincwm. Alffalffa fyddai unig gynnyrch o bwys Glan Camwy wedyn, fel yn y mwyafrif o ffermydd y dyffryn. Yn ddiweddarach, byddai'r ffatrïoedd caws yn cau hefyd, yn dilyn mesurau yr un mor amhoblogaidd, gyda'r un effaith andwyol.

Gyda diflaniad y gwenith, diflannodd hefyd un o olygfeydd harddaf ein haf, pan fyddai'r caeau'n newid eu lliwiau o wyrdd i felyn euraidd mor bell ag y gallai llygaid weled a'r haul yn disgleirio ar y tywysennau a siglai yn yr awel ysgafn wrth i'r cynhaeaf ddynesu. Yn ogystal, diflannodd rhai o hen arferion cymdeithasol ein gwareiddiad gwladfaol. Testun cynnwrf mawr i ni oedd amser dyrnu. Codi gyda'r wawr i weld Yncl Donald yn gyrru'r injan fawr at y caeau gwenith a dynion y gymdogaeth yn ymgasglu yn barod i wynebu oriau hir o waith caled tra byddai'r haul yn y nen.

Cinio mawr oedd y cinio dyrnu, yn cynnwys sawl cwrs. Adroddai Nhad hanesyn amdano ef a bechgyn ifainc eraill yn mynd i ddyrnu am y tro cyntaf yng Glan Camwy ac un o'r dynion hŷn yn eu rhybuddio mai tila oedd y cinio yno. Diflannodd y plataid o gigoedd oer mewn chwinciad a phawb yn derbyn y cynnig am ail blataid, rhag ofn na fyddai dim arall i ddilyn. Pan ofynnwyd a oedden nhw eisiau rhagor o gawl, atebodd pob un yn gadarnhaol, fel petai pawb ar lwgu. Llowciwyd y salad hefyd, a phawb yn edrych ymlaen at y pwdin gan ddiolch nad oedd y pryd mor denau â hynny wedi'r cyfan. Edrychodd y llanciau ar ei gilydd pan gyrhaeddodd y cig eidion a'r bowlenni tatws wedi'u berwi a thatws rhost, pompcyn, moron, bresych, blodfresych, pys, a ffa a deall, yn rhy hwyr, mai chwarae tric a wnaethai'r rhybuddiwr 'caredig' a hwythau wedi gorfwyta cyn bod y prif gwrs yn cyrraedd. Doedd fawr o le ar gyfer y pwdin! Wrth i'r dynion ddychwelyd at eu tasg, cyfrifoldeb y gwragedd oedd paratoi ar gyfer gwledd arall erbyn amser te. A dyna wledd oedd honno.

Tua phedwar o'r gloch, câi Edith a minnau'r fraint o gynorthwyo Nain, Mam ac Anti Neved i gludo'r te i'r gweithwyr. Hwn oedd uchafbwynt y diwrnod i ni'n dau. Roedd angen cludo'r basgedi ar hyd ymyl gardd Don Bautista a'r rhodfa o boplys tal a arweiniai heibio i hen wely'r afon, a chamu dros un o bontydd y ffos fach at y caeau gwenith. Yno, caem eistedd mewn cornel gysgodol i fwynhau'r arlwy. Ar wahân i'r te cynnes a gariai Neved yn y costrelau metel tal, roedd y basgedi'n cynnwys cyflenwad o fara menyn, sgons, jam, a theisennau o bob math. Y *swiss roll* melyn a'r jam eirin yn ei ganol oedd fy ffefryn i.

Dadleuai gwrthwynebwyr Perón nad lladd economi'r dyffryn a'r cwm a chreu diweithdra ac allfudo ar raddfa eang yn unig a wnaeth ei lywodraeth gyda'i bolisïau ffafriol i daleithiau Afon Arian ond lladd eu diwylliant hefyd oherwydd na fedrai'r boblogaeth fforddio'r arian mwyach i gyllido'r Eisteddfod. Hon oedd yr hoelen olaf yn arch ein Cymreictod, meddent.

Mesur amhoblogaidd arall oedd y penderfyniad i adeiladu ysgol gynradd newydd y Gaiman ar safle'r 'hen fynwent', sef ail fynwent y dref. Ystyrid fod y weithred hon yn arwydd o ddiffyg parch y llywodraeth tuag at y gwladfawyr a oedd wedi arloesi'r tir. Yn wyneb protestiadau chwyrn, agorwyd y beddau a chodwyd y gweddillion i'w symud i'r fynwent bresennol, lle gwelir nifer o'r cerrig beddi hyd at heddiw wedi'u lleoli gyda'i gilydd. Agorwyd adeilad newydd yr ysgol yn swyddogol yng Ngorffennaf 1951.

Y teimlad cyffredinol oedd bod y llywodraeth yn ormesol, ac mai'r unig reswm dros amharodrwydd llawer iawn o bobl i fynegi eu gwrthwynebiad yn gyhoeddus oedd eu hofn o ddenu llid ei gefnogwyr. Perswadiwyd llawer (rhai o athrawon ysgol y Gaiman yn eu plith) i ymuno â'i blaid er mwyn diogelu eu gyrfaoedd, a methiant fu ymgais sawl un na wnaeth hynny i ennill swydd yn y sector gyhoeddus.

Byddai'r llywodraeth o bryd i'w gilydd yn ceisio ennill pleidleisiau drwy ddosbarthu dillad a bwyd ymhlith y bobl. Yn ystod y cyfnod pan oedd Nhad yn glaf ac yn ddi-waith, anfonwyd cyflenwad o esgidiau i ysgol y Gaiman, a gwahoddwyd y disgyblion i sefyll mewn rhes. Edrychai Edith ymlaen yn eiddgar am ei thro i gael esgidiau newydd yn lle'r rhai tyllog oedd am ei thraed. Pan gyrhaeddodd i ben y rhes, gofynnodd *Señor* Delfino, ei hathro dosbarth (gŵr a wyddai beth oedd safbwynt gwleidyddol ein rhieni), 'Beth rwyt ti'n ei wneud yma? Dwed wrth dy dad am fynd i weithio', ac aeth ymlaen i ddosbarthu esgidiau i'r plant a safai o boptu iddi, un ohonynt yn fab i'r meddyg lleol. Nid enillodd y math hyn o weithred galonnau na phleidleisiau i'r llywodraeth yn ein cartref ni'r noson honno. Ar y llaw arall, efallai y gwyddai'r prifathro na fyddai rhoi'r esgidiau i Edith wedi bod yn ddigon i berswadio fy rhieni i drosglwyddo eu teyrngarwch.

Yn yr hinsawdd hwnnw y cynhaliwyd etholiad arlywyddol 1951 – yr etholiad arlywyddol cyntaf i ferched yr Ariannin gael pleidleisio ynddo. Er bod nifer o ymgeiswyr yn ymgiprys am y swydd, dim ond dau oedd ag unrhyw obaith am fuddugoliaeth, sef Perón ei hun ar ran y *Partido Justicialista* (Plaid dros Gyfiawnder)' a Ricardo Balbín, ymgeisydd yr UCR. Cofiaf yn dda am yr ymgyrchu a'r dadlau a fu yn y Gaiman. Does dim amheuaeth gan bwy oedd yr arwyddgan orau a'r un fwyaf slic, bachog a hawdd i'r etholwyr ei dysgu:

Los muchachos peronistas	(Oll yn un, feibion Perón,
todos unidos triunfaremos,	awn am ein buddugoliaeth,
y como siempre daremos	a thro ar ôl tro fe rown
un grito de corazón:	un floedd o'r galon:
¡Viva Perón! ¡Viva Perón!	Hiroes i Perón! Hiroes i Perón!
¡Perón, Perón, qué grande sos!	Perón, Perón, mor fawr wyt ti!
¡Mi general, cuanto valés!	Fy nghadfridog, rwyt yn werth y byd!
¡Perón, Perón, gran conductor,	Perón, Perón, arweinydd mawr,
sos el primer trabajador!.	Ti yw'r gweithiwr pennaf!)

Er gwaetha'r angen i apelio am bleidlais y rhyw deg, ac er gwaethaf dylanwad Evita, doedd dim cyfeiriad atynt yn yr ymdaith fywiog hon. Yn eu methiant i gyfansoddi cystal ymdeithgan i'w plaid eu hunain, aralleiriwyd hi gan rai o'r *Radicales*, fel y gelwid cefnogwyr yr UCR, nid i ganmol eu harweinydd eu hunain ond i ddilorni Perón, ac fe'i cenid hi mewn cyfarfodydd caeedig. Ofnaf fod copi o fersiwn pur ddi-chwaeth o'r geiriau hyn wedi cyrraedd ein cartref ni un diwrnod a dysgais y pennill cyntaf wrth wrando ar Yncl Urien yn ei ganu.

Enillodd Perón fwyafrif ysgubol ac urddwyd ef yn Arlywydd am yr eildro. Yn dilyn yr etholiad, nid oedd digon o gyfalaf ar ôl yn y coffrau i redeg y wlad yn effeithiol. Yn fuan wedyn, cafwyd toriadau trydan yn gyson, gan orfodi gwragedd i godi am dri o'r gloch y bore i smwddio dillad. Lampau karasîn fyddai'n goleuo cegin ein tŷ dros y cyfnod tywyll hwnnw. Doedd eu golau ddim hanner cystal â'r un a gynhyrchid gan lampau Aladdin Glan Camwy a Minaco. Dognid y gwenith ac nid oedd digon ohono i bobi bara. Rwyf ymhlith llawer sy'n cofio o hyd am 'fara du' cwbl anfwytadwy y cyfnod.

Cyflymodd yr anhrefn yn dilyn marwolaeth annhymig Eva, o effeithiau canser, yng Ngorffennaf 1952. Y noson honno, cerddodd criw o gyfoedion fy rhieni i mewn i'r tŷ ar gyfer ysgol gân. Digwyddai'r achlysuron hynny'n gymharol hwyr yn y nos, byth cyn naw o'r gloch. Dywedodd un o'r contraltos ar dop ei llais, 'Glywsoch chi fod Eva wedi marw? Maen nhw newydd gyhoeddi'r newyddion ar y radio'. Ynghanol yr holl gleber, clywodd Nhad sŵn crio yn dod o ystafell wely Edith ac aeth i weld beth oedd achos ei dagrau. Beth a wnawn ni nawr, Dada, be ddaw ohonon ni? Mae Evita wedi marw, llefai, fel petasai'r byd ar ddod i ben. Am gyfnod hir wedi hynny, byddai'r Llywodraeth yn darlledu bwletin swyddogol am bum munud ar hugain wedi wyth bob nos ar y radio i gofio'r foment 'y camodd Eva Perón i anfarwoldeb'.

Gŵr o ddewis Eva oedd yn weinidog addysg a gwobrwyodd yntau ei chefnogaeth drwy wthio deddf drwy ddau dŷ'r gyngres yn gosod ei llyfr *La Razón de mi Vida* (Fy Symbyliad, neu yn llythrennol, Rheswm fy Modolaeth) yn llyfr trafod gorfodol yn y cwricwlwm cenedlaethol. Dosbarthwyd ef yn rhad i bob plentyn ledled y wlad a disgwylid i bob un – gan gynnwys disgyblion ysgolion y Wladfa – ei ddarllen, a'i astudio. Roedd hyn yn dân ar groen gwrthwynebwyr Perón.

Chefais i ddim unrhyw flas ar ei ddarllen. Ar wahân i unrhyw ystyriaethau gwleidyddol, a oedd tu hwnt i f'amgyffred ar y pryd, doedd ei gynnwys na'i arddull yn apelio ataf. Ond, llyncodd Edith ei eiriau yn awchus a daeth Eva yn arwres iddi hi fel ag i filoedd o blant eraill ledled y wlad. Er mawr siom i fy rhieni, roedd gennym *Peronista* yn y teulu, ac ymdrechodd Mam i geisio'i darbwyllo rhag meithrin y fath syniadau ffôl.

Cynyddodd y teimlad cyffredinol nad oedd llywodraeth Perón wedi gwneud dim i wella economi Patagonia, nac amodau byw rhanbarth Chubut. Gochelgar iawn oedd y farn gyhoeddus ynglŷn â'r dyfodol, a ymddangosai yn ddu ar y pryd. Ni thalai i fentro dweud gormod yn erbyn yr Arlywydd a'i lywodraeth rhag ennyn llid ei swyddogion, gyda chymaint o sôn am farwolaethau amheus rhai o'i wrthwynebwyr, ac am agwedd drahaus ei gefnogwyr mwyaf llafar. Sibrwd, yn hytrach na datgan gwrthwynebiad agored a wnâi'r mwyafrif. Rhybuddiodd Mam ni i beidio ag enwi'r Arlywydd wrth siarad â'n ffrindiau. Ond fel y dirwynai 1954 i'w phen, dechreuodd rhai lleisiau dewrach (neu ffolach) na'i gilydd godi o blaid newid y drefn.

Yn Nyffryn Camwy, gwyliwyd y datblygiadau yn y brifddinas bell yn betrusgar. Oherwydd pryderon am y cyflwr economaidd a'r dirywiad enbyd yng Nghymreictod y dyffryn, tyfodd difaterwch am etifeddiaeth y Wladfa. Roedd Ysgol Ganolraddol y Gaiman eisoes wedi cau oherwydd bod y rhieni yn dewis anfon eu plant i Drelew. Nid oedd gobaith cynnal Eisteddfod oherwydd prinder arian. Cwympodd Cymdeithas Dewi Sant i drwmgwsg a daeth ei gweithgareddau i ben heb i neb ymboeni amdani. Ond cynhyrfwyd hwy gan fwriad Cyngor Trelew, a reolid gan blaid Perón, i gymryd meddiant o Neuadd Dewi Sant, a agorwyd yn

1913, at y pwrpas o sefydlu marchnad. Pan wrthwynebwyd y cynllun hwnnw, ceisiodd y Cyngor ei droi yn gampfa ar gyfer yr ysgol uwchradd leol. Yn ffodus, daeth digon o'r aelodau at ei gilydd ac achubwyd yr adeilad. Ers hynny, llwyddodd y Gymdeithas i ddal ei gafael arno a gwnaed hyn trwy osod y brif neuadd a'r ystafelloedd blaen ar rent, a chadw'r oriel yn unig at ei phwrpasau ei hun.

Hefyd, gwladolwyd y Cwmni Dyfrhau (a sefydlwyd yn wreiddiol gan y gwladfawyr), a dirywiodd y gofal a gâi'r afon a'r camlesi. Honnai'r ffermwyr nad oedd y cwmni cenedlaethol yn ysgwyddo'r gwaith o gynnal a chadw'r ffosydd dyfrhau yn ddigon trylwyr. Ni chlirid yr afon na'r ffosydd o'r holl lwyni a'r coedach a ddisgynnai iddynt yn rheolaidd nac o'r gwaddod a gasglai ar eu gwelyau. O ganlyniad, codai gwely'r afon gan roi llai o le i'r dŵr redeg rhwng ei glannau gan gynyddu'r perygl o lifogydd. Rhwystrid y dŵr hefyd rhag llifo'n llyfn a glân ar hyd y camlesi gan greu trafferthion yn y broses o ddyfrhau.

Erbyn 1955 rhwygodd y berthynas rhwng Perón a'r Eglwys yn llwyr. Dwysawyd ei hanhapusrwydd hi gyda'r polisi addysg a'r moli cyson ar enw Eva nes ei dyrchafu i statws santes (dosbarthwyd posteri o'i llun a'r geiriau '*Santa Evita*' oddi tano). Clywodd Perón hefyd am fwriad yr Eglwys Gatholig i sefydlu plaid Ddemocrataidd Gristnogol (na ddaeth i fod). I ddial arni, cyhoeddodd nifer o fesurau gwrth-eglwysig, yn cynnwys dileu y gwersi crefyddol o'r cwricwlwm (a ddethlid yn orfoleddus gan Brotestaniaid Dyffryn Camwy), cyfreithloni ysgariad ac, i goroni'r cyfan, gwahanu'r Eglwys oddi wrth y wladwriaeth. Delwau Eva fyddai ar y strydoedd a'r adeiladau o hyn ymlaen.

Cynhaliwyd ymgais arfog aflwyddiannus i ddisodli'r llywodraeth ym Mehefin 1955. Ymosodwyd ar y Tŷ Pinc, gan fomio *Plaza de Mayo* o'r awyr a lladd nifer o ddinasyddion diniwed (gan gynnwys gwragedd a phlant) a ddigwyddai fod yn cerdded heibio pan ollyngodd awyrennau'r llynges eu bomiau. Cofiaf yn glir y teimlad o arswyd a ddaeth drosom pan adroddwyd ar y radio am fam ifanc yn rhedeg rhag y bomiau gan lusgo'i merch fach cyn sylwi mai dim ond ei braich oedd yn ei llaw. Ymateb Perón oedd bygwth dienyddio pum gwrthwynebydd am bob un o'i gefnogwyr a gâi ei ladd.

Crëwyd teimlad o ofn ac ansicrwydd ledled y Weriniaeth. Er nad amlygid yr un ffyrnigrwydd yn Nyffryn Camwy, pur anesmwyth oedd yr hinsawdd gwleidyddol a phobl yn amau ei gilydd ac yn amharod i fynegi barn gyhoeddus. Ond cododd y lluoedd arfog unwaith eto ym mis Medi. Y tro hwn ymddiswyddodd Perón, a ffodd i Paraguay ac oddi yno i Sbaen, lle bu'n alltud tan 1973. Penodwyd y Cadfridog Eduardo Lonardi yn Arlywydd a'r Ôl-lyngesydd Isaac Rojas (y gŵr fu'n gyfrifol am y bomio di-annel yn y brifddinas ffederal) yn Is-arlywydd yn llywodraeth y *Revolución Libertadora* (Chwyldro dros Ryddid), fel y'i gelwid – a diddymwyd y Gyngres am gyfnod amhenodol.

Cynhaliwyd dathliadau brwd ledled y wlad, gyda rhai o hen gefnogwyr y llywodraeth yn prysuro i ddatgysylltu eu hunain â hi. Yn y Gaiman, cynhaliwyd cyfarfod cyhoeddus yn y *plaza* o flaen cofgolofn San Martín, arwr mawr ein hannibyniaeth, i ddathlu buddugoliaeth y Chwyldro. Braidd yn ofnus a phetrusgar oedd llawer o'r rhai a fentrodd i'r cynulliad anhrefnus hwnnw, a safodd y mwyafrif yng nghlydwch eu cartrefi, jyst rhag ofn... pwy a wyddai sut y chwythai'r gwynt yfory. Er gwaethaf gwrthwynebiad Mam, rown i'n benderfynol o beidio â cholli'r achlysur ac allan â mi ar fy meic i weld beth a phwy a welwn.

Gan mai fi oedd y cyntaf yno, cefais le breintiedig a phwysais fy meic ger y grisiau. Yn raddol, ymgasglodd torf fechan gerllaw'r gofgolofn ond ar un ochr iddi, ac nid yn glòs o'i chwmpas fel yr arferai ddigwydd mewn cyfarfodydd dinesig. Ces yr argraff fod golwg nerfus ar rai wynebau ac nid oedd yr un fenyw'n bresennol.

Yn ystod un o'r areithiau buddugoliaethus a'r cymeradwyo, rhuthrodd henwr lleol (a ystyrid yn dipyn o uchelwr ac yn wrthwynebydd ffyrnig i Perón) allan o'r dorf at ŵr arall gan gydio yn ei got a chwestiynu ei hawl i fod yn bresennol: *Qué hacés acá? Vos siempre fuiste Peronista* ("Be ti'n ei wneud yma? Cefnogwr i Perón fuest ti erioed.") ysgyrnygodd wrtho, gan godi'i law dde i'w ddyrnu. Mewn braw, rhoes y *Peronista* gam yn ôl. Neidiodd eraill yn gyflym i gadw'r ddeuddyn ar wahân a daeth y cyfarfod i ben yn heddychlon. Er gwaetha'i gwrthwynebiad gwreiddiol, awchai Mam am gael clywed am bopeth a ddigwyddodd.

Un o ganlyniadau uniongyrchol y *Revolución Libertadora* oedd penderfyniad y llywodraeth newydd i gau'r ysgolion ac yna eu hailagor ddechrau'r tymor ysgol canlynol – er mawr foddhad i bob disgybl. Tri mis ychwanegol o wyliau! Chwe mis i gyd! A'r gwanwyn bron â dechrau, ni fyddwn yn gorfod mynychu ysgol eto tan ddechrau'r hydref, fis Mawrth. I ychwanegu at fy llawenydd, gwyddwn 'mod i bellach wedi cefnu am byth ar ysgol y Gaiman ac yn wynebu cyfnod newydd yn fy mywyd. Edrychwn ymlaen yn eiddgar at gael cyd-deithio ar y trên gyda'r disgyblion eraill yn ddyddiol i Drelew. A'r atyniad pennaf oll – efallai y cawn i hefyd gydeistedd gyda *hi*.

Yn ystod 1955, cyrhaeddodd gŵr hynod y Wladfa, sef W. R. Owen, cynhyrchydd gyda'r BBC ym Mangor, ar daith ymchwil ar gyfer cyfres o raglenni. Anaml y cyrhaeddai ymwelwyr o Gymru i ddyffryn Camwy. Roeddent mor ddieithr ac anarferol â dyn y lleuad. Gellir dychmygu felly'r cynnwrf a greodd ei ymweliad yn y Gaiman. Gan ei fod yn lletya yng nghartref ein cymdoges Alwina Thomas, daeth yn ffigwr cyfarwydd iawn i ni; roedd yn greadur egnïol, siriol a sicr ohono'i hun. Yn ogystal, medrai siarad yn huawdl ac awdurdodol ar nifer o destunau, a datblygodd berthynas gyfeillgar gydag arweinyddion gwladfaol. Holodd yn helaeth am hanes sefydlu'r Wladfa ac am gyffro'r dyddiau cynnar. Treuliodd gyfnod prysur iawn yn recordio deunydd ar gyfer ei raglenni yn y dyffryn. Gwyddwn ei fod wedi recordio Nain ac aelodau eraill o'r teulu, a chyn bo hir ces innau fy hun yn adrodd y Gwynfydau o flaen ei feic. Yna, aeth i'r Andes i gyflawni'r un gorchwyl. Ar ei ffordd yn ôl i Gymru, dychwelodd i'r Gaiman, lle cynhaliwyd cyfarfodydd i ffarwelio ag ef a dymuno'n dda iddo ar ei siwrnai faith yn ôl. Mewn araith a draddododd yn yr

Hen Gapel, proffwydodd W. R. na fyddai neb yn siarad Cymraeg yn y Wladfa ymhen deng mlynedd ar hugain. Rhoes ei osodiad diamwys destun meddwl a phryder i mi.

Gan nad own i ond yn bedair ar ddeg oed ar y pryd, a olygai hyn yr anghofiwn fy iaith gyntaf ac iaith fy aelwyd ymhen deng mlynedd ar hugain? Fyddwn i'n ymfudo, neu, yn waeth byth, yn marw cyn dathlu 'mhen-blwydd yn bedwar deg a phedwar? Rown i'n argyhoeddedig na ddôi'r un o'r tri phosibilrwydd yn ffaith. Rhaid, felly, meddwn wrth fy rhieni ac Edith o gwmpas y bwrdd y noson honno, nad oedd W. R. yn broffwyd.

Wedi dweud hynny, cytunai'r pedwar ohonon ni bod yna sail i'w ddatganiad. Ac nid ef oedd y cyntaf i fynegi safbwynt o'r fath – medrwn ddarllen sylwadau digon tebyg ar dudalennau *Y Drafod* o bryd i'w gilydd. Beirniadol iawn yn eu hanobaith oedd sylwadau'r oedolion hefyd wrth gyfeirio at ddifaterwch rhieni ac anwybodaeth y to iau.

Ar y ffordd i mewn i Bethel un nos Sul ychydig wythnosau'n ddiweddarach, clywais Mam yn edliw wrth gyfyrder iddi nad oedd yn siarad Cymraeg â'i blant. Ffromodd yntau a phwysleisiodd na fwriadai achosi anfantais addysgol iddynt na'u rhwystro rhag dod ymlaen yn y byd. Doedd dim dwywaith fod sylwadau W.R. Owen wedi llwyddo i ysgogi trafodaeth. Wyddwn i ddim ar y pryd fod ei ymweliad hefyd yn mynd i gael dylanwad tyngedfennol ar fy nyfodol i.

Flwyddyn union yn ddiweddarach, byddai fy mreuddwydion carwriaethol cyntaf yn dirwyn i ben cyn i mi erioed eu cyflawni. Wrth deithio i Drelew ar y trên gyda 'nghyd-ddisgyblion o'r Gaiman, gwnawn fy ngorau glas ar y ffordd adref i ddarganfod ym mha gerbyd y teithiai *hi*. Un noson o aeaf, cerddais o gerbyd i gerbyd fel y gwneuthum droeon cyn hynny, nes gweld bod sedd rydd yn ei hymyl ac eisteddais yno. Ar ôl ychydig funudau, clywais ei ffrind agosaf yn dweud wrthi dan ei hanadl, gan dybied nad own wedi'i deall: 'Gad i ni fynd i gerbyd arall.' Cododd y ddwy a 'ngadael ar fy mhen fy hun. Deallais y neges, a gwyddwn nad oedd dewis gen i ond ceisio anghofio amdani. Dyna fu fy ymgais olaf at gael dod yn agos ati.

Yn unol ag arfer blynyddol ysgolion y dyffryn, cynhaliwyd picnic y myfyrwyr i ddathlu dyfodiad y gwanwyn y diwrnod blaenorol, o dan gysgod cangau helyg un o ffermydd yr ardal. Roedd hwn yn achlysur blynyddol, a llawer o'r bechgyn yn gobeithio am gyfle i gael gafael mewn cariad. Nid oedd ein hamgylchiadau yn caniatáu i Edith na minnau i'w fynychu'r flwyddyn honno na'r un flwyddyn arall chwaith. Y bore Llun canlynol y stori fawr oedd ei bod hi wedi dechrau caru gyda hogyn o Drelew. Mewn ymgais i roi cyfle i 'nghlwy gael gwella gwnawn fy ngorau i gadw o'i golwg yn dilyn hynny.

Dysgodd amser i mi mai gêm i'r mentrus oedd yr un a chwaraeid ar faes serch, maes anwastad a llithrig nad oedd modd camu oddi arno'n ddianaf bob tro. Cerddai gorfoledd a siom, llawenydd a dagrau law yn llaw â'r un a fentrai arno, yn un gymysgedd ffrwydrol o emosiynau gwrthgyferbyniol. Nid yn annhebyg i'r hyn a ddigwyddai i Pepino a'i griw ar y caeau pêl-droed, mewn gwirionedd.

10

Byw i ddysgu

Hyd at 1924, yr unig sefydliad a ddarparai addysg uwchradd yn Nyffryn Camwy oedd Ysgol Ganolraddol y Gaiman, a sefydlwyd yn 1906 er mawr lawenydd i'r rhieni a fu'n galw ers blynyddoedd am well darpariaeth addysgol i'w plant, yn dilyn methiant ymgais flaenorol Eluned Morgan i sefydlu'r Ban-ysgol i Ferched yn Nhrelew ac ymgais arall i agor sefydliad cyffelyb ar gyfer bechgyn yn yr un dref.

Mor falch y teimlai rhieni'r ysgol newydd, cytunodd pawb yn ddirwgnach i gyfrannu swm o arian misol i'w chynnal. Lleolwyd yr ysgol yn nhref fwyaf canolog y dyffryn, ar y ffin rhwng y dyffryn isaf a'r uchaf, roedd o fewn cyrraedd mwyafrif y cartrefi er yn anghyfleus i blant Rawson, ger yr Iwerydd, a Thir Halen, yn eithafion gorllewinol y dyffryn. Heidiai plant o bob cwr o'r Wladfa iddi wedi iddynt gwblhau eu haddysg gynradd. Cymraeg oedd eu hiaith ond dysgid Sbaeneg a Saesneg yno'n ogystal, o dan ofal ei phrifathro cyntaf, David Rhys Jones, cefnder i Nhaid. Yna, yn 1924, sefydlwyd y *Colegio Nacional de Trelew* gan y llywodraeth genedlaethol. Cynigiai'r ysgol newydd hon addysg uwchradd yn rhad ac am ddim a thystysgrif gydnabyddedig ar ddiwedd cwrs pum mlynedd, gan alluogi'r disgyblion llwyddiannus i fynd ymlaen i ddilyn cwrs prifysgol. O ganlyniad, anfonodd llawer o'r rhieni, yn enwedig trigolion y dyffryn isaf, eu plant i Drelew ac roedd dyfodol yr Ysgol Ganolraddol dan fygythiad. Llwyddodd i gynnal fflam brwdfrydedd y rhieni am ryw chwarter canrif arall ond, erbyn diwedd y 1940au, gan fod nifer y plant wedi gostwng gymaint nid oedd modd iddi barhau. Penderfynwyd ei chau, a daeth yr *Escuela Monotécnica* i fodolaeth – ysgol i hyfforddi bechgyn ifainc oedd â'u bryd ar fod yn seiri, gofaint, a chrefftau eraill. Erbyn i mi a 'nghyfoedion gwblhau ein haddysg gynradd, nid oedd dewis gynnon ni ond teithio i Drelew i barhau ein haddysg.

Fe'n siomwyd ni'n enbyd pan gyhoeddwyd penderfyniad yr awdurdodau yn 1956 i gynnal cwrs rhagbaratoawl yn ystod deufis olaf gwyliau'r haf. Y bwriad oedd gwneud yn iawn am y misoedd a gollasid y flwyddyn flaenorol oherwydd fod y *Revolución Libertadora* wedi penderfynu disodli Perón dri mis cyn diwedd y tymor ysgol. Oherwydd y camamseru anystyriol ac anfaddeuol hwn, roedden ni nawr ar fin colli'r rhan orau o'r gwyliau, pan oedd yr haf yn ei anterth.

Cynhelid y cwrs ar gyfer y disgyblion fyddai'n mynychu'r Ysgol Uwchradd yn Nhrelew bob bore rhwng wyth a hanner dydd. Ni fedrwn fforddio talu pris y tocyn trên dyddiol o'r Gaiman gan nad oedd gostyngiad i ddisgyblion ysgol y tu allan i'r tymor. Trefnwyd i mi deithio ar y trên i Drelew bob bore Llun, ac yna, ar ddiwedd y gwersi, gerdded y pum cilomedr i Lan Camwy, lle byddwn i'n lletya yn ystod yr wythnos waith; beicio 'nôl a blaen o fore Mawrth tan brynhawn Iau; cerdded i'r ysgol fore Gwener gan ddal y trên i'r Gaiman amser cinio. Roedd y drefn wrth fy modd a doedd y beicio boreol yn poeni dim arnaf, gan fod pedlo'n orchwyl digon esmwyth ar bridd caled a'r rhan fwyaf o'r ffordd yn wastad. Ar y ffordd yn ôl amser cinio y cawn y drafferth fwyaf. Anelai haul tanbaid ganol dydd ei belydrau at fy nghefn a theimlai 'nghorff fel ffwrnais, a 'nghrys i'n chwys diferu yn cydio'n dynn ynof.

Erbyn cyrraedd y ffarm, rown i'n sychedig ac, ar ôl yfed galwyni o ddŵr, rown i'n rhy flinedig i fwyta 'nghinio. Yn anhygoel, cynigiodd Nain foddion i mi oedd wrth fy modd – glasiaid bach o win *Oporto* (neu *Port* yn Saesneg) 'er mwyn i chi gael dod atoch eich hun, Elvey bach', a chefais flasu hwnnw bob diwrnod ysgol o hynny tan ddiwedd y cwrs. Anhawster mwya'r drefn oedd 'mod i'n gorfod gadael y beic ar y ffarm dros y Sul.

Ni chredai Nain ei fod yn syniad da i mi feicio bob dydd yng ngwres llethol haul Ionawr a Chwefror a threfnodd i mi gael lifft gyda John, mab ei chymdogion Gwyn a Gwalia Humphreys. Caent eu hadnabod fel teulu Humphreys Santa Fe oherwydd i dad Gwyn ymfudo o Gymru i'r dalaith honno cyn symud i'r Wladfa. Teithiai John yn ddyddiol yng ngherbyd y teulu i'r un cwrs â minnau, gyda'i chwiorydd Nelia a Marta, a dyna fu'r drefn am weddill y cyfnod. Ar wahân i'r gwaith cartref (ymhell o fod yn drwm) cawn y prynhawn a gyda'r nos i fwynhau fy hun yn fy hoff baradwys.

Ni ofynnodd Nhaid i mi am gymorth gyda'i waith erioed. Efallai y teimlai y byddwn i'n fwy o drafferth nag o werth iddo er na chofiaf i mi erioed gynnig help iddo. Ar y llaw arall, byddwn yn plagio Nain a Neved yn gyson 'mod i eisiau dysgu godro, a defnyddio'r *separator* yn y seler oer i wahanu'r hufen ar gyfer gwneud menyn o'r llaeth, a roddid yng nghafnau'r anifeiliaid. Arferwn dreulio amser yn edrych ar y ddwy yn dal y menyn mewn lliain gwyn, a'i halltu cyn ei droi a'i daro â'u dwylo dro ar ôl tro i'w galedi. Rown i'n argyhoeddedig mai menyn Glan Camwy oedd 'run mwya blasus yn y dyffryn. Rhaid bod llawer o gwsmeriaid siop Zamarreño yn y dref yn cytuno â mi, oherwydd roedd cyflenwadau wythnosol sylweddol yn cael eu gwerthu yno.

Er na chawn rwymo coesau'r gwartheg – rhag i mi gael fy nghicio – cefais gyfleoedd i odro ond, oherwydd fy methiant alaethus i dynnu hyd yn oed ddefnyn o laeth o dethi'r gwartheg, ni fyddai'r naill na'r llall yn hir cyn dweud wrtha i am fynd i wneud rhywbeth arall, er mawr siom i mi. Fy unig gyfraniadau llwyddiannus, hyd y cofiaf, oedd tywys y gwartheg yn ôl o'r caeau pori ac arwain yr aneri a'r lloi i'w cytiau wedi iddyn nhw sugno. Yna, yn amlach na pheidio, byddwn yn gadael y *corral* ac yn chwilio am lyfr neu gylchgrawn i ymgolli ynddynt o dan ganghennau coeden braf tan amser swper – yn union fel rown wedi treulio'r prynhawn cyfan tan amser godro. O weld hyn, efallai fod Taid yn meddwl y byddai bywyd sgweier wedi fy siwtio'n well. Ar y llaw arall, efallai na wyddai Taid am fodolaeth y fath greaduriaid, gan nad oedd y gyfundrefn a'u creodd yn bodoli yn yr Ariannin.

Gwawriodd bore'r arholiad. Oherwydd pwysigrwydd yr achlysur a'r angen am brydlondeb, trefnwyd i mi letya'r noson cynt yn Nhrelew gyda Megan a Gwyneth Iwan, y gyntaf yn weddw i Amram Williams, cefnder i Mam. Rhaid mai fel cymwynas y cawn aros ar eu haelwyd – oni bai bod ambell bwys o fenyn Glan Camwy wedi'i adael ar eu bwrdd. Rown i'n gyfarwydd iawn â'r lle, wrth gael fy llusgo'n fynych yno gan Nain neu Anti Neved.

Ar ôl swper, euthum ar fy union i'r ystafell wely – eithr nid i adolygu. Rown wedi gweld copi o gyfieithiad Sbaeneg o'r *Pickwick Papers*, a threuliais y noson hyd at oriau mân y bore'n llosgi golau gwan y lamp drydan yn darllen y gyfrol honno, heb feddwl am yr hyn oedd yn aros amdanaf ymhen ychydig oriau. Ond down i ddim yn ddifater o bell ffordd. Gwyddwn fod rhaid i mi ymdrechu i wneud yn dda oherwydd byddai methu ennill marciau digon uchel yn fy nghondemnio i fynychu'r *Colegio Comercial*, lle cawn ddysgu sut i gadw cyfrifon a phynciau ymarferol eraill nad oeddent, mewn difrif, at fy nant.

Cynigiai'r *Colegio Nacional* ddau ddewis: cwrs bagloriaeth genedlaethol yn y stem foreol am bum mlynedd ar gyfer y rhai oedd â'u bryd ar gael addysg brifysgol. Cynhelid y llall yn y prynhawn, cwrs dwys dros gyfnod o dair blynedd. O'i ddilyn yn llwyddiannus, agorai ddrws i gwrs dwy flynedd yn yr *Escuela de Magisterio* (Coleg Hyfforddi Athrawon cynradd), a gynhelid yn ystafelloedd cefn yr un adeilad. Er 'mod i wedi breuddwydio am gymhwyso fy hun ar gyfer gyrfa broffesiynol, gwyddwn fod pawb a wnâi hynny'n gorfod symud naill ai i Comodoro Rivadavia (400km i'r de), neu i Bahía Blanca (900km i'r gogledd) neu ynteu i Buenos Aires (1,500km i'r gogledd) am rai blynyddoedd cyn graddio, ar gost ariannol uchel i'w rhieni, ac nad oedd cyllideb ein teulu ni'n abl i gynnal uchelgais o'r fath. Mynd yn athro cynradd, felly, oedd yr unig ddewis rhesymol a oedd yn agored i mi, a rhoddais y gorau i ystyried unrhyw yrfa arall. Hwn oedd pinacl fy uchelgais ar y pryd.

Pan gyhoeddwyd y canlyniadau, gwelais gyda boddhad mawr 'mod i wedi gwneud yn dda iawn ac yn sicr o fy safle. Dychwelais adre'n orfoleddus gan edrych ymlaen at ddweud yr hanes wrth fy rhieni ac Edith. Roedd y tymor newydd ar fin dechrau ac roedd yr argoelion yn gadarnhaol. Medrwn fwynhau'r hyn oedd yn weddill o'r gwyliau. Gwibiodd y dyddiau hynny heibio a medrwn fesur yr oriau a'r munudau, oherwydd rhoddodd Yncl Urien ei oriawr aur i mi'n anrheg. Gwisgwn y tegan newydd hwn gyda balchder ac ymgynghorwn ag ef yn aml i wybod pryd i wneud beth ac; yn aml iawn, pryd i wneud dim.

Yr haf hwnnw digwyddodd gwrthdrawiad rhyngof i ac Anti Neved – digwyddiad anarferol iawn. Ar y cyfan, fi oedd ei ffefryn, ac Edith yn cael yr amser caled. Arni hi roedd y bai bob tro am bechodau mawr a bach a gyflawnen ni'n dau ar y cyd. Ar y llaw arall, er 'mod i'n herio'i hawdurdod yn rheolaidd, prin y codai ei llais i wneud dim mwy na'm rhybuddio rhag anufudd-dod.

Y tro hwn, daeth dau ddigwyddiad i greu gwrthdrawiad megis un rhwng platiau tectonig. Ar ymweliad â Threlew, gwelais boster yn hysbysebu gêm fawr oedd i'w chwarae y Sadwrn canlynol rhwng Tîm Clwb Pêl-droed Banfield, o brif gynghrair yr Ariannin ar y pryd, a thîm Clwb Independiente, un o dimau cryfaf Trelew. Gwelais yr amser, hanner awr wedi un ar y poster. Dyma gyfle nad own am ei golli ar unrhyw gyfrif – cael gweld tîm proffesiynol o Buenos Aires yn chwarae pêl-droed. Cefais ganiatâd fy rhieni, a ffwrdd â fi i Lan Camwy am weddill yr wythnos. Byddai'n haws ac yn rhatach i mi gyrraedd y maes oddi yno. Wrth i'r dyddiad agosáu, teimlwn y cynnwrf yn cynyddu. Yna, ar y dydd Gwener, daeth y newydd trist fod fy nghyfyrder *Chapi* Williams, unig fab Megan Iwan, wedi marw mewn damwain car. Ni chofiaf ei weld heblaw pan fyddai'n rhuthro heibio i'n tŷ ni yn ei gerbyd pwerus, a'i deiars yn tasgu cerrig dros bob man, 'yn beryg bywyd' fel y dwrdiai Mam ef ac eraill tebyg iddo.

Clywais gyda'r nos fod yr angladd i'w chynnal am dri o'r gloch y diwrnod canlynol a'n bod ni'n tri, Nain, Neved a minnau, yn mynd iddi. Mentrais atgoffa Neved 'mod i wedi trefnu mynd i'r

*Nest Cynrig Roberts
(Nain MacDonald).*

*Nain yng nghwmni'i
meibion a'i merched, eu
gwŷr a'u gwragedd.*

Nain a'i hwyrion.

*Myfanwy Evans
(Nain Jones, Glan Camwy).*

Teulu Daniel Rhys Evans (a Nain y Bŵts), Tyddewi.

Gweirydd bach.

Teulu John Jones, Glan Camwy (Mam, Taid, Neved, Nain ac Urien).

Sarah, Urien a Neved.

Héctor a Sarah ar ddydd eu priodas.

Ym mreichiau Mam, yng Nglan Camwy.

Gyda Mam, Nhad ac Edith.

Y Gaiman tua 1945. Ein tŷ cyntaf oedd yr un sydd ar ben y rhes fer hirgul sy'n wynebu'r plaza.

Gydag Edith, Carlitos a'i ffrind yn ymdrybaeddu mewn mwd.

Marchog mentrus yn rhwystro'r traffig.

Ymweld â chymydog.

Ar y ffordd i'r Ysgol Sul.

Yr un dau ar yr un safle bron i drigain mlynedd yn ddiweddarach – y stryd wedi'i phalmantu a'r pafin yn ddigon gwastad i gerdded arno!

Yng nghapel Bethel, yng nghanol yr ail res, yn barod i wrando ar anerchiad Syr Ben Bowen Thomas. Llewelyn Griffiths yn arwain y canu, ac Alun Jones wrth yr harmoniwm. Y Parchedig Tudur Evans yw'r gŵr yn y canol.

Bethel.

Yr 'Hen Gapel'.

Gyda Neli Ritchie (sydd newydd ymddeol fel Esgob yr EFA) ar y chwith; ei chwaer Annie, ar y dde; Edith; a'r Pastor Alejandro Garavano.

Dau ddisgybl gweithgar.

Edith ac un o'i chorau cyntaf.

Parti Nhad yn canu yng ngwasanaeth priodas Meinir, fy nghyfnither.

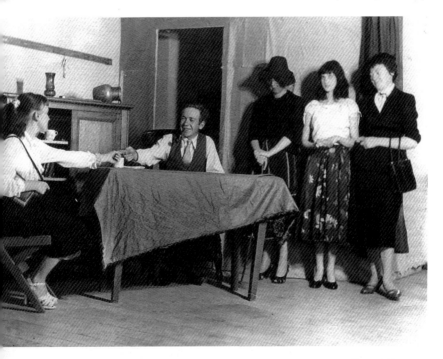

Elfed yn cyfweld ymgeisydd (Ruby) am swydd howscipar, a thair arall (Edith, Beatriz, ac Ivonne) yn aros eu tro.

Rhai o athrawon newydd 1961.

Morwr tir sych.

Gydag Aldo, Ruby, a rhai o aelodau ifanc EFA Bahía Blanca.

Nhad yn hebrwng Elda i'w phriodas gyda Juan Ocampo.

Y Gaiman, fel ag y mae'r dref heddiw.

Luned González, Cydlynydd Cynllun yr Iaith Gymraeg yn Chubut; a Laura Henry, un o olygyddion Y Drafod.

gêm ac mai dyna pam rown i yng Nglan Camwy. Atebodd yn bendant na fedrwn i fynd i'r gêm. Bargeiniais yn aflwyddiannus y noson honno a'r bore canlynol. Pan fentrais awgrymu'n hyf na fedrai neb fy rhwystro rhag mynd, collodd Neved ei hamynedd ac addawodd gosb drom – llawer gwaith na gwialen fain Mam. Addewais o'r diwedd y gwnawn wisgo'n addas i fynd i'r angladd, dim ond i mi gael yr hawl i fynd yn gyntaf i'r gêm erbyn hanner awr wedi un. Ildiodd hithau, gan fy rhybuddio i gyrraedd mewn pryd i'w chyfarfod yng nghartref Megan erbyn y byddai'r angladd yn codi. Bu mor garedig â chychwyn yn gynnar, er mwyn i mi gyrraedd mewn pryd i weld y gêm. 'Cofiwch fod yn nhŷ Megan erbyn deg munud i dri' oedd ei geiriau ola wrth iddi ollwng fy nhraed yn rhydd i frasgamu tua'r cae.

Cyrhaeddais ychydig funudau cyn dechrau'r gêm a rhyfeddais pa mor dawel oedd pethau. Tenau iawn oedd y dorf – dyrnaid o ddynion digynnwrf yn yr eisteddle hir ar ochr orllewinol y cae. Syllais ar un o'r posteri: am dri roedd yr ornest fawr i ddechrau. Gêm yr ail dimau oedd yn dechrau am hanner awr wedi un. Fy ymateb cyntaf oedd siomi o feddwl am yr hyn byddwn i'n ei golli o adael yn gynnar, yn union cyn y gêm fawr.

Gyda thorf fawr a swnllyd wedi ymgasglu ar gyfer y prif arlwy, clywais lais temtasiwn yn dweud wrthyf yn groch nad er mwyn hyn rown i wedi talu pris y tocyn ond yn hytrach am y fraint o gael gweld chwaraewyr proffesiynol wrth eu crefft. Doedd dim dewis gen i ond aros. Sibrydai llais fy nghydwybod 'mod i wedi rhoi 'ngair, ac na ddylwn ei dorri. Hefyd, roedd *Chapi* yn perthyn i mi, a dylwn ymuno â'r dorf fawr fyddai'n ymgynnull ym mynwent Trelew i roi'r ffarwél olaf iddo. Ofnaf i'r llais croch drechu yn y diwedd – nid am y tro cynta na'r olaf, gwaetha'r modd – ac aros a wnes i weld y gêm rown i wedi edrych ymlaen gymaint amdani.

Pan gamodd y timau ar y cae, anghofiais am alar Neved, am *Chapi*, *Negrita* a Megan, druan, ac ymgollais yn llwyr yn y gêm, gan ryfeddu at ddawn rhai o'r chwaraewyr i drin pêl. Rhuthrodd yr awr a hanner nesa heibio a minnau wedi anghofio pob dim am yr angladd. Wedi'r chwiban olaf tuag ugain munud i bump, codais oddi ar y fainc a chamu allan i'r stryd â 'mhen yn llawn o'r hyn rown i newydd ei dystio. Ymlwybrais i gyfeiriad Glan Camwy. Brasgamwn yn ôl fy arfer y noson hafaidd honno, gan boeni'r arw nawr am yr hyn fyddai'n fy wynebu ar y ffarm. Sut groeso gawn i gan Nain a minnau wedi troseddu? Beth fyddai adwaith Neved? Disgynnai 'nghalon at fy sodlau gyda phob cam wrth feddwl am eu llid.

Wedi i mi ymuno â ffordd Morley, gwelwn ŵr yn cerdded o 'mlaen yn y pellter. Roedd ei osgo'n gyfarwydd iawn i mi. Edrychodd yn ôl ac aros amdanaf. Gwelais mai Nhad oedd o, a rhedais i'w gyfarfod. Wedi rhyddhau fy hun o'i goflaid gynnes, eglurais 'mod i'n dod o'r gêm a 'mod i mewn picil. Gwrandawodd yn astud a dweud, 'Peidiwch â phoeni. Mae'n bechod i chi fethu cadw at eich gair ond roedd Mam a minnau wedi rhoi'n caniatâd i chi fynd i'r gêm. Bydd popeth yn iawn.'.

Aethon ni i mewn i dir y ffarm drwy'r cefn a chroesi'r caeau nes cyrraedd at y *corral*, gardd Don Bautista, y teisi gwair a'r adeiladau. Roedd y cŵn wedi synhwyro'n presenoldeb ac yn cyfarth yn afreolus a'u cynffonnau'n ysgwyd yn wyllt wrth i ni nesáu atynt. Nain oedd y gyntaf i'n gweld yn cyrraedd a daeth Neved i'r golwg y tu ôl iddi, yn gwgu arnaf. Sefais wrth ymyl Nhad, heb fentro mynd yn agosach ati. Eglurais na ddechreuodd y gêm tan dri o'r gloch. Roedd ei hosgo wrth iddi gamu tuag ataf yn fygythiol, a mentrais ddweud nad oedd hawl ganddi gyffwrdd ynof. 'Mae Dada yma nawr a fo sydd â'r hawl i 'nisgyblu i.'

Camodd hithau ymlaen heb gymryd unrhyw sylw o 'mhrotest nes i Nhad ddweud yn ei lais tawel ond gorchmynnol ei oslef: 'Gadewch iddo, Neved. Rhoddodd Sera a fi ganiatâd iddo ers dros wythnos i fynd i'r gêm. Mae o'n gwybod yn barod ei fod ar fai am fethu cadw'i air.' Safodd Neved yn stond. Gwyddai nad oedd diben dadlau ag ef. Er mai prin oedd geiriau Nhad mewn sefyllfaoedd anodd, roedd ei farn yn gadarn a'i benderfyniad yn ddi-ildio. Troes ei chefn a chamodd i'r tŷ i baratoi paned i ni. Ni chofiaf i mi glywed gair am y mater byth wedyn ac roedden ni'n deulu bach dedwydd wrth y bwrdd swper hwyr rai oriau'n ddiweddarach. Does gen i ddim syniad y foment hon pam bod Nhad wedi dod i Lan Camwy'r noson honno na beth a achosodd iddo gerdded yn hytrach na gyrru'i lorri. Ond gwn fod ei ymddangosiad gwyrthiol a'i amseru perffaith wedi fy achub rhag cosfa haeddiannol. Er mwyn diogelwch, dychwelais gydag ef ar y trên i'r Gaiman y bore Llun canlynol. Dyna'r unig dro erioed i mi gwtogi ar fy arhosiad yng Nglan Camwy o'm dewis fy hun.

Ar y trên y teithiai disgyblion yr ysgol uwchradd o Ddolavon a'r Gaiman i Drelew. Trên bach oedd hwn, a redai ar reilffordd gul, metr o led, gan lusgo ychydig gerbydau cario nwyddau a rhyw bedwar neu bum cerbyd cludo teithwyr. Roedd seddau'r dosbarth cyntaf wedi'u gorchuddio â lledr, ond ar seddau estyll pren cerbydau'r ail ddosbarth y teithiem ni. Ychydig ddyddiau cyn dechrau'r tymor, gorfu i mi, fel pob disgybl, brynu waled fechan oedd yn cario fy llun ar un ochr, a thocyn tymor yn y llall. Mae'n rhaid bod fy rhieni wedi gorfod mynd heb rywbeth er mwyn talu amdano, er gwaetha'r gostyngiad sylweddol a gynigid i ddisgyblion ysgol.

Mwynheais gynnwrf y bore cyntaf, gyda phawb yn ymgasglu yn dyrfa gyffrous ar y platfform yn aros am y trên i gyrraedd. Byddai'r trên yn sefyll wrth gwt sinc yr Hen Orsaf, bron â bod gyferbyn â'r platfform lle safem ni. Yno, codai deithwyr ochr ogleddol y dref, cyn symud ymlaen am ryw chwe chan metr a bacio'n ôl ar drac arall at yr orsaf lle'r arhosen ni amdano'n ddiamynedd.

Un cyfyrder o blith rhai niferus Mam, John Sidney Jones oedd y gorsaf-feistr. Pwysleisiai na ddylai'r un ohonon ni ddringo i mewn i'r cerbydau cyn i'r injan aros, er bod ambell oedolyn ac, yn wir, rhai o'r disgyblion hŷn, yn neidio ar y grisiau tra daliai'r trên i symud, er gwaetha'r dwrdio. Yn ychwanegol at y ddau oedd yn yr injan, dim ond un aelod o staff oedd ar y daith, sef y gard.

Yr hawsaf i'w reoli oedd Rojo, gŵr o anian gyfeillgar a ymdrechai'n ofer i arddangos awdurdod. Gwyddai yn iawn pwy own i, oherwydd ein cyfarfyddiadau achlysurol yng ngorsaf *Las Chapas* pan awn yno o'r chwarel yng nghwmni Nhad. O ganlyniad, ceisiwn osgoi bod yn destun ei feirniadaeth. Roedd ganddo drwyn mwy na'r cyffredin a phan fyddai hwnnw'n gochach na'r arfer gwyddai pawb ar y trên iddo fod yn yfed gwin o'r unlliw â'i gyfenw. Pan anghofiai disgybl ei gerdyn, byddai gan Rojo bregeth i'w atgoffa o'r rheidrwydd i'w gario a'i ddangos bob dydd – eithr ni chofiaf ei weld yn gwahardd neb rhag cwblhau ei daith.

Lle prysur iawn oedd y cerbydau lle'r eisteddai'r disgyblion: rhai o'r merched yn darllen eu llyfrau ysgol, eraill yn trafod y gwersi, a'r bechgyn yn siarad am bêl-droed neu am ferched. Byddai rhai'n eistedd neu'n mynd ar eu penliniau ar y seddau gan bwyso drosodd i gyfrannu at drafodaeth neu ddadl gyda'r rhai ar y seddau yn union y tu ôl iddyn nhw ac eraill ar eu traed yn y coridor, cynsgathru i'w seddau pan ddeuai'r gard heibio. Mor araf oedd symudiadau'r gerbydres hon, temtid y bechgyn mwyaf ambell dro i gyflawni campau i ladd y diflastod, gan gythruddo Rojo yn gacwn. Cerddodd un disgybl allan o'r cerbyd unwaith fel petai ar ei ffordd i'r tŷ bach neu i gerbyd arall. Y funud nesaf, gwelwn ef y tu allan i'r trên, â'i drwyn yn fflat yn erbyn gwydr y ffenestr, yn tynnu wynebau arnon ni, er mawr ddifyrrwch i bawb yno.

Weithiau, byddai'r trên yn torri i lawr, gan orfodi'r gard i geisio cynnal cysylltiad ffôn â gorsaf Trelew i ofyn am gymorth. Gwnâi hyn drwy gyfrwng ffon hir oedd â bachyn ar un pen a ffôn yn gorffwyso ar flwch sgwâr ar y pen arall. Wedi iddo ddisgyn oddi ar y trên (a phawb yn ei ddilyn er gwaetha'i brotestiadau), estynnai'r gard y bachyn at y wifren a'i rhoi i orwedd arni. Yna, deialai'r rhif perthnasol ar y blwch, a siaradai ag un o swyddogion gorsaf Trelew. Ar un o'r achlysuron hynny, gwelais yr un bachgen yn rhoi ei law o dan y ffon er mwyn ei chodi i'w datgysylltu oddi wrth y wifren, gan greu mwy o rwystredigaeth i'r gard, druan.

Golygai hyn oedi sylweddol ac na chyrhaeddem yr ysgol mewn pryd ar gyfer y wers gyntaf, a mawr fyddai'r dathlu. Ie, mab ffarm cryf a mentrus oedd Ariel Mai James, a'i gampau a'i fenter yn destun edmygedd ei gyfoedion.

Yn addas iawn, lleolid yr ysgol mewn hen adeilad nid nepell o ganol y dref, yn Stryd Sarmiento, a enwyd felly er anrhydedd i ail Arlywydd Gweriniaeth yr Ariannin, a ystyrir yn brif hyrwyddwr addysg y wlad. Doedd neb yn cofio am ei ddiffyg cariad tuag at y Wladfa nac am ei fwriad ar un adeg i'w diddymu a symud ei thrigolion i dalaith ogleddol, oherwydd y diffyg llewyrch. Efallai y cytunai â sylw Darwin fod melltith anffrwythlondeb ar dir Patagonia ac na welai synnwyr mewn gwastraffu nac arian, adnoddau nac ymdrechion ar ranbarth nad oedd dyfodol iddi fel trigfan pobl wâr – iawn ar gyfer ychydig Indiaid anwar, efallai. Ei fwriad oedd llenwi taleithiau gogleddol y wlad ag Ewropeaid gweithgar a diwylliedig.

Syml a llwm iawn oedd yr ystafelloedd dosbarth. Eisteddai'r disgyblion wrth ddesgiau pren unigol, mewn pedair rhes tua deg sedd yr un yn wynebu'r bwrdd du a desg fawr yr athrawon. Fy ffefrynnau oedd Srta. T. (Mathemateg – am ei manylder), Sra. G. (Sbaeneg – a bwysleisiai bwysigrwydd cywirdeb yn gyson), Srta. G. (Hanes, am ei hamynedd di- ben-draw gyda hogyn a hoffai'r pwnc heb fod yn un da am gofio dyddiadau), Srta. R. (Hanes eto – am brofi bod ei phwnc yn un hynod ddiddorol ac am fentro crybwyll rhywfaint o hanes y Wladfa Gymreig, er nad oedd ar y cwricwlwm), Srta A. (Daearyddiaeth, am ddangos perthnasedd afonydd, mynyddoedd a dyffrynnoedd i hanes dynoliaeth) a Sra. Polanco (Cerddoriaeth – am ei bod wedi ffoli ar ganu). Medraf ddweud mai'r unig bynciau na ddeuthum yn agos at eu deall na'u mwynhau yn ystod tair blynedd y cwrs oedd Ffrangeg ac Arlunio. Merch drawiadol iawn oedd Srta A. Gwisgai sgertiau tyn eithriadol a sanau sidan ac arferai gerdded rhwng y rhesi meinciau, er mwyn sicrhau bod pawb yn gwrando arni. Achosai hyn i'r bechgyn gwympo i berlesmair, wrth i siffrwd rhythmig ei morddwydydd sidan swish-swishio'i ffordd yn ôl a blaen mor agos atyn nhw. Ni cheid gwrandawiad mor astud mewn unrhyw wers arall, er bod lle i amau faint o ddaearyddiaeth a ddysgid yn y broses. Ni châi yr un athrawes arall ei thrafod gyda'r fath edmygedd yn ystod amser chwarae llawn testosteron.

Roedd angen prynu llyfrau ar gyfer y mwyafrif o'r pynciau ac, oherwydd nad oedd arian gynnon ni, daeth Yncl Urien i'r adwy a thalu amdanynt, a chefais fag lledr i'w cludo. Gwaetha'r modd, ni ddiflannodd y pryfocio wrth symud i'r ysgol uwchradd ac, ar ddiwedd un amser chwarae, gwelais fod fy llyfrau wedi cael eu sarnu gan linellau blêr a sgribliadau – rhai'n sarhaus ac eraill yn annealladwy. Ofer fu pob ymdrech ar fy rhan i ddod o hyd i'r troseddwr. Wrth i ni brysuro tuag at orsaf y rheilffordd, oedai'r sawl a fedrai fforddio yng nghaffe'r *Touring Club*, am baned o goffi a *media luna* (*croissant*). Brysiai'r gweddill ohonon ni i geisio cadw'n gynnes yng nghyntedd drafftiog yr orsaf.

Un noson, datblygodd dadl rhyngof ac un o 'nghyd-ddisgyblion. Heriodd fi i ffeitio y tu ôl i'r tai bach, o olwg swyddogion y rheilffordd ac aelodau'r cyhoedd. Yn fy ngwylltineb, derbyniais yr her. Tynnais fy mag gorlwythog oddi ar fy ysgwyddau a'i osod ar fainc, teflais fy nghot drostynt a brysiodd y ddau ohonon ni y tu ôl i'r tai bach gyda nifer o anogwyr brwd yn ein canlyn. Yno y buon ni'n cyfnewid dyrnodiau di-nod ac aneffeithiol am rai munudau i gyfeiliant ebychiadau a sylwadau canmoliaethus a beirniadol ar yn ail, cyn i rywun weiddi fod y trên ar gychwyn. Diflannodd y dorf mewn amrantiad gan ein gadael ar ein pennau'n hunain a'r ddau ohonon ni'n dweud ar y cyd, 'Gei di ragor ar ôl cyrraedd Gaiman', cyn rhedeg tuag at yr ystafell aros. Cydiais yn fy nghot ac yna'r bag lledr – fy mag lledr gwag.

Doedd dim o'i gynnwys drud ar ôl ynddo. Edrychais o dan y fainc, gan feddwl bod rhywun wedi chwarae tric â mi, a holais staff yr orsaf – ond doedd neb wedi gweld dim. Clywais chwiban ola'r trên, rhedais i'w ddal, a neidiais ar y gris cyntaf yn union wrth iddo gychwyn. Allwn i ddim cuddio fy siom ar hyd y daith araf a down i fawr gwell erbyn i mi gyrraedd y tŷ. Doedd dim modd i mi wneud fy ngwaith heb fy llyfrau. Bellach, rown i'n brin o ryw bedwar neu bump, heb sôn am fanion fel beiro, pensiliau, rwbiwr, cwmpawd, pren mesur, llyfr nodiadau ac ati.

Doedd Mam a Nhad ddim yn hapus ond, chwarae teg iddyn nhw, poeni roedden nhw am fy ngholled yn fwy na'r drosedd. Yn rhyfeddol, prynodd Yncl Urien set arall i mi o fewn ychydig ddiwrnodau, a chefais gyngor ganddo i beidio â derbyn gwahoddiad i ymladd byth wedyn. Yna, gydag amlinell o wên ar ei wefusau ac yn ei lygaid direidus, llongyfarchodd fi am ddal fy nhir.

Er bod nifer o brofion yn cael eu gosod ar y rhan fwyaf o'r pynciau yn ystod y tymor rhwng Mawrth a Rhagfyr, doedd dim angen i neb sefyll arholiad ar ddiwedd y flwyddyn ar unrhyw bwnc lle'r oedd cyfartaledd ei farciau yn saith allan o ddeg neu'n uwch. Edrychid ar arholiadau fel y bwgan mwyaf, gan fod peryg eu methu a gorfod ailadrodd y flwyddyn. O ganlyniad, ymdrechai pawb i sicrhau bod ei gyfartaledd am y flwyddyn yn aros yn uwch na'r isafswm er mwyn osgoi'r angen i fynd i arholiad, a difetha'r haf. Mor boenus oedd y bygythiad hwn nes i mi sicrhau 'mod i'n cyrraedd y nod drwy gydol fy nghyfnod yn Nhrelew.

Pan own ar fin dechrau fy ail flwyddyn, derbyniais newyddion annisgwyl. Roedd y Parchedig Paul Williams wedi trefnu i mi gael ysgoloriaeth am flwyddyn. Eglwys Fethodistaidd y Taleithiau Unedig oedd wedi cynnig yr arian, efallai am fod Paul Williams wedi tosturio wrth fy nheulu wrth sylwi pa mor galed oedd bywyd yn ein trin. Talodd yr arian am fy llyfrau a 'nhocyn teithio y flwyddyn honno. Dw i'n amau dim nad oedd o'n ddigon i dalu hefyd am anghenion addysgol Edith, a ddechreuai ar ei blwyddyn gyntaf yn Nhrelew. Gwn nad oedd Paul Williams yn aros i'w esgidiau fynd yn dwll cyn eu newid oherwydd cefais gynnig pâr ganddo. Er eu bod ychydig yn rhy fawr, roedden nhw'n hynod gysurus, a'r rhain fu fy esgidiau gorau am dros flwyddyn, nes i'w gwadnau, o'r diwedd, fynd yn dwll a dechrau dod yn rhydd.

Yn y cyfnod hwnnw, roedd canran sylweddol o blant yr ysgol o dras Cymreig – hyd yn oed sawl un a arddelai gyfenwau megis

Martínez, Iŷón, López ac ati, gan fod cynifer o ferched y Wladfa wedi priodi bechgyn o dras arall. Doedd y sylwadau gwrth-Gymreig ddim mor ddwys ag yn yr ysgol gynradd er i mi eu derbyn o bryd i'w gilydd a'u bod yr un mor boenus o sarhaus. Daeth yr ymosodiad rhyfeddaf o gyfeiriad annisgwyl.

Cydgerddwn gyda chriw o fechgyn di-Gymraeg ar fy ffordd allan o'r ysgol, pan glywais lais disgybl yn y *Colegio Comercial* yn gweiddi o ochr arall y stryd, yn Sbaeneg: 'Peidiwch â thrafferthu gyda'r Gymraeg. Mae'r iaith mor farw â'r Lladin.' Gan mai fi oedd yr unig siaradwr Cymraeg yn y grŵp, rhaid mai ata i yr anelai ei ddichell, er mai Sbaeneg a siaradwn y foment honno. Gan fod brys arna i i ddal y trên, redais i ddim ar ei ôl i ddal pen rheswm ag ef. Cymraeg oedd iaith gyntaf ei rieni ac roedd yntau'n orwyr i neb llai nag Edward Price, is-lywydd cyntaf y Wladfa. Er na chlywais mohono fe na'i frawd yn siarad Cymraeg, anodd credu nad oedden nhw o leia yn ei deall. Ond o ble y cafodd o'r syniad mai iaith farw oedd hi? Ynteu, ai ymgais i 'mhryfocio i oedd hyn eto? Tybed a oedd fy nghyfoedion yn ei chael hi'n rhy hawdd i 'nghythruddo i, ac y dylwn eu hanwybyddu?

Cefais sylw anghyffredin gan yr athrawes gerdd. Yn wahanol i athrawes gerdd ysgol y Gaiman, a fwriai'r nodau fel petai'n eu ffieiddio, roedd Delia Polanco yn bianydd da iawn a chanddi bersonoliaeth hawddgar. Hi hefyd oedd arweinydd côr yr ysgol ers nifer o flynyddoedd a byddai'r côr yn perfformio yng nghyngerdd blynyddol yr ysgol, yn y *Teatro Español*, neuadd gyngerdd fwya a hardda'r dref, a'r dyffryn o ran hynny. Er nad oedd o dras Cymreig, roedd ganddi rywfaint o wybodaeth am y Cymry gwladfaol a'u harferion ac roedd ganddi barch mawr at draddodiad corawl y dyffryn, efallai oherwydd iddi gydweithio â Clydwyn ap Aeron Jones am gyfnod yn ei hieuenctid cyn iddo ymadael am Buenos Aires. Roedd hi hefyd yn rhannu fy hoffter o grwpiau canu gwerin megis *Los Chalchaleros* a *Los Fronterizos*, ac rown i'n un o nifer mawr o ddisgyblion a dreuliai'n hamser hamdden rhwng gwersi yn canu caneuon y grwpiau hyn i'w chyfeiliant hi ar y piano.

Rown i wrth fy modd pan gefais wahoddiad i ymuno â'r côr. Deuthum yn fuan yn gyfeillgar â bechgyn eraill a rannai'r un diddordeb cerddorol, rhai'n hŷn na mi, ond a wnâi i mi deimlo'n gydradd â hwy. Cofiaf y wefr a deimlais un diwrnod wrth gerdded i mewn i'r ysgol rhyw ddeng munud cyn i'r gloch ganu.

'Dere gyda fi,' meddai un o 'fechgyn y bore' fel y galwen ddilynwyr y cwrs Bagloriaeth. 'Nawr!'

'Be sy'n bod?' gofynnais.

'Paid â gwastraffu amser,' meddai ar ei ffordd allan o'r ysgol. 'Dw i isio i ti glywed rhywbeth,' gan fy annog ar draws y stryd i'w gartref.

Roedd nifer o'i gyfeillion wedi ymgasglu yn ei lolfa i wrando ar record hir oedd newydd gyrraedd y siopau, ac roedd eisiau i mi glywed rhai o'r caneuon. Hwn oedd y tro cynta i rywun hŷn na mi ddangos diddordeb yn fy marn ac awydd i mi rannu yn ei fwynhad, ac mae cynhesrwydd y foment honno'n aros gyda mi hyd heddiw. Yn anfoddog iawn y gadewais y cwmni astud i ddychwelyd i'r ysgol wedi gwrando ar ddim ond cân neu ddwy. Byddai'n well gen i fod wedi aros i dreulio'r prynhawn yn eu cwmni rhadlon.

Criw ardderchog oedd criw'r côr, a byddai rhai o'r bechgyn yn dod at ei gilydd i ganu caneuon gwerin, o ran mwynhad a diddanwch, heb unrhyw fwriad i berfformio'n gyhoeddus. Yn anffodus, oherwydd pellter ac amser, ni lwyddais i gadw mewn cysylltiad ag unrhyw un o'r hen gyfeillion hyn ac mae arna i gywilydd dweud 'mod i hyd yn oed wedi anghofio enwau rhai ohonyn nhw. Ond does dim angen i mi gau fy llygaid i weld eu hwynebau neu glywed eu lleisiau.

Ymhlith y rhai a ddechreuodd ddangos diddordeb mewn canu roedd bachgen dŵad yn byw ger Gaiman Newydd. Roedd gan Omar Lestón lais dwfn a byddai o hyd yn canu'r alaw octif yn is na phawb arall. Nid oedd modd iddo ymuno yn yr hwyl heb wneud i'r caneuon swnio'n amhersain. Yr unig ateb oedd ei ddysgu i ganu bas. Gan fod yna gyngerdd cystadleuol wedi'i drefnu yn yr Hen Gapel, penderfynodd Edith a minnau wahodd

Omar i ymuno â ni'n dau a Ruby mewn pedwarawd. Dysgodd y merched a minnau'r gân yn gyflym a didrafferth, ond ni fedrai Omar gofio'r nodau na chadw mewn tiwn. Aethon ni at Alwina i ofyn iddi hyfforddi'r pedwarawd. Cytunodd hithau, gyda'i hynawsedd arferol, ond gorfu iddi dreulio amser maith yn dysgu Omar i ganu'r nodau'n gywir. Mawr fu'r canmol, yn enwedig bod yna fachgen nad oedd o dras Cymreig yn canu gyda ni. O hynny ymlaen, roedd yn amhosibl atal brwdfrydedd Omar, a bu'n canu'n gyson gyda ni, gan ddatblygu'n faswr dibynadwy iawn.

Yn annisgwyl, cyhoeddwyd na fyddai'r trên mwyach yn cludo disgyblion ysgol i Drelew ac, yn ei le, darparwyd bysiau. Gan nad oedd y rhain yn benodol ar gyfer ein cludo ni felly roedd yn rhaid i ni gystadlu gyda theithwyr eraill am le ynddyn nhw. Yn aml, byddai'n rhaid i ni deithio ar ein sefyll gan mai cyfrifoldeb pob bachgen cwrtais oedd ildio'i sedd i wraig neu ŵr oedrannus. Gan nad oedd y bysiau cynta hynny'n teithio'n uniongyrchol i Drelew ond yn gyrru ar hyd ffyrdd y dyffryn er mwyn codi plant y ffermwyr a theithwyr eraill, bydden nhw'n cymryd ddwywaith yr amser i gyrraedd pen y daith, a phob sedd yn llawn.

Caniateid i oedolion ysmygu ar y bysiau, a gellir dychmygu mor afiach oedd yr awyrgylch caeedig y caethiwid ni ynddo. Yn aml, disgynnwn o'r bws yn yr orsaf yn teimlo'n sâl, yn enwedig pan benderfynai'r person agosa ata i ysmygu. Pan fentrwn ofyn a oedd modd iddyn nhw ymatal nes cyrraedd Trelew neu'r Gaiman, edrychent arna i fel petai cyrn yn fy mhen ac, yn amlach na pheidio, câi fy nghais ei anwybyddu gan rwgnach am fy anghwrteisi. Fodd bynnag wedi imi gael llwyddiant unwaith drwy ddweud 'mod i ar fin cyfogi, rhaid i mi gydnabod i mi fod mor anonest â defnyddio'r esgus hwnnw droeon wedyn.

Yn gynnar un bore yn ystod y gwyliau haf, clywyd cnoc ysgafn ar ffenest ystafell wely fy rhieni. Elda oedd yno gyda neges bod Nain wedi marw yn ei chwsg, o fewn ychydig fisoedd i ddathlu ei phedwar ugain mlwydd oed. Gan nad oedd wedi dangos unrhyw arwydd ei bod yn sâl, roedd y newydd yn syndod ac yn siom i ni i gyd. Teimlwn yn lletchwith yn ystod yr angladd oherwydd nad own i'n crio, yn wahanol i bawb arall o'i disgynyddion o 'nghwmpas. Rown i'n hoff iawn o Nain ac wedi mwynhau cael bod yn ei chwmni droeon, gan 'mod i'n ymwelydd cyson â chartref Antie Annie, Meriel ac Elda. Yn wir, ar wahân i dreulio pob noswyl Nadolig yn ei chartref, awn yno'n rheolaidd ar unrhyw esgus. Er bod fy nghyfnitherod ychydig yn hŷn na mi, bu Edith a minnau'n chwarae droeon gydag Elda, ac yna'n cwmnïa'n aml â hi a chyfeillion o'r dref wrth i ni dyfu i'n harddegau. Ar aelwyd ei merch, roedd Nain fel brenhines a'r cof sy gen i amdani yw ei gweld yn eistedd yn ei chadair wedi'i hamgylchynu gan ei hanwyliaid a ofalai'n dyner amdani. Ni chofiaf hi'n codi'i llais unwaith ac efallai mai oddi wrthi hi yr etifeddodd Nhad fwynder ei gymeriad yntau. Cofiaf droi ati unwaith neu ddwy i'w holi am wybodaeth am Gymru neu am y mudiad gwladfaol ac i sicrhau cywirdeb ambell air Cymraeg, a chofiaf hi'n ateb gyda gwên gynnes ar ei gwefusau. Testun siom iddi oedd bod y Wladfa wedi anghofio am ei thad ac am ei gyfraniad enfawr i'w bodolaeth a'i pharhad. Daeth tyrfa niferus iawn ynghyd o bob cwr o'r dyffryn i ffarwelio'n deilwng â hi ym mynwent y Gaiman.

Tua'r amser hwn clywyd y newyddion cyffrous bod penderfyniad wedi'i gymryd i sefydlu talaith Chubut o'r diwedd. Dywedai'r cytundeb rhwng Llywodraeth yr Ariannin a Mudiad Gwladfaol Michael D. Jones y câi Patagonia statws talaith cyn gynted ag y byddai ei phoblogaeth yn cyrraedd 20,000. Codwyd y trothwy hwn droeon wrth i'r boblogaeth gynyddu. Erbyn i ddeddf tiriogaethau cenedlaethol 1884 rannu Patagonia yn bum rhanbarth, disgwylid i boblogaeth pob darpar dalaith unigol gyrraedd 60,000 ac yna 100,000, fel pe bai ymgais barhaus i wrthod hawl trigolion y rhanbarthau i'r fraint ddemocrataidd o gael ethol eu llywodraethwyr a chynrychiolwyr i'r Gyngres. Yna, ym Mehefin 1955, fel un o weithredoedd olaf ail lywodraeth Perón, rhoddwyd statws talaith i Chubut a phob tiriogaeth genedlaethol arall ond, oherwydd i'r lluoedd arfog ddisodli'r Arlywydd, bu'n rhaid aros tan 1957 cyn dechrau'r broses fyddai'n arwain at gyflawni'r bwriad.

Galwyd etholiad taleithiol yn Chwefror 1958 er mwyn ethol Llywodraethwr, Is-lywodraethwr ac aelodau i'r Senedd. Dr Jorge Galina, cyfreithiwr o Drelew, a etholwyd yn Rhaglaw. Er nad oedd o dras Cymreig, roedd yn briod ag wyres i Mary Humphreys, y plentyn gwyn cyntaf i gael ei eni ym Mhatagonia. Dechreuodd y Llywodraeth a'r Senedd ar eu gwaith ar y cyntaf o Fai 1958. Cyn diwedd Mehefin, roedd yr Uchel Lys yn ei le hefyd. Bellach, edrychid ymlaen at gael gweld ein pobl ein hunain yn arwain datblygiad Chubut, a llai o ymyrraeth o Buenos Aires. Yn anffodus, oherwydd ymyrraeth y lluoedd arfog ar y llywodraethau etholedig cenedlaethol mynnwyd yr un drefn ymhob talaith, gan gynnwys Chubut. Byddai'n rhaid aros tan fuddugoliaeth lluoedd y Deyrnas Gyfunol yn antur wallgo rhyfel y *Malvinas* yn 1982 ac ethol llywodraeth Alfonsín y flwyddyn ganlynol cyn dechrau ar y patrwm cyfredol. Hir y parhaed. Gyda llaw, efallai y dylwn egluro mai enw a darddodd yn Ffrainc oedd yr *Iles Malouines*, i nodi'r ffaith mai o Saint Malo yr aeth eu gwladychwyr cyntaf. Mabwysiadwyd yr enw gan y Sbaenwyr a'i gyfieithu i'w hiaith eu hunain, a dyna yw enw pobloedd y gwledydd Sbaeneg eu hiaith arnynt o hyd.

Un o gynlluniau mwyaf uchelgeisiol llywodraeth y Dr Galina oedd cwblhau'r argae fawr ar draws afon Camwy tua 100km o gyrion gorllewinol y dyffryn, gyda'r bwriad o reoli llif y dyfroedd a'i alluogi i redeg yn gyson. Y gobaith oedd medru rhoi terfyn ar lifogydd – a achosid gan law trwm achlysurol neu gan eira'r Andes yn dadmer yn y gwanwyn – a'r cyfnodau o sychder yn ystod hafau heb ddŵr ar y naill law, a darparu trydan ar gyfer poblogaeth a diwydiannau'r dyffryn ar y llall. Dechreuwyd ar y gwaith paratoi ym 1950 ac ar yr adeiladu ym 1954 ond araf oedd y cynnydd cyn ennill hunanlywodraeth. Serch hynny, bu'n rhaid aros tan Ebrill 1964 cyn i ddyfroedd afonydd Chubut ac Iamacán ddechrau cronni gan ffurfio llyn yr honnir ei fod y trydydd llyn artiffisial mwyaf yn y byd ar y pryd.

Oherwydd bod nifer o ddynion y dyffryn wedi cael gwaith yno, dechreuodd Nhad ymweld â'r fan ar brynhawniau Sadwrn neu

Sul i gyfarfod â'i gyfeillion. Ychwanegodd hyn at restr atyniadau gwyliau Minaco. Codwyd tai yno ar lan yr afon ar ochr ddwyreiniol yr argae ac, o dipyn i beth, symudodd teuluoedd y gweithwyr yno, a chodwyd eglwys ac ysgol. Edrychai'r adeiladau yn hardd iawn gyda'u muriau gwyn a'u toeau coch rhwng gwyrddni helyg y cwm bychan. Tyllwyd y creigiau hefyd at wahanol anghenion. Trwy'r twnnel hiraf rhedai'r ffordd newydd a gysylltai'r gwaith â'r ffordd fawr a unai Dyffryn Camwy a'r Andes. Dywedir bod y gwaith tyllu wedi dechrau o'r ddeupen, ac mai dim ond centimedr o wahaniaeth oedd rhwng y ddwy ochr pan gyfarfu'r ddwy garfan o weithwyr â'i gilydd. Adeiladwyd llethr serth hefyd er mwyn cysylltu'r man lle saif pen ucha'r argae heddiw, â'r pentref newydd. Ar hyd y llethr hwnnw y cludid dynion, offer ac adnoddau o bob math. Camp nid bychan i blant oedd cerdded arno i lawr i'r pentref, ond doedd meddwl am ddringo i fyny iddo ddim yn apelio o gwbl – a gwell oedd aros am lifft.

Erbyn hyn roedd y cwmni y gweithiai Nhad iddo wedi prynu lorri fawr a fedrai gludo llwythi trymach na'r hen *Brockway* ac yn gyflymach, hefyd. Un o gannoedd o lorïau gyriant pedair olwyn a gynhyrchwyd ar gyfer y rhyfel oedd hi, gyda'r caban mawr coch wyneb fflat ar ben yr injan a sedd bob ochr. Dyma gerbyd perffaith ar gyfer tirwedd y camp. Weithiau, pan fyddai'n rhy oer i deithio yn y cefn, eisteddai Edith a minnau ar fainc fechan ar ben yr injan V8. Nid oedd sôn am wregysau diogelwch y dyddiau hynny.

Yn ôl yn y Gaiman, daeth Mrs Ifor Puw drws nesa ata i un diwrnod i ofyn am gymwynas annisgwyl, sef a fyddwn i'n fodlon lladd iâr iddi, gan ei bod am ei choginio i swper y noson honno. Rown i'n gwybod beth oedd lladd. Deuai llawer o gathod heibio i'n tŷ ni pan oedden ni'n blant bach a byddai Edith a minnau yn chwarae â nhw. Pan gyrhaeddodd cath fechan dlos un bore, penderfynais y byddai'n syniad da rhoi bath iddi. Bûm i'n or-frwd wrth olchi'i phen a synnais pan deimlais ei chorff yn llipa rhwng fy nwylo. Doedd dim i'w wneud ond ei chladdu, a pherfformiodd Edith a finnau'r seremoni – hi'n weinidog ac yn godwr canu, a minnau'n ymgymerwr ac yn dorrwr beddau. Ond mater arall oedd lladd yn fwriadol, a dynna a ofynnid i mi ei wneud nawr.

Cytunais, gan na fedrwn wrthod cais gan ein cymdoges gymwynasgar, a dilynais hi at y cwt ieir, lle dangosodd yr iâr i'w lladd, yn ogystal â'r fwyell rown i'w defnyddio. Clywswn Nhad a dynion eraill yn dweud fod troi pen iâr yn ffordd llai poenus i'w lladd na thorri'i phen, a phenderfynais mai dyna'r dull i mi. Cydiais yn yr iâr wrth iddi sgathru o'm ffordd gyda'r lleill, a throais ei phen. Clywais hi'n gwneud ryw sŵn ond yn sicr roedd hi'n dal yn fyw. Rhoddais ail dro i'w phen ac yna trydydd un, heb lwyddo i'w dienyddio. Dechreuais bryderu 'mod i'n ei brifo a chydiais yn y fwyell gan feddwl arbed gofid diangen i'r truan. Cydiais yn ei choesau â'm llaw chwith, a rhoddais ei phen i orffwys ar foncyff. Â'm llaw dde, gollyngais y fwyell ar ei gwddf ond ni ddaeth y pen yn rhydd. Doedd dim digon o fin ar y fwyell, a bu'n rhaid i mi daro ddwywaith eto cyn llwyddo i gyflawni'r dasg. Ychwanegwyd at fy niflastod pan ddechreuodd y corff di-ben neidio o 'mlaen mewn dawns macabr. Serch hynny, ofnaf i mi gyflawni'r gwasanaeth gwaedlyd hwn am rai blynyddoedd, heb i mi gael unrhyw bleser, a heb i mi erioed berffeithio'r dechneg – na dysgu sut i wrthod cais am gymwynas.

11

Ehangu gorwelion

A R DDIWEDD 1958, a minnau wedi llwyddo unwaith eto am y drydedd flwyddyn i osgoi'r arholiadau, cefais fy nhemtio i adael byd addysg. Roedd rhai o fechgyn y dref wedi cael swyddi da a theimlwn y medrwn innau wneud cystal. Yn lle bod yn fwrn ar gyllid y cartref, mi fedrwn ddechrau ennill. Wedi'r cyfan, rown i bellach yn ddwy ar bymtheg. Yn y cyfamser, clywson gan Tywyn Jones, brawd i Yncl Elwyn, fod ffatri sanau yn yr Ystâd Ddiwydiannol newydd ar y bryniau uwchben Trelew yn chwilio am staff ifanc, a meddyliodd Edith a minnau y byddai'n gyfle ardderchog i ni ennill arian poced dros y gwyliau.

Croesawyd ni'n gynnes gan y rheolwyr a rhoddwyd ni i weithio ar lawr y ffatri, lle'r oedd yna resi diderfyn o beiriannau'n chwyrlïo ar ffrâm fetel a redai o un pen i'r ystafell enfawr i'r llall. Gofalu am chwe pheiriant ar ben un o'r rhesi oedd fy nyletswydd i, o dan lygaid barcud goruchwyliwr y rhes. Pan weithiai popeth fel y dylai, tyfai pob hosan i'w maint llawn o flaen fy llygaid gan ddisgyn fel cadwyn ddiderfyn i orwedd mewn bocs wrth draed y peiriant. Pan fyddai'r bocs yn llenwi, roedd yn rhaid i mi ei gludo i ben arall yr ystafell, lle câi'r sanau eu gwahanu a'u pasio drwy beiriant arall i wnïo'u blaenau.

Bu'r diwrnodau cyntaf yn hunllef. Roedd yr oriau'n hir, o wyth o'r gloch y bore tan chwech, gyda hanner awr i ginio, a minnau heb arfer sefyll ar fy nhraed yn yr unfan yn ddi-dor mor hir. Yn ogystal, torrai nodwyddau 'mheiriannau i'n amlach na rhai fy nghyd-weithwyr a byddwn yn anafu fy mysedd wrth eu newid, bob tro. Ond rown i'n ffodus o gael goruchwyliwr hynod garedig a llawn cydymdeimlad, neu fyddwn i ddim wedi para'n hir. O dan ei ofal amyneddgar, llwyddais i ddysgu sut i reoli'r peiriannau a sut i rag-weld pryd y byddai nodwyddau'n torri. Deuthum yn gyfarwydd â'r angen i sefyll ar fy nhraed ac i ddygymod â'r oriau, a llwyddais i ddal y tri mis heb gael y sac. Dyna fy llwyddiant penna yn y swydd honno, dybia i.

Cafodd Edith lawer gwell hwyl na mi. O fewn ychydig ddyddiau, galwyd hi i mewn i swyddfa Tywyn Jones, Cyfrifydd y cwmni, i'w gynorthwyo gyda'r llyfrau, a dyna lle bu am weddill y cyfnod. Pan ddaeth yr amser i ni adael er mwyn dychwelyd i fyd addysg, cynigiwyd swydd barhaol iddi yn y swyddfa. Er ei bod hi â'i bryd ar fynd yn athrawes gerdd, teimlai'n frwd dros dderbyn y swydd, gan ei bod wedi cael blas ar ennill cyflog. Ond gwrthododd Mam gymryd unrhyw sylw o'r cynnig. Cofiai am ei methiant ei hun i gyflawni ei huchelgais ei hun o fynd yn athrawes ac am effeithiau prinder arian, ac roedd y syniad o weld ei merch yn rhoi'r gorau i'w gyrfa addysgol o fewn dwy flynedd i gael derbyn tystysgrif athrawes, yn anathema iddi. Er gwaetha'r ymbil a'r dagrau, daliodd Mam ei thir, a bu'n rhaid i Edith ddychwelyd i'r ffatri'r bore canlynol gyda'r newydd na fedrai dderbyn y swydd.

Y flwyddyn ganlynol, cyhoeddodd Edith unwaith eto ei bod am roi'r gorau i'w haddysg er mwyn ennill cyflog a chanolbwyntio ar gerddoriaeth. Gymaint oedd parch Edith at Clydwyn ap Aeron Jones, cytunodd i Nhad holi ei farn ynglŷn â'i gobaith i wneud gyrfa yn y byd cerddorol heb iddi'n gyntaf gwblhau ei chwrs athrawes. 'Mae'n ddrwg gen i, Edith fach,' meddai Nhad gan ei chofleidio i leddfu'r ergyd, 'ond mae Clydwyn yn dweud bod yn rhaid i chi orffen eich addysg gynta. Cewch ddigon o amser i ddysgu cerddoriaeth wedyn.' Dywed Edith na all ddiolch digon am ymyrraeth gadarn Mam.

Ni welodd neb yn y ffatri yr angen i ofyn i mi aros yno i weithio. Ond ni fyddwn wedi derbyn unrhyw gynnig beth bynnag. Roedd y profiad wedi lladd fy awydd i gefnu ar fyd addysg, a phenderfynais ddilyn y cwrs hyfforddi athrawon.

Byddai hwnnw'n siŵr o fod yn llawer ysgafnach. Bellach, roedd hi'n ganol Mawrth, y gwyliau drosodd, a minnau lawn mor dlawd ag rown i ar eu dechrau, gan i ni roi'n cyflogau bob mis i Mam.

Cofrestrais yn yr *Escuela de Magisterio*, i gael fy hyfforddi i fod yn athro ysgol gynradd. Byddwn yn arsylwi tri bore'r wythnos mewn ysgol gynradd o eiddo'r Ysgol Hyfforddi Athrawon, a dilyn darlithoedd bob prynhawn. Disgwylid i ddisgyblion yr ail flwyddyn roi gwersi yn y gwahanol ddosbarthiadau, ac roedd pob gwers yn cael ei marcio ar raddfa o 1 i 10. Wrth ychwanegu'r oriau teithio, roedd o'n ddiwrnod maith a blinedig, heb unrhyw amser hamdden i dorri ar ei rythm cyson, di-baid.

Ar adegau, teimlwn mor braf fyddai cael byw yn Nhrelew, heb orfod poeni am ddal bws nac am wastraffu amser yn teithio, a digon o oriau ar gael yn y dydd i siopa am adnoddau, heb sôn am fedru cerdded adref ac ymlacio. Wedi dweud hynny, gwelwn y pynciau'n ddiddorol a heriol. Yn ogystal, rown i'n dal i fedru cadw fy aelodaeth yng nghôr y *Colegio Nacional*, a mwynhau'r gwmnïaeth. Ymunais â'r twrnament gwyddbwyll ond, oherwydd fod y gêmau'n cael eu chwarae ar ddiwedd y dydd, rown i'n gorfod gadael yn gynnar er mwyn dal y bws. Felly, mi gollais pob gêm – hyd yn oed pan own i ar y blaen wrth adael.

Yn aml, wedi i mi gyrraedd adref a chael swper, byddwn y mynychu Ysgol Gân, naill ai yn yr Hen Gapel neu yn un o ystafelloedd adeilad yr hen Ysgol Ganolraddol. Yn ein cegin ni yr ymarferai partïon llai a'n pedwarawd teuluol (Nhad, Mam, Edith a minnau). Drwy gydol misoedd yr hydref, y gaeaf a'r gwanwyn, cynhelid cyngerdd neu 'gyfarfod llenyddol' naill ai yn y Gaiman neu yn un o'r ardaloedd gwledig. Rhaid, felly, oedd ymarfer ar eu cyfer. Bydden ni'n canu yn y côr, a hefyd mewn partïon a arweinid gan Nhad neu Mam ac, o bryd i'w gilydd, disgwylid i Edith a minnau gymryd at yr awenau yn ein tro. Roedd Edith eisoes yn arwain côr plant ers dathlu ei phen-blwydd yn bedair ar ddeg. Tyfodd y côr hwnnw i gynnwys saith deg o aelodau.

Cofiaf gyfnodau cynharach lle bu llawer o fynd ar gwmni

drama'r Gaiman, o dan gyfarwyddyd Dilys Jones, Plas y Coed, a byddwn yn mynychu ymarferion y cwmni hwnnw, yn ogystal. Allwn i fyth wrthod cais gan Nain Plas y Coed. Roedd y Clwb Ieuenctid a ddechreuodd Paul Williams fel rhan o weithgaredd i gadw pobl ifanc Bethel yn agos at yr achos hefyd yn llenwi oriau prin nosweithiau'r wythnos. Trefnwyd noson o ddramâu byrion i godi arian ar gyfer prynu anrheg ffarwél i Paul Williams yn 1957. Erbyn hyn, gan fod ei hoedran a'i hiechyd yn rhwystro Dilys Jones rhag rhedeg ei chwmni drama, bu'n rhaid troi at y Parchedig David John Peregrine am gymorth. Cytunodd i ysgrifennu drama fer a pharatoi meim i'w hychwanegu at yr un roedden ni wedi'u dewis eisoes, a bodlonodd hefyd i gyfarwyddo.

Gan nad oedd neb arall ar gael i ysgwyddo'r baich, disgynnodd cyfrifoldeb y cynhyrchu arna i, ond ysgafnhawyd fy mhwn gan fod pob aelod o'r cwmni mor barod i helpu. Er gwaetha diffygion niferus, llwyddwyd i fynd drwyddi ac i foddhau'r gynulleidfa. Ond, yn bwysicach, casglwyd digon o arian i brynu anrheg deilwng iawn i Paul Williams.

Rhwng popeth, felly, doedd dim y fath beth yn bod ag amser rhydd. Erbyn i'r gwanwyn gyrraedd, down i ddim wedi cael unrhyw fath o seibiant gwerth sôn amdano, heb sôn am wyliau, ers bron i ddwy flynedd di-dor o weithio. Wrth ddychwelyd adref o'r orsaf un noson, teimlais fod y byd yn troi o 'nghwmpas. Rhag cwympo ar y pafin, pwysais ar y wal agosaf. Er i mi ddod ata i fy hun ymhen ychydig eiliadau, go araf ac ansicr oedd fy ngham a theimlwn yn benysgafn dros amser swper. Cefais ryw drwyth i'w yfed gan Mam a fyddai'n gymorth i mi gysgu'n dawel tan y bore.

Galwyd y doctor pan fethais godi'r diwrnod wedyn i fynd i Drelew, a'i ddyfarniad yntau oedd y dylwn aros yn fy ngwely am rai dyddiau. Am ryw reswm anesboniadwy i mi, gwaharddodd fi rhag fy hoff ddifyrion, sef darllen a gwrando ar y radio. Dychwelai'n aml wedi hynny am nifer o wythnosau. Llyncais bob pilsen a moddion a roddodd i mi gan obeithio y gwnaent fy nghryfhau. Roedd un peth yn amlwg, ni fyddwn yn dychwelyd i'r *Escuela de Magisterio* am beth amser gan y teimlwn yn wan a blinedig, heb awydd na nerth i wneud dim.

Rown i'n hynod o falch o weld Omar Lestón yn cyrraedd y tŷ un noson, gan y byddai'n sicr o gario newyddion am y paratoadau ar gyfer y cyngerdd blynyddol. Cyn i mi fynd yn sâl, rown wedi derbyn cais i ddysgu grŵp o fechgyn i ganu trefniannau tri llais nifer o ganeuon gwerin ar gyfer yr achlysur. Bu'n rhaid i mi ddysgu pob llais yn unigol iddynt, gan nad oedd yr un ohonyn nhw'n medru darllen Hen Nodiant na Sol-ffa. Yswn nawr am gael gwybod sut roedd yr ymarferion yn datblygu. Doedd dim angen i mi boeni am y grŵp, awgrymodd Omar, gan fod popeth yn mynd yn ardderchog o dan ofal Srta. Vitulli, un o athrawesau cerdd y *Colegio Nacional*. Doedd dim angen i mi ruthro'n ôl. Y peth pwysica, meddai, oedd i mi gryfhau er mwyn wynebu'r gwaith caled oedd o 'mlaen.

Yn raddol, gwawriodd arnaf nad oedd Omar eisiau i mi ddychwelyd o gwbl i'r grŵp. Dywedais 'mod i'n teimlo'n gryfach ac yn edrych ymlaen at ddychwelyd yn fuan. Syfrdanwyd fi pan ddeallais na fyddai lle i mi yn y grŵp pe bawn i'n mynd ôl i'r *Colegio*. Pan fentrais ei atgoffa na fyddai grŵp yn bod na chaneuon ganddo i'w canu oni bai amdana i, roedd ganddo gwestiwn mwy syfrdanol fyth. 'Pwy welodd *gaucho* coch, erioed?' gofynnodd. Roedd y grŵp yn mynd i berfformio mewn gwisgoedd traddodiadol a down i ddim yn ffitio'r ddelwedd honno. Gadawodd fi'n gegrwth a siomedig.

Yn fuan wedi hynny, penderfynais nad oedd diben i mi ddychwelyd i gwblhau'r flwyddyn. Yn wir, doedd dim pwynt i mi ddychwelyd byth wedyn. Cryfha wnaeth fy mwriad i ddod o hyd i swydd yn y Gaiman a dechrau ennill fy mara menyn. Doedd fy rhieni ddim yn fodlon clywed y fath neges negyddol a bu llawer o drafod cyn i ni gytuno i weld sut y gwnâi pethau ddatblygu. Wedi i mi ddechrau mynd allan o'r tŷ, holais am swyddi gan dderbyn ateb nacaol bob tro. Erbyn yr haf, rown i'n dal i ymgryfhau a dechreuais ailafael yn fy mywyd cymdeithasol. Dywedodd Anti

Celina fod gwahoddiad gan ei theulu i mi dreulio gwyliau'r haf ar eu ffarm yng Nghwm Hyfryd. Byddai'n gyfle da i mi adfer fy nerth cyn wynebu gwaith a 'nyfodol. A chawn weld mynyddoedd yr Andes am y tro cyntaf. Doedd dim angen fy mherswadio.

Tua'r cyfnod hwnnw, cyrhaeddodd ymwelydd enwog i'r dyffryn. Rown i wedi darllen llawer o'i lyfrau cyffrous ac edrychwn ymlaen yn eiddgar at gael ei gyfarfod. Dywedid mai pwrpas ei daith oedd casglu deunydd ar gyfer cyfrol newydd ar hanes y Wladfa. Rown i'n gyfarwydd iawn hefyd â'i gefndryd o Fryn Crwn – Gerallt, Ieuan ac Edmund Williams, tri brawd roedd gen i barch mawr iddyn nhw. Derbyniodd R. Bryn Williams (neu Richie Bryn, fel y'i gelwid yn lleol) groeso mawr yn y Gaiman, ac ymwelodd â nifer o gartrefi, gan gynnwys ein haelwyd ni. Cofiaf ef yn cyfarfod â phlant ac ieuenctid Bethel yn yr Hen Gapel ac yn cael hwyl yn gwrando ar ein Cymraeg amherffaith. Doedd dim lle swyddogol wedi bod i'r Gymraeg yng nghwricwlwm ysgol y dref mwy nag mewn unrhyw ysgol arall yn y dyffryn ers troad yr ugeinfed ganrif ac roedd wedi diflannu'n llwyr erbyn fy mhlentyndod i.

Ni chofiaf unrhyw blentyn arall yn arddel y Gymraeg yn yr ysgol gynradd heblaw Edith a minnau a byddai pawb yn ein gwawdio pan fyddwn i'n siarad Cymraeg â hi. Daeth yn haws i mi osgoi torri gair â hi na'i wneud yn Sbaeneg. Serch hynny, Cymraeg syml yr aelwyd oedd ein hiaith, a Mam fu'r unig athrawes a gawson ni i ddysgu rhywfaint o'r rheolau i ni. Ychwaneger ein hacen at hynny, ac efallai fod y Gymraeg a siaraden yn swnio'n ddieithr i Bryn. Uchafbwynt y cyfnod byr hwnnw oedd noson lawen a gynhaliwyd yn yr Hen Gapel, a Bryn yn arwain. Cofiaf gael llawer o fwynhad yn cydberfformio gydag o mewn sgets fer ddigri a luniodd yn seiliedig ar y gerdd 'Y Gwcw' – ef yn athro a minnau'n ddisgybl araf. Rown i'n flin ei weld yn gadael ond roedd yn rhaid iddo fynd i'r Andes i barhau â'i ymchwil. Y cysur oedd na fyddwn i'n hir yn ei ddilyn gan 'mod innau ar y ffordd i' Andes.

Doedd Taid ddim wedi bod yn holliach ers rhai misoedd. Yn sydyn, gwaethygodd a chododd pryder gwirioneddol am ei fywyd, ond rown i'n bur amharod i wrando ar gyngor fy rhieni i ohirio nhaith. Byddai hynny wedi golygu na chawn weld y mynyddoedd wedi'r cyfan. Pwy a wyddai pryd y cawn y cyfle nesaf? Ac roedd Taid yn sicr o wella. Yna, er mwyn i Mam fedru helpu Nain ac Anti Neved i ofalu amdano, aeth y pedwar ohonon ni i aros yng Nglan Camwy ar ôl cwrdd nos Sul.

Wedi cyrraedd ei ystafell wely, synnais weld pa mor hen a gwanllyd yr edrychai Taid. 'Dwyt ti ddim wedi mynd i'r *cordillera*, Elvey?' gofynnodd yn floesg. 'Bore fory, Taid.' Gyda chryn drafferth, dymunodd yn dda i mi. Diolchais â gwên fawr, cyn plygu i roi cusan iddo. O gwmpas bwrdd y gegin, pwysodd fy rhieni arna i i aros am wythnos arall ond rown i'n gibddall o benderfynol erbyn hynny. Ac onid oedd Taid cystal â bod wedi dweud wrtha i am fynd? Yn hwyrfrydig iawn, cytunodd y ddau, a'r bore canlynol, ymhell cyn iddi wawrio, gyrrodd Nhad fi i Drelew i ddal y bws.

Oherwydd fod y bws yn orlawn, gorfu i mi wasgu fy hun i sedd yn y cefn ar bwys dyn mawr nad own i erioed wedi'i weld cyn hynny. Ceisiais edrych allan i godi llaw ar Nhad ond ni fedrwn i weld dim drwy stêm y ffenest. Teimlwn yn bur anghysurus yn y cerbyd tywyll a myglyd wrth iddo ddechrau ar y daith hir. Erbyn gadael y dyffryn i ymuno â Hirdaith Edwin, roedd fy stumog yn troi. Doedd gen i ddim bag i dderbyn cynnwys fy stumog. Beth ddywedai 'nghydymaith yn y sedd nesa ata i? Oni ddylwn i fod wedi gwrando ar gais taer fy rhieni i aros am wythnos arall?

Wedi cyrraedd pen gorllewinol yr Hirdaith yn Nôl y Plu, fi oedd y cynta i redeg am y tŷ bach. Daliai fy ymysgaroedd i gorddi a 'mhen i droi. Awgrymodd un o'r teithwyr y dylwn gymryd rhywbeth at y stumog a daeth un arall â glasied o *cognac* i mi i'w yfed. Rhyfeddais at garedigrwydd y Samaritan hwn. Doedd gen i ddim dewis ond ufuddhau, a diolchais yn gynnes iddo, er mor chwerw oedd y ddiod ddiarth. Fodd bynnag, naill ai oherwydd bod fy stumog wedi'i chlirio neu bod y moddion annisgwyl wedi cyflawni'i swyddogaeth yn llwyddiannus, diflannodd y drafferth er mai pur wanllyd own i am weddill y siwrnai.

Er ei bod hi wedi tywyllu erbyn i mi gyrraedd at gyrion yr Andes ni fedrwn lai na rhyfeddu at amlinell uchel y mynyddoedd yn erbyn y gwyll. Gwyddwn y cawn edmygu eu mawredd y bore canlynol. Yn yr orsaf, disgwyliai Uwchllyn a Nefyl amdanaf er mwyn fy nhywys tua'r cwm, a mawr oedd croeso Mrs Rowlands a Francis, brawd hynaf Anti Celina, pan gyrhaeddon ni El Retamo. Rown i'n falch iddyn nhw wneud i mi deimlo'n gartrefol ar unwaith, gan mai hwn fyddai 'nghartref tan ddiwedd Chwefror. Gan 'mod i'n nabod y tri brawd yn weddol dda, teimlwn yn eitha cysurus yn eu cwmni ac yn ddigon hyf i ofyn am gael bod gyda nhw wrth eu gwaith, gan obeithio y byddwn i'n fwy o gymorth nag o rwystr.

Ganol prynhawn dydd Mawrth, daeth Francis ata i i ddweud ei fod newydd dderbyn galwad ffôn oddi wrth Anti Celina yn ei hysbysu fod Taid wedi marw y bore cynt a'i fod yn cael ei gladdu y prynhawn hwnnw. Wyddwn i ddim beth i'w ddweud. Nhad a Mam oedd yn iawn, wedi'r cyfan, ac fe wyddwn i sicrwydd, bellach, y dylwn fod wedi gwrando ar eu cyngor. Oherwydd fy styfnigrwydd a fy hunanoldeb, fyddwn i ddim yn angladd Taid. Ceisiais guddio 'nheimladau a rhoi'r argraff efallai nad oedd y newyddion wedi effeithio arna i o gwbl.

Aeth y tri mis o wyliau heibio fel y gwynt. Mwynheais brysurdeb y ffarm, cael cynorthwyo gyda'r cynhaeaf gwair, marchogaeth yn y coedwigoedd mynyddig i yrru'r gwartheg, casglu dŵr o'r nant, a mân dasgau eraill. Teimlwn 'mod i'n cael fy nhrin fel petawn i'n rhan o'r tîm, ond yn cael mwy o'r breintiau nag o'r cyfrifoldebau. Y brodyr a wnâi'r gwaith caled i gyd. Ni fyddai'r un ohonyn nhw'n mynd i Drevelin, i Esquel neu i un o'r ffermydd cyfagos heb gynnig i mi fynd hefyd. I gapel Bethel, Trevelin, yr aem ar y Sul, i wrando ar David John Peregrine yn pregethu. Atyniad diddorol arall oedd ymarferion ar gyfer y Gymanfa Ganu oedd i'w chynnal yn ystod yr haf. Owen Williams oedd yr arweinydd, ewythr i Elvira Awstin, geneth ifanc oedd yn hoff iawn o ganu i gyfeiliant gitâr. Daeth Cymru i wybod amdani rai blynyddoedd yn ddiweddarach.

Un o'r achlysuron cymdeithasol y bu llawer o edrych ymlaen ato oedd picnic mawr a gynhaliwyd ar lan llyn Futalaufquen i groesawu Bryn Williams, a medra i gofio'r diwrnod heulog llawen hwnnw'n eglur. Yn ddi-os, y digwyddiad mwya uchelgeisiol oedd cwrs pythefnos a drefnwyd gan Gyfarwyddwr Diwylliant llywodraeth newydd y dalaith ar gyfer corau'r ardal. Clydwyn ap Aeron Jones fyddai'r hyfforddwr, gyda chymorth pianydd ifanc o Comodoro Rivadavia, Guillermo Nicholson, a enillai ei fywoliaeth fel athro cerddoriaeth a thrwy berfformio'n achlysurol mewn cyngherddau cerddoriaeth glasurol. Fe wnâi hwn i'r piano ganu. Diolch i haelioni teulu El Retamo, llwyddais i fynychu pob ymarfer a chael bod yn aelod o'r côr yn y cyngerdd a drefnwyd ar ddiwedd y cwrs. Byddai'r gweithgaredd hwn yn coroni fy ymweliad hefyd oherwydd, o fewn dyddiau, byddwn yn dychwelyd i ddyffryn Camwy.

Er mwyn dal y bws, arhosais yn Esquel y noson olaf yng nghartref perthnasau i'r teulu Rowlands. Ers dechrau f'arhosiad, rown wedi ffurfio perthynas â geneth hawddgar o'r ardal ac wedi trefnu ei chyfarfod wrth iddi gerdded allan o'r coleg er mwyn ei hebrwng adref a ffarwelio â hi. Wrth aros dechreuais chwarae cardiau, sgwrsio a gwamalu gyda thri o'i chefndryd. Pan oedd yr hwyl yn ei anterth, codais i fynd i'w chyfarfod gan achosi iddynt brotestio'n llafar nad oedd brys ac am i mi beidio â difetha'r sbort. Mynnais fod yn rhaid i mi fynd, ond pan geisiais agor y drws, gwelais ei fod ynghlo a'r allwedd wedi diflannu. Rown i'n gaeth. Wedi i mi brotestio ofnaf i mi ildio i'r drefn, a derbyn yn llawer rhy hawdd na fyddwn yn ei chyfarfod y noson honno na'i gweld byth wedyn. Ac ydw, hanner canrif yn ddiweddarach, rydw i'n dal i gywilyddio.

Dychwelais o'r Andes wedi cryfhau ac yn barod i goncro'r byd. O dipyn i beth, dechreuais ddarllen yn ddwys unwaith eto. Heb aros am ganiatâd meddyg, rown i wedi bod yn darllen cryn dipyn yn El Retamo. Nofelau a chylchgronau ysgafn yn bennaf ond nawr, yn raddol, ymddiddorais eto yn y cwrs a darllen llyfrau perthnasol er mwyn ceisio ennill rhywfaint o'r tir a gollaswn.

Cyn gynted ag rown i wedi cyrraedd adref, deallais y câi cwrs Clydwyn a Guillermo ei ailadrodd yn y dyffryn. Heb feddwl ddwywaith, ymunais yn yr hwyl gan gofio pob gair a nodyn cyn i'r pythefnos ddechrau. Unwaith eto, mwynheais fy hun yn fawr a chafodd Edith hwyl arbennig ar y cwrs hefyd. Ni all pobl dyffryn Camwy a'r Andes fyth ddiolch digon i Virgilio Zampini, Cyfarwyddwr Diwylliant cyntaf y dalaith, am sefydlu'r cyrsiau hyn a roddodd gyfle i gantorion lleol ddysgu bod mwy i ganu na chael y geiriau a'r nodau yn gywir a bod angen ymdeimlo â phob nodyn a gair a yngenir.

Erbyn hyn, rown i'n barod i ailgydio yn y cwrs fyddai'n fy nghymhwyso ar gyfer bod yn athro, gan fynd unwaith eto drwy'r broses o arsylwi yn y bore a mynychu darlithoedd yn y prynhawn. Yr unig wahaniaeth y tro hwn oedd y byddai Edith yn gwmni i mi. Oherwydd na chynigid cerddoriaeth fel gyrfa yn nyffryn Camwy, mynd yn athrawes oedd yr unig agoriad iddi hi ar y pryd. Holodd un o'r darlithwyr beth oedd uchelgais gyrfaol pob un ohonon ni. Pan ddaeth ei thro, atebodd Edith, 'Bod yn gerddor'. 'Wrth gwrs,' meddai'r darlithydd, 'ond holi own i beth oeddech chi'n bwriadu'i wneud i ennill eich bywoliaeth.' Ynghanol y chwerthin cyffredinol, ni chafod Edith gyfle i ymhelaethu.

Y tro hwn, rown i'n aildroedio tir cyfarwydd, ond doedd pethau ddim yn fêl i gyd, gan fod arian yn dal i fod yn brin, a'r oriau hir yn Nhrelew yn gadael ond amser byr gyda'r nos i baratoi ar gyfer y diwrnod canlynol. Gan fod Edith a minnau nawr yn dilyn yr un cwrs, roedden ni'n medru rhannu'r baich – drwy ddarllen llyfrau gwahanol ac yna'r naill yn crynhoi eu cynnwys i'r llall.

Roedd canu yn dal i gynnig dihangfa rhag pob gofid ac ymunais â'r côr unwaith eto. Yna gofynnodd Hugo Cominetti, un o'r baswyr, a fyddai gen i ddiddordeb mewn ymuno â grŵp gwerin fyddai'n annibynnol o'r *Colegio Nacional* a'r *Escuela de Magisterio*. Gwahoddodd fi i'w gartref i gyfarfod â chefnder iddo (Oscar Pérez) a chymydog a chyfaill agos (José *Bambocho* Valdetaro). Wedi gwrando arnyn nhw, chymerodd hi ddim yn hir iawn i mi benderfynu derbyn y gwahoddiad. Ni allai'r un ohonon ni ymfalchïo'n ormodol yn ein lleisiau ond, rhywsut, roedd y pedwar llais yn ymdoddi i'w gilydd ac yn creu sŵn a fyddai'n debyg o apelio at gynulleidfaoedd y dyffryn – yn fy marn i. Yn ogystal, medrai Oscar a Hugo chwarae'r gitâr, a José'r *bombo*, offerynnau traddodiadol y grwpiau gwerin. Fi fyddai'n gyfrifol am y trefniannau lleisiol ac am yr hyfforddi.

Yn hytrach na dilyn y ffasiwn o wisgo fel *gauchos*, byddai *Los Trovadores del Valle* – fel y bedyddiwyd y pedwarawd (braidd yn hunandybus, yn ôl y ferch a gadwai gwmni i mi'r dyddiau hynny) – yn gwisgo siaced wen a throwsus tywyll. Er mawr syndod i ni ein hunain, dilynwyd ein hymddangosiad cyntaf gan wahoddiadau i ganu ar nifer o lwyfannau hwnt ac yma ledled y dyffryn. Achoswyd cynnwrf mawr pan wahoddwyd ni i berfformio mewn rhaglen hanner awr ar LU4 Radio Comodoro Rivadavia ac agorwyd nifer o ddrysau newydd i ni. O ganlyniad, teimlai fy nghyd-aelodau'r rheidrwydd i dderbyn gwahoddiadau i ganu ar y Sul.

Er na fedrwn i wneud hynny heb achosi rhwyg teuluol, cytunais nad oedd modd iddynt wrthod. Penderfynwyd gwahodd Jorge Violi, un arall o aelodau'r côr, i ymuno â ni. Roedd ganddo lais tenor ysgafn hynod swynol ac roedd yn ddysgwr cyflym. Medrai chwarae'r gitâr hefyd. Caffaeliad arall o'i eiddo oedd ei boblogrwydd amlwg gyda'r merched, a byddai hynny'n sicr o ychwanegu at apêl y grŵp. Unwaith neu ddwy, canodd y pump ohonon ni gyda'n gilydd. Erbyn diwedd y flwyddyn ganlynol, daeth yn amlwg nad oedd fy angen i arnyn nhw mwyach a gwahanodd ein llwybrau ar delerau cyfeillgar. Eithr byrhoedlog fu oes y grŵp wedi hynny, oherwydd lladdwyd Violi mewn damwain car ddifrifol. Yna ymfudodd Oscar Perez i Perú. Bu farw José Valdetaro ychydig flynyddoedd yn ôl yn dilyn gyrfa lwyddiannus fel cyfreithiwr, ac mae Hugo Cominetti yn aelod seneddol taleithiol dros yr wrthblaid.

Wrth i'r flwyddyn ddod i'w therfyn, derbyniodd Edith a minnau wahoddiad i ddilyn cwrs pythefnos yn y *Collegium*

Musicum, un o sefydliadau cerddorol pwysica Buenos Aires. Gofynnodd Cyfarwyddwr Diwylliant y dalaith i Clydwyn enwebu dau berson o'r dyffryn a fyddai'n gymwys i ddilyn y cwrs a ni'n dau a gafodd yr anrhydedd. Y llywodraeth fyddai'n talu am ein costau hedeg ynghyd â'r ffioedd ond ni fyddai'n gyfrifol am ein llety a'n cynhaliaeth. Dwn i ddim ymhle y daeth fy nhad o hyd i'r arian angenrheidiol. Wynebai Edith a minnau'r daith gyda chryn chwilfrydedd. Caem dreulio amser yn y ddinas fawr a gwerthfawrogi ei mwynderau – yr unig ddinas i ni fod ynddi erioed a'r tro cynta i ni deithio mewn awyren.

Canolbwyntiai'r cwrs ar arwain corau plant a chyfansoddi ar eu cyfer. Fy mhryder i oedd a fydden ni'n medru cyrraedd y safon angenrheidiol ac roedd yn gysur mawr clywed darpar athrawon eraill yn mynegi'r un pryderon. Rhaid i mi gyfaddef i mi gael y cwrs yn llawer haws nag yr ofnwn. Roedd y ffaith ein bod yn siarad â'n gilydd yn Gymraeg wedi tynnu sylw pobl, a medrai diwallu'u chwilfrydedd ynghylch hyn fod yn llafurus o ailadroddus. Wedi'r cyfan, doedd fawr neb wedi clywed sôn am Gymru, a thueddai fy atebion i ddeffro diddordeb yr holwyr ac ysgogi cwestiynau a gymerai amser i'w hateb. Y tro nesaf i mi gael fy holi, atebais taw Almaeneg oedd ein hiaith, ac ni holwyd y cwestiwn wedi hynny.

Roedden ni i fod i hedfan adre fore Llun o faes glanio Ezeiza am bump o'r gloch y bore. Gan fod ychydig o arian yn sbâr yn fy mhoced, penderfynodd y ddau ohonon ni grwydro'r siopau y diwrnod cynt. Yng nghhwmni Ruby, ffrind ysgol Edith a weithiai yn y brifddinas, a'i ffrind hithau, Rosi, treuliason ni'r prynhawn yn galw heibio atyniadau a dynnai ein llygaid, a mwynhau'r bwyd.

Roedd disgwyl i ni fod yn swyddfeydd Aerolíneas Argentinas mewn da bryd i gofrestru a throsglwyddo'r bagiau cyn cael ein cludo i Ezeiza ar fws yn cychwyn am un o'r gloch y bore. Roedden ni yno yn llawer cynharach, ac yno buon ni'n siarad. Penderfynais gofrestru'n gynnar a thua deg o'r gloch estynnais y ddau docyn i'r swyddog wrth y cownter a dyma fo'n gofyn am swm o arian, rhyw gan *peso*, i dalu am ein cludiant i'r maes awyr. Tynnais ei sylw at y cymal ar y tocyn oedd yn dweud fod y gost honno'n gynwysedig ym mhris y tocyn.

'O,' meddai, gydag agwedd ffwrdd â hi, 'newidiwyd y rheol hon echdoe. Can *peso*, plîs.'

Er gwaetha'r esbonio fod y tocyn wedi i brynu o dan yr hen amod, pledio tlodi, a'r dadlau nad oedd y cwmni'n parchu'i ymrwymiadau, doedd dim yn tycio. Rown wedi gwario fy arian i yn ystod y dydd. Dychwelais at y merched i dorri'r newyddion a holi Ruby a Rosi a oedd arian ganddyn nhw i'w fenthyg i ni. Edrychodd y ddwy â gwên drist arnaf, gan ysgwyd eu pennau. Gwelais fod Edith yn ei dagrau a throdd y ddwy arall i geisio'i chysuro, heb gymryd fawr sylw ohonof i. Gwyddwn mai dim ond ychydig o *pesos* oedd yn fy mhoced – digon i dalu am y tacsi o Drelew i'r Gaiman, efallai, a dyna'r cyfan, tacsi. Roedd gen i ddigon o arian, felly, i 'nghludo i Constitución, sef y faestref lle'r oedd Clydwyn yn byw gydag Eileen, ei wraig, mewn fflat. Byddai yntau'n sicr o roi benthyg yr arian angenrheidiol i mi.

Yn nhywyllwch sedd gefn y tacsi dechreuais amau doethineb fy mhenderfyniad. Beth a wnawn pe na bai Clydwyn adref? Doedd gen i ddim arian i dalu am y siwrne'n ôl. Wedi cyrraedd yr adeilad, gofynnais i'r gyrrwr aros amdana i. Gwthiais y drws ond roedd ynghlo. Canais y gloch, a doedd dim ateb. Erbyn hyn, roedd hi wedi troi un ar ddeg o'r gloch a gorfu i mi dalu'r gyrrwr a'i ryddhau. Dim ond ceiniogau oedd ar ôl yn fy mhoced. Canais y gloch yn hir unwaith eto.

Yn fuan wedyn cerddodd pâr ifanc at y drws ffrynt ac wedi iddyn nhw gusanu'n hir, dyma hithau'n tynnu ei hallwedd ac yn agor y drws. Fel lleidr, sleifiais heibio iddi cyn rhoi amser iddi brotestio, a rhedais am y lifft. Roedd gobaith wedi'r cyfan. A dyma labwst mawr yn camu ar fy nhraws yn cwyno ar dop ei lais am 'mod i wedi bod mor hy â chanu'r gloch yn ddi-stop i darfu arno. Eglurodd mai fo oedd y gofalwr. Oni wyddwn fod drysau'r adeilad yn cau am 10:30 o'r gloch? Doedd gen i ddim amser i ddadlau. Eglurais 'mod i mewn argyfwng ac yn gorfod gweld *Profesor* Jones ar y pumed llawr ar unwaith. Gadawodd i mi fynd heibio gan rwgnach ei anfodlonrwydd.

Pan ddaeth Clydwyn ac Eileen i'r drws yn eu pyjamas a chotiau nos, esboniais mor bwyllog ag y medrwn beth oedd wedi digwydd. Chwarddodd Clydwyn ac estynnodd rai cannoedd o *pesos* allan o'i waled i mi. Addewais ei ad-dalu pan fyddai'n dod i'r Gaiman, a rhuthrais am y lifft gan ddiolch ganwaith.

Erbyn hyn, roedd y stryd yn ddiffaith a dim tacsi ar gyfyl y lle. Gwyddwn fod yr orsaf drên yn agos a bod arhosfan tacsis yno. Neidiais am ddrws cefn y tacsi cyntaf a welais, ond rhwystrwyd fi gan gri torf yn aros yn ddiamynedd am eu tro. Yn fy mrys a 'ngofid, down i ddim wedi sylwi arnyn nhw. Doedd gen i ddim amser i'w golli. Roedd yn rhaid i mi gyrraedd yn ôl i swyddfeydd Aerolíneas Argentinas cyn un o'r gloch. Gwelais flwch ffôn a galwais am *remis*, math o dacsi y gellir ei archebu yn hytrach na'i gymryd ar y stryd. Yn y man, arhosodd cerbyd a gydag ochenaid o ryddhad, neidiais i mewn. Dim ond yn ystod y daith y sylwais mai tacsi cyffredin oedd o. Rhywle ger Constitución, roedd gyrrwr y *remis* yn sicr o fod yn fy rhegi i'r cymylau.

Cerddais i mewn i'r swyddfeydd a chyrraedd y cownter mewn pryd. Roedd y swyddog newydd ddweud wrth Edith y byddai'n rhoi ein seddau i deithwroedd ar y rhestr aros pe na bawn yn cyrraedd o fewn y munudau nesa. Daeth antur fawr y noson drafferthus i ben yn foddhaol, a chafodd Edith a minnau ein lle ar y daith i'r maes awyr ac ar yr awyren i Drelew. Galwodd Clydwyn ac Eileen i'n gweld yn Ionawr ac, yn nodweddiadol ohono, gwrthododd dderbyn ei arian yn ôl.

Ganed Edi Dorian i Urien a Celina yn 1956 a dwy flynedd yn ddiweddarach, chwaer iddo, Mirna Iris. Pan ddaeth Edi i oedran mynychu ysgol nid oedd yna'r un o fewn degau o filltiroedd i'w gartref ynghanol y camp, hanner ffordd rhwng Trelew a Comodoro Rivadavia, mewn man a elwir yn Garayalde. Yno, gofalai fy ewythr am orsaf betrol ac o ganlyniad, cytunodd fy rhieni iddo ddod i fyw aton ni er mwyn iddo fynychu'r ysgol gynradd yn y Gaiman.

Gan nad oedd digon o ystafelloedd yn ein tŷ, rhannai ystafell gyda mi. Gwnaeth ddigon o gyfeillion yn fuan a daeth yn boblogaidd ymhlith ei gyfoedion, ac eithrio un o'r bechgyn oedd yn byw yn agos aton ni. Mynnai hwnnw ddod i chwarae ato a'i fwrw yn ei drwyn cyn dychwelyd adref. O gofio 'mhrofiad personol yn yr ysgol gynradd, down i ddim yn fodlon gweld hyn yn digwydd. Creodd hyn anghytundeb rhyngof i a Mam. Cynghorais Edi i'w daro'n ôl bob tro y byddai'n ymosod arno, ond gwrthwynebai Mam hynny. Digwyddodd ymosodiad y cymydog bach un bore Sadwrn yn union o 'mlaen i. Caeodd ei ddwrn a tharo Edi yn ei wyneb cyn galeted ag y medrai, gan sefyll yno fel pe bai'n ystyried ei daro'r eilwaith. Heb feddwl ddwywaith, dywedais wrth Edi am ei daro'n ôl. Yn rhyfeddol, ufuddhaodd yntau heb betruso, gan anelu at drwyn yr ymosodwr. Gollyngodd hwnnw floedd dorcalonnus, a rhedeg adref yn ei ddagrau i adrodd y stori.

Fu'r digwyddiad hwnnw ddim yn rhwystr iddo ddychwelyd y diwrnod wedyn ond ni chododd ei law i daro 'nghefnder wedi hynny ac ni chofiaf glywed am Edi erioed yn taro neb arall. Rai blynyddoedd yn ddiweddarach gwelais grŵp o lanciau ifanc yn ymosod ar fachgen ar un o strydoedd Trelew. Digwyddodd Edi gyrraedd yno ar ei feic. Heb iddo orfod yngan gair, gwasgarodd yr ymosodwyr ar ras i bob cyfeiriad, wrth iddo droi mewn hanner cylch tuag atyn nhw. Gofynnais oedd e'n nabod y giwed a'i ateb oedd: 'Na, ond ma *nhw*'n 'y nabod *i*.' Erbyn hynny roedd yn fachgen tal, a chanddo'r enw o fod yn llym ei dafod wrth rai a fanteisiai ar fechgyn eiddil.

Un o nodweddion y cwrs hyfforddi athrawon oedd ei ddwyster. Caem ddwy flynedd i gwblhau gwaith fyddai'n cymryd tair neu bedair mewn gwledydd eraill. O ganlyniad, gosodai straen ar allu rhai darpar athrawon i barhau ar y cwrs. Gan fod yr *Escuela de Magisterio* yn rhannu adeilad gyda'r *Colegio Nacional*, mewn ystafelloedd dosbarth y cynhelid y darlithoedd. Rhannai'r ddau sefydliad y staff hefyd, gan fod llawer o'r darlithwyr yn athrawon uwchradd, a threfnid yr amserlenni fel petasen nhw'n un. Hyd gwers fyddai pob darlith, a doedd dim amser rhydd rhwng darlithoedd ar gyfer paratoi, ysgrifennu nodiadau, trafod y gwahanol destunau gyda myfyrwyr eraill, nac i gymdeithasu. Oherwydd bod pawb yn byw adref, collai myfyrwyr y dyffryn uchaf ddwy awr bob dydd wrth deithio a chyfyngid ar eu horiau darllen i'r cyfnod byr rhwng swper (sydd o hyd yn hwyr yn nhraddodiad yr Ariannin) ac amser clwydo.

Anfantais fawr i Edith a minnau oedd bod yr amserlen yn ein gorfodi i dreulio'r diwrnod cyfan yn Nhrelew ac i wario arian ar fwyta cinio yn y dref honno. Yn ffodus, trefnwyd i ni fwyta mewn bwyty o eiddo cyfaill i Yncl Urien, a thalai Nhad y bil yn fisol neu pan fyddai ei gyflog yn cyrraedd. Doedd dim modd i ni osgoi teimlo'n lletchwith ynghylch y trefniant, yn enwedig yng ngŵydd ein cyfeillion, na phan fyddai angen esbonio bod cyflog Nhad yn hwyr yn cyrraedd. Ond, bellach, dim ond un ymdrech fawr arall roedd ei hangen, ac mi fyddwn yn derbyn fy nhystysgrif athro erbyn diwedd y flwyddyn – ac yn ennill cyflog o'r diwedd. Ar ben y cyfan, rown i'n mwynhau'r cwrs ac ar fin agor y drws ar yrfa wirioneddol werthfawr.

Yn yr Ariannin y dyddiau hynny, nid swydd oedd dysgu, eithr galwedigaeth a gwasanaeth i'r cenedlaethau iau, ac mae llawer o ddelfrydiaeth ynghlwm wrthi o hyd. Byddwn i a 'nghyd-fyfyrwyr – tua deg merch ar hugain a dim ond un bachgen arall – yn gyfrifol nid yn unig am drosglwyddo gwybodaeth ond hefyd, yn bwysicach, am ddiwyllio meddyliau miloedd o blant, er mwyn eu gwneud yn ddinasyddion cyfrifol a gwerthfawr i'r wladwriaeth a'i chymunedau.

Yna, daeth y dadrithiad. Bellach, roedd angen treulio nifer o foreau'r wythnos naill ai yn rhoi gwersi neu'n arsylwi yn ysgol gynradd prin ei hadnoddau'r *Escuela de Magisterio* – nid gwersi'r athrawon, mwyach, ond rhai ein cyd-fyfyrwyr. Yn waeth na hynny, roedden nhw'n bwrw golwg dros fy ngwersi i. Yn fuan iawn deuthum i'r casgliad nad own i'n ddigon hyderus i sefyll o flaen dosbarth ac nad oedd gen i'r gallu i gyflwyno ffeithiau yn synhwyrol i blant. Treuliwn ormod o amser yn meddwl am sut rown i am gyflwyno'r wers yn hytrach nag am y cynnwys.

Yn bwysicach, efallai, sylwais sut roedd un plentyn anystywallt un o'r dosbarthiadau iau yn manteisio ar fy agwedd gyfeillgar ac yn torri ar draws gwers gan dynnu sylw'i gyd-ddisgyblion at rywbeth difyrrach. Cyneuodd ymddygiad Pablito olau coch llachar o flaen fy llygaid. Serch hynny, llwyddais i gwblhau'r cwrs, unwaith eto heb orfod sefyll arholiad. Bellach, rown i'n athro trwyddedig a swydd yn sicr o fod ar gael i mi yn rhywle yn y wlad.

Yn ystod y flwyddyn hefyd, daeth y newydd o Lan Camwy fod Nain yn wael. Yn fuan, treuliai Mam lawer o'i hamser yn cynorthwyo Neved i ofalu amdani. Byddai Edith a minnau'n galw i'w gweld o bryd i'w gilydd, yn enwedig wedi iddi ddod yn amlwg nad oedd gwella i fod arni. Cyrhaeddais yno un diwrnod a hithau mewn cyflwr truenus, a Mam yn eistedd ar erchwyn ei gwely yn estyn glasied o ddŵr at ei gwefusau. Sefais yn pwyso ar ffrâm y drws, rhag tarfu arnyn nhw, ond roedd wedi 'ngweld.

'Wedi dod i weld Nain yn marw, Elvey?' holodd yn floesg.

Am y tro cyntaf yn 'y mywyd, wyddwn i ddim sut i ymateb. A dyna'r tro olaf i mi ei gweld yn fyw. Unwaith eto, daeth torf deilwng iawn i'w chynhebrwng a meddyliais droeon beth y byddai hi wedi'i feddwl o glywed y gwasanaethau yn y tŷ ac ar lan y bedd ym mynwent Trelew yn cael eu cynnal yn uniaith Sbaeneg, ac eithrio'r emynau. Gwan iawn oedd ei gafael ar yr iaith genedlaethol. Unwaith eto, methais alaru, er 'mod i'n cofio amdani o hyd gyda hoffter mawr a chalon gynnes. Does dim amheuaeth iddi orfod byw yn gynnil gydol ei hoes a'i bod wedi gweithio'n galed a diflino. Ni welais hi'n gorffwys ei chorff esgyrnog ar gadair esmwyth erioed. Mentrodd rhai aelodau o'r teulu ddweud nad oedd hi, efallai, wedi cael bywyd hapus yng nghwmni Taid. Os gwir hynny, efallai mai'r ffaith nad oedden nhw'n rhannu'r un weledigaeth am gapel a chrefydd fu'n gyfrifol am hynny.

Ar derfyn y wledd diwedd tymor, ffarweliodd pob un ohonon ni, y deng merch ar hugain a'r ddau fachgen, gan addo cadw mewn cysylltiad a chyfarfod â'n gilydd o bryd i'w gilydd. Edith oedd yr unig un na ddaeth yno'r noson honno gan nad oedd arian ar gael i dalu am ffrog laes nac i brynu'r deunydd i alluogi Mam i wnïo un iddi, a doedd hi ddim am ddod wedi gwisgo'n wahanol i bawb arall. Bu'n rhaid aros tan fis Tachwedd, 2007 cyn llwyddo i gynnal yr aduniad. Trefnodd Edith fyrddau mewn bwyty yn y Gaiman ar ein cyfer. Rhaid i mi bwysleisio pa mor braf oedd cael cyfarfod â phawb oedd yn bresennol. Er gwaetha'r holl amser, llwyddais i adnabod y mwyafrif ohonyn nhw, a chael cyfle i gofio am eu cwmnïaeth ddiddan. Y tristwch mawr oedd sylweddoli bod yna un neu ddau fwlch ac na fydden nhw gyda ni byth eto.

12

Fuoch chi 'rioed yn morio?

BOB BLWYDDYN, BYDDAI LLUOEDD arfog y wladwriaeth yn cynnal rhyw fath o loteri er mwyn penderfynu pwy, o blith bechgyn a aned ugain mlynedd ynghynt, a fyddai'n cael eu consgriptio i'r gwahanol luoedd. Byddai'r bechgyn ffodus oedd â'u cyfenwau'n cyfateb i'r rhifau isaf yn cael eu hesgusodi, yn yr un modd â'r rhai afiach, anabl neu fyr eu golwg. I'r awyrlu am chwe mis yr âi'r rhai nesa atyn nhw ar waelod yr ysgol, a'r grŵp wedyn – sef y mwyafrif o bell ffordd – i'r fyddin am flwyddyn. Byddai'r rhai â'u henwau gyferbyn â'r rhifau ucha un yn ymuno â'r llynges am ddwy flynedd. Wedi i mi glywed y rhifau ar y radio, gwyddwn 'mod i'n mynd i golli dwy flynedd arall o 'mywyd cynhyrchiol ar y blaned hon.

Rhywdro yn ystod misoedd olaf 1961, derbyniais neges ffurfiol yn fy hysbysu bod disgwyl i mi gofrestru ym Mhencadlys Rhanbarth Milwrol Trelew, a gwŷs i deithio i Ganolfan y Fyddin yn Comodoro Rivadavia ar gyfer archwiliad meddygol. Cyrhaeddais y diwrnod cynt a lletya gyda Guillermo Nicholson a'i wraig gan ddeall bod Guillermo yn rhoi cyngerdd o gerddoriaeth glasurol y noson honno yn un o neuaddau'r ddinas. Dyna'r tro cynta i mi fynychu'r digwyddiad o'r fath a mwynheais y profiad yn fawr iawn.

Y bore canlynol, cefais fy mlas cyntaf o arferion awdurdodol y swyddogion. Arhosai rhai degau ohonon ni wrth adeilad mawr gan gysgodi rhag y gwynt oedd yn ymgryfhau. Safem mewn clwstwr siaradus, hapus a bywiog yn aros i'r drysau agor, pan gyrhaeddodd capten canol oed atom. Ni chymerodd neb sylw ohono na symud o'i ffordd. Gorchmynnodd ar dop ei lais i ni agor llwybr iddo gerdded drwodd, ond araf oedd pawb i ymateb. Y tro hwn, gwaeddodd yn fygythiol a dechrau gwthio'r rhai agosa ato. O gael y drws ynghlo, fe'i tarodd yn ddiamynedd. Erbyn hyn, roedd y dyrfa wedi cynyddu i rai cannoedd a phawb yn disgwyl yn eiddgar am gael cysgodi rhag y gwynt a'r llwch a'n cofleidiai.

Wedi cael mynediad i ystafell eang, digwyddodd ein darostyngiad cyntaf. Gorchmynnwyd ni oll i ddiosg ein dillad a sefyll yn noethlymun mewn rhesi cyn cael ein galw, fesul un, i ymddangos gerbron y tîm meddygol. Safent rai metrau oddi wrthym fel petasen ni'n aflan, gan holi cwestiwn neu ddau. Unig fwriad yr archwiliad hyd y gwelwn oedd cadarnhau ein bod yn wrywod a'n bod yn iach o glefydau gwenerol.

Ni chefais lawer o flas ar y Nadolig hwnnw, oherwydd y teimlad fod cleddyf diarhebol Damocles yn hongian o linyn bregus iawn uwch fy mhen. Yn fuan wedi croesawu'r flwyddyn newydd, daeth yr amser i mi adael. Galwodd Rubio a Bini heibio i ffarwelio â mi ac i gyflwyno argraffiad maint bawd o ddyfyniadau yn Sbaeneg o ysgrifau Thomas à Kempis, ynghyd â cherdyn o San Cristóbal, nawddsant y morwyr yn y traddodiad Catholig – er mai Sant Nicolas o Myra yw'r noddwr mewn traddodiadau eraill.

Gorchmynnwyd fi i deithio unwaith eto i Comodoro, gan mai yno roedd pob consgript yn ymgynnull. Cawn fy ngorfodi i deithio bedwar can cilomedr i'r de, er mai yng Nghanolfan Forwrol Puerto Belgrano, pencadlys llynges yr Ariannin, saith can cilomedr i'r gogledd o Drelew, y byddwn i'n cofrestru. Cwpl o ddiwrnodau'n ddiweddarach, rown i'n ôl yn Nhrelew ar y ffordd i'r gogledd. Yr unig un o 'nghymdeithion rown i'n ei adnabod oedd fy nghefnder Sturley, un o feibion Yncl Donald.

Saif canolfan Puerto Belgrano ychydig gilomedrau i'r gorllewin o Bahía Blanca, yr unig ddinas fawr yn neheudir talaith

Buenos Aires. Yno y dechreuodd y broses o wneud morwyr milwrol ohonon ni. Ein llety oedd sièd fawr uchel yn cynnwys rhesi ar resi o welyau bync pump haen. Rhuthrais i gyrraedd y rhes agosaf at y drws a dringo i'r bumed haen, gan ddyfalu mai yno roedd y lle diogelaf, am na fyddai'r gwely hwnnw'n debyg o fod yn gymaint o atyniad i'r pranciau. Synnais pa mor dda y cysgais y noson honno, er gwaetha'r synau a'r arogleuon.

Y bore canlynol, aed â ni at y barbwyr i eillio'n pennau. Dim ond *clipper* rhif 5 a rasel oedd yn llaw pob barbwr ac wedyn, wrth ymgasglu mewn grwpiau i loetran yn yr haul, disgleiriai pob pen fel pe na bai blewyn wedi tyfu arno erioed. Cofiaf holi a oedd rhywun wedi gweld Sturley. Torrodd pawb allan i chwerthin gan ei fod yn sefyll â'i gefn ata i'n union o 'mlaen. Edrychai mor ddiarth heb ei wallt cyrliog.

Arweiniwyd ni at adeilad mawr arall a gorchmynnwyd ni i ddiosg pob dilledyn a'u trosglwyddo i ofal swyddog. Ni fydden ni'n eu gweld mwyach am y tri mis nesaf. Yna, estynnwyd sebon a thywel i bob un ac i mewn â ni i'r cawodydd. Arllwysodd swyddogion bowdwr gwyn dros ein pennau a thros y mannau cyfrin. Achwynai ambell un cydnerth mai'r person ola i arllwys powdwr talc drosto oedd ei fam wrth newid ei gewyn ac nad oedd yn fabi, bellach. Diheintydd oedd y powdwr, i'n diogelu rhag y rhai hynny nad oeddent yn frwd o blaid glanweithdra a hylendid. Yna trosglwyddwyd gwisg y llynges i ni: dillad isaf gwyn, oferôl llwyd, sanau gwyn, cap gwyn a sgidiau trwm du. Rhoddwyd rhif i ni hefyd, i'w gofio'n well na'n henwau.

Gwyddwn ymlaen llaw mai tynged pob conscript oedd cael chwistrelliad o ryw hylif afiach yr olwg i'r asgwrn cefn drwy nodwydd hir a phoenus. Down i ddim yn rhy hoff o'r syniad o weld pethau estron yn cael eu gwthio i mewn i 'nghorff. Bu llawer o dynnu coes wrth i ni aros ein tro a'r cewri cyhyrog yn cael hwyl am ben eu cyfoedion eiddilaf. Gwelodd sawl un wrth weld ffrindiau'n dod allan yn wyn fel y galchen. Pan ddaeth fy nhro innau gwyddwn na fyddai wiw i mi geisio ailadrodd y pantomeim yn yr ysgol gynradd. Gwelais nad oedd gair o ormodiaeth wrth sôn am faint y chwistrell na'r cynnwys melynllyd erchyll. Ond doedd neb wedi dweud y byddai'r nyrs yn edrych fel gorila. Eto'i gyd, roedd ganddo ddwylo cadarn, a gwyddai'n burion beth oedd i'w wneud. Er gwaethaf fy ofnau, theimlais i mo'r nodwydd yn suddo i 'nghnawd. Rown i'n un o'r ychydig nad ymunodd â'r côr fyddai'n ochneidio a griddfan y noson honno.

Symudwyd ni i'n cartre am y flwyddyn, ddeuddeg milltir tua'r gogledd-orllewin, sef canolfan Awyrlongau'r Llynges o'r enw Comandante Espora – a enwir felly i gofio'r 'Archentwr' cyntaf i forio o amgylch y blaned, er nad oedd Gweriniaeth yr Ariannin yn bod ar y pryd. Y peth cyntaf a wnaeth fy nharo oedd pa mor wahanol i stepdiroedd gwastad a llwydfrown Patagonia oedd yr ardal hon gyda'i thir yn fwy tonnog a gwyrdd. Gwelais fod mwy o raen ar adeiladau niferus y ganolfan, gyda'u waliau gwyn a'u toeau coch, nag oedd ar rai unffurf, llwyd ac anghroesawgar y fyddin yn Comodoro. Ar y cyfan, teimlwn yr hinsawdd yn brafiach hefyd. Er bod ychydig mwy o law yn disgyn yma, awelon ysgafn a gaem yn hytrach na gwyntoedd cryfion a llychlyd bro fy mebyd. Ond, doedd dim llawer o wahaniaeth yn null y swyddogion o drin bodau diwerth fel ni. Cyn gynted ag roedden ni yno, clywsom ansoddeiriau newydd sbon, er mwyn ein sicrhau nad oedd yr un ohonon ni'n werth mwy na llwch y llawr.

Cawsom ein dosbarthu i'n catrodau, dysgu i bwy roedden ni'n atebol, a derbyn rhagor o ddillad – addas ar gyfer y gaeaf a'r haf – gan egluro ar ba achlysuron y dylid eu gwisgo. Anfonwyd ni hefyd drwy gyfres o brofion gallu a chyfweliadau ynglŷn â'n diddordebau diwylliannol, ein harferion cymdeithasol, ac ati. Deallwyd mai'r bwriad oedd darganfod ein cymwysterau. Yn fras, bydden ni'n sicr o ddisgyn i un o ddau ddosbarth: y rhai ffodus yn cael dilyn cyrsiau a'r gweddill yn ymuno â'r milwyr traed. Rhaid cyfadde bod canfod fy hun ymhlith yr ugain a ddewiswyd i ddilyn cwrs Cod Morse yn destun gorfoledd i mi.

Nid oedd Sturley yn rhy siomedig pan glywodd mai ymuno â'r inffantri fyddai ei dynged ef. Teimlai'n falch na fyddai'n rhaid iddo ddilyn cwrs, a honnai'n ddireidus 'mod i'n ormod o fabi mam i gymysgu gyda'r dynion mawr. Ychydig a wyddai'r truan pa mor gywir oedd ei sylw. Ond, cyn ein gwahanu, byddai'n rhaid i ni dreulio tri mis yn cael ein hyfforddi yn elfennau'r grefft filwrol. Aed â ni at gyrion y maes awyr, lle byddai awyrennau'r llynges yn codi ac yn glanio. Codwyd pebyll bychain ein gwersyll wrth droed ffens ffin y llain lanio. Pedwar safle cysgu oedd ar lawr pob pabell, a phob un yn cynnwys matras, gobennydd, dwy gynfas a dwy flanced. Wrth eu trosglwyddo i ni, pwysleisiwyd pwysigrwydd gofalu ar ôl ein heiddo personol a pheidio llygadu eiddo ein cymydog. Nid oedd mor hawdd sicrhau hynny heb glo ar unrhyw babell.

Bob bore'n brydlon am bump o'r gloch, galwai'r Corporal heibio a chwythu'i chwiban yn ffyrnig i'n deffro, gan floeddio cyfarwyddiadau. Rhuthrem i'r tai bach cyntefig ac at y rhes o dapiau dŵr oer. Yno bydden ni'n ymolch bob bore, drwy wlychu'n llygaid a'u sychu ar frys. Yna, fesul pâr, byddai'n rhaid gorymdeithio'n rhesi i'r ystafell fwyta eang ac wedyn, 'nôl yn y pebyll, ceid cyfle brysiog i fanteisio ar y tai bach cyn ufuddhau i alwad y chwiban ac ymffurfio'n rhesi trefnus yn barod i groesawu'r *Suboficial Mayor*, sef yr Uwch Brif Ringyll. Byddai hwnnw'n ein dysgu beth oedd ystyr rhai gorchmynion cyn eu cyhoeddi gan ddisgwyl i ni ymateb heb wastraffu amser. Os *Cuerpo a tierra* (ar eich hyd ar y llawr) oedd yr alwad, disgwylid i ni wneud hynny ar yr union eiliad yn yr union fan, hyd yn oed ynghanol mwd neu bwll o ddŵr, neu waeth. Er nad own i'n hoff o'r math hwn o weithgaredd rown i'n benderfynol y byddwn yn gadael ar derfyn fy nwy flynedd heb roi achos i neb bwyntio bys a dweud 'mod i'n fethiant.

Dau Uwch Brif Ringyll oedd i'n catrawd ni: Peschuta a Santamarina, dau na chawsant y mymryn lleiaf o drafferth i sefydlu'u hawdurdod, heb erioed orfod codi'u lleisiau i wneud hynny. Yn wir, gostwng eu lleisiau fyddai'r ddau wrth geryddu troseddwr a siarad ag ef ar ei ben ei hun. Ond, mewn amgylchiadau eithriadol, dangosent barodrwydd i ddisgyblu'n gyhoeddus. Deuthum yn hoff o'r ddau, a chefais hwy'n bobl wâr a pharod i wrando. Gwaetha'r modd, fedra i ddim dweud hynny am nifer o'u cynorthwywyr.

Un bore, teimlais chwydd poenus yn un o 'ngheilliau. Rown i'n sicr mai cornwydydd oedden nhw a gofynnais am gael gweld meddyg. Cadarnhaodd hwnnw'r diagnosis ac anfonodd fi i ysbyty'r ganolfan. Ymhen diwrnod, teimlwn yn well ond ni ryddhawyd fi hyd nes y byddai'r aflwydd wedi diflannu. Pan gyrhaeddais yn ôl i'r gwersyll, dim ond un blanced oedd ar fy ngwely. Hysbysais y Corporal yn y stordy. Dywedodd wrtha i mai 'mhroblem i oedd hi. Gwrthododd roi blanced arall o'r stordy gan ddweud y byddai'n disgwyl cael dwy yn ôl gen i r ddiwedd yr hyfforddiant, neu byddai'n rhaid i mi dalu amdanyn nhw. Dychwelais i'r gwersyll i chwilio'r pebyll, gan fanteisio ar y ffaith nad oedd y gatrawd yno. Yn y diwedd gwelais wely a thair blanced arno. Roedd y sawl a gysgai yn y gwely hwn wedi dwyn blanced. Heb feddwl ddwywaith, cymerais yr un ucha a'i gosod ar fy ngwely fy hun. Pwysai fy nghydwybod arnaf, ond daeth yr hen ddihareb Sbaeneg i'm cof, 'A quien roba a un ladrón, cien aŷos de perdón' (Maddeuir am ganrif y sawl a ddwg oddi ar leidr).

Ar ddiwedd y tri mis, rhyddhawyd ni am bythefnos o wyliau. Cludwyd ni ar un o fysiau'r llynges i orsaf bysiau Bahía Blanca, lle newidiais i 'nillad fy hun, a llwyddo i gael lle ar fws i Drelew y noson honno. Wrth gyrraedd yn y bore bach doedd dim tacsi ar gyfyl y lle, felly, penderfynais gerdded yr 16 cilomedr i'r Gaiman, a chês mawr llwythog i'w gario. Wrth fynd i fyny'r rhiw ddiderfyn a godai i gyfeiriad y Gaiman, roedd haul Mawrth yn taro ar fy 'nghefn, ond llwyddais i gyrraedd adref heb ollwng fy nghês. Edrychwn ymlaen at gael fy sbwylio am bythefnos gron, ac ni chefais fy siomi.

Nid oedd ond wythnos wedi mynd heibio cyn i mi dderbyn y neges drist, er nad annisgwyl, bod Norma, un o ferched Anti Eryl ac Yncl Hefin, wedi marw, a hithau ar drothwy ei hugain mlwydd oed. Ymhlith y galarwyr roedd ei chariad, Elvio Bell. Bachgen hynod hoffus oedd Elvio y des i'n gyfarwydd ag ef yn ystod fy mlwyddyn olaf yn yr *Escuela de Magisterio*. Cymerai ran amlwg yn yr ymgyrch i sefydlu Prifysgol yn Nhrelew, a daeth ataf i'r Gaiman un prynhawn Sadwrn i geisio fy nghefnogaeth. Rown i wedi bod yn gryf o blaid y datblygiad er i 'mrwdfrydedd oeri pan sicrhaodd rhywun fi mai ciwed o gomiwnyddion oedd y tu ôl i'r fenter, a theimlwn yn bur elyniaethus tuag ato erbyn i mi dderbyn ymweliad Elvio. Gadawais iddo gyflwyno'i achos cyn egluro pam na fedrwn gefnogi'r cynlluniau. Aeth ar ei lw nad felly oedd pethau. Er bod comiwnyddion yn cefnogi'r fenter roedd pobl o bob lliw gwleidyddol arall yn rhan o'r ymgyrch hefyd. Ond rown i'n hollol gibddall ac yn gwrthod gwrando arno'r diwrnod hwnnw. Cofiaf ef yn gadael yn bur siomedig ac yn methu deall fy agwedd. 'Rwy'n gobeithio y cawn dy gefnogaeth ryw ddydd', oedd ei eiriau wrth ffarwelio. Ymhen misoedd wedyn, rown wedi cael amser i ailfeddwl, ac mi fyddwn i wedi hoffi dweud hynny wrtho, ond ni lwyddais i gael cyfle i siarad ag ef ynghanol y dorf i fynegi 'nghefnogaeth lwyr i'r ymgyrch.

Dychwelais o'r angladd gan deimlo'n anhwylus ac ni chodais o 'ngwely'r bore canlynol. Wedi archwilio'r chwydd mawr o dan fy ngên, cadarnhaodd y meddyg 'mod i'n dioddef o'r dwymyn doben a bod angen i mi gadw'n llonydd yn fy ngwely am bythefnos os own yn dymuno bod yn dad ryw ddydd. Ni fu claf mor ufudd erioed. Bu'n rhaid i mi aros dan ofal y meddyg am wythnos arall, a chefais dystysgrif ganddo i'w gyflwyno i awdurdodau Comandante Espora, rhag i mi gael fy nghosbi am fod yn absennol heb ganiatâd.

Roedd fy nghês yn drymach fyth ar y ffordd yn ôl, gan fod Mam wedi paratoi pob math o deisennau a danteithion i mi wledda arnynt. Gan y byddwn, bellach, yn medru gadael y gwersyll bob Sadwrn a Sul pan na fyddwn ar ddyletswydd, roedd gen i gyflenwad o 'nillad fy hun ar gyfer newid iddynt petai angen treulio amser yn Bahía Blanca. Cawn eu gwisgo cyn gynted ag y byddwn o olwg y ganolfan. Yn hytrach na dychwelyd i'r gwersyll pebyll, roedd yna wely yn aros amdana i yn yr ystafell fawr y byddwn yn ei rhannu gyda dros gant o 'nghyd-gonsgriptiaid.

Roedd hon yn llawer mwy cysurus ac yn lanach, ond yr un

oedd yr amserlen. Diffodd y goleuadau am ddeg o'r gloch, a chwiban y Corporal yn atseinio drwy'r ystafell am bump. Roedd yna gwpwrdd dillad hefyd ar gyfer fy eiddo, a chlo ar ei ddrws. Yn anffodus, doedd dim lle ynddo ar gyfer popeth, a rhoddais y cês a'i drysorau wedi'u cloi ar ben y cwpwrdd.

Un o'r bechgyn cyntaf a welais wedi i mi gael trefn ar fy mhethau oedd Julio César Mantilla, brodor o dalaith Corrientes, yng ngogledd-ddwyrain y wlad – un o'r cyfeillion newydd a wnes yn ystod ein cyfnod yn y gwersyll pebyll. Tueddem i rannu llawer o'r un diddordebau gan dreulio oriau segur yn chwarae cardiau, yn darllen mewn distawrwydd, neu'n sgwrsio. Gan fod ei wên yn dangos bwlch du lle dylai un o'i ddannedd blaen fod, gelwid ef wrth y llysenw *Vieja*, sef 'Henwraig'. Fy noson gyntaf yn ôl, eisteddai'r ddau ohonon ni ar bafin a'n cefnau yn erbyn wal ein hystafell yn ymarfer rhai o lythrennau'r Cod Morse ac yn mwynhau rhai o gacennau Mam. Dywedodd wrtha i dros swper fod *Suboficial* Galán, y swyddog oedd yn gyfrifol am yr hyfforddiant, wedi bod yn holi amdana i droeon. Brawychais wrth glywed ei fod o newydd raghysbysu'r criw o'i fwriad i wneud cais i fy symud i adran y milwyr traed oherwydd 'mod i wedi colli gormod ac nad oedd gobaith i mi fedru dilyn y cwrs heb ddal pawb arall yn ôl. A hithau'n nos Sul, gofynnais i'r 'Henwraig' ddysgu rhai o'r llythrennau i mi, er mwyn i mi fedru dangos parodrwydd i weithio a gallu i ddysgu'n gyflym. Cytunodd yn eiddgar. Erbyn iddi ddod yn amser clwydo, rown i wedi dysgu tua hanner dwsin ar fy nghof.

Braidd yn oeraidd oedd Galán pan gyflwynais fy hun iddo fore Llun, a bwrodd ati i ddysgu llythyren gynta'r dydd. Eisteddem wrth ein desgiau â chlustffonau am ein pennau. Sylwais mai araf iawn oedd y dosbarth yn symud a bod llawer o'r bechgyn yn cael trafferth i gofio nid yn unig y llythyren roedd o newydd ei chyflwyno ond hefyd lawer o'r rhai a ddysgon nhw yn ystod y pythefnos cynt. Nid oedd yn eglur i mi ai anallu ynteu diffyg diddordeb oedd yn gyfrifol am eu methiant. Yna, daeth fy nhro i ymladd am fy safle ar y cwrs. Rhybuddiodd mai siawns wael oedd gen i i aros arno ond cawn wythnos ganddo cyn iddo lenwi'r ffurflen gais i'm symud at y milwyr traed. Gwasgodd y teclyn: dot, llinell, llinell, dot. 'U', dywedais. Amneidiodd â'i ben. Rown wedi adnabod llythyren gyntaf gwers y bore. Llinell, dot, dot. 'D', atebais; Dot. 'E'; dot, dot, llinell, dot. 'F' oedd fy ateb, ac eglurais 'mod i wedi dechrau dysgu'r noson cynt gyda chymorth fy nghyfaill. 'Cei di brawf ddydd Gwener. Os ei di ymlaen fel hyn, a dysgu'r holl lythrennau rydyn ni wedi'u gweld eisoes, cei di barhau ar y cwrs.' Teimlwn nad oedd hynny'n fawr o gamp i un y bu'n rhaid iddo ddysgu geiriau a nodau llawer mwy niferus ar ei gof ar hyd ei oes. Dyna weld gwerth y wialen fain ar yr aelwyd wedi'r cyfan.

Gyda'r nos, sylwais nad oedd fy nghês ar dop y cwpwrdd dillad a deuthum o hyd iddo wedi'i wthio o dan y cwpwrdd. Llwyddais i'w dynnu allan a'i gael wedi'i rwygo a'i gynnwys wedi diflannu. Doedd dim ar ôl o'r danteithion hyfryd rown i'n edrych ymlaen at eu mwynhau yn ystod yr wythnosau nesaf, nac o'r dillad rown wedi methu cael lle iddynt yn y cwpwrdd. Yr unig un oedd yn rhydd o bob amheuaeth oedd yr 'Henwraig', gan iddo fod gyda fi ac na fyddai'n ennill dim o fentro dwyn oddi wrtha i y pethau y gwyddai y byddwn i'n eu rhannu ag ef.

Adroddais am fy ngholled wrth y Corporal a oedd ar ddyletswydd yn yr adeilad ond anwybyddodd fy nghwyn. 'Fel y rhybuddiwyd chi y diwrnod y cyrhaeddoch chi yma, eich cyfrifoldeb chi yw cadw'ch eiddo dan glo.' Ni wnaeth unrhyw ymgais i chwilio am yr eiddo coll nac am y lleidr.

Dwn i ddim o ble y cafodd yr 'Henwraig' afael mewn taflen yn dangos llythrennau'r wyddor a'r Cod Morse mewn colofnau cyfochrog, ond bu'r ddau ohonon ni'n brysur bob nos yn ymarfer ac, erbyn bore Gwener, gwyddem yr wyddor gyfan a'r deg rhif o 1 i 10/0. Yn ystod y wers ar fore cyntaf fy ail wythnos, aeth Galán drwy'r holl lythrennau y dylai'r dosbarth eu gwybod erbyn hynny, ac roedd yn amlwg yn colli'i amynedd gyda'r rhai arafa. Dim ond tua hanner dwsin ohonon ni a atebai'n gywir bob tro. Yna, clywais: dot, llinell, dot. 'R', dywedais. Distawrwydd. Codais fy mhen i weld golwg ddig ar wyneb y swyddog.

'Ddylet ti ddim fod wedi twyllo,' dywedodd. 'Dydw i ddim wedi dysgu'r 'R' i chi eto. Pam na fyddet wedi dweud yn onest dy fod eisoes yn gwybod y Cod.'

Ni fedrwn ddeall pam y dywedai'r fath beth. Esboniais yr hyn roedd yr Henwraig a minnau wedi'i wneud, ac ychwanegodd yntau ei bwt i 'nghefnogi.

'Rwyt ti'n lwcus nad wyt ti'n cael dy anfon o 'ma'r funud hon, ond fe gymeraf dy air,' meddai, gan fwrw 'mlaen â'r wers mewn tymer ddrwg.

Wedi i ni fynd drwy'r wyddor gyfan a'r rhifau, y cam nesaf oedd dysgu anfon a derbyn negeseuau ac i gyflymu'r ddwy grefft. Erbyn hynny, rown ar delerau da gyda Galán, ac ni fedrwn beidio â'i hoffi, er gwaetha ei duedd i bwdu o bryd i'w gilydd. Yna, dysgu teipio. Er 'mod i'n amau a fyddai dysgu'r Cod o unrhyw werth i mi, gwelais fod yna fanteision mawr mewn ymgyfarwyddo â'r peiriant teipio a dysgais i'w ddefnyddio ar gyflymdra rhesymol. Bu hynny o gymorth i mi yn fy ngwaith bob dydd ac i ddygymod â'r cyfrifiadur, pan ddaeth hwnnw i chwarae rhan mor hanfodol yn fy mywyd beunyddiol. Ond rwy'n ofni nad ydw i'n cofio'r Cod nac wedi'i ddefnyddio ers gadael y llynges.

Yna cerddais i mewn i drwbwl oherwydd fy methiant i ffrwyno 'nhafod. Yn ystod gwers nad oedd mor ddiddorol â'r gweddill, clywyd sylw anllad gan un o'r consgriptiaid. Meddyliais mai'r hyn a glywn nesaf fyddai llais Galán yn cyhoeddi ei gosb a thaflu'r consgript euog allan o'r dosbarth. Yn hytrach, synnais wrth ei glywed yn gofyn i mi:

'Sut byddai dy chwaer yn hoffi hwnna?'

Wedi dod dros fy syndod, holais, 'Gofynnwch i'ch gwraig sut y byddai hi'n ei hoffi.'

Aeth y dosbarth yn dawel fel y bedd, a gwyddwn 'mod i wedi camu'n rhy bell. Edrychodd y swyddog i fyw fy llygaid, a daliais fy ngolwg yn dynn arno yntau.

'Nid dyna'r ffordd i ateb swyddog, ond cei dy esgusodi am y

tro,' oedd ei ateb, ac aeth ymlaen â'r wers.

Roedd pawb yn unfrydol amser cinio 'mod i'n wallgo ac yn hynod ffodus. Ond, cytunai'r 'Henwraig' â'm safiad, ac roedd o'r farn mai'r unig esboniad am y modd yr ymatebodd Galán oedd ei fod yntau'n teimlo hynny hefyd.

Treuliem oriau'r prynhawn mewn dosbarth arall, yn dysgu am y llynges, ei hanes a'i threfniadaeth. Dysgwyd ni hefyd sut i ymddwyn o dan sefyllfaoedd anarferol a sut i amddiffyn ein hunain rhag pob math o beryglon.

O bryd i'w gilydd, caem ychydig o ymarferion corfforol a gorymdeithio'n grwpiau o ryw ugain i ddeg ar hugain ar y tro, o dan oruchwyliaeth Corporal a drosglwyddai'r rheolaeth ambell waith i un ohonon ni. Pan ddigwyddai hynny, ni fyddai'n gyfrifol am roi'r cyfarwyddiadau nes y trosglwyddem y grŵp yn ôl i ofal y swyddog. Un noson, a minnau wedi derbyn y cyfrifoldeb ac yn arwain y fintai, dyma fi'n clywed llais y Corporal o'r cefn yn gweiddi cyfarwyddyd. Heb ddangos fy anesmwythyd, gwaeddais ar y fintai eu bod yn dal i fod dan fy nghyfarwyddyd i. Er 'mod i'n gwybod mai dyna oedd y drefn, pryderwn beth fyddai ymateb y swyddog oherwydd i mi fod mor haerllug ag anufuddhau i awdurdod uwch a 'mod i wedi gorchymyn y criw i'w anwybyddu. Disgwyliwn glywed storm o waradwydd yn disgyn arna i ond ni ddywedwyd dim wrtha i nes cyrraedd yr adeiladau a throsglwyddo'r fintai yn ôl i'w ofal ef. Yn raslon, derbyniodd yntau'r cyfrifoldeb gan fy llongyfarch am weithredu'r rheolau'n gadarn.

Gyda'r nos, disgwylid i ni wasanaethu ar yr *Imaginaria*, sef rota warchod ddychmygol. Ein tasg fawr ni oedd cerdded yn ddistaw o amgylch yr ystafell am ddwy awr i weld bod pawb yn cysgu'n dawel cyn trosglwyddo'r cyfrifoldeb am y ddwy awr wedyn i'r enw nesaf ar y rhestr. Disgwylid i ni fod yn hollol fud ac i fod wrth law i bwy bynnag fyddai mewn trafferth. Gan amlaf, doedd dim mwy na chwyrnu rhai o'r bechgyn yn tarfu ar dawelwch y nos.

Yn rhyfeddol, collodd rhai o'r consgriptiaid eu rhyddid dros y penwythnos oherwydd iddynt gael eu dal yn siarad pan ddylent fod yn cysgu. Rown i newydd orffen fy nyletswydd gwarchodol un noson ac yn dechrau setlo i lawr i fwynhau cwpl o oriau o gwsg pan rwygwyd y distawrwydd gan chwiban y Corporal. Roedd consgript anhysbys wedi cyflawni trosedd fechan y noson cynt, heb godi'i law i gydnabod ei fai a doedd neb yn fodlon ei fradychu. Am hynny, roedden ni i gyd i fynd allan i redeg am ddwy awr yn y tywyllwch tan amser codi pe na bai'r troseddwr yn cael ei enwi. Gan nad agorodd neb ei geg, ni chyrhaeddon ni yn ôl i'r neuadd tan funud neu ddau cyn pump o'r gloch, jyst mewn pryd i fynd i'r cawodydd.

Doedd yr 'Henwraig' ddim yn mynychu eglwys na chapel ond roedd un arall o fechgyn y grŵp, Omar Tron, yn aelod o Eglwys Fethodistaidd yr Ariannin yn Córdoba, a chytunodd i ddod gyda mi i chwilio am yr eglwys leol ar ein Sul rhydd cyntaf. Gwyddwn fod yna gangen o'r eglwys yn Bahía Blanca yn sgil ymweliadau rhai o'i haelodau â chapeli'r dyffryn. Yn wir, gwyddwn hefyd fod aelod o'r eglwys wedi gwrthod gwneud y gwasanaeth milwrol ac wedi dianc o'r union ganolfan lle'r own i'n gwasanaethu. Clywais fod y milwr a orchmynnwyd i'w saethu wedi anelu'n rhy uchel yn fwriadol, a bod y fwled wedi mynd ymhell dros ei wallt. Dyna'r gwrthwynebydd cydwybodol cyntaf i mi erioed gofio clywed sôn amdano.

Eisteddai Omar a minnau yn un o seddau cefn Eglwys Fethodistaidd Bahía Blanca y bore Sul canlynol ac, yn ystod rhannau agoriadol y gwasanaeth, rhoes y gweinidog air o groeso i ni. Cyfarchodd ni wrth y drws ar y ffordd allan hefyd, a chawsom ein holi ganddo a chan rai o aelodau'r eglwys, a gwnaed i ni deimlo'n hollol gartrefol. Yn bwysicach, gwahoddodd ni i ginio, hefyd.

O hynny ymlaen, gwirfoddolais yn wythnosol i gyfnewid fy *Imaginaria* gyda bechgyn roedd yn well ganddynt aros i mewn dros y Sul na bod ar ddyletswydd yn ystod oriau mân y bore, ac ni chofiaf golli unrhyw Sul. Aldo Etchegoyen oedd enw'r gweinidog a chafodd Omar a minnau groeso mawr ganddo ef a Ruby, ei wraig, ar eu haelwyd, drws nesaf i'r capel. Wedi iddyn nhw gynnig gwely i ni pan fydden ni'n dod i'r gwasanaeth, treuliais bron bob nos Sadwrn yno, a bob nos Sul hefyd, gan ddal bws yn ôl i'r ganolfan ar fore Llun. Ni fedraf fyth ddiolch digon i'r ddau am eu caredigrwydd, ac mae'n dda gen i ddweud bod ein cyfeillgarwch yn parhau hyd heddiw.

Cawsom groeso hefyd gan aelodau eraill, yn enwedig Waldo Long a'i deulu (tair o ferched hardd) a theulu'r Jacobs (bachgen galluog a dwy ferch fywiog). Ymunais â chôr yr eglwys o dan arweinyddiaeth Ruby a oedd, fel ei chwaer Ligia, yn gerddorol iawn. Mwynheais gwmni'r ieuenctid hefyd, a chanfod 'mod i'n rhannu'r un diddordebau â llawer o'r bechgyn – Jorge Aguirre, oedd â'i fryd ar ymuno â llu gwarchodwyr y glannau, Jorge Jacob am fod yn gyfreithiwr, a 'Cuchipe' Malán am fynd i'r weinidogaeth.

Un bore, gofynnwyd i bob athro oedd yn y gatrawd sefyll ar ôl. Rhedai'r llynges ysgol nos ar gyfer consgriptiaid anllythrennog, gan gyflogi athrawon o'r ardal o nos Lun tan nos Wener i staffio'r dosbarthiadau. Roedd nifer o swyddi gwag oherwydd afiechyd a'r gobaith oedd denu athrawon o blith ein rhengoedd ni i lenwi'r bylchau am ddwy awr bob nos ar ôl swper. Ymhlith yr hanner dwsin a gododd eu dwylo, roedd yr 'Henwraig' a minnau. Byddai hyn yn rhoi cyfle i ni ddefnyddio'r ymennydd ac yn brofiad gwerthfawr ar gyfer ein gyrfaoedd.

Y brif dasg oedd sicrhau bod y disgyblion yn medru darllen, ysgrifennu a rhifo erbyn diwedd y flwyddyn, tasg y medrai'r ddau ohonon ni ei chyflawni'n gymharol hawdd, yn ôl y tybiem. Eithr nid disgyblion cyffredin mo'r rhain. Deuai'r mwyafrif o ogledd yr Ariannin, rhai ohonyn nhw'n byw yn y jyngl a heb gael diwrnod o addysg ffurfiol. Roedd yn fy nosbarth i hefyd ddyrnaid o fechgyn o Buenos Aires a adawsai'r ysgol gynradd yn gynnar iawn. Y llyffethair cyntaf oedd y cwricwlwm caeth. Cyn bwysiced â dysgu ysgrifennu oedd dysgu pa mor hir oedd coesau llythrennau megis 'p' a 'q', neu pa mor dal oedd yr 'l'. Gan nad oedd gen i fy hun lawysgrifen gywrain, teimlwn mai gwastraff amser oedd treulio amser wrth y bwrdd du yn dweud y dylai'r llythrennau hyn fod filimedr yn uwch neu'n is. Felly canolbwyntiais ar eu dysgu i ddarllen ac ysgrifennu, waeth beth oedd ansawdd eu llawysgrifen ond fe arweiniodd hynny at wrthdaro rhyngo i a'r prifathro.

Byth ers i'r *Sputnik* cyntaf gael ei saethu i'r gofod yn nechrau Hydref 1957 ac i'r gyfres *Explorer* ddechrau tua tri mis wedi hynny, rown i wedi ffoli ar y rhaglenni a luniwyd i archwilio'r bydoedd dieithr uwchlaw'r wybrennau. Dwysaodd fy niddordeb wrth ddilyn teithiau arloesol Yuri Gagarin yn y Vostok 1 yn Ebrill 1961, ac yna Alan Shepard, Virgil Grissom a John Glenn yn rhoi cychwyn i raglen gyffrous *Mercury*, ychydig wythnosau ar ôl i mi gyrraedd Comandante Espora. Yn ystod y parêd gyda'r nos ar sgwâr fawr y ganolfan, byddai'r 'Henwraig' a minnau'n syllu tua'r sêr yn hytrach nag ar y swyddogion. Ein gobaith oedd gweld un o'r lloerennau'n gwibio ar draws y ffurfafen cyn iddi daro'i gorwel a diflannu. Un noson yn y dosbarth, a minnau'n brwydro i geisio ennyn a chadw diddordeb y disgyblion, meddyliais mai syniad da fyddai anghofio am iaith a rhifau a sôn am y llongau gofod oedd yn chwyrlïo uwch ein pennau. Felly, ceisiais holi am eu barn am gampau Gagarin a Glenn. Distawrwydd llwyr. Pan holais yr eildro, gwelais wynebau yn syllu arna i mewn penbleth. Dyma holi eto, a chanfod nad oedd fy nghyfoedion yn credu'r un gair a ddywedwn. Credai ambell un 'mod i'n dyfynnu o ryw gomic neu ffilm.

Mewn ymgais i egluro, dyma roi sialc ar y bwrdd du i dynnu darlun amrwd o'r system solar, i ddangos cylchdro'r planedau o gwmpas yr haul, ac egluro bod y lloerennau'n troi yn yr un modd o gwmpas ein planed, fel y gwnâi'r lleuad. Cododd lleisiau o brotest o gefn yr ystafell. Gan eu bod yn gwybod o brofiad bod yr haul yn codi gyda'r wawr ac yn gorwedd gyda'r hwyr, sut gallen nhw gredu mai'r ddaear oedd yn troi o gwmpas yr haul? Pan geisiais egluro, cododd tri o gewri'r rhes gefn a brasgamu tuag ata i gan godi'u dyrnau. Doedd neb yn mynd i wneud ffyliaid ohonyn nhw, llai fyth ryw lipryn bach hunandybus fel fi.

Neidiodd rhai o fechgyn y ddinas i rwystro'r inffantri rhag rhoi terfyn ar fy einioes yn y fan a'r lle. 'Dim ots be mae e'n ei ddweud, fechgyn, dydach chi ddim eisiau treulio wythnos mewn cell – ewch nôl i'ch seddau.' Cefais gyfle i fynd gam wrth gam dros y cysyniad unwaith eto, a gwelais sawl wyneb yn goleuo, ond ni lwyddais i ddarbwyllo'r rheng ôl. Yn fuan wedyn daeth y tymor i ben a thestun llawenydd oedd gwybod na fyddai angen fy ngwasanaeth y tymor wedyn oherwydd bod yr athro cyflogedig yn dychwelyd i ofalu am ei ddosbarth. Addewais i mi fy hun na wnawn sefyll o flaen dosbarth byth eto. Gwyddwn nad oedd y dynion ifainc hyn yn ymdebygu mewn unrhyw fodd i blant dosbarthiadau ysgolion cynradd cyffredin, ond rown i wedi sylweddoli hefyd bod yna wendid ynof fi fy hun.

Down i ddim yn gysurus yn sefyll o flaen ystafell lawn yn ceisio cyfarwyddo a disgyblu criwiau o blant anystywallt. Gwyddwn y medrai un ohonyn nhw ar ei ben ei hun fy nhaflu oddi ar fy echel. Gyda chryn gywilydd y derbyniais gyfrol ar hanes celfyddyd yn rhodd gan awdurdodau'r ganolfan mewn seremoni wobrwyo arbennig yn ystod parêd gyda'r nos. Fwynheais i mo'r ddefod honno chwaith.

Byth ers iddyn nhw ddisodli llywodraeth Perón ar y 19 Medi 1955, ceisiodd y lluoedd arfog dynhau eu gafael ar y wladwriaeth. Ond doedd dim undod yn eu plith, gydag un garfan (y cochion) yn benderfynol o gael gwared â holl gefnogwyr y cyn-Arlywydd o lywodraeth a grym, a charfan arall (y gleision) eisiau dod i ddealltwriaeth â nhw.

Mewn hinsawdd hynod o ansefydlog, cynhaliwyd etholiad yn 1958 ond nid oedd yr arlywydd etholedig yn dderbyniol i'r lluoedd arfog, a disodlwyd ef yn 1962. Er mwyn rhoi gwedd gyfansoddiadol i'w gweithredoedd, caniatawyd i'r Dr J. M. Guido, Llywydd y Senedd, esgyn i'r Arlywyddiaeth. On dwysáu wnaeth y tensiynau, gan arwain at frwydr waedlyd rhwng y cochion a'r gleision. Yr olaf a orfu, a chaniatawyd i Dr Guido barhau yn ei swydd nes y galwyd etholiad yn 1963.

Tarfodd y cythrwfl ar ein bywyd tawel ni yn Espora. Yn ystod y frwydr rhwng y cochion a'r gleision, rhoddwyd y ganolfan ar y raddfa ddiogelwch uchaf a disgwylid i hyd yn oed liprynnod y cyrsiau fod yn gyfrifol am warchod mannau strategol, er gwaetha'r ffaith nad oedden ni wedi derbyn unrhyw hyfforddiant i wynebu amgylchiadau o'r fath. Yr unig gyfarwyddyd y cofiaf i ni ei dderbyn oedd ein bod yn perthyn i'r gleision ond, ar y pryd, ni wyddwn beth oedd y gwahaniaeth rhyngof a'r cochion pe deuwn ar draws un.

Cofiaf dreulio oriau pryderus un noson dywyll ar fy mhen fy hun yn gwarchod rhyw fynedfa ger rhodfa goediog, a cherbydau'n rhuthro hwnt ac yma yn y pellter, a goleuadau'n fflachio ar y gorwel. Yn sydyn, cyrhaeddodd lorri yn llawn milwyr arfog. Cyn i mi gael amser i ofyn am y cyfagor fy ngheg, dyma un ohonyn nhw'n gweiddi, 'Beth yw'r cyfrinair?' ac yna yn ei gyhoeddi ei hun, gan ychwanegu ansoddair sarhaus. Tybiaf mai pwrpas hyn oedd rhoi neges i mi 'mod i'n rhy araf yn ymateb i'r sefyllfa. Ond rown i'n ffodus iawn mewn cymhariaeth â Sturley a rhai o'i gyfeillion yn yr inffantri, a anfonwyd i ymladd. Wedi'r gyflafan, adroddodd fel roedd ar ei hyd ar y llawr y tu ôl i sachau tywod, yn saethu tuag at y cochion ac yn siarad gyda'r milwr nesa ato wrth iddynt geisio ysbrydoli ei gilydd. Pan fethodd ei gyfaill â'i ateb, troes i edrych arno a gweld twll bwled ynghanol ei dalcen. Er gwaethaf ei fraw, bu'n rhaid i Sturley barhau i saethu nes y daeth y frwydr i ben. Effeithiodd y digwyddiad yn drwm iawn arno dros weddill ei oes fer.

Rhoddai'r Llynges bwysigrwydd mawr ar hylendid, a disgwylid i bob elfen o'n lifrai edrych fel petaen nhw newydd eu prynu, ein sgidiau'n disgleirio, a'n menig yn berffaith wyn. Fore Sul, 20 Mai 1962, roedden ni ar ein ffordd i Stadium Clwb Olimpo, Bahía Blanca, ar gyfer dathlu Dydd y Faner. Yn ystod y ddefod, byddai un o'r uchel swyddogion yn gofyn a oedden ni'n rhoi llw o deyrngarwch i faner las a gwyn y wladwriaeth, a disgwylid i ni i gyd estyn ein breichiau allan a gweiddi: *Sí, juro!* (Gwnaf, tyngaf!). Wrth baratoi fy ngwisg y diwrnod cynt ar gyfer yr achlysur pwysig, anghofiais olchi fy menig, a bu'n rhaid i mi wneud hynny pan godais am bump o'r gloch. Yng nghefn un o'r degau o lorïau a'n cludai i'r stadiwm gwpl o oriau'n ddiweddarach, roedd y menig yn dal yn wlyb ar fy nwylo, a rheiny'n rhewi yn y gwynt iasol. Dan berygl o ennyn llid y corporal oedd yn ein goruchwylio, tynnais hwynt er mwyn f'arbed fy hun rhag llosg eira gan obeithio y bydden nhw'n sychu yn y gwynt.

Teimlais ias ddwbl y bore hwnnw wrth gamu ar y cae: hwn oedd y llwyfan lle dechreuodd Pepino ei yrfa broffesiynol cyn cael ei ddarganfod gan Boca Juniors. A dyma'r fan lle roedd fy nwylo'n chwyddo'n goch mewn menig gwlyb. Prin y medrwn estyn fy mysedd yn syth wrth dyngu'r llw. Ac mor ddiangen oedd fy nioddefaint. Gan fod miloedd ohonon ni'n llenwi'r cae, fyddai neb wedi sylwi ar lwydni'r menig, a minnau wedi mynd i'r drafferth i'w golchi ac, o ganlyniad, arteithio fy nwylo.

Erbyn diwedd y flwyddyn, edrychwn ymlaen yn eiddgar at gael treulio'r gwyliau Nadolig yn y Gaiman. Gwyddwn, erbyn hynny, 'mod i wedi llwyddo i gael fy nhrosglwyddo i Orsaf Radiotelegraffi'r llynges yn Nhrelew. Yno byddwn yn treulio fy ail flwyddyn, o fewn tafliad carreg i gartref fy rhieni. Gorsaf fechan oedd fy man gwaith newydd yn Nhrelew ond roedd ei hamserlen yn un gymharol brysur gan ei bod yn cadw mewn cyswllt cyson â llongau'r llu bedair awr ar hugain y dydd. Roedd pob aelod o'r staff (*Suboficial Mayor* a phedwar corporal) a deuddeg consgript yno i wasanaethu'r orsaf. Yr unig eithriad oedd y cogydd – bachgen o gyffiniau'r ffin â Brasil, a siaradai ag acen Bortiwgeeg, gan fynnu mai'r rheswm bod cystal blas ar ein bwyd oedd ei fod e'n poeri i mewn iddo wrth ei goginio!

Ceisid rhedeg yr orsaf â disgyblaeth lem. Doedd dim gwamalu i fod ar yr awyr, ac roeddwn i'n fwy na hapus i ufuddhau. Y rheswm pennaf am fy niffyg hiwmor i wrth y gwaith hwn oedd 'mod i'n ei chael yn galed canolbwyntio ar dderbyn galwadau a glywid yn wan iawn weithiau, yn enwedig ynghanol y synau atmosfferig a'r negeseuon a orlenwai'r donfedd fer. Ar wasanaeth wrth y set radio rown i brynhawn Gwener, 22 Tachwedd 1963, pan dorrodd y newyddion am lofruddiaeth John F. Kennedy. Fel ymhobman arall, creodd y digwyddiad hwn gryn gynnwrf ymhlith aelodau'n cymuned fach ni, a gwelais mai'r un oedd yr ymateb yn y Gaiman y noson honno. Rai diwrnodau'n ddiweddarach roedd pawb yn unfryd hefyd o'r farn nad Lee Harvey Oswald oedd y gwir lofrudd, a defnyddiwyd llawn gymaint o inc a cholofnau papurau newydd i drafod pwy mewn gwirionedd oedd yn euog ac yn gyfrifol am yr anfadwaith.

Rhywsut, rhywfodd, llwyddais tua mis yn ddiweddarach, i gwblhau'r ail flwyddyn mor ddi-boen â'r gyntaf. Pan glywai pobl 'mod i wedi treulio dwy flynedd yn y llynges, holent, 'Gest ti gyfle i grwydro'r byd?' a rhyfeddu o glywed nad own i erioed wedi bod ar fwrdd llong hyd yn oed. Er mor apelgar oedd y syniad o grwydro'r byd, rwy'n cyfaddef 'mod i'n ddigon bodlon â'r hyn a ddaeth i'm rhan, a chael bod yn forwr tir sych.

13

Rhwng Duw a Mamon

D IOSGAIS Y LIFRAI A'U plygu'n daclus, a thynnu fy esgidiau trymion hefyd, cyn newid i 'nillad a'm sgidiau fy hun. Wedi trosglwyddo'r bwndel dillad yn ôl i'r storfeydd, brasgamais i'r swyddfa i dderbyn y dystysgrif oedd yn fy rhyddhau yn ffurfiol yn ôl i'r byd mawr. Curai 'nghalon yn gyflymach wrth i mi agosáu at y bws fyddai'n fy nghludo ar y daith fer i Drelew ac i ryddid. Taniodd yr injan ac allan â ni drwy'r gatiau. Rown i bellach yn ddinesydd cyffredin a 'nhraed yn gwbl rydd a gwên lydan ar fy ngwefusau wrth ddisgyn yn Nhrelew. Roedd yr awyr yn lasach a'r haul yn danbaid wrth i mi neidio ar y bws i'r Gaiman. Wrth gerdded ar hyd stryd Michael D. Jones, dyfalwn mai lled debyg fyddai teimlad carcharor ar ddiwedd ei benyd. Wedi dweud hynny, gwyddwn na fyddwn i byth yn anghofio am yr 'Henwraig' na nifer o'r bechgyn eraill, ac y byddwn yn dragwyddol ddiolchgar am gael dod i nabod Aldo, Rubí a'r holl ffrindiau na fyddwn wedi dod i'w nabod oni bai am y llynges.

Y cam nesaf oedd meddwl am fy nyfodol. Nid bod hwnnw'n ansicr yn y tymor byr o bell ffordd. Ychydig wythnosau cyn cwblhau 'ngwasanaeth milwrol, digwyddais gyfarfod â Ricardo Bianchi, pregethwr cynorthwyol yng nghapeli'r Wladfa a oedd hefyd yn rheolwr cangen Trelew o un o fanciau mawr yr Ariannin, sef y *Banco de Italia y Río de la Plata* (Banc yr Eidal a'r Afon Arian). Holodd beth oedd fy nghynlluniau, a chyfaddefais nad oedd gen i swydd mewn golwg ond 'mod i'n gwybod yn bendant nad own am fynd i ddysgu. Gyda gwên, gofynnodd a hoffwn i weithio yn y banc. Ymledodd honno pan atebais yn eiddgar o gadarnhaol, a gwahoddodd fi i ddod am brawf erbyn hanner awr wedi chwech y bore ar ddiwrnod penodol yn ystod yr wythnos rhwng y Nadolig a'r Calan. Ychydig funudau wedi cwblhau'r prawf, clywais 'mod i'n llwyddiannus a gwahoddwyd fi i ddechrau ar fy swydd fore Llun 6 Ionawr 1964.

Er na chawn unrhyw drafferth, bellach, i ddeffro gyda'r wawr, rown i'n dal i fod yn hoff o 'ngwely ac o droi a throsi yno. Cafodd fy swydd newydd ac arferion Mam wared ar y drefn honno – am gyfnod, o leiaf. Roedd hi wedi arfer codi'n gynnar gydol ei hoes, a byddai'n cerdded i mewn i f'ystafell wely yn union am bump o'r gloch a chynnau'r golau, a dechrau siarad â mi drwy osodiad neu gwestiwn y disgwylid i mi ymateb iddo. Roedd ei dull o'm llarpio allan o grafangau cwsg yr un mor effeithiol â chwiban y corporal ac, erbyn dechrau'r ail wythnos, rown i wedi dod yr un mor gyfarwydd ag ef. Gan ei bod hi'n rhy gynnar i fwyta brecwast ni wnawn fwy na llyncu paned o de a bwyta darn o dost cyn rhuthro at gornel y *plaza* i ddal y bws i Drelew. Agorai drws cefn y banc am chwech o'r gloch a byddai un o'r gofalwyr wedi paratoi digonedd o goffi du cynnes a bisgedi ar gyfer y staff.

Disgwylid i bawb fod wrth eu desgiau i ddechrau gwaith yn brydlon erbyn hanner awr wedi chwech. Agorid y drws ffrynt i'r cyhoedd am wyth a'i gau am un, gan roi awr i'n galluogi ni i roi'r ffigurau mewn trefn i alluogi Sr Bianchi i drosglwyddo'r balans dyddiol i'r pencadlys yn Buenos Aires. Yna, rhuthrwn oddi yno i'r orsaf i ddal y bws adref, lle byddai cinio oer blasus yn aros amdana i ar y bwrdd erbyn tri o'r gloch. Yn amlach na pheidio, byddai Mirna'n dod at y bwrdd i rannu 'mhryd. Pan ddaeth yn amser iddi hithau ddechrau mynychu'r ysgol gynradd, cytunodd fy rhieni i'w derbyn, ond ar draul Edi, gan na fedren nhw gadw'r ddau.

Byddai Mam wedi mynd i gysgu siesta cyn i mi gyrraedd adref. A dyna a wnawn innau wedyn am ryw awr cyn amser te. Prin yr âi neb allan o'u tai yn hafau crasboeth y Gaiman rhwng hanner dydd a phedwar o'r gloch. Erbyn hynny, byddai'r gwres yn lleddfu, y dref yn dadebru, y bywyd masnachol yn ailgychwyn, pobl yn ailddechrau cerdded y strydoedd, a'r siopau'n ailagor tan tua wyth o'r gloch – yn hwyrach na hynny mewn ambell achos. Prysurai ein bywyd cymdeithasol wrth iddi dywyllu ac, os nad oedd yna Ysgol Gân neu weithgaredd cyffelyb, byddai gen i amser i gymdeithasu ag Elfed a rhai o'm ffrindiau eraill. Rown i hefyd yn cadw perthynas glòs â Rubio a Bini Zampini. Petasai yna ffilm ddiddorol yn cael ei dangos yn y sinema leol, byddwn yno'n brydlon erbyn naw o'r gloch, er mai'r duedd, bellach, oedd mynychu'r Coliseo mawr yn Nhrelew yng nghwmni merch o'r dref.

Yna, daeth gwahoddiad i mi lunio cyfres o raglenni ar hanes a cherddoriaeth Cymru ar gyfer gorsaf Esquel o *Radio Nacional* – y radio genedlaethol yn cyfateb i Radio 3. Roedd disgwyl i mi recordio penodau hanner awr a'u hanfon drwy'r post i'r orsaf. Gan nad oedd gen i beiriant recordio na llawer o recordiau Cymraeg, gorfu i mi ddibynnu ar Lyfrgell Richard Jones Berwyn, a leolid bryd hynny yn hen adeilad Ysgol Ganolraddol y Gaiman (Ysgol Camwy heddiw) i ddarparu'r recordydd tâp, ac ar gyfeillion am y recordiau. Bu Rubio Zampini yn gymorth mawr wrth recordio'r ddwy raglen gyntaf ond wedyn gorfu i mi ymlafnio ar fy mhen fy hun. Ymhen peth amser, llwyddais i brynu peiriant llawer mwy pwerus, a rhoddais swm o arian i Arianina Roberts, chwaer Bini a oedd ar ymweliad â'r Wladfa, i brynu casgliad o recordiau cyfoes o Gymru. Cefais lawer o fwynhad yn sgriptio'r rhaglenni a'u recordio. Gan nad oedd technegwyr sain yn y Gaiman, gorfu i mi fynd ati i feistroli'r gwaith o recordio fy llais a'r gerddoriaeth, a golygu'r tâp yn barod i'w ddarlledu. Bu'n brofiad ardderchog, ac roedd cael popeth yn barod i'w anfon yn wythnosol i Esquel yn ddisgyblaeth dda hefyd.

Ymhen ychydig fisoedd, cynigiwyd cyfres o raglenni i mi ar Radio Chubut, gorsaf radio annibynnol a lansiwyd yn Nhrelew ychydig dros flwyddyn ynghynt. Yr un fformat, fwy neu lai, oedd i'r rhaglen hon hefyd, sef y cyflwynydd yn adrodd uchafbwyntiau hanes Cymru ar draws y canrifoedd ar yn ail â recordiau Cymraeg. Anghofiaf i byth mo'r darllediad cyntaf oherwydd fod technegydd wedi chwarae'r tâp ar y cyflymdra anghywir ac, er nad oedd y lleisiau'n dod drosodd yn union fel cymeriadau cartwnau Walt Disney, roedd y rhaglen yn sicr o dynnu sylw am y rhesymau anghywir. Gan nad oedd gen i gar, rhuthrodd Nhad â mi i lawr i Drelew ac roeddem yn yr orsaf cyn bod y rhaglen yn cyrraedd ei therfyn. Derbyniais ymddiheuriad a chynigiwyd ailddarllediad byw am ddau o'r gloch. Roedd hwn yn amser da, gan ei fod yn dod un union o flaen y pêl-droed, ac yn sicr o ddal cynulleidfa niferus. Yr wythnos ganlynol, symudwyd hi i amseriad gwell fyth, sef 11.00 o'r gloch ar fore Sadwrn, pan fyddai pawb yn gwrando ar y radio.

Yn y man, sylwais fod pobl yr ardal yn cyfeirio ati fel rhaglen *28 de Julio*, oherwydd mai'r cwmni bysiau o'r enw hwnnw oedd ei noddwr. Doedd fawr o ots gan neb beth oedd enw'r rhaglen na phwy oedd ei chyflwynydd. Beth bynnag oedd barn y gwrandawyr amdani, roedd yn berffaith amlwg eu bod o leiaf yn gwerthfawrogi'r gerddoriaeth.

Cymerai trefniadau dathliadau Canmlwyddiant y Wladfa lawer o fy amser, yn ogystal. Rown i'n aelod o'r is-bwyllgor Diwylliant, o dan gadeiryddiaeth Ieuan Arnold, postfeistr Trelew, ac yn y dref honno y cynhelid y cyfarfodydd. Tueddai'r ddau ohonon ni rannu'r un weledigaeth ynglŷn â chynnwys y rhaglen waith ond gan nad oedd llawer o aelodau'r pwyllgorau o dras Cymreig, ac nad oedd fawr o syniad ganddynt am y diwylliant gwladfaol, bu'n rhaid gweithio'n galed i sicrhau lle teilwng i'r Gymraeg yn y dathliadau. Yn annibynnol ar ein gilydd, daethon ni i'r casgliad fod hwn yn gyfle ardderchog i atgyfodi'r Eisteddfod. Doedd gan y naill na'r llall y syniad lleiaf a fyddai'r awgrym yn cael ei dderbyn a dyma benderfynu gofyn i'r is-bwyllgor sefydlu Pwyllgor Gwaith ar gyfer trefnu Eisteddfod y Canmlwyddiant, heb unrhyw sôn am gynlluniau tymor hir. Doedd pawb ddim o blaid, oherwydd ansicrwydd ynglŷn â denu digon o gystadleuwyr a sicrhau adnoddau digonol i drefnu rhaglen a fedrai apelio at ddarpar gynulleidfa. Roedd bwgan y cyllid yn taflu'i gysgod dros ambell enaid petrus hefyd. Yn ffodus, llwyddwyd i berswadio mwyafrif yr aelodau nad oedd unrhyw reswm dros amau llwyddiant y fenter. Gwyddem y byddai angen ymdrech enfawr i gyrraedd y nod gan nad oedd y Wladfa wedi cynnal Eisteddfod er 1950. Galwyd cyfarfod cyhoeddus yn y Gaiman a ffurfiwyd Pwyllgor Gwaith. Ieuan a benodwyd yn Gadeirydd, minnau'n ysgrifennydd, a merch ifanc o Drelew, Doreen Williams, yn ysgrifennydd cofnodion. Gwyn Jones, hefyd o Drelew, fyddai'r Trysorydd.

I dynnu sylw at weithgaredd pwyllgorau'r dathlu, gofynnwyd i mi gyflwyno bwletin wythnosol deng munud o hyd yn fyw ar Radio Chubut bob dydd Sadwrn cyn newyddion un o'r gloch. Doedd hi ddim yn dasg hawdd oherwydd nad oedd y gwahanol bwyllgorau'n trosglwyddo gwybodaeth am eu gweithgareddau niferus i mi, a doeddwn i ddim yn newyddiadurwr wrth reddf. Serch hynny, llwyddais i gynnal y bwletin bob dydd Sadwrn gyda chymorth ambell record i lenwi bylchau.

Ers i Edith ffurfio'i chôr plant, roedd hi a minnau wedi bod yn mynychu cartref Virgilio ac Albina Zampini (Rubio a Bini i'w ffrindiau) am wahanol faterion yn ymwneud â'u hymddangosiadau. Roedd eu mab, David, a'u merch, Mary, yn aelodau gwerthfawr a ffyddlon o'r côr a'r disgwyl oedd y byddai Iago, y plentyn ieuengaf, yn ymuno hefyd, ryw ddydd, a hwythau, wrth gwrs, ymhlith y rhieni mwyaf cefnogol. Ymddiddorai Bini yng nghrefydd y Wyddoniaeth Gristnogol a hoffai ddyfynnu ei sylfaenydd, Mary Baker Eddy, a darllen y *Christian Science Monitor*. Un o gonglfeini'r ffydd hon yw'r gred bod dyn yn fod ysbrydol yn hytrach na materol; bod daioni yn real a drwg yn afreal. Trwy weddi, meithrin agweddau ysbrydol a thrwy ddeall Duw, gellir ymgyrraedd at y gwirionedd hwn a'i brofi. Mae un o frawddegau Bini wedi aros yn fy nghof: 'Os na fyddaf i fy hun yn cadw at y gwirionedd, nid y gwirionedd sydd ar fai ond minnau. Cofia di hynny.'

Yna, dechreuodd Edith a minnau alw yn eu cartref yn blygeiniol i ddarllen darn allan o'r Beibl cyn i Rubio fynd am ei waith. Esgorai'r sylwadau mwyaf arwynebol ar drafodaeth fywiog, oherwydd roedd Rubio nid yn unig yn aelod o'r Eglwys

Gatholig ond roedd hefyd ar un adeg wedi derbyn hyfforddiant i fod yn offeiriad. Y Pastor Gualdieri oedd ein gweinidog ni ar y pryd ac roedd yntau'n ŵr eangfrydig o argyhoeddiad dwfn. Roedd ganddo ddiddordebau gwleidyddol, yn ogystal. Cefais fy mhrofiad cyntaf o fynd allan i beintio sloganau gwleidyddol pan gytunodd ein gweinidog i sefyll fel ymgeisydd am swydd yr is-lywodraethwr taleithiol. Rown i hefyd yn adnabod y Peiriannydd Oscar Vives, ei bartner ar y tocyn, a oedd yn briod ag un o ferched Bethel. Dod yn ail yn yr etholiad fu hanes y bartneriaeth Vives-Gualdieri, ond cawsom lawer o hwyl yn yr ymgyrch.

Tua'r amser hwn deuthum yn gyfeillgar â Dante Mónaco hefyd. Cadwai llawer o bobl o hyd braich oddi wrtho oherwydd ei rywioldeb. Ei ddiddordebau celfyddydol eang ei sgwrsio difyr a'i hiwmor direidus a ddenai fy nghyfeillgarwch i, a dechreuais fynychu ei fwthyn i wrando ar recordiau a thrafod y llyfrau a'r ffilmiau diweddaraf. Doedd Mam ddim wrth ei bodd am ei bod yn ofni na fyddai dylanwad Dante yn llesol.

Rhwng popeth, roedd fy mywyd cymdeithasol felly'n llawn ac yn hapus, a down i ddim yn cael llawer mwy na rhyw bump awr o gwsg unrhyw noson o'r wythnos. Yna, daeth amserlen yr hydref i rym gan newid oriau'r banc. Am y chwe mis tan ddiwedd Medi, byddai'r drws cefn yn agor am ganol dydd a chau am wyth, ac yn ystod y prynhawn agorai'r drws ffrynt am bump awr i'r cyhoedd. Dydy dweud 'mod i'n casáu'r amserlen newydd ddim yn llwyr gyfleu fy nheimladau. Wrth i'r dyddiau fyrhau, doedd dim cymhelliad i godi'n blygeiniol ac, oherwydd 'mod i'n gorfod bwyta cinio cynnar a bod yn barod i ddal y bws yn fuan wedi un ar ddeg, roedd fy more'n diflannu wedi dim ond rhyw dair awr. Gyda'r nos, fyddwn i ddim yn cyrraedd adref tan tua naw o'r gloch ac, erbyn i mi gael swper, roedd yn rhy hwyr i feddwl am alw heibio i 'nghyfeillion. Doedd dim modd i mi gynnal fy mywyd cymdeithasol a theimlwn 'mod i'n gwastraffu 'mywyd.

Doedd dim amdani ond symud i Drelew. Bûm yn ffodus i gael llety o nos Lun i nos Iau gydag Yncl Urien ac Anti Celina am rent hynod resymol. Y fantais fwya oedd cael amser i gymdeithasu gyda'r nos ac i gyfarfod ag Ieuan a Gwyn pan fyddai angen trafod syniadau i'w cyflwyno i'r Pwyllgor Gwaith neu i Is-bwyllgor Diwylliant y Pwyllgor Dathlu. Dychwelwn adref ar nos Wener a threulio'r penwythnos yno tan fore Llun. Nid cyfnod i'w dreulio'n segur oedd y penwythnos yn ein cartref ni, ac eithrio ar fore Sadwrn, efallai, os digwyddwn fod yn lwcus.

Daeth un ymwelydd annisgwyl i'r banc un prynhawn. Ers colli Nain, roedd llawer o newidiadau wedi digwydd yng Nglan Camwy. Rhannwyd y ffarm rhwng y ddwy chwaer a'r brawd, daeth Urien, Celina ac Edi i fyw i'r bwthyn a gweithio'r tir a adawyd iddynt cyn symud yn ôl i'r dref. Gwerthodd Mam a Neved eu rhan a gyda'r arian hwnnw prynwyd tŷ i Neved yn Nhrelew, a thalodd Nhad am adeiladu cegin ac ystafell ymolch newydd sbon er mwyn ei galluogi i symud yno. Dechreuodd fy modryb ennill ei bywoliaeth drwy weithio mewn siop ddillad a chadw tair o ferched ifanc o ardaloedd eraill a weithiai yn Nhrelew. Maes o law, symudodd o'r siop i weithio mewn stondin gwerthu bwyd yn y farchnad ac anfonid hi gan y perchennog i dalu enillion y dydd i'w gyfrif yn y banc bob dydd. Cerddai i mewn a gwên ar ei hwyneb fel petai'n meddwl ei bod yn rhoi syrpréis i mi. Er nad oedd yn rhan o 'ngwaith i ddelio â'r cownter, awn ati i'w chyfarch yn frysiog ac i dderbyn unrhyw newyddion yr hoffai i mi eu rhoi i Mam cyn dychwelyd ar ras at fy nesg. Ni chlywais hi'n cwyno unwaith am ei byd. Deuthum i wybod flynyddoedd lawer wedi hynny nad oedd ei chyflog pitw yn caniatáu iddi brynu cinio, dim brechdan hyd yn oed, ac mai'r unig beth a fwytâi bob canol dydd oedd y braster gwyn a dorrai oddi ar ambell sleisen o ham ar gais y cwsmeriaid. Pam na fyddai wedi dweud wrtha i, a ninnau'n gweld ein gilydd bob dydd? Rown i'n ennill digon i dalu am ginio iddi bob dydd heb achosi unrhyw drafferth i 'nghyllideb.

Er gwaethaf ei thlodi, bu'n hynod o hael a charedig wrth rai llai ffodus. Wedi'i marwolaeth ym mis Mai 2000, ac Edith yn digwydd bod yn ei thŷ, daeth cnoc ar y drws. Un o fechgyn y dref o dras brodorol wedi dod i werthu papur dyddiol oedd yno.

Pan eglurwyd iddo bod *Señorita* Jones wedi marw, llenwodd ei lygaid â dagrau. Roedd yn flin iawn ganddo glywed, meddai. Nid yn unig roedd hi'n gwsmer ffyddlon, ond arferai hefyd roi rhywbeth iddo i'w fwyta bob dydd. Mi fyddai'n gweld ei heisiau yn ddirfawr. Nid elusen dros ysgwydd oedd hyn ond canlyniad naturiol i'w hargyhoeddiadau Cristnogol dwfn. Dyna sy'n egluro hefyd sut y mentrodd fynychu cyfarfodydd cangen leol yr *Unión Cívica Radical*. Nid yn unig mynychu'r cyfarfodydd a wnâi ond cyfrannai'n helaeth at y trafodaethau, gan geryddu'r arweinyddion a'r gwleidyddion proffesiynol am wahanol ddiffygion yn eu darpariaethau cymdeithasol. Câi ymddiheuriad yn aml, ac addewidion am welliannau buan i'w gweithredu erbyn y cyfarfod nesaf. Yn amlwg ddigon, down i ddim hyd yn oed wedi hanner dod i nabod fy modryb.

Gan nad oedd angen siesta yn yr hydref a'r gaeaf, byddai llawer o fynd a dod yn ein tŷ ni, gyda llu o berthnasau a chyfeillion yn galw heibio, yn enwedig y rhai oedd yn dod o'r ffermydd i siopa yn y dref ac yn galw draw am sgwrs a phaned. Wrth iddi dywyllu, ymlwybrem tua'r Hen Gapel naill ai i gefnogi neu i gymryd rhan mewn rhyw gyngerdd neu weithgaredd cymunedol. Ambell dro, bydden ni'n teithio i rannau eraill y dyffryn er mwyn canu yn eu nosweithiau hwy. Bu'r parti o ryw ddwsin o aelodau a arweiniai Nhad yn teithio mewn hen fws mini i ganu bron bob penwythnos am un cyfnod, a chawson ni lawer o ddifyrrwch yn yr achlysuron ac yn ystod y teithiau. Yn y capeli, gan amlaf, y cynhelid y nosweithiau hyn a Chymraeg, yn ddieithriad, oedd unig iaith y canu a'r cyflwyno. Yn raddol daeth y Sbaeneg i mewn i'n rhaglen, drwy ganu ambell emyn neu gân boblogaidd. Felly y daeth i Bethel, hefyd a Sbaeneg, cofier, oedd iaith trafod dosbarthiadau Ysgol Sul Tegai Roberts a Henry Roberts. Efallai eu bod hwythau'n cydnabod mai dyna oedd yr iaith a ddeallai ein cenhedlaeth ni orau, yn union fel y proffwydasai'r llenor Eluned Morgan, modryb i Tegai, ugain mlynedd ynghynt.

Teimlai Edith fod ein dosbarthiadau ni'n anniddorol iawn mewn cymhariaeth â rhai'r oedolion, a drafodai destunau eu maes llafur gyda llawer o afiaith, gan godi'u lleisiau o bryd i'w gilydd. Maddeuant Duw oedd y testun un prynhawn. Holodd un o wragedd y to hŷn: 'Wyt ti'n credu bod hon a hon wedi cael maddeuant?' 'Dwn i ddim,' atebodd ei ffrind, 'ond os ydy O wedi maddau iddi *hi*, dw *i* ddim isio mynd i'r Nefoedd.'

Bellach, roedd Edith wedi bod yn dysgu am ddwy flynedd ac yn cyfrannu tuag at redeg y tŷ. Gwellodd cyflog Nhad hefyd, ac fe brynodd Renault Dauphine ail law i fi er mwyn arbed yr angen i mi letya yn Nhrelew. Rhoddodd yr hen gar bychan tair gêr lawer o annibyniaeth i fi, ac roedd yn rhatach byw adref a theithio i'r gwaith bob dydd.

Yn 1964, cynigiodd yr Eglwys Fethodistaidd drefniant mwy ffurfiol i'r Undeb, sef ymgorffori'r capeli yn ei chyfundrefn genedlaethol, gan eu galluogi i rannu'r un breintiau a chyfrifoldebau â phob un o'i chapeli eraill. Ymhlith y breintiau, byddai parhad y drefn o gyflogi gweinidogion Cymraeg a byddai'r cyfrifoldebau'n cynnwys cyfrannu isafswm tuag at gynnal holl weinidogion yr Eglwys. Cefnogwyd y cynllun gan yr aelodau hynny a gredai fod dyletswydd arnyn nhw i wneud eu rhan yn y dasg o gynnal y weinidogaeth. Tueddai arweinyddion y capeli a'r Undeb i'w wrthwynebu ar sail eu hofnau naturiol y gallai cam o'r fath fwrw'r hoelen olaf yn arch y Gymraeg.

Trefnwyd cyfarfodydd ymhob un o gapeli'r Undeb yn Nyffryn Camwy, oedd yn dal i weithredu a chanfasiwyd yn galed o blaid y ddau safbwynt. O ganlyniad, gwelwyd llawer o wynebau 'newydd' a 'dychweledigion' yn llenwi'r meinciau a fu'n weigion am flynyddoedd, a chynyddodd y tensiynau. Aed ati i gasglu pleidleisiau'r henoed a'r methedig na fedrent fynychu'r cyfarfodydd a galwodd rhywun yng nghartref Anti Annie, eisiau perswadio Nain i bleidleisio dros wrthod y cynnig. Gwrthod y cyfle a wnaeth, oherwydd nad oedd yn aelod. Clywais sawl un nad oedd erioed wedi tywyllu drws capel yn honni fod yr EFA 'yn bwriadu dwyn ein capeli'. Ar y llaw arall medrai Bob Stroud, gweinidog yr EFA yn Nolavon, fod yn hollol anystyriol o'n hiaith a'n traddodiadau. Dangosodd ffilm un noson yn portreadu criw o Gymry meddw. 'Dyna'r math o bobl yw'r Cymry,' ychwanegodd yn wawdlyd.

Roedd y ddwy ochr ar eu cryfaf ym Methel, Gaiman, fel y gellid ei ddisgwyl yn nhref Gymreicia'r dyffryn, a gweithiodd arweinyddion y ddwy garfan yn ddyfal i ennill cefnogaeth. Roedd y capel yn orlawn ar noson y cyfarfod mawr. Ymhlith y siaradwyr, clywyd anerchiad yr Esgob Barbieri, pennaeth cenedlaethol yr EFA ar y pryd. Roedd ganddo'r enw o fod yn bregethwr mawr ac yn siaradwr a feddai ddawn perswâd. Ond gwrthwynebwyd yr uniad gan fwyafrif y diaconiaid, a chredaf mai Llewelyn Griffiths (un o'r ddau saer fuasai'n gyfrifol ddegawdau ynghynt am y gwaith coed crefftus sy'n dal i addurno'r capel hyd at heddiw) oedd y grymusaf a huotlaf ei ddadleuon. Henry Jones Davies, cyn-faer y Gaiman, oedd y diacon amlycaf ei gefnogaeth i'r cynnig.

Agorwyd y drafodaeth i'r aelodau ac ymatebodd sawl un i'r gwahoddiad. Er nad oedd yn siaradwr cyhoeddus, mentrodd Nhad i ddweud ei farn o blaid. Wrth iddo godi ar ei draed, teimlodd law yn cydio yng ngodre ei siaced a llais gwraig yn hisian yn awdurdodol, 'Eisteddwch i lawr! Does gennych chi ddim hawl i siarad – Eglwyswr ydach chi!' Doedd y ffaith bod Nhad wedi bod yn un o aelodau ffyddlonaf Bethel ers i ni symud i'r dref, ac wedi cyfrannu ei hatling bob Sul pan oedd eraill gwell eu byd yn anwybyddu'r achos, yn cyfrif dim. Gwenu wnaeth o, a gwneud ei bwynt yn gryno cyn ufuddhau i orchymyn y wraig hir ei chof am orffennol eglwysig ei deidiau a'i rieni.

Y garfan o blaid y *status quo* a orfu. Wedi cyhoeddi'r ffigurau, syfrdanwyd cefnogwyr yr uniad pan ychwanegodd un o'r diaconiaid, 'ac os nad ydych chi'n licio'r canlyniad does dim angen i chi ddod yn ôl yma'. Teimlai nifer ohonom ein bod wedi cael ein diarddel, a chynhaliwyd cyfarfod y noson ganlynol yng nghwmni'r gweinidogion i drafod ein sefyllfa ynghyd â'r posibilrwydd o sefydlu cangen o'r EFA yn y Gaiman. Doedd gadael Bethel ddim yn gam i'w gymryd yn ysgafn a bu'r penderfyniad yn destun gofid gwirioneddol am flynyddoedd lawer wedi hynny i nifer o'r rhai a'i cymerodd. Efallai iddo fod yn llawn cymaint o boen i'r rhai a arhosodd ar ôl.

Cyfarfu cangen newydd sbon EFA y Sul canlynol mewn hen sièd fawr dyllog yng ngerddi Plas y Coed (yn y man lle'r adeiladwyd y gwesty bychan poblogaidd wedi hynny) a oedd wedi'i chlirio'n arbennig ar ein cyfer. Roedd y si wedi mynd ar led o gwmpas y dref ac ni fu'n hir cyn i ni glywed sŵn symudiadau a chwerthin afreolus yn gymysg â sylwadau sarhaus yn cael eu hanelu tuag aton ni, yn ogystal â gweld ambell lygad yn syllu drwy'r rhychau. Rhywsut, llwyddwyd i'w hanwybyddu.

Siglwyd cymuned Gymraeg y dref i'w seiliau. Datblygodd ffrae ymhlith hen gyfeillion a holltwyd teuluoedd. Yn fuan, daeth yn amlwg bod canran uchel iawn o rieni aelodau côr Edith wedi gwahardd eu plant rhag canu o dan ei harweinyddiaeth ac aeth y rheiny ati i wahodd athrawes gerdd ifanc o'r dref i ffurfio a hyfforddi côr arall a chynhaliwyd ymgyrch ddyfal i ennill cefnogaeth iddo. Ymhen ychydig wythnosau, dim ond hanner y saith deg aelod oedd ar ôl gan Edith. Hi a ddioddefodd yr ergyd galetaf wrth golli aelodau gwerthfawr, gorfod dioddef gwawd rhai o'r mamau, a gweld rhai ohonyn nhw'n croesi'r stryd er mwyn ei hosgoi. Un ar hugain oed oedd hi pan ddechreuodd yr helynt a gorfu iddi ddioddef ei effeithiau am flynyddoedd maith wedi hynny.

Eithr dioddefodd un teulu yn fwy na neb arall. Cyrhaeddasai'r Parchedig Maldwyn Roberts, ei wraig Minnie a'u plant Dilys a William Ddyffryn Camwy ychydig fisoedd ynghynt, yntau wedi'i gyflogi gan yr EFA i wasanaethu capeli'r Undeb. Croesawyd y teulu'n gynnes a llanwodd Maldwyn y bwlch a adawsai D. J. Peregrine ar ei ôl. Cyfrannodd Minnie hefyd at weithgareddau Bethel, yn bennaf gyda'r chwiorydd a'r plant. Ymddiddorai yn ein gweithgareddau diwylliannol a bu'n ddiwyd yn hyfforddi adroddwyr ac yn paratoi partïon ar gyfer gwahanol ddigwyddiadau. Tua wyth oed oedd Dilys, ac ymdoddodd hithau yn hawdd i gymunedau'r ysgol a'r capel.

Tua phump oed oedd William ac, fel llawer iawn o blant ei

oedran, tueddai i achosi llanast yn llawer cyflymach nag y gallai ei rieni ei rag-weld. Unwaith, llwyddodd i fynd i mewn i'w car a gollwng y brêc llaw. Gan nad oedd yn arferol yn y dyffryn i adael ceir mewn gêr wrth eu parcio, a bod y car ar oledd, llithrodd hwnnw wisg ei gefn ar draws y stryd nes taro'n erbyn coeden ar bafin yr ochr arall. Daeth William allan ohono'n ddianaf, a dywedodd ei dad wrtho,

'O, mae angen gras, wir.'

'Beth yw gras, Dad?' holodd William.

'Y grym sy'n fy atal i rhag rhoi chwip din i ti'r foment hon, 'machgan i,' oedd sylw'r gweinidog.

Canfu Maldwyn ei hun yn llygad y corwynt a chwythai drwy'r dyffryn gan rwygo'r gymuned, a doedd y dewisiadau ddim yn rhai hawdd. Petai'r cynnig yn llwyddo, roedd mewn peryg o golli hanner neu fwy o'i braidd; petai'n methu, ni fyddai dewis ganddo ond dychwelyd i Gymru, gan na fedrai'r Undeb fforddio ei gyflogi. Pan ddaeth i'r casgliad mai cynllun EFA a gynigiai'r dewis gorau i'r capeli, ymgyrchodd yn galed drosto. Enillodd hyn gyfeillion a gelynion iddo.

O ganlyniad i'r rhwyg a ddilynodd y bleidlais, lledaenwyd llawer o sylwadau celwyddog ac annheilwng iawn amdano. Efallai fod hyn i'w ddisgwyl – ef oedd wyneb lleol yr EFA, a chosbwyd ef yn llym o'r herwydd. Cynhaliodd wasanaethau Cymraeg a Sbaeneg eu hiaith yng nghapeli'r EFA am rai blynyddoedd cyn iddo ymfudo i Ganada yn y gobaith o ganfod hinsawdd iachach i weithio ynddo ac, er iddo ddychwelyd am gyfnod byr i'r dyffryn, yng Nghanada yr ymsefydlodd yr eilwaith yn ystod blynyddoedd olaf ei oes.

Yn dilyn y rhwyg, er nad ar unwaith, ymddiswyddodd Mair Davies o'i dyletswyddau gyda'r EFA ond arhosodd i weithio'n wirfoddol yng nghapeli'r Undeb. Cynhaliodd ei hun drwy redeg siop lyfrau Cristnogol hynod lwyddiannus yn Nhrelew, a sefydlwyd ganddi gyda chymorth Mudiad Efengylaidd Cymru. Yno mae hi o hyd, wedi blynyddoedd maith o wasanaeth na all aelodau ei phraidd fyth ei lawn werthfawrogi. Llwydda o hyd i gynnal gwasanaethau achlysurol drwy gyfrwng y Gymraeg yn y Gaiman, Trelew a Dolavon, ond Sbaeneg erbyn hyn yw iaith mwyafrif aelodau'r capeli sy'n dal i agor eu drysau o Sul i Sul. Yn anochel, gostwng mae nifer y siaradwyr Cymraeg naturiol ac nid yw mwyafrif y dysgwyr ifanc brwd yn teimlo'r angen am foddion gras – mae'r Gymraeg i'w chlywed yn amlach uwchben peint ger y bar nag uwchben y bwrdd cymun. Yn achlysurol, llwydda Cymdeithas Cymru – Ariannin i ddenu gweinidogion o Gymru i dreulio ychydig fisoedd ar y tro yno, yn y gred bod hynny'n wasanaeth a werthfawrogir o hyd gan aelodau'r to hŷn.

Yr unig gapel i adael yr Undeb ac ymuno â'r EFA oedd Seion, Bryn Gwyn ond, gydag amser, ffurfiwyd eglwysi Methodistaidd yn Nhrelew a Madryn yn ogystal. Roedd yr EFA eisoes wedi adeiladu capel yn Nolafon ymhell cyn y rhwyg. Bellach, roedd ganddynt bum capel. Yn eironig ddigon, yn y capeli hyn ac nid yn rhai'r Undeb roedd yr unig weinidog Cymraeg ei iaith yn gwasanaethu. Flynyddoedd yn ddiweddarach, codwyd adeilad presennol yr Eglwys Fethodistaidd yn y Gaiman. Un bore, rhybuddiwyd un o ferched ifanc y dref gan wraig hynod grefyddol gyda'r geiriau anhygoel, 'Paid â mynd i fan'na. Capel y pechaduriaid ydy hwnna.' Dyma gymeradwyaeth y dylai unrhyw eglwys gwerth ei halen fod yn falch ohoni, a bathodyn neu logo rhagorol i'w arddel uwchben y drws. Erbyn hyn, capel di-Gymraeg i bechaduriaid ydyw, er bod rhai siaradwyr Cymraeg yn eu plith, gan gynnwys aelodau o 'nheulu agosa.

Er i mi fod yn gefnogol iawn i'r syniad o sefydlu cangen EFA yn y Gaiman a 'mod i'n credu bod yr eglwys wedi bod yn rym dros ddaioni yn yr Ariannin, ni fûm i'n hir cyn sylweddoli maint y difrod a grëwyd i'r gymuned Gymraeg ac i gyflwr yr iaith yn y dref ac, yn wir yn y dyffryn cyfan. Wedi blynyddoedd o lewyrch cymharol, collodd yr eglwys leol ei harweinyddion gwreiddiol o un i un yn dilyn marwolaeth, ffigurau amlwg megis Henry Jones Davies, fy nhad a Bob Williams ac yn sgil ymadawiad Maldwyn Roberts, collodd hefyd ei gweinidog Cymraeg.

Petai Bethel wedi llwyddo i bleidleisio'n unedig dros y naill ddewis neu'r llall y noson dyngedfennol honno ym 1964 ac, fel y dywedodd un o'r aelodau'n ddiweddarach, petai 'wedi dangos mwy o gariad brawdol', rwy'n gwbl argyhoeddedig y byddai cyflwr y Gymraeg yn y dref yn llawer cryfach nag ydyw. Wedi'r cyfan, fel y dywed yr hen wireb, 'mewn undeb mae nerth'.

Y flwyddyn ganlynol, prynodd fy rhieni dŷ yn union gyferbyn â'r tŷ roedden ni wedi bod yn ei rentu cyhyd, ac roedd yn fwriad gan Nhad i godi garej yn ei ymyl. Cynigiodd ei ddiddosi a'i ddefnyddio fel capel hyd nes y gellid codi adeilad pwrpasol. O hynny ymlaen 'Capel MacDonald' oedd yr adeilad hwnnw i lawer o bobl y dref am flynyddoedd lawer.

14

At yr hwyaid

AR FORE HEULOG O Hydref 1964, a chymylau o lwch yn chwyrlïo yn y gwynt wrth i mi groesi'r stryd ar frys ar fy ffordd i'r banc, clywais lais cyfarwydd yn galw fy enw. Troais a gweld Ieuan Arnold yn amneidio arnaf i ddod drosodd i'r Swyddfa Bost. Wedi'r cyfarchion siriol arferol, gofynnodd yn hollol ddirybudd: 'Hoffet ti fynd i Gymru?' 'Byddwn wrth fy modd', atebais gan chwerthin. Petawn i'n dechrau cynilo'r foment honno, efallai yr arbedwn ddigon o arian o fewn rhyw ddeng mlynedd i brynu'r tocynnau, a chaniatáu na fyddai'r prisiau wedi codi yn y cyfamser ac na fyddwn wedi priodi a dechrau magu teulu.

Daeth yn amlwg ymhen eiliadau ei fod o ddifrif. Roedd Pwyllgor y Canmlwyddiant wedi derbyn neges oddi wrth y pwyllgor cyfatebol yng Nghymru yn amlinellu rhaglen y dathlu, ac yn gwahodd pedwar o wladfawyr ifainc i ddod drosodd i ymuno yn yr hwyl am dri mis o 22 Mai hyd at 22 Awst. Yr unig beth roedd angen i'r pedwar ffodus ei wneud oedd dal awyren i Buenos Aires ac oddi yno i Heathrow, heb orfod talu ceiniog am y tocynnau nac am yr arhosiad yn Llundain na Chymru. Yr unig arian y byddai ei angen arnynt fyddai digon i'w wario ar fanion ac am y llety yn Buenos Aires. Mynegais fy niddordeb brwd yn y fan a'r lle. Rhybuddiodd fi fod y gwahoddiad i'w hysbysebu yn y papurau lleol ac ar y radio a bod angen i mi wneud fy rhan yn y bwletinau ar ddydd Sadwrn i ledaenu'r wybodaeth. Rhywsut, byddwn i'n gyfrifol am wahodd pobl i gystadlu yn fy erbyn.

Yna, cafodd y rhwystr cyntaf ei amlygu. Roedd yn rhaid i'r ymgeiswyr fod rhwng 25 a 35 mlwydd oed, a doedd dim ond prin bedwar mis ers i mi ddathlu 'mhen-blwydd yn dair ar hugain. 'Does dim ots,' meddai Ieuan. 'Ar sail haeddiant ac nid oedran y gwneir y dewis. Rho dy gais i mewn yr un fath.' Estynnodd ffurflen i mi, gan orchymyn: 'Llenwa hi heno ac anfona hi i mewn ar unwaith. Yr unig ofid sydd gen i,' ychwanegodd, 'yw na ddoi di byth yn dy ôl.' Chwarddais pan glywais y fath syniad. Cefais wybod ganddo hefyd fod y Cyngor Prydeinig wedi cynnig dwy ysgoloriaeth ar gyfer pobl ifanc o'r un ystod oedran ond na fyddwn i'n gymwys i ymgeisio am nad oeddwn i'n siarad Saesneg. Wyddwn i ddim ar y pryd y byddai'r sgwrs honno'n newid fy mywyd yn sylfaenol.

Cefais drafferth i osgoi rhannu 'nghyfrinach â 'nghyd-weithwyr ond cam gwag fyddai agor fy ngheg oni chawn fy newis yn gyntaf. Byddai'n rhaid aros nes mynd adref ar ddiwedd y dydd, a chael dweud wrth fy rhieni ac Edith. Bu'r cyfle euraidd a gyflwynid i mi'n destun siarad am weddill y noson. Llenwais y ffurflen ac anfonais hi ar unwaith at y pwyllgor, er bod rhai wythnosau cyn y dyddiad cau, ac wythnos neu ddwy wedi hynny cyn i'r pwyllgor gyfarfod i wneud eu dewis. Pan ddaeth yr adeg ni thynnwyd rhestr fer ac ni wahoddwyd neb i gyfweliad. Dewiswyd y pedwar ymgeisydd llwyddiannus 'y tu ôl i ddrysau caeedig' ar sail cynnwys eu ffurflenni cais yn unig. Y rheswm am hynny, efallai, oedd bod y dalaith mor eang a llawer o'r ymgeiswyr yn byw yn rhy bell o Drelew i'w galw yno am gyfweliad.

Testun syndod i lawer oedd clywed enwau'r detholedig: José Webber, gŵr ifanc o Esquel, yn enwog ledled y dalaith am ei ddawn gerddorol a chywirdeb perfformiadau eu bartïon, fyddai'n cynrychioli'r Andes, er na fedrai air o Gymraeg. Ac yntau'n fab i Almaenwr a Chymraes wladfaol, cyfranasai José yn gyson i weithgareddau cerddorol cymuned Gymraeg ei fro. Dewiswyd tri o'r dyffryn: Osian Hughes, ffermwr o ardal Moriah a fedrai olrhain ei achau yn ôl i'r *Mimosa* ac a gyfrannai'n hael i weithgareddau Cymraeg ei fro, oedd yn cynrychioli'r dyffryn isaf a'r Wladfa amaethyddol; Doreen Williams, geneth dawel a swil ond gweithgar o Drelew, Ysgrifennydd Cofnodion

Pwyllgor Gwaith yr Eisteddfod, a gynrychiolai'r Wladfa drefol; a minnau oedd cynrychiolydd rhan ucha'r dyffryn, o'r Gaiman i'r gorllewin. Cyhoeddwyd hefyd enwau'r ddau a ddewiswyd i dderbyn ysgoloriaethau'r Cyngor Prydeinig: Eileen James de Jones, gwraig Dewi Mefin Jones, prifathro Ysgol Uwchradd William Morris, Dolavon, a Geraint Edmunds, peiriannydd ifanc o Drelew. Athrawes uwchradd oedd Eileen ac yn ferch i Richard James, arweinydd a hyfforddwr partïon gyda'r mwyaf soniarus erioed i ddod o'r dyffryn uchaf, a Geraint yn beiriannydd sifil ac yn fab i brifathro olaf Ysgol Ganolraddol y Gaiman, E. T. Edmunds. Byddai eu rhaglen nhw'n gwahaniaethu oddi wrth ein hamserlen ni o bryd i'w gilydd. Rown ar fin gwireddu breuddwyd, a chael dod i nabod Cymru, ei thir a'i phobl.

Sobrwyd fy llawenydd pan atgoffodd Albina fi y byddwn i a'r pump arall nawr yn llysgenhadon dros y Wladfa a'i phobl ac y dylwn gofio am y cyfrifoldeb hwnnw drwy air a gweithred yn ystod fy ymweliad. Felly, medrwn fesur llwyddiant yr ymweliad yn ôl gallu'r chwech ohonon ni i greu delwedd ffafriol o'r Wladfa ym meddyliau'r Cymry. Brysiais i hysbysu Sr Bianchi yn y Banc cyn i'r cyhoeddiad ymddangos yn y wasg. Ni chynhyrfodd o gwbl. I'r gwrthwyneb, roedd wrth ei fodd ac ystyriai y gwnâi fy llwyddiant adlewyrchu'n dda ar y Banc. Ychwanegodd y byddai angen cytundeb y pencadlys, a daeth neges oddi fry'n cytuno â'r cais ac yn rhoi tri mis o wyliau estynedig i mi – ar gyflog llawn! Oherwydd bod amodau'r gwahoddiad yn mynnu y dylai pob un ohonon ni gario hanner can punt o arian poced, ac nad oeddwn yn berchen ar swm felly nac yn debyg o'i gasglu yn ystod yr ychydig wythnosau oedd ar ôl cyn y dyddiad cychwyn, trefnodd fy rheolwr caredig i Yncl Glyn, oedd yn gwsmer yn y banc, godi benthyciad am y swm hwnnw, i'w ad-dalu dros gyfnod o flwyddyn. Nhad fyddai'n gyfrifol yn ystod fy absenoldeb am yr ad-daliadau misol allan o 'nghyflog i, a threfnwyd i dalu hwnnw iddo ef yn ystod fy absenoldeb. Wedi i mi ddychwelyd i'r gwaith ddiwedd Awst, byddwn i'n gyfrifol am dalu'r gweddill yn uniongyrchol – yr hyn na wneuthum, fel y digwyddodd pethau.

Ychydig dros fis cyn y daith cynhaliwyd priodas Edith ag Ariel Mai James a oedd, erbyn hynny yn aelod o staff Minaco fel gyrrwr a mecanic. Er bod Mam wedi pwysleisio o hyd ei dymuniad iddi briodi â bachgen o dras gwladfaol, a bod Ariel yn aelod o deulu adnabyddus a pharchus ym Mryn Gwyn, gwrthwynebodd y garwriaeth. Er gwaethaf rhybuddion Mam y byddai'n difaru ryw ddydd, doedd dim troi'n ôl ar Edith. Cynhaliwyd y gwasanaeth priodasol dan ofal y Parchedig Maldwyn Roberts yng Nghapel Seion, Bryn Gwyn, gan nad oedd adeilad addas gan yr EFA yn y Gaiman ar y pryd. Gyda'r nos y digwyddodd hynny, yn ôl yr arfer lleol, a'r neithior yn dilyn ar ffarm rhieni'r priodfab, cyn iddo ef a'i wraig newydd ddiflannu am wythnos o fis mêl.

Teithiodd Osian a minnau gyda'n gilydd i Buenos Aires lle byddem yn cydletya am rai nosweithiau cyn cychwyn tua Llundain. Y syndod pleserus i mi wrth gyrraedd fy ystafell wely oedd darganfod bod y ffotograffau hardd a addurnai'r wal yn dangos golygfeydd o fynyddoedd a llynnoedd Eryri. Darganfûm fod lluniau tebyg ymhob ystafell yn yr adeilad ond ni lwyddodd y staff i egluro pwy oedd yn gyfrifol am eu gosod yno na pham y dewiswyd lluniau Cymreig. O holl westyau'r brifddinas, roedden ni wedi dewis yr un a fyddai'n ein cyflyru'n feddyliol ar gyfer mwynhau golygfeydd godidog yr Hen Wlad.

Roedd wyth aelod yn hytrach na chwech yn ein parti pan ddaeth yr awr i'r Comet 4 godi o Ezeiza, oherwydd teithiodd gwragedd José a Geraint yn gwmni iddynt. Er gwaetha'r ffaith nad oeddwn erioed o'r blaen wedi gadael y wlad ni theimlwn unrhyw bryderon. Wrth godi tanwydd mewn meysydd glanio i'r Comet 4, codwyd teithwyr newydd a gollwng eraill. Yn Rio de Janeiro roedd yr arhosiad cyntaf, a chefais fy nghipolwg cyntaf o'r Pao de Asúcar (y Dorth Siwgwr) a'r Corcovado (y Gwargam), y mynydd lle saif y ddelwedd enfawr a thrawiadol o Grist y Gwaredwr. Ychydig a feddyliais y deuai adegau yn fy mywyd pan gawn gyfle i sefyll arnynt yn aml a mwynhau golygfeydd gyda'r mwyaf godidog yn y byd. Dyna pryd y sylwais fod J. J. Armando, Cadeirydd Cymdeithas Bêl-droed yr Ariannin (a chyn-gadeirydd

Clwb Pêl-droed Boca Juniors) yn eistedd ychydig seddau y tu blaen i mi, yng nghwmni nifer o bwysigion eraill.

Cofiais fy mod wedi darllen yn un o'r cylchgronau pêl-droed fod y dyn mawr yn arwain dirprwyaeth i Lundain i drafod materion yn ymwneud â threfniadau tîm cenedlaethol yr Ariannin yng nghystadleuaeth Cwpan y Byd a oedd i'w gynnal yn Lloegr yr haf canlynol. Roedd eu presenoldeb, rywsut, yn ychwanegu at y cynnwrf.

Wedi glanio wedyn yn Recife, yng ngogledd Brasil, codai'r gwres trofannol llethol tuag ataf, a chydiai fy nghrys yn boenus o dynn am fy nghorff chwyslyd wrth i ni groesi at y lolfa gyhoeddus. Dros y môr wedyn, i'r Senegal, a glanio yn Dakar, a rhyfeddu wrth weld staff benywaidd y maes yn gweithio'n fron-noeth ond yn gorchuddio'u bronnau pan welent dramorwyr er mwyn osgoi embaras iddynt. Hoffwn fod wedi gallu dweud wrthynt nad oedd angen iddynt boeni amdana i, ond doedd fy Ffrangeg ddim yn ddigon da. Maes awyr Barajas, ym Madrid, oedd y nesaf, a minnau erbyn hynny wedi blino'n lân. Oddi yno wedyn i faes awyr Orly, ym Mharis, cyn cychwyn ar y cymal olaf i Lundain. Roedd y daith yn ddwy awr ar hugain a minnau wrth fy modd ac yn fy llongyfarch fy hun am osgoi mynd yn sâl.

Wrth lanio yn Heathrow, gwelais fod Doreen, a eisteddai yn fy ymyl, yn estyn am y bag papur ac yn gwaredu cynnwys ei brecwast iddo. Er i mi fod yn berffaith iach ar hyd y daith, roedd ei gweld yn cyfogi yn ddigon o sbardun i'm stumog innau droi ac, o fewn llai nag eiliad, rown i'n rhagori ar ei pherfformiad ac yn swp sâl. Pan agorwyd y drysau i'n gadael allan camodd un o weinyddesau Aerolíneas Argentinas i mewn i'r cabin a gofyn am sylw'r teithwyr. Ar ran y wasg a'r cyfryngau, a wnâi'r unigolion a enwai aros yn eu seddi hyd nes bod pawb arall wedi disgyn? Roedd J. J. Armando a'i gyd-swyddogion eisoes ar eu traed, a'r dyn mawr yn ceisio perswadio teithwyr eraill i ymdawelu a gwrando ar yr enwau pwysig. Pan enwyd ni'n chwech, a dim sôn amdano ef, wfftiodd yn siomedig, gan rwgnach yn Sbaeneg: 'Neb o bwys. Chlywais i erioed amdanyn nhw.' Yn y man, cerddodd gyda'i ddirprwyaeth heibio i ni gan adael yr awyren yn wag o bwysigrwydd.

Nid oedd y dechrau gwael hwn yn argoeli'n dda i ymgyrch y tîm cenedlaethol, meddyliais, gan gofio am ein tuedd i ennill pob gêm cyn mynd ar y cae, heb lwyddo bob tro i ofalu mai dyna fyddai'r canlyniad erbyn y chwiban olaf. Y foment honno hefyd, achoswyd dryswch am y tro cyntaf ar ein taith oherwydd bod gwragedd Geraint a José hefyd yn y cwmni. Galwyd chwe enw ond roedd wyth o fodau dynol yn dal ar yr awyren. Bu'n rhaid clirio'r amryfusedd hwnnw cyn i ni gael caniatâd i ddisgyn.

Clywir Saeson yn aml yn dweud am eu profiad wrth gerdded i mewn i dafarn yng Nghymru – pawb yn troi i siarad Cymraeg rhag i'r ymwelwyr eu deall. Gallaf gydymdeimlo â John Redwood a'i debyg oherwydd, y bore hwnnw wrth i mi gerdded allan drwy ddrws yr awyren, troes y byd yn Saesneg, ac ni ddeallwn air. Wrth i ni ddringo i lawr y grisiau ar fore braf o wanwyn, wynebais gamerâu teledu am y tro cyntaf yn fy mywyd, gan resynu 'mod i yn y fath gyflwr, yn wan ac yn flêr yr olwg. Cawsom ein tywys i lolfa breifat, lle roedd Owen Edwards a Gwyn Llewelyn yn barod i'n holi mewn stiwdio fechan ar ran *Heddiw* (BBC) ac *Y Dydd* (TWW), gan roi rhagflas i ni o'r hyn a fyddai'n digwydd dros y tri mis nesaf.

Flynyddoedd wedyn gwelais ailddarllediad o un o'r cyfweliadau trist hynny, a golwg ddigon llipa arnaf. Wedi i ni gael ein rhyddhau, gwelson fod criw o Gymry Llundain yn aros i'n cludo fesul dau i'r ddinas ac i'n cartrefi am y deuddydd nesaf. Cefais fy machu gan ddau hogyn bywiog o tua'r un oed â minnau, John Morgan (Glanaman gynt, a Gwynedd wedi hynny) a Dafydd Wigley, y ddau'n byw ac yn gweithio yng nghyffiniau Llundain ar y pryd. Roedd sbortscar gan John, ac yn sedd gefn y car hwnnw y gosodwyd fy nghês. Cynigiodd Dafydd i mi eistedd yn y blaen ond, erbyn hynny, gan 'mod i mor sâl, roedd yn well gen i fod ar fy mhen fy hun, heb beryg i mi gyfogi ar rywun arall. Efallai i mi greu'r argraff ar John a Dafydd 'mod i'n hynod o anghymdeithasol ar y daith i gartref cysurus Cliff

Thomas a'i deulu. Doeddwn i ddim yn cofio i mi fod mewn lle mor foethus erioed a dyma fi'n rhy ddi-hwyl i'w fwynhau ac i gymdeithasu. Diolchais wrth weld bod Osian wedi cael ei gludo yno hefyd. Medrai ef gynnal y sgwrs â'n lletywyr. Dangoswyd yr ystafelloedd gwely i ni a gofynnais a fedrwn orwedd yno am ychydig i ddadflino. Erbyn hynny, doedd gen i mo'r syniad lleia beth oedd hi o'r gloch. Cysgais drwy'r prynhawn ond llwyddais i godi pan alwyd arnaf i ddod i swper. Y noson honno, gofynnais am gael fy esgusodi o'r perfformiad o *Moses* yn Covent Garden, er bod tocyn wedi'i brynu'n benodol ar ein cyfer gan bwyllgor Cymry Llundain. Fedrwn i ddim breuddwydio wynebu car nac opera'r noson honno. Roedd hyn yn destun siom aruthrol i mi oherwydd nad own i wedi gweld opera erioed, ac wedi gorfod bodloni ar wrando ar ambell un yn cael ei darlledu o'r Teatro Colón ar *Radio Nacional*.

Deffrais yn weddol gynnar yn ystod y nos gan deimlo'n llawer gwell. Ymhlith nifer da o lyfrau diddorol wrth ymyl y gwely gwelais *Un Nos Ola Leuad*. Meddyliais ei fod yn deitl difyr, a darllenais y nofel yng ngolau'r lamp a chwympo i gysgu rywbryd wedi iddi oleuo. Rwy'n sicr fod golwg waeth arna i wrth y bwrdd brecwast nag oedd y diwrnod blaenorol ond gadewais i bawb gredu mai effaith y daith oedd yn gyfrifol am hynny. Cyfaddefais wrth Mrs Thomas i mi dreulio oriau'n darllen y nofel, a 'mod i wedi'i mwynhau, er i mi gael yr hanes a'r cymeriadau yn ddieithr a thywyll. Ei sylw hi oedd mai hon oedd un o'r nofelau Cymraeg gorau i'w chyhoeddi'n ddiweddar. Rhyfeddais pan ychwanegodd, heb unrhyw ymffrost, ei bod yn adnabod yr awdur a'i wraig yn dda.

Doedd rhaglen y dydd Sul ddim yn dreth ar gryfder nac iechyd neb, a llwyddais i'w dilyn heb deimlo unrhyw effeithiau annymunol. Yn dilyn gwasanaeth boreol yn un o gapeli Cymraeg y ddinas, aethon ni allan i ginio yng nghwmni nifer o ieuenctid Cymry Llundain. Pan ddaeth yr adeg i dalu amdano, teimlais yn annifyr iawn wrth ddeall nad oedd yr un ohonon ni wedi cael cyfle i gyfnewid arian. Dafydd Wigley achubodd y sefyllfa.

Llwyddodd gyda'i afiaith arferol i berswadio'i gyfeillion i fynd i'w pocedi i dalu am ginio wyth o wladfawyr difeddwl. Yn waeth fyth, daeth yn amlwg wedi hynny fod digon o arian gan ddau aelod o'n grŵp ni'r diwrnod hwnnw ac y medren nhw fod wedi talu drosom a chael eu harian yn ôl yn ddiweddarach!

Aethon ni oddi yno i'r Amgueddfa Brydeinig ond buan yr ymwahanodd Dafydd a minnau oddi wrth y gweddill oherwydd fy niddordeb mawr yn yr hyn roedd ganddo i'w ddweud. Tra oeddwn i wedi bod yn holi am Arthur, Llewelyn a Glyndŵr, roedd yntau'n siarad am Blaid Cymru ac am rywun o'r enw Gwynfor Evans a fyddai'n arwain y Cymry i ryddid heb golli gwaed. Gydag enw mor gyffredin, ac yntau'n heddychwr, ni allwn gredu fod gan eilun Dafydd obaith i ddenu rhyw lawer o gefnogaeth. Trechaf treisied oedd hi yn fy mhrofiad i, a dyna a ddywedai hanes fy ngwlad a gwledydd y byd, am a wyddwn. Ond yswn am glywed mwy. Pan ddychwelodd pawb aton ni, roedden ni'n eistedd ar un o feinciau'r Amgueddfa a minnau wedi llwyr ymgolli yng nghyflwyniad Dafydd. Hon oedd y wers gyntaf a gefais ar wleidyddiaeth fodern Cymru ac, er na wyddwn i hynny ar y pryd, byddai'n cael dylanwad mawr arna i.

Wrth i ni wedyn grwydro ar hyd strydoedd Llundain ar fws coch to agored, roedd fy meddwl eisoes wedi hedfan draw i Gymru, a chof go niwlog sydd gen i am weddill y prynhawn, heblaw 'mod i wedi holi heddwas yn Gymraeg a hwnnw'n gwenu'n garedig arnaf ond yn methu ateb nes y daeth Geraint i gyfieithu. Wedyn, cawsom groeso mawr yng Nghanolfan Cymry Llundain yn Grey's Inn Road, a phryd o fwyd ardderchog y noson honno yn nghartref Cliff Thomas a'i wraig. Cofiaf holi Mrs Thomas ynglŷn â rhai arferion wrth y bwrdd bwyd oherwydd eu bod yn wahanol i'n rhai ni. Cyfeiriodd hithau at un o'n harferion anghyfarwydd ni, sef ein bod ar ddiwedd y pryd yn croesi'r gyllell a'r fforc ar y plât yn hytrach na'u gosod i orwedd ochr yn ochr. Teimlais fod y weithred fach syml hon wedi bod yn gymwynas garedig a mamol iawn i hogyn ifanc dibrofiad mewn gwlad ddieithr.

Fore Llun 24 Mai, rhoddwyd ni ar y trên yng ngorsaf Euston

gyda chyfarwyddyd i ddisgyn yn Rhiwabon, lle caem ein croesawu gan rai o aelodau'r pwyllgor a drefnodd ein hymweliad. Yno, yn aros amdanom ar blatfform yr orsaf, safai nifer o swyddogion y Pwyllgor Dathlu a Chymdeithas Cymry Ariannin. Yn ffodus, rown i'n adnabod nifer o'r wynebau: R. Bryn Williams, Ariannin Roberts, W. R. Owen a Valmai Jones.

Yno y cyfarfûm am y tro cyntaf â phedwar y cefais y fraint o fod yn eu cwmni droeon wedyn, sef Tom Jones, Llanuwchllyn; T. Elwyn Griffiths, sylfaenydd mudiad y Cymry ar Wasgar a'i gylchgrawn *Yr Enfys*; Meirion Jones, prifathro Ysgol Gynradd y Bala; ac Eiddwen Humphreys, merch o'r Wladfa a ddychwelodd gyda'i thad a'i chwaer i Gymru rai degawdau ynghynt cyn ymgartrefu a phriodi yma. Roedd yno hefyd gynrychiolwyr o'r Cyngor Prydeinig a llawer o wŷr y wasg Gymreig yn ogystal â chamerâu teledu. Cyfwelwyd ni unwaith eto ar gyfer y ddwy sianel, cyn i ni gael ein gyrru i ardal Penllyn, lle bydden ni'n treulio ein hwythnos gyntaf yng Nghymru.

Roedd dewis Penllyn yn benderfyniad doeth, nid yn unig o gofio am gysylltiad Michael D. Jones â'r Wladfa ond oherwydd bod y Gymraeg yn glywadwy iawn yn y Bala a'r cylch. Teimlwn mai braint oedd cael fy nghludo yno gan Tom Jones yn gyrru Mercedes Benz, a gwyddwn hefyd ei fod yn arwain côr enwog Godre'r Aran. Cofiaf amdano ar y siwrnai'n pwyntio'i fys at ryw gwm gan ddweud, 'Yn y cyfeiriad acw roedd Sycharth, cartref Owain Glyndŵr', gan ychwanegu nad oedd cartref Tywysog olaf Cymru yn sefyll mwyach. Eglurodd mai yn y Sarnau y byddwn yn lletya, ar ffarm Penybryn, gyda Glyn Jones a'i deulu, am y ddwy noson. Gwnaed i mi deimlo'n gartrefol yno ar unwaith a doedd dim yn ormod i wraig y tŷ a'r ddwy ferch ifanc, Gaenor ac Eleri. Cofiaf y ddwy yn canu unawdau a deuawdau roedden nhw wedi'u dysgu ar gyfer cystadlu yn eisteddfodau'r Urdd, a medrwn weld eu bod yn dalentog iawn. Cefais y pleser o wrando arnynt droeon wedyn ar wahanol lwyfannau yn ystod yr haf.

Aed â ni i noson lawen yng Nghaernarfon y noson honno. Geraint Lloyd Owen oedd arweinydd y noson, ac yn ei gar sbort ef y dychwelais ar hyd y ffyrdd troellog i Benllyn – yn swp sâl unwaith eto. Fflat Rheolwr Banc y Midland yn y Bala oedd fy nghartref am y ddwy noson ganlynol, lle derbyniais bob caredigrwydd gan Mr a Mrs Williams-Jones. Roedd yno gi mawr a doeddwn i ddim yn awyddus iddynt ddeall fod arnaf ei ofn. Yna, symudwyd fi am y tair noson olaf i'r Gwyndy, Llanuwchllyn, cartref Ifor a Winnie Owen, lle croesawyd fi'n gynnes unwaith eto ganddynt hwy a'u plant ieuengaf, Dyfir a Meilyr. Roedd Gareth, eu mab hynaf, yn y coleg ar y pryd. Pêl-droed oedd yn mynd â bryd Meilyr, testun oedd yn agos at fy nghalon innau. Ar yr aelwyd hon y profais y bara brith blasusaf erioed.

Cofiaf feddwl pa mor debyg i'n nosweithiau ni yn y Gaiman oedd y cyngerdd a lwyfannwyd i'n croesawu i'r pentref y noson honno. Mewn cyngerdd arall yn Ysgol y Berwyn dan arweiniad gan y Parchedig Huw Jones, cyflwynwyd bwrdd bychan a fu ar un adeg yn eiddo i Michael D. Jones yn anrheg i mi gan mai fi oedd aelod ieuenga'r ddirprwyaeth. Mae'n dal i fod gen i o hyd. Yn gynharach y prynhawn hwnnw, cawsom ddarlith gan yr Athro Alun Davies ar Michael D. Jones, ac anerchiad gan y Parchedig Gerallt Jones ger bedd 'Tad y Wladfa'. Hefyd Côr Godre'r Aran yn serennu ar noson arall a'u harweinydd, Tom Jones, yn cyflwyno'r caneuon a'n diddanu â'i jôcs.

Gan 'mod i'n athro o ran fy hyfforddiant cefais wahoddiad i Ysgol Gynradd y Bala. Cofiaf gael fy ngwahodd i siarad â'r plant, a minnau heb gael rhybudd a heb fod â'r syniad lleiaf beth i'w ddweud wrthynt. Y dasg anodd oedd cuddio fy swildod. Yn ystod y penwythnos a hithau'n braf, gwahoddodd Ifor Owen fi i gerdded gydag ef am gwpl o oriau ar odre'r Aran. Wrth edmygu'r olygfa odidog oedd o 'nghwmpas, cefais wers gan fy nhywysydd ar hanes Cymru a'r Gymraeg, yn cynnwys cyfeiriad eithaf manwl at gamwedd Tryweryn, y cam gormesol diweddaraf un yn erbyn ein cenedl. Os oedd angen tonic arnaf, fe'i cefais mewn dos gref iawn, ac rown i'n barod nawr i wynebu beth bynnag oedd yn fy nisgwyl dros yr wythnosau nesaf. Mae'n ddiddorol sylwi taw yn Llundain, Penllyn a Wrecsam yn unig y'n lletywyd ni mewn cartrefi lle cawsom groeso nad anghofiaf fyth. Mewn gwestyau, neuaddau preswyl colegau Prifysgol Cymru a thai gwely a brecwast y cawson ein llety ymhobman arall.

Mil pum cant oedd nifer y Cymry a fentrodd ar fwrdd y *Royal Daffodil II* ar ddydd Sadwrn 29 Mai i hwylio ar afon Merswy. Ceisio 'ail-fyw yr adeg yr hwyliodd y fintai gyntaf o Lerpwl ym mis Mai 1865 oedd prif fwriad y dathlu,' meddai Valmai Jones, Cadeirydd Cymdeithas Cymry Ariannin ar y pryd. Ni chawsom rybudd y medrai fod yn oer, ac rown i'n crynu fel deilen yn yr awel fain heb fwy amdanaf na siwt ysgafn a chrys llewys byr. Er chwilio, ni welais unman lle y medrwn gysgodi. Ychydig iawn o'r seremoni a lwyddais i'w werthfawrogi ac ni welais y torchau a daflwyd i'r dŵr er cof am yr arloeswyr. Ond medraf ddweud i mi fod yno.

Dilyniant o deithiau ac ymweliadau diderfyn fu'r misoedd canlynol. Roedd hi'n rhaglen wych o safbwynt dod i adnabod y wlad a pherthynas un ardal â'r nesaf. Darparodd y pwyllgor raglen o weithgareddau diddorol gan gynnwys diwrnodau ym Mangor yn mwynhau atyniadau'r ddinas honno a'i phrifysgol, a chael dod i gyfarfod â phobl mor wahanol i'w gilydd â'r dramodydd John Gwilym Jones, Dafydd Orwig a Frank Price Jones, tri ymhlith nifer a roddodd yn hael o'u hamser i'n goleuo a'n haddysgu am y Gymru gyfoes. Roedd y cyferbyniad rhwng syniadau cenedlatholgar Dafydd a rhai sosialaidd Frank yn rhoi sbarc arbennig i'r sgyrsiau.

Arswydai Frank Price Jones 'mod i wedi gorfod dibynnu ar Owen M. Edwards wrth baratoi deunydd ar gyfer fy rhaglenni radio a phwysodd arnaf i ofalu na fyddwn yn dychwelyd i'r Wladfa heb lwytho nifer o gyfrolau gan haneswyr modern yn fy nghês. Y diwrnod canlynol, daeth â dyrnaid o lyfrau gan ddweud wrthyf, 'Cyn gwneud cyfres arall, darllena'r rhain'. Lletywyd ni yn Neuadd Reichel lle cawsom gwmni difyr nifer o fyfyrwyr. Cofiaf yn dda am Dafydd Elis Thomas, Llywydd y Cynulliad Cenedlaethol, bellach ac Ifan Roberts, a wnaeth ei yrfa ym myd y cyfryngau fel cynhyrchydd y rhaglen radio ddychanol lwyddiannus *Pupur a Halen* ac, yn ddiweddarach, fel Pennaeth Personél S4C.

Yn Aberystwyth roedd angen i mi fynd i feddygfa i gael chwistrelliad arall mewn cyfres o hanner dwsin yn dilyn rhai a gefais eisoes yn y Gaiman ac Ifan aeth â mi yno. Ni ddeallai'r nyrs y nodiadau Sbaeneg ond ni chredai fod angen eu cyfieithu. Dywedais wrthi mai yn fy mhen-ôl yr arferwn eu cael ond chwerthodd yn iach gan orchymyn i fi dorchi llawes fy mraich chwith. Cyn gynted ag y cwblhaodd ei thasg, teimlais fy mhen yn boeth ac yn ysgafn a'r byd yn chwyrlïo o 'nghwmpas, a chawn drafferth i anadlu. Dywedodd Ifan wrthyf am eistedd a rhoi 'mhen rhwng 'y mhengliniau a llwyddais i adfeddiannu fy synhwyrau a'm hunan-barch.

Aed â ni wedyn i Ynys Môn lle'n croesawyd ni fel tywysogion, a chawsom ginio mawr mewn bwyty crand. Cynan a eisteddai yn y sedd agosaf ataf a chefais sgwrs hynod ddifyr ag ef. Rhaid ei fod yntau wedi mwynhau sylw disgybl sychedig am wybodaeth oherwydd dywedodd wrth y trefnydd ar ôl cinio, 'Hwn sy'n dod gyda fi'. Roedd wedi darganfod fy niddordebau eisteddfodol a threuliodd tua dwy awr ar ei aelwyd yn fy addysgu am bob math o agweddau ar yr Eisteddfod a'r Orsedd. Ar ddiwedd yr orig, llofnododd lyfryn a'i estyn yn anrheg i mi. Fe'n tywyswyd ni oddi yno i Gaergybi lle'n cyflwynwyd ni eto i nifer o bobl amlwg y dref. Wedi iddo glywed fy enw, safodd y Maer yn stond. 'MacDonald,' meddai mewn syndod, 'ac rydach chi'n siarad Cymraeg?' Robinson oedd ei gyfenw yntau. Daeth y noson i ben gyda phryd arall o fwyd a noson lawen ddifyr iawn yng nghwmni Olwen Lewis a'i chyfeillion. Y broblem wedyn, yn hwyr iawn yn y nos, oedd dod o hyd i rywle lle gallen ni olchi ein dillad isaf, a'n crysau a'n sanau gan ei bod yn anodd cadw cyflenwad glân o ddillad wedi'u smwddio'n daclus.

Cynan eto a roddodd groeso i ni yn Eisteddfod Môn, lle y gwahoddwyd ni i eistedd ar y llwyfan. Yr unig beth a gofiaf o'i araith oedd y boddhad a deimlais wrth ei glywed yn dyfynnu Syr John Morris-Jones: 'Ym mryn a dyffryn mae Cymru'n deffro.'

Rown i'n gobeithio ei fod yn siarad yn broffwydol.

O Fôn anfonwyd ni ar drên i Gaerdydd a'r cwmni'n siarad Cymraeg a Sbaeneg. Ar wahân i ni, yr unig deithwyr eraill yn y cerbyd oedd hen wraig fechan yn cario basged ar ei chôl, a gŵr rywfaint yn ifancach na hi. Yn y man, sylwais mai'n criw parablus ni oedd testun eu sgwrs. 'Ia,' meddai hi, 'Cymry ydan nhw, ond dydw i ddim yn dallt popeth ma' nhw'n ddeud, chwaith. O'r *South*, mae'n siŵr i chi.' Roedd hi'n hollol gywir, wrth gwrs, ond ein bod yn dod yn llawer pellach i'r *South* nag a feddyliodd hi.

Efallai mai Urdd Gobaith Cymru a drefnodd ein llety yng Nghaerdydd, gan nad oedd neb arall yn lletya yn ein gwesty bychan yn Richmond Road heblaw am bobl yr Eisteddfod, yn feirniaid ac yn wirfoddolwyr. Yno y cyfarfûm am y tro cyntaf â Cassie Davies, Eurgain Jones, Hedd Bleddyn a'i gyfaill Frank Thomas, a'r unigryw Elfed Lewys. Caem ein diddanu ganddynt bob gyda'r nos mewn nosweithiau llawen answyddogol. Treuliasom yr wythnos yn rhannu ein hamser rhwng y maes ac ymweliadau â stiwdios Pontcanna (TWW), Park Place (BBC, Radio), a Gabalfa (BBC, Teledu), lle cynhaliwyd nifer o gyfweliadau ar gyfer gwahanol raglenni. Cofiaf Gwyn Erfyl yn tynnu fy sylw yn ystod ymarfer ar gyfer recordiad o *Dan Sylw* at y ffaith bod fy atebion yn rhy hir ac wedyn yn erfyn arnaf i beidio â bod yn unsillafog!

Wrth i ni ei adael, cawson neges bod angen ein presenoldeb ar frys ar y llwyfan, lle'r oedd Syr Ifan a Lady Edwards yn aros yn amyneddgar i dderbyn Tarian Ariannin, a fyddai'n cael ei dyfarnu fel gwobr i'r Sir ail uchaf ei marciau yn holl waith yr Eisteddfod. Rhuthrwyd ni i'r maes, lle'n ceryddwyd ni'n ddigon cyfeillgar ond yn gadarn gan swyddogion Cymdeithas Cymry Ariannin ac R. E. Griffith, Cyfarwyddwr yr Urdd, am fod yn hwyr ar gyfer y seremoni.

Rown wedi edrych ymlaen yn hynod eiddgar at y cyfle i ymweld ag Aberdâr. Wedi'r cyfan, i'r dref honno ac Aberpennar yr ymfudodd rhai o'm hynafiaid cyn cael eu denu gan neges hudolus Abraham Matthews ac Edwin Cynrig Roberts am fyd gwell lle nad oedd gorthrwm na phyllau glo. Ymhlith yr artistiaid fyddai'n ein diddanu roedd Côr Meibion Cwmbach. Roedd eu henw a'u sain yn gyfarwydd i mi oherwydd fy mod i'n arfer chwarae eu record hir yn achlysurol ar fy rhaglen. Yno y siaradais yn gyhoeddus am y tro cyntaf yng Nghymru. Dim ond ychydig frawddegau i ddiolch am y croeso a draddodais, ond crynai fy nghoesau gydol yr anerchiad byr.

Roedd ein rhaglen yn Abertawe yn un orlawn hefyd. Wedi brecwast cynnar cawsom ein tywys o gwmpas yr ardal cyn dod i Burfa Olew Llandarcy, lle croesawyd ni gan rai o'r staff a siaradai Gymraeg. Yna aed â ni i ystafell lle'r oedd bwrdd mawr wedi'i orchuddio â danteithion o bob math. 'Mae hwn yn ginio cynnar iawn,' sibrydodd Osian, gan sylwi nad oedd hi eto'n un ar ddeg o'r gloch. Yna'n dilyn croeso ffurfiol ym mhencadlys un o'r awdurdodau lleol, arweiniwyd ni i neuadd foethus, lle'r oedd cinio mawr arall wedi'i ddarparu ar ein cyfer ni a degau o wahoddedigion eraill. Am y tro cyntaf ar y daith, pysgodyn o ryw fath oedd ar y fwydlen ac edrychwn ymlaen at ei flasu. Ond cyn gynted ag y rhoddais y darn cyntaf yn fy ngheg, teimlwn fy hun yn mynd yn sâl a bu'n rhaid i mi ruthro i'r tai bach. Fedrwn i ddim wynebu bwyd am weddill y dydd. A ninnau'n dal yn ein dillad gorau, ymlaen â ni i weithfeydd Port Talbot, a'r tywyswr yn hynod falch o bwysigrwydd y lle i'r economïau cenedlaethol a lleol.

Treuliasom y prynhawn yng nghanolfan Aberafan, yn bennaf yng nghwmni Graham Jenkins, brawd Richard Burton a'i ddwbl mewn ambell olygfa yn ei ffilmiau. Yna, buon ni'n cerdded ar y traeth euraid cyn cael ein tywys yn ôl i'r ganolfan, lle cynigiwyd i ni ymdrochi yn y pwll. Edrychodd pob un ohonom yn syn pan gynigiwyd i ni fenthyca dillad nofio – doedd yr un ohonon ni am wisgo dilledyn mor bersonol ar ôl iddo fod yn gorchuddio corff rhywun arall. Doeddwn i ddim yn medru nofio chwaith. Felly, chwilio am gornel dawel i eistedd a pharatoi ysgrif ar gyfer cylchgrawn Cymry Llundain a wnaeth José a minnau. Yna, daeth

Graham i'n hysbysu ei bod hi'n bryd i ni symud i'r Twelve Knights i fwynhau pryd o fwyd a noson lawen yng Nghwmni Parti Pont-rhyd-y-fen. Wedi i un o'r bechgyn ofyn am fy enw a 'nghyfeiriad, derbyniais lythyr oddi wrtho fisoedd wedyn yn y Gaiman, wedi ei gyfeirio at Michael D. Jones. Roedd wedi deall mai dyna oedd fy enw pan ddywedais enw ein stryd wrtho. Roedd hi'n tynnu at hanner nos pan gyrhaeddon ni yn ôl i'n llety ar ôl y diwrnod hiraf a gawsom gydol y tri mis. Ond gorfod treulio oriau mor hirfaith yn yr un dillad mewn sefyllfaoedd mor amrywiol oedd y dreth fwyaf arnon ni.

Roedd Sioe Amaethyddol Cymru yn dipyn o ryfeddod i ni a chawsom lawer o hwyl yn edmygu'r anifeiliaid, yr arddangosfeydd a'r cystadlaethau. Pan welais y ffermwyr ifainc yn mynd drwy eu campau, gwyddwn ar unwaith na fedrwn i byth fod yn ffarmwr. Ni fedrwn efelychu eu campau gyda'r nos, chwaith. Daeth y sioc ddiwylliannol ar ei hamlycaf mewn dawns a gynhaliwyd yn Llandrindod gan y Ffermwyr Ifainc. Un o'r pethau a barodd syndod i mi oedd parodrwydd rhai merched i adael i fechgyn eu bychanu, a hynny'n gyhoeddus. Daeth yn amlwg i mi'r noson honno fod Cymru'n fodlon derbyn rhai safonau cyhoeddus na fyddai byth yn cael eu harddel yn y Wladfa.

Rown ar ganol sgwrs fywiog gyda chriw o bobl ifanc pan hedodd helmed plisman uwch ein pennau a sŵn lleisiau'n codi uwchben twrw byddarol y ddawns. Wedi i ni droi, gwelson ni ddau neu dri o blismyn yn ceisio tawelu ffrwgwd rhwng tua hanner dwsin o fechgyn cyhyrog. Dim ond presenoldeb y dorf a arbedodd un o'r plismyn rhag disgyn ar wastad ei gefn ar y llawr. Llwyddodd yr heddweision i dawelu'r terfysgwyr a'u harwain o'r adeilad. Deuthum i'r casgliad na fedrwn wynebu gyrfa fel heddwas, chwaith.

Yn ogystal â lliw gwisgoedd yr amryfal bartïon dawns, asbri'r cystadleuwyr, ac ansawdd y corau, un o brofiadau ardderchog Eisteddfod Ryngwladol Llangollen oedd cael cyfarfod â dwsinau o gynrychiolwyr gwahanol wledydd, ar y maes, mewn derbyniadau ac wrth gyd-deithio ar fysiau. Eto, prin fu 'nghysylltiad ag unrhyw un o'r bechgyn. Efallai nad oedd ganddynt yr amynedd i gynnal sgwrs gyda rhywun na fedrai siarad Saesneg. Y merched fyddai'n tyrru atom fwyaf, yn llawn chwilfrydedd ac eisiau gwybod am ein cefndir a'n diddordebau. Mae'n rhaid nad own i'n ddigon aeddfed yn fy ffordd, oherwydd dywedodd merch o Abertawe wrtha i fod angen i mi siarad 'fel Cymro ifanc, nid fel bachgen bach o'r Wladfa'. Pan gwrddais â hi wedyn ymhen rhai dyddiau a rhoi ateb braidd yn hy iddi i gwestiwn gwamal o'i heiddo, chwarddodd gan ddweud, 'Chi'n siarad fel bachgen o Gymru heddiw!' Gofynnodd i mi'n ddiweddarach a own i'n hoffi bod yng Nghymru, ac atebais 'mod i'n teimlo fel hwyaden fach hyll Hans Christian Anderson. 'O,' meddai, 'chi'n falch o fod ymhlith yr elyrch, 'te.' Gwenais arni, heb ddweud dim. Sut gallwn ei chywiro heb iddi gamddeall? Y gwir oedd y gwyddwn mai un o'r hwyaid oeddwn i, ac yn falch o fod ymhlith cynifer o greaduriaid tebyg i mi.

Y Drenewydd oedd cartref yr Eisteddfod Genedlaethol y flwyddyn honno a chawsom ein gosod mewn gwersyll yn yr ysgol uwchradd, gan rannu gyda degau o bobl eraill. Achosai hyn broblem enfawr i ni oherwydd ein bod yn cludo bagiau trymion a dillad oedd i bara am bron i fis arall. Yn ogystal, roedden ni wedi casglu nifer o drysorau ers diwedd Mai a doedd unman yno i'w cadw'n ddiogel. Yn y traddodiad Cymreig gorau galwyd pwyllgor brys, a gadeiriwyd gan Alun Oldfield Davies. Symudwyd y parau priod i Wely a Brecwast ac mewn carafán fechan ar ymyl y ffordd ger tŷ ei pherchnogion y lletywyd Doreen, Eileen, Osian a minnau am yr wythnos. Yn ogystal â bod yn wythnos wych o fwynhad eithriadol, bu'r Eisteddfod hefyd yn wers ar ddysgu cyd-fyw, a daethom allan ohoni'n fwy o ffrindiau.

Uchafbwyntiau'r wythnos oedd cael cymryd rhan ym munudau olaf pob perfformiad o *Drws Gobaith*, pasiant gan R. Bryn Williams a Wilbert Lloyd Roberts yn adrodd hanes y Wladfa, gerbron neuadd lawn bob tro; gweld enillydd y Goron yn codi o'i sedd yn union o 'mlaen i; a chael sefyll ar lwyfan yr Eisteddfod Genedlaethol yn Seremoni'r Cymry ar Wasgar

...un a May Thomas – a Delyth, pan oedd ei gwallt yn hir a'i sgert yn gwta!

Pabell Eisteddfod Rhydaman a'r Cylch ar faes Eisteddfod Y Fflint 1969.

...da Dilys Cadogan, ...ni Scourfield a Dilys ...hards, rhan o staff ...teddfod Rhydaman.

Elvey a Delyth MacDonald.

Dad-cu, Mam-gu a Camwy.

Camwy, Meleri a Héctor Ariel.

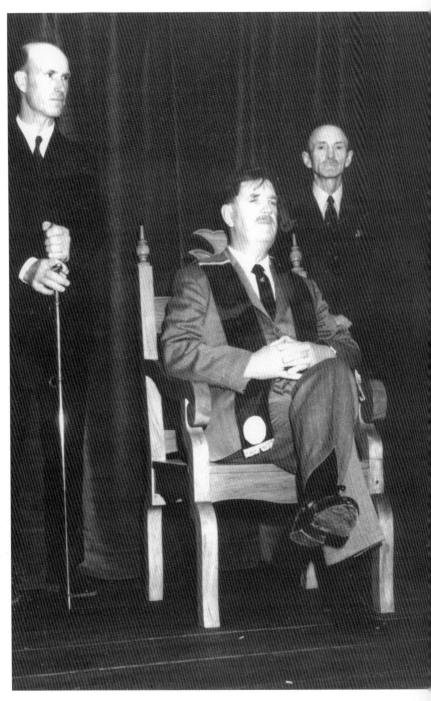

Nhad yn fy nghynrychioli yn Seremoni Cadeirio Eisteddfod y Wladfa 1973.

Camvy, Geraint a Meleri.

Nhad a Mam yn Eisteddfod Bro Myrddin 1974.

*Gyda Mam
a dau o
ffyddloniaid
Moriah Aman.
(Llun: D. Les
Davies)*

*Mewn noson codi arian i Eisteddfod Abergele 1980, gyda Geraint Davies a Siân,
ei wraig, Marc Philips, a Philip a Beryl Wood, hithau'n aelod gwerthfawr o staff y
swyddfa.*

Un o dimau pêl-droed Penweddig mewn cystadleuaeth 8-bob-ochr.

Yn Soffia, gyda Dylan, Abigail, Elin a Nia Clwyd.

Oscar ac Edith.

Morys, Meleri, Mam, Sioned a Luned. (Llun: Keith Morris)

Morys yn methu coelio fy nisgwyliadau. (Llun: Keith Morris)

Mam yn fy nghwmni i, Héctor, Geraint, Camwy a Morys. (Llun: Keith Morris)

Yng nghwmni Clydwyn ap Aeron Jones, Llywydd Gorsedd y Wladfa, a'i frawd, Dewi Mefin (a'r olynodd yn y swydd).

Edith yn barod i ddechrau ymarfer gydag un o'i phartïon.

Gyda Mam, Meleri ac Erin (pedair cenhedlaeth).

Mam a'i phlant a'i hwyrion.

Gydag Edith a Mirna, yn Eisteddfod Taf-Elái.

Yn derbyn nawdd BT i Radio Ceredigion, drwy law Geraint Jones.

Yn trafod gyda mintai ar lan afon Camwy.

Gyda'r unigryw Tommy Davies, Hyde Park.

Gyda rhan o fintai'r Orsedd ger rhaeadrau Iguazú.

Delyth, yn Copacabana (ar fore niwlog).

Delyth a Deinosor ar fin ymddeol
(a'r bathodyn yn anrheg gan
Sioned a Luned).

...Glyn, Camwy a Catrin.

Erin, Meleri, Owain a Morys. (Llun: Marian Delyth)

Geraint, Eira a Vicky.

gan geisio meimio ail bennill 'Unwaith Eto 'Nghymru Annwyl'. 'Welas i ti ar y teledu,' meddai Frank Price Jones. 'Pam na fasan nhw wedi rhoi copi o'r geiriau i ti?'

Yn ystod yr Wythnos Gymraeg yng Ngholeg Harlech cawsom gyfle arall i gymdeithasu mewn awyrgylch Cymraeg, i gyfarfod â nifer o bobl ddiddorol ac i wrando ar ddarlithiau ar wahanol destunau. Yno y deuthum ar draws Neil ap Siencyn gyntaf a dyna'r tro cyntaf i mi gyfarfod â rhywun oedd yn feirniadol o Gwynfor Evans. Trefnydd yr wythnos oedd tiwtor Cymraeg y Coleg, Geraint Wyn Jones. Daeth atom un bore a gofyn i ni ei ddilyn i ystafell y Warden, Ieuan Jeffreys-Jones. Roedd y Coleg yn medru cynnig ysgoloriaeth gwerth £500 – arian mawr y dyddiau hynny – i unrhyw un neu ddau o'n plith i astudio Cymraeg yn y coleg am flwyddyn. Edrychon ni arno'n syfrdan. Ni ddywedodd neb air, er 'mod i'n ysu am dderbyn y cynnig yn y fan a'r lle. Wedi i ni ddod dros y sioc, daeth yn amlwg yn fuan na fedrai neb o'n plith aros am fod gan bob un ohonon ni ein hymrwymiadau. Ond dywedais i wrtho'n bendant y byddwn i'n falch o dderbyn, pe cawn fy rhyddhau gan y banc.

Y noson honno, bûm yn brysur yn llunio llythyrau i hysbysu fy rhieni, a rhywun yn Nyffryn Camwy oedd wedi addo aros amdana i, na fyddwn yn dychwelyd am flwyddyn arall. Ysgrifennais at y banc, hefyd, i ofyn am eu caniatâd, er 'mod i'n gwybod mai dim ond ychydig dros wythnos arall oedd gen i cyn y byddai'n rhaid dal yr awyren. Byddai 'nghyfeillion ar eu ffordd adref cyn i mi dderbyn unrhyw ateb. Ni fedrwn anwybyddu'r ffaith bod fy nghyflogwyr eisoes wedi ymddwyn yn hynod hael tuag ataf ond, petasen nhw'n gwrthod fy nghais, ni fyddai gen i ddewis arall ond ymddiswyddo. Beth a ddywedai Ieuan Arnold, tybed?

Cofiais yn sydyn fod angen ymestyn fy nhocyn ynghyd â'r caniatâd i aros ym Mhrydain. Beth petai 'nghais yn cael ei wrthod? Beth petawn i'n methu gohirio 'nhaith a cholli'r cyfle i ddefnyddio'r tocyn? Oeddwn i wedi bod yn rhy fyrbwyll wrth dderbyn gwahoddiad Coleg Harlech? Codais y ffôn i egluro'r sefyllfa wrth Valmai Jones, Cadeirydd Pwyllgor Gwaith Cymdeithas Cymry Ariannin. Gweithredodd hithau'n gyflym ac, ymhen rhai diwrnodau, derbyniais neges oddi wrthi'n dweud ei bod wedi setlo'r ddau fater. Gohiriwyd fy nhocyn am flwyddyn a chefais estyniad blwyddyn i'm hawl i aros yng ngwledydd Prydain, diolch i'w chysylltiadau hi.

Yng ngwersyll yr Urdd, Glan-llyn, roedden ni'n treulio'n hwythnos ola yng Nghymru a ninnau eisoes wedi bod yn Llangrannog. Yno, rown wedi cyfarfod â rhai unigolion y deuthum ar eu traws wedyn, pobl megis Gwilym Roberts, John a Cath Lane, Ifan Isaac, Islwyn (Gus) Jones ac Alwyn Prosser. Disgyblion ysgolion uwchradd ac aelodau adrannau ac aelwydydd oedd y gwersyllwyr. Ymhlith y staff cofiaf am Elwyn Hughes, y Pennaeth, a John Eric Williams ac Alwyn Williams. Roedd y swogs yn cynnwys Hedd Bleddyn, Frank, Elfed Lewys, Huw Ceredig, Iolo ap Gwyn, Ellen ei gariad, a Margaret Jones, Lerpwl. Cofiaf achwyn wrth Margaret am heolydd troellog y wlad. 'Ma nhw'n adlewyrchu meddwl troellog y Cymro,' meddai. Daeth Dafydd Iwan a'i gitâr yno hefyd. Trwbadŵr oedd yn dal yn ddigon ifanc i fod yn wersyllwr oedd Dewi Pws. Hyd yn oed bryd hynny, amlygai ddawn amlwg fel diddanwr unigryw. Dywedodd rhywun wrthyf fod yr hogyn Hywel Gwynfryn oedd gyda ni am yr wythnos â'i fryd ar fod yn ddarlledwr ond ei bod yn annhebygol y llwyddai i ddod yn enw poblogaidd. Doedd o, mae'n amlwg, ddim yn broffwyd!

Rhywdro yn ystod y cyfnodau yn y gwersylloedd a'r eisteddfodau cenedlaethol, gofynnodd R. E. Griffith i mi a fyddwn yn fodlon bod yn gynrychiolydd yr Urdd yn y Wladfa a cheisio agor canghennau yno. Wyddwn i ddim sut i fynd ati ond cytunais yn frwd. Credwn mai gwych o beth fyddai sefydlu rhywbeth tebyg i'r mudiad hwn yn Nyffryn Camwy ond gwyddwn na fyddai'n hawdd.

Ar yr ail ar hugain o Awst, ffarweliais â 'nghymdeithion. Waeth i mi gyfaddef mai teimlad rhyfedd ac unig iawn oedd eu gweld yn gadael Cymru hebof. Rown i wedi treulio tri mis o haf yn edmygu rhyfeddodau Cymru yn eu cwmni, wedi dod i'w hadnabod yn dda iawn ac i'w hystyried yn gyfeillion. Dyna'r tro olaf erioed i mi weld Doreen, gan iddi ymsefydlu yn Buenos Aires yn fuan wedi hynny. Ffarweliodd Osian â'r fuchedd hon ychydig flynyddoedd yn ôl, gan adael bwlch mawr ar ei ôl ym myd 'pethe' Dyffryn Camwy. Ef oedd yr unig un o'r pedwar ohonon ni a dderbyniodd Ysgoloriaeth y Canmlwyddiant i ddychwelyd i'w fro ac aros yno i weithio a hybu'r diwylliant Cymreig am weddill ei oes. Ymfudodd José i'r Iseldiroedd, gwlad enedigol ei wraig Connie, lle bu hithau farw'n fenyw ifanc.

Cafodd y Cyngor Prydeinig fwy o werth allan o'u buddsoddiad. Mae Geraint ac Irma'n byw yn Nhrelew o hyd, ac ef ar hyn o bryd yw Llywydd Gorsedd y Wladfa. Yno hefyd mae Eileen a'i gŵr, Dewi Mefin Jones, yntau'n gyn-lywydd yr un orsedd. Mae'n dda gen i fedru dweud 'mod i'n gweld y pedwar hyn o leiaf unwaith y flwyddyn, yn Eisteddfod y Wladfa. Fy ngobaith yw y gall hynny ddigwydd droeon eto am flynyddoedd hir i ddod.

Gan nad oedd gen i gartref i fynd iddo nes bod Coleg Harlech yn agor ei ddrysau ym mis Hydref nac arian i dalu am lety, rown mewn cyfyng gyngor. Dwn i ddim ai R. E. Griffith a roddodd ei ganiatâd ynteu ai John Eric a dosturiodd wrtha i, ond cefais aros am bythefnos arall yn ddi-dâl nes i Lan-llyn gau, fel roedd y drefn ar y pryd. Rhoes hynny amser i mi gysylltu ag Eiddwen Humphreys, Y Bala, un o swyddogion Cymdeithas Cymry Ariannin, ac Elan Jones, fy nghyfnither yn Lerpwl, a chytunodd y ddwy i'm lletya am tua phythefnos yr un.

I ysgafnhau eu baich, treuliais ddiwrnodau hwnt ac yma yng nghartref Ina (Arianina) a Tom Roberts, hithau'n chwaer i Valmai Jones ac i Albina Zampini. Roedd fy mhenderfyniad byrbwyll yn Harlech wedi creu anghyfleustra a chostau i lawer iawn o bobl. Serch hynny, edrychwn ymlaen yn eiddgar at y flwyddyn oedd i ddod.

15

Drwy'r ffenest

'£500 I'R GWLADFAWR', MEDDAI pennawd ar dudalen flaen *Y Cymro*, a phawb yn credu 'mod i'n gyfoethog. Wedi tynnu'r ffioedd, cefais ar ddeall mai tua £60 fyddai'r taliad y byddwn yn ei dderbyn ar ddechrau pob tymor. O gofio nad oedd angen i mi dalu am fy llety a 'mwyd, dylai fod yn ddigon i mi fyw'n gysurus dros y cyfnod.

Rhennais ystafell am y misoedd cyntaf gyda bachgen o Ben Llŷn, Tom Evans, un hynod barod ei gymwynas a ddangosodd y ffordd i mi o gwmpas y Coleg. Gydag un o 'nghyfeillion yn y dosbarth Cymraeg, Wil Kelly o Fethesda y treuliais y cyfnod wedyn, yntau hefyd yn fachgen gwirioneddol hyfryd. Bu'r ddau ohonyn nhw'n garedig iawn wrtha i, gan sicrhau 'mod i'n teimlo'n gartrefol ymhlith y myfyrwyr.

Geraint Wyn Jones, y tiwtor Cymraeg, oedd warden *Crown Lodge*, yr adeilad braf lle cefais fy lletya. Rown i'n hapus iawn yno, diolch yn bennaf i'r gofal tadol a gymerodd yntau ohonof, er nad oedd ond ychydig flynyddoedd yn hŷn na mi. Deuthum yn gyfeillgar iawn ag ef ac yn hoff ohono ef a Delyth ei wraig, a chan nad own i'n mynd allan yn aml gyda'r nos derbyniais sawl gwahoddiad i'w fflat. Roedd Iwan, eu cyntaf-anedig, yn faban ar y pryd a daeth yntau mor gyfarwydd â 'ngweld nes ei fod yn teimlo'n hollol gartrefol yn fy nghwmni. Yn wir, byddwn yn treulio oriau yno, ambell waith yn gwneud dim mwy na gwylio teledu ar fy mhen fy hun. Ymhell cyn dyddiau S4C, cawn drafferth i ddeall y rhaglenni, a bu Delyth yn hynod amyneddgar yn cyfieithu i mi. Yn y modd hwnnw y dysgais siarad rywfaint o Saesneg.

Saesneg oedd iaith y cwrs Economeg, fy ail bwnc, a Saesneg oedd iaith pob llyfr ar y rhestr ddarllen. Golygodd dilyn y cwrs hwnnw ymdrech aruthrol i mi, er gwaethaf hynawsedd y darlithydd. Rown i wedi derbyn rhywfaint o wersi Saesneg pan own i'n blentyn. Saesneg oedd iaith aelwyd Tudor Edwards, perchennog siop leol, a phan gyhoeddodd Cynthia, ei ferch hynaf, ei bod yn rhoi gwersi Saesneg, anfonwyd fi ati er mwyn i mi ddod yn dairieithog. Ond, gan nad oeddwn yn dod ymlaen o'r naill wythnos i'r llall, collodd fy athrawes ei hamynedd un diwrnod ac atebais innau hi'n anghwrtais. Cerddais allan gan gyhoeddi na wnawn ddychwelyd byth eto a slamio'r drws ar fy ôl. Siaradodd Cynthia gyda Mam i geisio cymodi, ond ystyfnigais a rhoi'r gorau i astudio'r iaith. Troais yn erbyn Saesneg hefyd, gan atgoffa fy hun mai iaith gormeswyr fy nghenedl oedd hi, ac iaith y gyfundrefn a wthiodd fy hynafiaid allan o Gymru, ac na ddylwn wneud dim byd â hi.

Bellach, rown i'n difaru i mi fod mor fyrbwyll. Dros y tri mis blaenorol bûm yn destun rhyfeddod i bobl ledled Cymru na fedrent gredu mai 'dim ond' Cymraeg a Sbaeneg a siaradwn, a chawn fy holi'n ddiderfyn am fy hanes. Yng Ngholeg Harlech, Saesneg oedd yr iaith swyddogol, a bechgyn a merched di-Gymraeg o gymoedd y de ynghyd â charfan gref o Saeson a dyrnaid o dramorwyr oedd y myfyrwyr. Ynys fechan iawn mewn môr enfawr oedd y criw o tua dwsin, yn cynnwys un efaciwî o Lerpwl, a gofrestrodd y flwyddyn honno i astudio Cymraeg. Doedd dim lle i'r Gymraeg yng nghyfarfodydd Undeb y Myfyrwyr a dim ond unwaith yn ystod y flwyddyn y bûm i yno y codwyd mater yn ymwneud â'r Gymraeg.

Er na ddeallwn fawr ddim o'r hyn a ddywedent, bûm yn gyfeillgar â llawer iawn ohonynt a phawb eisiau gwybod am fy nghefndir ac eisiau esboniad am fy anallu i siarad Saesneg. Rown i mor ddiddorol ag anifail mewn sw iddynt. Yna, yn annisgwyl un diwrnod, derbyniais lyfr yn anrheg wedi'i lofnodi gan nifer mawr o'r myfyrwyr. Cystal i mi gydnabod bod y weithred fach honno wedi cyffwrdd yn fy nghalon. Wrth fentro mwy a mwy i siarad â nhw, deuthum i deimlo'n fwy cartrefol yn eu plith ac fe wellodd fy Saesneg hefyd. Ond, doedd hi ddim wedi gwella digon erbyn y diwrnod pan dderbyniais gais i gyfieithu i ryw wleidydd o'r Ariannin oedd yn cyfarfod â Bertrand Russell ym Mhenrhyndeudraeth, a chollais gyfle gwych i gyfarfod â'r athrylith hynod hwnnw.

'Gwarthus' ac 'anfwytadwy' oedd yr ansoddeiriau a glywn yn gyson am fwyd ffreutur y coleg ac, ar ôl ychydig, penderfynais fwyta fy mhryd nos mewn caffe yn y pentre uchaf, nid nepell o'r castell. Rown i wedi cael trafferth mawr i ddygymod â bwyd Cymru, efallai am fod y ffordd y câi ei baratoi yn wahanol i fwyd yr Ariannin. Felly, wy a sglodion fu hi bob nos am y rhan fwyaf o'r flwyddyn. Yr unig eithriadau oedd pan gawn wahoddiad i gartref rhywun neu gan ryw gymdeithas neu'i gilydd i fynd atyn nhw am bryd o fwyd. Cofiaf dderbyn gwahoddiad, drwy Geraint Percy Jones, oedd yn athro yn Ysgol Ardudwy, i ginio UCAC Sir Feirionnydd mewn bwyty yn y Bont-ddu, a'r dramodydd John Gwilym Jones yn ŵr gwadd.

Yng nghar Geraint Percy y teithiais gyda'i frawd Bedwyr, a'u cyfaill Geraint Wyn Jones, i Gaergybi un noson aeafol i ddal y fferi i Dun Laoghaire – ar ein ffordd i weld Cymru'n chwarae rygbi yn erbyn Iwerddon yn Nulyn. Cyn cyrraedd Penrhyndeudraeth rown i wedi bod yn sâl ddwywaith, a bu'n rhaid stopio'r car ddwywaith wedyn er mwyn i mi gael gwared yn llwyr â'm swper. Bu llawer o dynnu coes a phryderu ar yr un pryd na fydden ni'n cyrraedd mewn pryd, ond bues i'n iawn am weddill y siwrnau a'r croesiad. Wedi cyrraedd Dulyn yn annaearol o gynnar aethon ni i chwilio am dafarn. Prynodd Bedwyr beint o Guinness i mi a dweud 'Profa hwnna. Wnaiff o les i ti'. Roedd un sipiad yn ddigon. Er fy hoffter o gwrw ysgafn yr Ariannin, fedrwn i ddim dioddef blas y ddiod dywyll. Edrychai pawb yn syn arna i, a Bedwyr yfodd fy mheint. Colli fu hanes Cymru'r prynhawn hwnnw, mewn gêm mor ddiflas â'r tywydd.

Parhau oedd diddordeb y cyfryngau, a chefais sawl gwahoddiad i stiwdios radio a theledu. Wrth adael y stiwdio ar ddiwedd un o'r cyfweliadau hyn, gofynnodd y diweddar annwyl Gwyn Erfyl beth oedd fy nghynlluniau am y dyfodol a holi a fyddwn i'n dilyn y cwrs diploma newydd? Atebais mai'r bwriad oedd cael myfyriwr newydd i ddod drosodd bob blwyddyn. 'Mae hynny'n beth da,' meddai, 'er 'mod i'n ofni y gall Cymru agor ffenest i bobl ifanc y Wladfa syllu drwyddi, heb eu gadael i ddod i mewn drwy'r drws.' Yn ffodus, ni wireddwyd yr ofn hwnnw. Er 1965, llifodd myfyrwyr ac athrawon ifanc o ddyffryn Camwy a'r Andes i Goleg Harlech ac yna i Lambed wedi hynny, ac i Gaerdydd, bellach, i ddysgu neu wella'u Cymraeg. Dychwelodd y mwyafrif i'r Ariannin, o ddewis, ac mae'r mwyafrif o'r rheiny wedi gwneud cyfraniad enfawr tuag at ailorseddu'r Gymraeg yn nhalaith Chubut. Agorodd Cymru ei drws hefyd i'r lleiafrif a benderfynodd aros yma, ac ni all neb achwyn am ddiffyg croeso na chyfleoedd i weithio yn yr henwlad.

Er nad oeddwn i wedi cicio pêl am dros flwyddyn ymatebais ar rybudd byr eithriadol i SOS gan dîm y Coleg i chwarae ryw brynhawn Sadwrn. Down i ddim yn ffit ac, ar ben hynny, rown i'n cario anaf bychan ar fy nghoes chwith. Pan ddaeth yr awr, estynnwyd trowsus cwta, crys, pâr o sanau a phâr o esgidiau pêl-droed i mi, gan ddweud y byddwn yn chwarae ar yr asgell chwith. Yr hunllef cyntaf oedd gwisgo'r esgidiau, a oedd yn llawer yn rhy fawr i mi. Wrth i mi gamu ar y maes, sylwais ei fod yn llawer meddalach a thrwm na chaeau Dyffryn Camwy, a 'nghoesau'n teimlo fel petaen nhw wedi'u gludio wrth y ddaear. Cyn gynted ag y dechreuodd y gêm daeth y bêl i 'nghyfeiriad ond cipiwyd hi gan y cefnwr de. Dwn i ddim a deimlai bois canol y cae bod y ffaith 'mod i'n Archentwr yn saff o 'ngwneud i'n chwaraewr da, ond ataf i y cyfeirient bob pàs yn ystod y munudau cyntaf, nes iddyn nhw sylweddoli fod hynny'n golygu rhoi'r meddiant i'r tîm arall. Ni chofiaf i mi gyffwrdd yn y bêl yn ystod gweddill yr hanner cyntaf, er mawr ddifyrrwch i'r criw bychan o gefnogwyr oedd wedi dod i fwynhau'r gêm. Gan nad oedd eilydd gennym, treuliais yr ail hanner hefyd ar y cae, wedi diflasu'n lân.

Ar ddiwedd fy nghyfnod yn y Coleg perswadiwyd fi i sefyll

arholiad. Doedd dim gobaith gen i i ddeall cwestiynau Saesneg y papur Economeg ond rown i'n hyderus o fedru sefyll yr un Cymraeg yn weddol lwyddiannus. Cawsom ein drilio'n drylwyr iawn gan Geraint ond wrth i ddyddiad yr arholiad agosáu, cefais ar ddeall mai Saesneg fyddai iaith y papur. Y cysur oedd y cawn ei ateb yn Gymraeg. Dywedais wrth Geraint nad oedd fy Saesneg yn ddigon da i fedru bod yn sicr o'i ddehongli'n gywir. Eglurodd mai Bwrdd Arholi Llundain oedd yn gosod y papur ac nad oedden nhw'n fodlon ei gyfieithu, ond addawodd ofyn i'r awdurdodau a gâi'r coleg gyfieithu'r cwestiynau a phwysodd arna i i fynd i'r arholiad.

Fore'r arholiad, dosbarthwyd y papurau a gwelais mai Saesneg oedd yr iaith. Clive Edwards, Llyfrgellydd y Coleg, oedd yn goruchwylio. Cerddais ato a nodi nad own i wedi derbyn y cyfieithiad a addawyd i mi. Wedi aros am ychydig funudau a gweld nad oedd neb wedi dod ato, penderfynais geisio goresgyn y teimladau cymysg o fraw a dicter oedd yn fy llethu. Dechreuais ateb y cwestiwn cyntaf ond, hanner ffordd drwodd, dechreuais anesmwytho. Tybed a own i wedi camddeall y cwestiwn? Heb gwblhau fy ateb, symudais at y cwestiwn nesaf. Gan drechu fy ofnau, bwrais ati i ateb hwnnw gyda brwdfrydedd, ond cododd yr un amheuon eilwaith. Penderfynais na fyddwn yn cwblhau'r papur. Nodais ar waelod y ddau ateb nad own i'n sicr a own i'n deall y cwestiwn, a cherddais at ddesg Clive a gofyn iddo a fyddai garediced â pheidio cyflwyno fy atebion. Wedi i mi egluro fy rhesymau, cytunodd yn llawn cydymdeimlad.

Rhedais i fyny i *Crown Lodge* a thaflais fy hun ar fy ngwely, i nofio mewn hunandosturi ac anfodlonrwydd. Ni fedrwn ddeall pam na fyddai'r Coleg wedi cadw at eu gair a chyfieithu'r cwestiynau fel roedden nhw wedi addo. Ymhen ychydig funudau clywais gamau brysiog ar y grisiau a chnoc ar fy nrws. Doeddwn i ddim wedi gorffen dweud 'Dewch i mewn' nad oedd Geraint ar ganol y llawr. Roedd o'n benwan, ac nid oedd o'n fodlon i mi dorri ar ei draws i nodi fy nghwyn. Pam na fyddwn i wedi ateb pob cwestiwn? Roedd o wedi darllen y papur ac fe wyddai 'mod i'n gwybod yr atebion i gyd ac y medrwn fod wedi dyfynnu cerddi yn ôl yr angen. Yn fwy na hynny, roedd wedi rhybuddio'r Athro Caerwyn Williams fod yna bapur da ar y ffordd iddo. Rown i wedi gwastraffu 'mlwyddyn. Tasgau dagrau o'i lygaid yr un mor gyflym â'r geiriau o'i enau. Roedd wedi'i feddiannu â dicter cyfiawn. Ni chodais o 'ngwely, gan 'mod i'n ofni dangos fy siom.

Treuliais weddill y diwrnod yn benisel ac mewn hwyliau difrifol. Dim ond ar ôl i mi dawelu y sylweddolais fod gen i ddigon o wybodaeth i fedru ateb pob cwestiwn yn ddigon da i basio'n weddol anrhydeddus, ac mai hynny oedd wedi cynhyrfu Geraint. Erbyn y noson honno, roedd yntau wedi tawelu hefyd, ac yn derbyn fy mhwynt ynglŷn â'r methiant i gyfieithu'r cwestiynau. Eglurodd fod y Bwrdd Arholi wedi gwrthod rhoi caniatâd.

Gyda theimlad o dristwch y cefnais yn fuan wedyn ar Harlech ac ar Geraint, Delyth ac Iwan, a'r criw cyfeillion newydd na welwn, efallai, fyth eto? Gwyddwn y byddwn yn cofio am byth hefyd yr olygfa odidog o'r 'Wyddfa a'i chriw' a welwn wrth sefyll ar y llwybr troed sy'n arwain o *Crown Lodge* i lawr i'r Coleg, a'r machlud ar y traeth a goleuadau Pwllheli, Cricieth a Phorthmadog yn disgleirio fel diemwntau breichled o amgylch y bae.

Ar y llaw arall, roedd gen i lawer iawn i edrych ymlaen ato. I ddechrau, rown wedi cael tocyn i weld Brasil yn chwarae Bwlgaria yn rownd agoriadol Cwpan y Byd yn Goodison Park. Dyma'r ail gêm i mi weld ym 'mhrifddinas y gogledd' gan i mi dderbyn gwahoddiad gan John Wyn Jones a'i frawd Dafydd Meirion, dau nai i R. Bryn Williams, i weld Lerpwl yn chwarae Sheffield Wednesday yn Anfield yn gynharach yn y flwyddyn. Ar y ffordd i sefyll yn y Kop, roedden nhw wedi prynu sgarff a bathodyn i mi hefyd. Doedd dim modd anwybyddu cyffro'r gêm honno, a'r dorf yn hynod fywiog. Cerddais allan o'r stadiwm heb na bathodyn na sgarff. Y tro hwn, rown i'n sefyll ar ymyl y maes ar lefel is na'r cae ac yno y gwelais Pelé yn y cnawd am yr unig dro. Ciciwyd ef yn ddidrugaredd yn ystod y gêm ac anafwyd ef cynddrwg fel na fedrodd chwarae yn y gêm nesaf, a daeth ymgyrch Brasil i ben yn gynamserol.

Ymhlith y dyrnaid o bobl ifanc oedd wedi teithio yn rhan o fintai'r 'pererinion' a fu'n ymweld â'r Wladfa i ddathlu canmlwyddiant ei sefydlu, roedd merch Prif Gwnstabl Caernarfon, Kathleen Williams, a weithiai yn Bradford. Bwriadai brynu tocyn i weld yr Ariannin yn chwarae yn erbyn Sbaen yn Villa Park a gofynnodd a hoffwn fynd gyda hi i'r gêm. Sut gallwn i wrthod? Eisteddem yn ymyl criw o Sbaenwyr ac rown i'n betrusgar ynglŷn â dathlu goliau'r Ariannin, ond doedd dim angen i mi boeni. Yno y gwelais Manolo, y drymiwr enwog, am y tro cyntaf, yn gwneud ei orau i godi brwdfrydedd ei gydwladwyr. Yr Ariannin enillodd y gêm 2–1 ond y cyfeillgarwch diffuant rhwng cefnogwyr y ddwy wlad sy'n sefyll yn y cof. Awyrgylch cwbl wahanol i'r un yn Wembley pan gurodd Lloegr yr Ariannin o gôl i ddim – gêm y bu'n rhaid i mi fodloni ei gwylio ar y teledu. Hoffwn wybod pwy drefnodd i Almaenwr ddyfarnu'r gêm a Sais i ddyfarnu Gorllewin yr Almaen yn erbyn Uruguay. Ai cyd-ddigwyddiad oedd bod gwledydd y ddau ddyfarnwr wedi mynd drwodd i'r rownd derfynol?

Roedd angen i mi nawr ddechrau paratoi ar gyfer dychwelyd adref ymhen tua mis. Y dasg gyntaf oedd casglu 'mhethau at ei gilydd, gan 'mod i wedi gadael llawer o drugareddau yng nghartrefi rhai o 'nghyfeillion. Yn Sir Gaerfyrddin, cefais wahoddiad i ginio a gynhelid gan Blaid Cymru yng ngwesty'r Llwyn Iorwg, ychydig cyn yr isetholiad hanesyddol. Yno y clywais DJ yn areithio gyntaf, ac mae sylw annisgwyl o'i eiddo yn sefyll yn fy nghof. Wrth ddilorni uchelgais brenhinwyr am anrhydeddau Seisnig megis yr 'Order of the Garter' mynegodd ei farn 'fod Cymro gwerth ei halen yn anelu at fan uwch i chwilio am ei anrhydedd'.

Yno hefyd y clywais y broffwydoliaeth wleidyddol gyntaf i mi ei gweld yn cael ei gwireddu. Yn ystod araith rymus, beirniadodd Wynne Samuel duedd cefnogwyr y Blaid o fodloni ar wneud yn dda mewn etholiadau. 'Rhaid i ni feddwl am ennill,' meddai, 'ac rydw i eisoes wedi gweld digon y tro hwn i fod yn hollol sicr y byddwn, wrth gyfarfod yn y lle hwn ymhen y flwyddyn, yn cyfarch Gwynfor Evans, A.S.' Tybed sawl un o'r rhai a gymeradwyai'n frwd o gwmpas y byrddau a gredai mai felly y byddai hi?

Yn Lerpwl ychydig ddiwrnodau'n ddiweddarach, wrth siopa gydag Elan, fy nghyfnither, gwelais stondin bapurau newydd ar gornel Penny Lane. Gweld, mewn gwirionedd, fod y penawdau'n datgan yn groch bod Gwynfor wedi ennill sedd gyntaf Plaid Cymru, dim llawer mwy na blwyddyn wedi i mi glywed amdano am y tro cyntaf o enau Dafydd Wigley a llai na phythefnos ers proffwydoliaeth Wynne Samuel. Ymddiheurais wrth Elan yn y fan a'r lle a daliais y bws cyntaf i Gymru. Roedd yn rhaid i mi fod yn dyst i'r dathlu. Cyrhaeddais mewn pryd i fedru bod yng ngorsaf Llanelli i'w gyfarch ef a'i deulu ar eu ffordd i Lundain, ac i ddal un o'r bysiau a gludai gannoedd o'i gefnogwyr banerog tua'r Senedd. Roedd y brwdfrydedd yn heintus. Rai wythnosau ynghynt, rown i wedi digwydd cyfeirio mewn sgwrs yng Nglan-llyn at yr annhebygrwydd y cawn estyn fy hawl i aros am flwyddyn arall ym Mhrydain. Ymhlith y gwrandawyr roedd Meleri Mair, un o ferched Gwynfor. Ychydig ddyddiau'n ddiweddarach, cyrhaeddodd Gwynfor a Rhiannon y gwersyll i gynnig eu cymorth petawn i'n dymuno aros yn y wlad. Byddai'n braf, meddai Gwynfor, petai nifer o bobl ifanc y Wladfa yn penderfynu dod i fyw i Gymru. Fedrwn i ddim credu bod yr arweinydd hwn yn fodlon mynd i drafferth er mwyn cynorthwyo rhywun di-nod fel fi, rhywun nad oedd hyd yn oed yn medru pleidleisio drosto.

Dychwelais o Gymru ganol Awst 1966 i gôl fy nheulu a derbyn croeso mawr ganddyn nhw a chan y wasg a'r cyfryngau, hefyd. Gofynnwyd i mi ysgrifennu pwt ar gyfer *Jornada*, ein papur dyddiol, a daeth prif ohebydd gorsaf radio Trelew ataf i recordio cyfweliad estynedig. Cynnes, yn ogystal, oedd croeso perthnasau, cyfeillion a chyd-weithwyr, a phawb eisiau i mi ddisgrifio'n fanwl yr holl ryfeddodau a welswn. Yn fuan wedyn, derbyniais lythyr oddi wrth Geraint Wyn Jones. Roedd wedi ceisio cael gafael ynof ers pythefnos, meddai, ac wedi cael yr heddlu i gnocio'n ofer ar ddrysau nifer o'm ffrindiau. Gan nad oedd Clive Edwards wedi ufuddhau i 'nghais i daflu 'mhapur i'r bin sbwriel roedd fy nau hanner ateb wedi bod yn ddigon i mi grafu drwy'r arholiad. Bellach, roedd Coleg y Brifysgol, Aberystwyth yn barod i fy nerbyn i astudio Cymraeg. Rown wedi fy syfrdanu.

Er bod y banc wedi cadw'r swydd yn agored i mi, byddwn yn dychwelyd i adran wahanol. Bellach, rhoed fi'n gyfrifol am brosesu ceisiadau gwŷr busnes lleol am fenthyciadau ariannol, er mwyn i'r Rheolwr benderfynu a fydden nhw'n llwyddiannus ai peidio. Golygai hyn wrando arnynt yn rhestru manylion eu heiddo personol cyn i mi eu trosglwyddo ar ffurflenni hynod gymhleth a ddywedai fwy am ddryswch meddwl y sawl a'u lluniodd nag am effeithiolrwydd y system. Bûm wrth y gwaith hwnnw am un mis ar bymtheg. Er 'mod i'n ffyddiog na ddioddefodd y banc golledion o ganlyniad i unrhyw ddiffygion yn fy ngwaith rwyf yr un mor ffyddiog na wnaeth elwa chwaith. Ni wnaeth y dasg apelio ataf oherwydd ei bod yn rhy fecanyddol, heb roi cyfle i weithredu'n greadigol er lles y cwsmer na'r banc, ond des ar draws ambell gwsmer oedd yn eithriadol o greadigol ei ddatganiadau!

I frwydro yn erbyn diflastod, cofrestrais ym mhrifysgol newydd sbon Trelew i astudio Sbaeneg yn fy oriau rhydd. Doedd dim disgwyl i mi dalu ceiniog am ymuno â'r cwrs, gan fod addysg yn yr Ariannin yn rhad ac am ddim. Yr unig gost oedd prynu'r llyfrau, er y gellid benthyg llawer ohonyn nhw yn y llyfrgell leol. Diolch i'r ymgyrch y ceisiodd Elvio Bell 'mherswadio'n aflwyddiannus i ymuno â hi, cynigiai'r brifysgol gyfle ardderchog i fyfyrwyr oedd mewn swyddi fynychu darlithoedd gyda'r nos. Roedd y cwrs yn cynnwys nifer o agweddau hynod ddiddorol ar yr iaith, ac roedd yn amlwg iawn fod y darlithwyr yn mwynhau eu pwnc ac yn medru trosglwyddo'r diddordeb hwnnw'n afieithus i'w myfyrwyr. Er mwyn arbed amser teithio, symudais am yr eildro i Drelew a lletya unwaith eto yng nghartref Yncl Urien ac Anti Celina.

Cefais fy syfrdanu gan y newid mewn agwedd tuag at

Gymreictod yn Nhrelew a'r Gaiman. Yn ystod fy absenoldeb, cynhaliwyd dathliadau niferus gydol 1965, yn enwedig rhwng Gorffennaf a Tachwedd, i gofio glaniad y *Mimosa* a'i mintai arloesol. Rhoddwyd llawer o gyhoeddusrwydd iddynt a llwyddwyd i ddenu cefnogaeth y llywodraeth genedlaethol. Yn ystod Gŵyl y Glaniad, cafwyd cwmni'r Arlywydd ei hun, y Dr Arturo Illia, a hedodd o Buenos Aires yn unswydd ar gyfer yr achlysur, lai na blwyddyn cyn iddo gael ei ddisodli gan y lluoedd arfog. Tua diwedd Hydref, cyrhaeddodd mintai o dros ddeg a thrigain o Gymry – rhai'n bobl amlwg ac yn eu plith, ddyrnaid o fechgyn a merched ifainc. Testun syndod mawr i'r ieuenctid lleol, meddai fy ffrindiau, oedd gweld Dafydd Wigley a Kathleen Williams (Okpako, wedi hynny), sef y ferch y bûm gyda hi'n gwylio'r Ariannin yn chwarae yn erbyn Sbaen, yn dawnsio i gyfeiliant seiniau roc a rol – y Cymry cyntaf iddynt weld yn cyflawni camp mor fentrus ac mor wahanol i ganu'r capel, y Gymanfa Ganu a'r Eisteddfod.

Er bod y ddelwedd newydd hon yn taflu goleuni gwahanol ar ein cenedl, nid y ffaith bod ieuenctid Cymry yn ymddwyn yn normal oedd achos y sioc fwyaf. Crëwyd honno wrth i'r bobl sylweddoli mor bwysig fu cyfraniad enfawr yr arloeswyr i dwf a datblygiad rhanbarth sy'n cyfateb i draean tiriogaeth yr Ariannin. Am y tro cyntaf ers o leiaf dwy genhedlaeth, cydnabuwyd mai'r gwladfawyr fu'n gyfrifol am ddiwyllio'r rhanbarth a'i haddasu i fod yn drigfan pobl wâr, ac am drawsnewid gwlad a oedd, cyn hynny, ym marn Darwin yn ogystal ag ym marn llywodraethau'r Ariannin am ddegawdau, yn dioddef o felltith anffrwythlondeb.

Yn fuan wedi'r dathliadau, troes y dirmyg gynt yn barch a'r sarhad yn edmygedd. Ailddarganfu nifer o ddisgynyddion y gwladfawyr eu Cymreictod, a daeth 'bod yn Gymro' yn destun balchder unwaith eto – eithr heb y Gymraeg. Doedd dim lle i honno o hyd, a chytunai llawer ei bod mor ddiwerth ac amherthnasol â Lladin, yng ngeiriau anfarwol fy hen gyfaill ysgol. Iaith eilradd oedd hi bellach – iaith *ghetto* ym marn rhai, iaith farw i eraill.

Ni fu Ieuan Arnold yn hir cyn fy hysbysu am gyfarfod nesaf Pwyllgor Gwaith yr Eisteddfod, a rhybuddiodd fi ei fod yn edrych ymlaen at glywed am fy syniadau newydd ac unrhyw argymhellion y medrwn eu cynnig i ddatblygu'r Eisteddfod. Gwyn Jones, cyn Swyddog Gweinyddol Ysgol Uwchradd Trelew, a ddewiswyd yn Drysorydd, a rhannai yntau ein diddordebau a'n huchelgais i droi'r Eisteddfod yn ŵyl eang ei hapêl ymhlith pob haen o boblogaeth y dalaith. Gwyddem na fyddai'n dasg hawdd a bod yna lawer o geidwadaeth yn llechu ymhlith aelodau eraill y pwyllgor. Ond medrem fod yn sicr o gefnogaeth dau aelod blaengar iawn, Virgilio Zampini a Dewi Mefin Jones, ac fe gyfrannodd y ddau eu siâr o gynigion cyffrous.

Gan fod Eisteddfod 1966 eisoes wedi'i threfnu cyn i mi ddychwelyd o Gymru a dim ond rhyw ddeufis i fynd, nid oedd llawer o obaith i gyflwyno unrhyw newidiadau trawiadol ond llwyddais i berswadio fy nghyd-swyddogion i ganiatáu i mi lunio seremoni newydd ar gyfer y Cadeirio. Oherwydd nad oedd Gorsedd y Wladfa wedi bodoli ers o leiaf 1950, teimlwn mai'r ffordd orau o lenwi'r llwyfan oedd ffurfio gosgordd o ddisgyblion ysgol, tebyg i'r drefn a welswn yn eisteddfodau cenedlaethol Urdd Gobaith Cymru. Yr Athro Thomas Parry oedd y beirniad ac Irma Hughes de Jones oedd Meistres y Ddefod. Gan nad oedd gennym wisgoedd gorseddol, gofynnais i Mam wnïo clogyn byr i'w roi dros ysgwyddau enillwyr y Gadair a'r Goron, tebyg i'r un a ddefnyddir yn seremonïau'r Urdd.

Cytunais i fod yn arweinydd llwyfan y flwyddyn honno gan fod y pwyllgor yn awyddus i roi cyfle i bobl ifanc, a minnau'n cael y fraint oherwydd 'mod i'n cyflwyno rhaglen radio wythnosol, fel petai hynny'n gymhwyster ar gyfer y swydd – camgymeriad a wneir llawer yn rhy aml yng Nghymru. Cynhaliwyd yr Eisteddfod ddydd Sadwrn, 22 Hydref. Un o 'ngorchwylion trist y diwrnod hwnnw oedd cyhoeddi'r newydd ingol am drychineb erchyll Aberfan, gofyn i bawb sefyll am funud o dawelwch, a chychwyn apêl ar gyfer cynorthwyo'r dioddefwyr. Cafwyd ymateb anrhydeddus, er mai prin fyddai gwerth ariannol y cyfraniad wedi i'r *pesos* gael eu trosglwyddo'n bunnoedd. Digon anwastad oedd safon yr Eisteddfod, gyda rhai eitemau'n cyrraedd lefelau uchel a fyddai wedi bod yn gartrefol hyd yn oed yn eisteddfodau cenedlaethol Cymru tra bod eraill yn methu codi'n uwch na safon eisteddfod leol. Cofiaf yr annwyl ddiweddar Lili Richards yn dychwelyd i Gymru o Eisteddfod y Canmlwyddiant yn canmol y corau plant. 'Meddyliwch, yn wir,' meddai, 'eu bod yn canu mewn tri llais, a ninnau'n cael trafferth yn ein hysgolion i'w cael i ganu mewn dau.'

Cafwyd dau neu dri o unawdwyr da, yn ogystal. Roedden ni wedi bod yn hen gyfarwydd yn ein tŷ ni â chlywed y Mormoniaid yn honni yn y 1950au y medrai Nhad wneud gyrfa fel bariton petaen ni'n symud i'r Taleithiau Unedig. A thestun edmygedd pawb a'i clywai oedd llais soprano clir fel cloch Valeira Puw, un o chwiorydd Bini Zampini. Roedd gan Mary Ann Pritchard hithau lais mezzo-soprano cyfoethog a chynnes. Petai hi wedi cael ei 'darganfod' a'i hyfforddi ac wedi medru manteisio ar y cyfleoedd sy'n agored i gantorion ifainc heddiw, byddai wedi gwefreiddio cynulleidfaoedd tai opera'r byd ac wedi cystadlu â María Callas a'i thebyg, heb unrhyw amheuaeth. Ond, ar y pryd, roedd Patagonia'n llawer pellach oddi wrth weddill y byd nag ydyw heddiw, ac ni chlywodd neb y tu allan i Ddyffryn Camwy amdani erioed, ac eithrio ambell ymwelydd syn.

Trawsnewidiwyd ein bywyd teuluol gyda genedigaeth bachgen bach i Edith ac Ariel ddydd Sul, 29 Mawrth 1967. Bedyddiwyd ef ag enwau ei daid a'i dad: Héctor Ariel. Ef oedd aelod cyntaf chweched cenhedlaeth llinach Elinor Evans a Dafydd Jones, a chafodd ei enedigaeth groeso mawr gan y ddau deulu, yn enwedig y ddwy set o deidiau a neiniau: Elias a Theodosia James a Nhad a Mam. Ond, yn fuan, mynegwyd pryderon am ei iechyd a chludwyd ef i Drelew, lle cafodd sylw brys. Dychwelodd oddi yno'n holliach ond gyda'r rhybudd y medrai'r aflwydd ddychwelyd.

Yn fuan wedi Eisteddfod y Wladfa 1967 gwelais hysbyseb am swydd gydag Eisteddfod Genedlaethol Cymru, yn swyddfa'r de, a leolid yn y Barri ar y pryd. Gan 'mod i'n ysgrifennydd Pwyllgor Gwaith Eisteddfod y Wladfa, gwelwn hwn fel cyfle i ddysgu mwy am sut i redeg Eisteddfod ac i weithredu nifer o welliannau wedi i mi ddychwelyd adref. Rown i'n dal i deimlo'n siomedig i mi golli'r cyfle i astudio Cymraeg yn Aberystwyth a theimlwn awydd i ddychwelyd i Gymru i weld sut y byddai pethau'n datblygu yno. Digwyddai dwy Gymraes ifanc fod yn aros gyda ni ar y pryd: Eleri Owen, athrawes gerdd yn Ysgol Rhydfelen ac arweinydd parti cerdd dant adnabyddus Pont-rhyd-y-fen, ac Yvonne Matthews, o Langennech, a oedd newydd orffen cyfnod yn dysgu ar ynys Grenada ac wedi trafeilio ar draws nifer o wledydd De'r Amerig ar ei ffordd i lawr i'r Wladfa. Perswadiodd y ddwy fi nad oedd dim i'w golli wrth ymgeisio am y swydd a buont mor garedig â 'nghynorthwyo i baratoi'r cais a sicrhau cywirdeb fy Nghymraeg gwladfaol.

Cymysgwch o syndod a llawenydd oedd derbyn llythyr oddi wrth Arthur Lloyd Thomas, Ysgrifennydd Ariannol yr Eisteddfod, yn cynnig swydd Cynorthwy-ydd i'r Trefnydd i mi, ac yn gosod y telerau. Doedd y cyflog ddim yn uchel – yn wir, wedi cymharu costau byw yn y ddwy wlad, roedd yn is na'r hyn a dderbyniwn gan y banc. Serch hynny, credwn y gallwn fyw'n gymharol gysurus arno, ac anfonais lythyr byr yn ôl i hysbysu 'mod i'n derbyn y cynnig gyda diolch mawr. Er na ddywedais hynny wrtho, gosodais dymor o dair blynedd i mi fy hun i ddysgu popeth oedd i'w wybod am drefnu eisteddfodau. Yr Eisteddfod Genedlaethol fyddai fy mhrifysgol bellach ac, wedi i mi ddychwelyd i'r Gaiman, cawn arwain y gwaith o ddatblygu Eisteddfod y Wladfa. Credai Ieuan fod hyn yn syniad da, er iddo ddweud wrthyf droeon na ddeuwn i fyth yn ôl. Chwerthin yn anghrediniol a wnawn i. Onid oeddwn wedi dychwelyd unwaith eisoes?

Byddai'n rhaid i mi hysbysu rheolwr y banc 'mod i'n gadael fy swydd – yn derfynol y tro hwn. Roedd wedi bod yn hynod garedig, goddefgar a chymwynasgar tuag ataf ac, er 'mod i'n hollol ymwybodol na fyddai fy ymddiswyddiad yn golygu fawr o

golled i'r banc ac y deuai rhywun arall lawer mwy cymwys na mi
i lenwi fy esgidiau, teimlwn ddyled hefyd i'r sefydliad. Cadwyd
fy swydd yn agored am flwyddyn ac yn awr, wedi dim ond un
mis ar bymtheg, rown i'n cyhoeddi 'mod i'n gadael. Down i
ddim wedi bod yn fuddsoddiad da iddynt o gwbl. Serch hynny,
yn hytrach na gwgu arnaf, llongyfarchodd Seŷor Bianchi fi'n
wresog, a threfnodd *asado* i ffarwelio â mi. Yr unig orchymyn
a gefais ganddo oedd galw yn y pencadlys i gyfarfod ag un o'r
penaethiaid cyn gadael Buenos Aires, er mwyn diolch yn ffurfiol
i'r banc am eu haelioni.

Rhyfeddais hefyd at gynhesrwydd diffuant fy nghyd-weithwyr,
yn enwedig Carli Davies, a fu'n gefn i mi gydol fy nghyfnod ar
y staff. Yr un mor gynnes oedd ymateb fy nghyfeillion yn yr
orsaf radio. Cytunwyd ar unwaith fod angen iddyn nhw ddod o
hyd i rywun arall i gynnal rhaglen ar faterion Cymreig. Ymhen
peth amser wedi i mi adael, dechreuodd rhaglen Cymdeithas
Ddiwylliannol y Camwy, o dan ofal Tegai Roberts' ond gyda'r
nos, ganol wythnos, yn hytrach nag am un ar ddeg ar fore
Sadwrn. Er ei bod yn wahanol iawn ei chynnwys a'i natur i
fy rhaglen i mae hon yn cyflwyno newyddion o ddiddordeb i
wahanol gymunedau Dyffryn Camwy ac yn chwarae recordiau
o ganu Cymraeg. Darlledir hi hyd at y dydd heddiw a'r un yw ei
chyflwynwraig. Yn wahanol i fy rhaglen i, 'Rhaglen Tegai' yw
hon i bawb, heb unrhyw amheuaeth.

Bu'n rhaid i mi'n ogystal hysbysu'r Coleg 'mod i'n dychwelyd
i Gymru ac yn gorfod rhoi'r gorau i'r cwrs. Synnais at agwedd
gefnogol y darlithwyr ac at eu dymuniadau taer i mi barhau i
fynychu'r darlithoedd er mwyn cwblhau'r tymor, a fyddai'n dod
i ben 'mhen ychydig wythnosau cyn i mi adael y wlad. Dadleuent
na fyddwn wedyn yn colli'r flwyddyn ac y medrwn ailgydio yn
y cwrs pan fyddwn yn dychwelyd adref. Wedi i mi siarad â hwy,
roedd meddwl am adael y coleg, lai na blwyddyn wedi i mi golli'r
cyfle yn Aberystwyth, yn dwysáu'r cynnwrf yn fy stumog.

Yna, dechreuodd y gylchdaith ffarwelio â pherthnasau,
cyfeillion, cyd-weithwyr, ac ardaloedd. Ni fedrwn osgoi meddwl

ambell waith pryd nesaf cawn weld pawb a phopeth oedd yn annwyl i mi, a beth fyddai fy hanes ar ddiwedd fy antur fawr.

16

A oes heddwch…?

GWAHANOL IAWN OEDD FY mhrofiad wrth lanio yn Heathrow y tro hwn. Dim ffotograffwyr na chamerâu teledu i gofnodi'r digwyddiad, na chroeso mewn lolfa foethus. Pan ddywedais wrth y Swyddog Mewnfudo 'mod i wedi derbyn swydd yng Nghymru, newidiodd ei wedd. Gofynnodd am weld fy hawl i weithio yng ngwledydd Prydain ond gwaetha'r modd, down i ddim yn berchen ar y fath ddogfen. Dywedodd, felly, ei fod yn gwrthod yr hawl i mi ddod i mewn i'r wlad. Byddai'n rhaid i mi ddychwelyd i'r Ariannin ar yr awyren y diwrnod hwnnw. Wrth i mi geisio meddwl ar frys am ddadleuon credadwy, pwy gerddodd heibio ond Mario Jones, brodor o Drevelin ac aelod o staff Aerolíneas Argentinas yn Heathrow. Wedi iddo ddeall fy mhicil, eiriolodd ar fy rhan gyda'r swyddog a ches ganiatâd i ddod i mewn fel ymwelydd am fis ar yr amod 'mod i'n cydweithio â 'narpar gyflogwyr i roi fy mhapurau mewn trefn cyn gofyn am estyniad.

Eglurodd Mario'r cefndir. Y dyddiau hynny, llifai ffoaduriaid wrth y miloedd i Brydain rhag llid Idi Amin, Arlywydd Uganda, a thynhawyd y rheolau mewnfudo i gyfarfod â'r sefyllfa honno. Oni bai i Mario ymddangos ar y pryd, byddwn wedi dioddo'r un dynged â'r miloedd o drueiniaid croenddu a orfodwyd i ddychwelyd i Affrica y diwrnodau hynny. Petai hynny wedi digwydd, ni allwn fod wedi fforddio trefnu fy mhapurau yn Buenos Aires a thalu am deithio'n ôl unwaith eto i Lundain.

Y cam cyntaf oedd cyfarfod ag Arthur Lloyd Thomas, Ysgrifennydd Ariannol yr Eisteddfod Genedlaethol, a Rheolwr cangen Llanelli o Fanc y Midland yn ei waith bob dydd. Y sioc gyntaf oedd darganfod bod y sgwrs anffurfiol y gwahoddwyd fi iddi'n newid i fod yn gyfweliad i gadarnhau'r penodiad. Ond, er mawr rhyddhad i mi, cynigiodd y swydd yn ffurfiol i mi. Yna, dywedodd na fyddwn yn dechrau tan 1 Mawrth. Golygai hynny y byddwn yn segura'n ddigyflog am chwe wythnos. Eglurodd hefyd nad oedd Dilys Cadogan, Cynorthwy-ydd y Trefnydd, wedi cadarnhau ei bwriad i ymddeol a'i bod yn dymuno parhau yn ei swydd nes y byddai swyddfa'r Barri yn cau fis Hydref. Cawsai ei siomi'n arw gan y penderfyniad i benodi olynydd iddi mor gynnar a disgwylid nawr mai oddi tani hi y byddwn i'n gweithio tan ei hymddeoliad. Tair sioc yn fy hanner awr gyntaf yng nghwmni fy nghyflogwyr newydd.

Gwên siriol a llais llawen Tomi Scourfield a roes y croeso cyntaf i mi yn Y Barri. Aeth â mi i gyfarfod â'i staff, sef Dilys Cadogan a Mary Brown. Yna, yn ôl â ni i'w ystafell am sgwrs hamddenol a chyfeillgar dros baned o de. Ymddiheurodd ar unwaith am y dryswch gyda'r swydd, ond mater o aros am ychydig fisoedd fyddai hynny hyd at ymddeoliad Dilys Cadogan, ac roedd yn hyderus y gwnawn fwynhau 'ngwaith, er gwaetha'r newid yn yr amodau. Eglurodd fod yr Eisteddfod wedi derbyn cwyn oddi wrth un o'r deg ymgeisydd aflwyddiannus yn gwrthwynebu'r drefn a alluogodd tramorwr i gael ei benodi i'r swydd. O ganlyniad, ailhysbysebwyd y swydd ac aed dros y ceisiadau cyn hysbysu'r achwynwr fod y penodiad gwreiddiol wedi'i gadarnhau. Hynny oedd yn gyfrifol am y newid dyddiad.

Yn ogystal, meddai, bu'n rhaid ymorol am ganiatâd i mi weithio yng ngwledydd Prydain, gan achosi oedi pellach. Aelod o staff y Swyddfa Gymreig o'r enw Tudwal fu'n gyfrifol am fynd â'r maen i'r wal. O hynny ymlaen, yr unig reidrwydd arnaf oedd adnewyddu fy hawl i aros yn y wlad unwaith y flwyddyn, ac osgoi troseddu yn erbyn y gyfraith. Dangosodd Tomi lawer o chwilfrydedd am fy niddordebau ac am fy mhrofiadau yn y banc, y radio ac Eisteddfod y Wladfa. Pan ddeallodd nad oeddwn eto wedi trefnu lle i fyw dywedodd fod ystafell yn rhydd yn fflat

Alcwyn Deiniol, mab hynaf Gwynfor Evans, ac awgrymodd 'mod i'n cysylltu ag o'n ddi-oed. Roedd pob gair o enau Tomi wedi bod yn gadarnhaol ac wedi 'nhanio unwaith eto ar gyfer wynebu'r gwaith.

Yn y man, croesais y stryd i un o adrannau siop fawr Dan Evans a dod i delerau ag Alcwyn ynglŷn â'm llety. Ni fedrai'r fflat fod yn fwy cyfleus, ac ni fyddai'r daith fer oddi yno i'r swyddfa yn dreth ar fy niffyg ffitrwydd. Dyma ddigwyddiad cadarnhaol arall, meddwn wrthyf fy hun, a 'ngobeithion yn codi.

Pan wawriodd Dydd Gŵyl Dewi 1968, cerddais yn llawn disgwyliadau tua Swyddfa'r Eisteddfod. Bychan iawn oedd yr ystafell y byddwn i'n ei rhannu gyda Dilys a Mary ac fe'm hatgoffwyd fi'r bore hwnnw unwaith eto beth oedd fy union safle o fewn y staff. Erbyn hyn, rown i wedi cael amser i gofio mai dod i Gymru i ddysgu trefnu eisteddfodau wnes i – nid i ddilyn gyrfa. Cysurais fy hun. Dim ond i mi aros yn amyneddgar am saith mis, yna fe gawn gyfle i ymaflyd go iawn yn fy swydd wedi i mi symud gyda Tomi i Rydaman. Roedd angen i mi fodloni ar wneud gwaith clerigol a pharatoi'r coffi, gan anghofio am fod yn gyfrifol am rai o drefniadau'r Eisteddfod.

Yn naturiol, mewn ystafell mor fach roedd yn amhosib i neb gadw trafodaeth yn breifat a chyfrinachol. Yn benodol, doedd dim modd i mi osgoi clywed ambell sylw a wnaed amdanaf i. Llwyddais serch hynny i ymgyfarwyddo â gofynion y gwaith ac â'r mân dasgau di-her a roddid i mi ond cefais drafferth mawr i ddygymod â'r tyndra amlwg yn y swyddfa. Fy ngofid pennaf oedd y teimlad mai 'mhresenoldeb i oedd yn ei achosi. Cesglais yn fuan nad oedd Dilys Cadogan wedi maddau i Tomi.

Awgrymwyd yn gynnil wrthyf hefyd na fyddai'n syniad da i mi wirfoddoli 'ngwasanaeth y tu allan i oriau'r swyddfa. Pan ddywedais fod amodau'r swydd yn nodi'r rheidrwydd arnaf i fynychu cyfarfodydd y Pwyllgor Gwaith, cytunwyd fod hynny'n eithriad. Un noson, galwodd Tomi yn y fflat. Roedd ar ei ffordd i rihyrsals côr yr Eisteddfod a gofynnodd a hoffwn ddod gydag ef. Gan deimlo 'nghyhyrau'n tynhau, mentrais ateb yn nacaol.

Roedd yn well gen i bechu yn ei erbyn ef na chyflawni gweithred a fedrai fod yn annerbyniol yng ngolwg fy nghyd-weithwyr. 'Dere mlân', oedd ei erfyniad olaf cyn cerdded oddi yno'n siomedig. Dyn a ŵyr beth a feddyliai ohonof ond fe wyddwn yn iawn 'mod i'n gwneud camgymeriad mawr.

Wyddwn i ddim sut i egluro nac i ymddiheuro'r bore canlynol. O dipyn i beth, oerodd y berthynas rhyngof a Tomi ac, er 'mod i'n cyflawni 'ngwaith yn y swyddfa yn gydwybodol am oriau hir, doedd gen i ddim cyfraniad i'w wneud y tu hwnt i hynny. Yn gyflym iawn, rown i'n prysur danseilio fy nghynllun tair blynedd a'r drwg oedd, nad own i'n sylweddoli pa mor agos roedd y cynllun at gael ei ddymchwel yn gyfan gwbl.

Yna'n ddisymwth, derbyniais alwad ffôn oddi wrth Gwyn Erfyl. Tybed a hoffwn i gyfrannu i raglen roedd wrthi'n ei pharatoi. Cytunais ar unwaith. Derbyniais nifer o alwadau cyffelyb dros y misoedd canlynol, a bûm yn ymwelydd cyson â stiwdios Pontcanna yn ogystal â'r BBC, a chael llawer o fwynhad yn cyflwyno *Y Dydd*, o dan gyfarwyddyd y diweddar Wil Rees a chynhyrchydd y rhaglen, Owen Roberts. Cofiaf sylw gan Richard Morris Jones, aelod o staff TWW ar y pryd, 'mod i'n cael rhyddid i ddweud pethau na chaent hwy fyth eu llefaru. Anesmwythais pan awgrymwyd yn Swyddfa'r Eisteddfod y dylwn i feddwl am yrfa yn y cyfryngau. Diystyrais y syniad oherwydd fy swildod, a 'nheimlad na fedrwn siarad Cymraeg yn ddigon cywir, gan achosi i mi ganolbwyntio'n ormodol ar ffurf brawddeg yn hytrach nag ar ei chynnwys. Fisoedd lawer wedi hynny, derbyniais wahoddiad annisgwyl i fynd am brofion sgrîn ar gyfer cyflwyno rhaglen materion cyfoes wythnosol ond ni ddaeth dim o'r rheiny.

Roedd presenoldeb siaradwr Cymraeg prin iawn, iawn ei Saesneg yn destun llawer o chwilfrydedd yn y swyddfa, a byddai pobl yn holi o hyd am fy nghefndir. Y rhai a gâi'r broblem fwyaf oedd y di-Gymraeg, a byddai'n rhaid dibynnu ar ewyllys da siaradwyr Cymraeg i gyfieithu fy atebion. Yr un a gododd fy hyder yn ddigon i wneud i mi fentro arni heb falio am fy mynych wallau oedd John Thomas, aelod di-Gymraeg o'r Pwyllgor

Gwaith a alwai heibio am sgwrs bron yn ddyddiol.

Yn y man, deuthum yn benderfynol o wella fy ngafael gwan ar y Saesneg gan ymdrechu'n galed i gynnal sgyrsiau syml, yn enwedig dros y ffôn. Wrth ateb un alwad, methais yn lân deall acen ddofn yr ymholwr a chwerthin wedyn pan ddeallais mai'r darlledwr John Bevan oedd yn tynnu 'nghoes. Dro arall, clywais lais gŵr yn holi yn Sbaeneg am wybodaeth am yr adran Celf a Chrefft. Rhoddais y manylion iddo heb feddwl ddwywaith, a symudodd ymlaen i'r cwestiwn nesaf. Ond, cyn i mi gwblhau'r frawddeg gyntaf, torrodd allan i chwerthin. Eglurodd ei fod yn aelod di-Gymraeg o'r Pwyllgor Celfyddyd a Chrefft, iddo gael ei syrffedu gan y cyfarchiad Cymraeg bob tro y byddai'n ffonio'r swyddfa, a'i fod wedi penderfynu tynnu sylw at hynny drwy holi cwestiwn yn Sbaeneg, gan dybied na fyddai neb yn ei ddeall. Ei anlwc oedd mai fi oedd wedi codi'r ffôn. Yna troes i'r Saesneg, ac ni fedrai goelio pan eglurais na fedrwn gynnal sgwrs ddeallus yn yr iaith honno, ac aeth yn ei flaen yn y Sbaeneg. Dangosodd chwilfrydedd wrth glywed 'mod i'n hanu o Batagonia, ond ni wyddai ddim am y Wladfa. Yn Chile, lle bu'n fyfyriwr, y dysgasai ei Sbaeneg ac, oherwydd mai yno y cafodd wraig, siaradai'r iaith yn rhugl a rheolaidd. Wedi i mi egluro'r rheswm dros bolisi'r Eisteddfod o ateb y ffôn yn Gymraeg mewn tref lle nad oedd mwyafrif llethol y boblogaeth yn siarad yr iaith, deallodd y rhesymeg er y credai y dylem ychwanegu cyfarchiad yn Saesneg hefyd.

Er gwaetha'r hwyl, roedd ansicrwydd fy sefyllfa o fewn y swyddfa yn achosi llawer o anesmwythyd i mi. Un a wnaeth lawer i godi f'ysbryd oedd Islwyn Jones – 'Gus' i'w gyfeillion, darlithydd yng Ngholeg y Barri. Ef oedd Cadeirydd y Pwyllgor Llên, a threuliai lawer o'i amser hamdden yn y swyddfa, yn mynd dros drefniadau'r Babell Lên. Cefais lawer o fwynhad a hwyl yn cydweithio ag ef a chyfle i chwerthin wrth wrando ar ei sylwadau bachog a'i jôcs. 'Peidiwch â gofidio, Elvey,' meddai pan synhwyrai 'mod i braidd yn anhapus, 'byddwch chi'n dal yma pan fydd pawb arall wedi hen fynd o 'ma.' Tri darlithydd cyfeillgar arall y deuthum ar eu traws yn ystod y cyfnod hwn oedd Basil Davies, Cennard Davies a Harding Rees. Cefais y fraint o ddod i adnabod Chris Rees, hefyd, a chael fy ngwahodd i'w gartref ym Mrynmawr, lle'r oedd yn dysgu ar y pryd. Bûm yn ffodus iawn hefyd i gael gwahoddiad sawl tro gan Alcwyn i Dalar Wen, cartref ei rieni. Ar un o'r achlysuron hynny, cefais ddringo i ben Garn Goch yn ei gwmni, a mwynhau golygfeydd godidog o Ddyffryn Tywi. Dywedodd Alcwyn y byddai ei dad yn arfer dringo'r Garn yn rheolaidd.

Pwnc trafod go dwym yn ystod y cyfnod rhagbaratoawl oedd penderfyniad Pwyllgor Gwaith Eisteddfod y Barri i beidio â gwahodd Gwynfor Evans i fod yn un o Lywyddion y Dydd. Roedd yna deimladau cryfion o'r ddwy ochr, a lledaenodd y ddadl i'r swyddfa. Nid yn unig rown i'n cydletya ag un o'i feibion ond down i ddim wedi anghofio ei barodrwydd i 'nghynorthwyo i gael caniatâd i estyn f'arhosiad yng Nghymru ddwy flynedd ynghynt. Rown hefyd wedi cael croeso hael ar ei aelwyd ac wedi dilyn ei yrfa yn y papurau, y wasg a'r cyfryngau, ac wedi darllen rhai o'i lyfrau. Erbyn hyn, rown i'n argyhoeddedig ei fod yn teilyngu pob anrhydedd y medrai'r Eisteddfod ei chynnig iddo ac ni fedrwn ddeall y rhesymeg dros ei anwybyddu yn ei dref enedigol. Eithr roedd y Pwyllgor Gwaith, o dan gadeiryddiaeth yr Henadur Dorothy Rees, wedi penderfynu i'r gwrthwyneb, a doedd fy marn i ddim yn cyfrif.

Doeddwn i ddim wedi bod yn y Barri am fwy na dau neu dri mis pan glywais newyddion ysgytwol. Roedd Ariel wedi cael gwaith yn garej Gravells, Cydweli, ac wedi penderfynu dod i fyw i Gymru yng nghwmni Edith a Héctor Ariel, eu mab. Gan 'mod i bryd hynny yn dibynnu ar drafnidiaeth gyhoeddus, teithiais i Lundain er mwyn eu cyfarfod yn Heathrow. Yno, gwelais Héctor Ariel yn ddyn i gyd yn cerdded tuag ataf, ac yntau tua phymtheg mis, a'i rieni'n ei ddilyn. Rown i'n llawn chwilfrydedd eisiau gwybod mwy am eu cynlluniau. Os nad oedd fy nyfodol i'n sicr yng Nghymru, pa obaith oedd iddynt hwy?

Setlodd y teulu bach yn esmwyth i'w bywyd yng Nghydweli a

dechreuais fynd atynt i dreulio'r penwythnosau, er mwyn bod yn gwmni iddynt a'u cynorthwyo i ymgartrefu yn y wlad. Cefais ar ddeall fod Ariel yn mwynhau cwmni'r mecanics eraill a gweddill staff y garej. Braidd yn unig oedd Edith ar y dechrau, gan nad oedd modd iddi grwydro fawr ddim o'r tŷ, ac nad oedd piano wrth law iddi ymarfer. Wedi dweud hynny, roedd ei phlentyn yn ei chadw'n brysur bob dydd.

Wrth i'r Eisteddfod agosáu, anfonai'r beirniaid llenyddol eu beirniadaethau i'r swyddfa er mwyn i ni eu cadw'n ddiogel a'u paratoi i'w hanfon at y golygydd. Tomi'n bersonol fyddai'n gofalu am brosesu beirniadaethau'r prif gystadlaethau ac, er mwyn sicrhau bod enwau'r buddugwyr yn cael eu cadw'n gyfrinachol, byddai'n ei gloi ei hun yn ei ystafell rhag i rywun darfu arno. Ond, er gwaethaf ei ofal manwl, achoswyd trafferthion mawr iddo yn achos yr awdl a'r bryddest. Dyfarnodd Thomas Parry y Goron i 'Leon'. Teimlai Euros Bowen, ar y llaw arall, taw pryddest 'Geraint' oedd yr un orau. Pan gyrhaeddodd beirniadaeth Waldo Williams, yn eithriadol o hwyr, edrychodd Tomi'n frysiog ar waelod y dudalen olaf ac, ar ôl gweld mai 'Geraint' oedd y ffugenw a nodid yno, anfonodd y bryddest i'r argraffty.

Ymhen amser, derbyniodd Tomi alwad ffôn oddi wrth Waldo yn ei hysbysu iddo sylwi'r bore hwnnw bod tudalen olaf ei feirniadaeth yn dal i orwedd ymhlith papurau eraill ar ei ddesg ond ei fod bellach wedi'i rhoi yn y post. Pan gyrhaeddodd honno, gwelodd Tomi gyda braw ei fod yn dyfarnu'r Goron i 'Durtur y Maen'. Bellach, roedd tri chystadleuydd yn rhannu'r wobr. Ffoniwyd y wasg i atal yr argraffu ac, ar gyngor Cynan, gwahoddwyd Alun Llewelyn Williams i dorri'r ddadl. Ei ddewis yntau oedd 'Durtur y Maen'. 'Fi oedd yn iawn, yntefe?' ymffrostiai Waldo wedi'r seremoni, eithr y gwir yw, bu ei amryfusedd bron â rhoi Coron gynamserol i Dafydd Rowlands ac amddifadu Haydn Lewis, Tonpentre, yntau o'i wobr.

Dychwelodd Emrys Edwards, Eirian Davies a Gwilym R. Tilsley, beirniaid cystadleuaeth y Gadair, eu beirniadaethau'n brydlon. Wedi i Tomi agor y tair amlen gwelodd gyda boddhad eu bod yn unfryd unfarn y dylid cadeirio 'Loma'. Ychydig dros bythefnos o rybudd a roddid i enillwyr y prif gystadlaethau'r dyddiau hynny. Pythefnos cyn yr Eisteddfod, felly, agorodd Stephen Stephens, y dramodydd adnabyddus o Lanelli, amlen yn cario llythyr yn ei longyfarch ar ennill Cadair Eisteddfod y Barri. Cododd y ffôn ar unwaith i hysbysu'r Trefnydd nad ef oedd yr enillydd. Nid oedd erioed wedi cystadlu am yr awdl ac, yn wir, nid oedd hyd yn oed yn cynganeddu. 'Eich enw chi sydd yn yr amlen dan sêl,' oedd sylw Tomi. 'Os felly,' atebodd Stephens, 'R. Bryn Williams yw'r enillydd.' Agorodd Tomi'r amlen unwaith eto a gweld: Ffugenw: Loma; Enw: d/o Stephen Stephens... Pam, felly, nad enw'r prifardd oedd yn yr amlen? Yn addas iawn, cyfansoddodd Bryn ei awdl foliant i'r morwr yn ystod ei fordaith i Batagonia ac oherwydd na fedrai fod yn sicr o gyrraedd yn ôl i Gymru mewn pryd ar gyfer yr Eisteddfod, gofynnodd i'w gyfaill ei gynrychioli. Yna, wrth lenwi'r amlen dan sêl, anghofiodd egluro mai ef, Bryn, oedd yr awdur.

Wyddwn i ddim am y drafferth ar y pryd ond medrwn fod wedi arbed cur pen i Tomi a dweud wrtho pwy oedd enillydd y Gadair heb fynd i'r drafferth o agor yr amlen – gan fod y prifardd wedi nodi ei enw ar waelod y gerdd: 'Loma', sef 'bryn' yn Sbaeneg. Ffoniwyd Gwasg Gomer ar frys i'w hysbysu am y newid ond, yn rhy hwyr – roedd y gyfrol eisoes wedi'i hargraffu. Yn ffodus, nid oedd wedi ei rhwymo, a llwyddwyd i ailargraffu'r adran berthnasol mewn pryd. Ychydig ddyddiau'n ddiweddarach, cyrhaeddodd cyflenwad o gopïau o'r *Cyfansoddiadau Buddugol* i Swyddfa'r Eisteddfod. Sylwodd Tomi ar unwaith fod y wasg, wrth bacio, wedi ailgylchu'r tudalennau blaen gwallus. Y llinell a dynnai sylw oedd hon:

Yr Awdl Fuddugol: Stephen Stephens, Maes-y-bont, Llanelli.

Ond roedd enw a chyfeiriad enillydd y Goron hefyd yn hollol gywir arnynt ac yn eglur i bawb eu darllen. Roedd Tomi'n tasgu, a bu'r llinellau ffôn rhwng y Barri a Llandysul yn boeth iawn unwaith eto.

Arfer y cyfnod hwnnw oedd symud Swyddfa'r Eisteddfod i'r

maes wythnos cyn yr ŵyl, gydag ystafelloedd arbennig wedi'u codi at y pwrpas yng nghefn y pafiliwn pren. Roedd yno hefyd ystafelloedd ar gyfer y Cyngor a Llywydd y Llys, a chasgliad o gadeiriau esmwyth ar gyfer y swyddogion a'r aelodau. Yn eu plith, roedd un yn llawer is na'r lleill. Esboniodd Tomi wrthyf fod y coesau wedi'u llifio er mwyn galluogi traed yr Athro T. H. Parry-Williams i gyffwrdd â'r llawr pan eisteddai arni. Fel 'cadair Parry Bach' yr adwaenid hi. Rhybuddiwyd fi i gadw draw o'r ystafelloedd hyn yn ystod yr wythnos fawr onid oedd yn wirioneddol angenrheidiol i mi fod yno ar orchwyl benodol.

Er 'mod i'n gorfod rhannu ystafell gyda 'nghyd-weithwyr, roedd yno ddigon o le i ni weithio, a bwrdd estyll hir ar fy nghyfer i fy hun. Roedd pwysau gwaith wedi bod yn trymhau ers rhyw ddeufis, gan roi llai o amser i bawb boeni am unrhyw drafferthion personol, ond roedd Tomi'n drefnydd profiadol ac effeithiol ac wedi sicrhau fod popeth mewn trefn erbyn hynny. Canolbwyntio ar gwblhau tasgau'r dydd oedd y nod bellach, ac roedd llwyth o'r rheiny'n codi'n gyson, llawer ohonynt yn annisgwyl. O ganlyniad, cadwem oriau hir ac yn aml, byddai'n rhaid aros ymhell wedi cau'r drysau am bump o'r gloch, er mwyn cael llonyddwch i glirio'n desgiau.

Testun syndod i mi oedd gweld cynifer o bobl yn dod i brynu'u tocynnau ar y funud olaf ac yn cael eu siomi am nad oedd y seddau roeddent yn dymuno'u prynu ar gael yn y Swyddfa Docynnau. Deuent i'r swyddfa wedyn i geisio perswadio'r Trefnydd eu bod yn teilyngu seddau gwell. Hen jôc o fewn y staff oedd taw Bloc A, Rhes 1, Sedd 1 oedd dewis cyntaf pawb, sedd a oedd wedi hen fynd ers blwyddyn. Yr un oedd yr helynt gyda thocynnau parcio, a phob un yn pwysleisio pa mor bwysig oedd dod â'i gar yn agos at y pafiliwn. Y cyngor a roddid i bawb yn ddiwahân oedd iddynt ddychwelyd i'r Swyddfa Docynnau cyn bod y seddau gorau ar ôl yn diflannu hefyd! Byddai hyn yn destun llawer o hwyl i Tomi.

Edmygwn ddawn a pharodrwydd Dilys Cadogan i weithredu fel tarian rhwng Tomi a'r cyhoedd. Âi neb heibio iddi. Yn gwrtais o hyd ond yn gadarn a pharablus, â sigarét yn ei llaw chwith, llwyddai i berswadio'r mwyafrif i adael y swyddfa'n waglaw, waeth beth fyddai'u cwyn. Ac os meiddiai rhywun anwybyddu'i chyfarwyddyd a phwyso am gael gair â'r Trefnydd, byddai'r geiriau cadarn yn troi'n orchymyn a fflachiadau'i llygaid yn ddigon i sicrhau na wnâi'r mwyaf hyf anufuddhau. Cawn yr argraff ei bod hi'n mwynhau pob buddugoliaeth ac ni welais neb yn ei threchu. Dibynnai Tomi'n drwm arni, ac fe wyddwn bob tro y clywn yr alwad 'Mrs Cadogan!' yn dod o'i ystafell fod yna ddryswch i'w glirio. Yn y cyfamser, byddai Mary yn teipio pob math o lythyrau ac yn paratoi copïau a chofnodion yn ddiderfyn, a minnau'n gofalu am fanion nad oedd angen neb uwch ei statws i'w drafod.

Bore Sul olaf Gorffennaf, galwodd Tomi amdanaf i 'nghludo i'r maes. Roedd Dilys a Mary eisoes yn y car. Doedd prysurdeb y swyddfa ddim gwahanol y bore hwnnw i'r hyn oedd ar unrhyw ddiwrnod arall. Dychwelsom i'n cartrefi i gael ein cinio a dywedwyd wrthyf am aros amdanynt ymhen awr ar gornel bloc tua dau gan llath o'r fflat am ddau o'r gloch i gael lifft yn ôl i'r maes. Ond oherwydd prysurdeb paratoi cinio a golchi dillad ar gyfer yr wythnos ganlynol, ni lwyddais i gyrraedd mewn pryd. Collais y lifft, a dychwelais i'r fflat.

Gwyddwn i mi wneud cam gwag. Waeth pa mor ddibwys oedd fy nghyfrifoldebau, roedd rhaid eu cyflawni mewn pryd. Golygai fy methiant i fod yno, felly y byddai'n rhaid i naill ai Dilys neu Mary ysgwyddo'r baich yn fy lle a hynny'n ychwanegol at eu tasgau hwy. Cyn i mi gael cyfle i achub fy ngham ac ymddiheuro y bore canlynol, cefais wybod nad dyna'r ymddygiad a ddisgwylid oddi wrthyf, a bod disgwyl i mi dynnu 'mhwysau fel pawb arall.

Er gwaetha'r trafferthion gyda phrif gystadlaethau'r Adran Lenyddiaeth, bu'r wythnos ei hun yn hynod lwyddiannus. Gymaint oedd y pwysau gwaith, fel na cheid toriad i ginio. Yn hytrach, câi ei adael ar ein desgiau. Ymddangosai hynny'n fraint fawr, nes i mi sylweddoli na chawn lonydd i'w fwyta. Brynhawn dydd Iau, rown i'n rhan o grŵp bychan o Wladfawyr a gymeradwyai fuddugoliaeth Bryn braidd yn rhy swnllyd yng nghefn y pafiliwn.

Dim ond cyngherddau a dramâu yr Eisteddfod a gynhelid gyda'r nos a'r drefn o gynnal nifer o nosweithiau answyddogol heb ddod i ffasiwn. Yr unig weithgaredd ychwanegol a gynhelid gyda'r hwyr oedd y canu emynau, a Tawe Griffiths yn sefyll ar sgwâr y dref yn arwain cynulleidfa niferus a chwyddai wrth i bobl lifo allan o'r tafarnau. Siomwyd llawer pan gyhoeddodd ei fod wedi arwain ei gymanfa answyddogol olaf. 'Mwy o ddiddordeb gan fois heddiw yn eu peint nag yn eu crefydd,' achwynai'n siomedig wrthyf. 'Mae hi ar ben ar ganu cynulleidfaol.'

Caewyd Swyddfa'r Eisteddfod am wyliau'r haf yn union wedi'r ŵyl. Byddai'n ailagor yn y dref ddechrau Medi. Tua diwedd y mis hwnnw gofynnodd Tomi i mi ddod i'w ystafell am sgwrs. Roedd wedi cyflwyno adroddiad ar fy ngwaith i'r Cyngor ac wedi dweud 'mod i wedi perfformio'n dda yn y swyddfa ac wrth ddelio â gwaith y Pwyllgor Llenyddiaeth ond nad oeddwn wedi dangos diddordeb yn yr adrannau eraill. O ganlyniad, cytunwyd i derfynu 'nghytundeb a chynnig dau ddewis i mi: gweithio mis o rybudd a pheidio symud i Rydaman, neu yntau symud yno a gweithio chwe mis o rybudd.

Teimlais y byd yn disgyn ar fy mhen, gymaint fy rhwystredigaeth a 'nicter. Gwyddwn nad oedd gen i droed i sefyll arni ond down i ddim wedi cael rhybudd o fath yn y byd fod hyn ar fin digwydd. Gofynnais am gael fy esgusodi a brysiais adref. Roedd Alcwyn wedi awgrymu rai misoedd yn gynharach y medrwn ddod i weithio yng nghwmni Dan Evans petai angen ond tybed a fyddai hynny'n bosibl erbyn hyn, ar rybudd mor fyr? Pan gyrhaeddais y fflat, gwelais fod Rhiannon Evans yno'n aros am ei mab. Roedd newydd gael damwain car ac yn dal i fod mewn sioc a gofynnodd i mi a fedrwn i hysbysu Alcwyn. Anghofiais am fy mhryderon – dros dro, beth bynnag. Rown i'n cydymdeimlo â hi, ond teimlwn hefyd yn ddiolchgar am gael rhywbeth i'w wneud i dynnu fy sylw oddi ar yr Eisteddfod a 'ngofidiau personol i.

Y bore canlynol, hysbysais Tomi 'mod i'n dymuno cymryd yr ail ddewis a symud i Rydaman. Ond, y sioc oedd darganfod na fyddwn yn cael dechrau yno ar fy mhriod swydd wedi'r cyfan – roedd Dilys Cadogan am barhau ar y staff am ddwy flynedd arall. Gwyddwn 'mod i ar brawf, ond hoffwn fod wedi cael y cyfle i brofi fy hun yn y swydd y penodwyd fi iddi. Bellach, wynebwn sefyllfa lle byddwn yn dychwelyd i'r Wladfa ar ddiwedd fy nhair blynedd yn fethiant llwyr. Gwyddwn nad oedd pwynt cwyno ac mai fy unig achubiaeth oedd wynebu'r chwe mis nesaf mewn ysbryd cadarnhaol. Petawn i'n methu, beth a ddeuai o deulu bach Cydweli?

Erbyn dechrau Hydref, clywais nad oedd Héctor Ariel yn holliach a bod y meddyg teulu wedi cynghori ei rieni i fynd ag o at feddyg yn yr Ariannin. Yn siomedig iawn, dychwelodd y teulu bach i'r Wladfa, gan fy ngadael i hiraethu ar eu hôl. Ar yr un pryd, teimlwn bwysau cyfrifoldeb yn codi oddi ar fy ysgwyddau – petawn i'n colli'n swydd, o leiaf ni fyddwn yn gorfod poeni amdanynt hwy.

Cefnais ar y Barri gyda theimladau cymysg iawn. Mi fyddwn yn gweld eisiau cwmni Alcwyn Deiniol a hiwmor Islwyn Jones ond ni fyddwn yn hiraethu am y swyddfa; byddwn i'n gweld eisiau rhai o'r gwirfoddolwyr ond nid felly hinsawdd anghymreig y dref. Tybed a fyddwn i'n cyfarfod eto ag Alcwyn Evans, y gŵr bonheddig a redai gwmni Dan Evans; a'i wraig Llywela, dau a agorodd eu cartref i mi ar fwy nag un achlysur, ac agor eu clustiau i wrando 'nghwyn hefyd; y Meddyg Denzil Davies a'i wraig, Beti Wyn, dau arall cymwynasgar a diddan eu cwmni.

Rown wedi cael ar ddeall mai swyddogion Pwyllgor Lety Eisteddfod Rhydaman fyddai'n dod o hyd i fflat i mi yn y dref, ond ni chawsent y neges ac nid felly y bu. Treuliais fy niwrnod cyntaf yn gosod trefn ar yr ystafell a fyddai'n swyddfa i mi am y chwe mis nesaf. Heb i mi sylweddoli, roedd Tomi a Dilys yn paratoi i ddychwelyd i'r Barri, gan nad oeddent wedi symud eto i'w cartrefi yn Abertawe. Gyda braw, sylweddolais nad own i'n gwybod ymhle y byddwn yn cysgu'r noson honno. Holais gwpwl o wragedd lleol a wyddent am Wely a Brecwast cyfleus. Nid oedd syniad ganddynt ond awgrymwyd y dylwn holi yn un o'r tai cyfagos. Crwydrais y dref yn aflwyddiannus, cyn i wraig arall awgrymu y dylwn alw heibio Mrs Hetty Anthony yn Stryd Margaret. Cnociais y drws heb fawr o obaith, a daeth gwraig fach siriol i'r golwg, a golau ola'r dydd yn disgleirio ar ei sbectol. Na, doedd hi ddim yn lletya pobl ar y pryd, ac ni wyddai am neb arall a fedrai fod o gymorth i mi. O ble'r own i'n dod? Gweithio gyda'r Eisteddfod? Efallai, wedi meddwl, y medrai gynnig lleti i mi am y noson. Gydag ochenaid o ryddhad a chan mil diolch ar fy ngwefusau, cariais fy nghês dros y trothwy. Dangosodd fy ystafell i mi a chefais gynnig pryd nos. Cyn diwedd y noson, rown i wedi adrodd hanes fy mywyd ac wedi cael cynnig lleti llawn am £5 yr wythnos. Rown i wrth fy modd. Petawn wedi chwilio'r byd yn grwn, fyddwn i ddim wedi llwyddo i daro ar letywraig fwy croesawgar a charedig na Hetty Anthony, a des i deimlo'n gwbl gartrefol yno. Doedd hi ddim yn fodlon derbyn tâl ychwanegol am olchi fy nillad ac yn wir, ambell wythnos, byddai'n dychwelyd arian y rhent i mi gan ddweud nad oedd ei angen arni!

Galwai ei nith Jean, a'i gŵr hithau, Gwyn, a'u merched bach, Amanda a Wendy, i'w gweld yn rheolaidd a chawn hwyl yn chwarae a thynnu coes y ddwy fychan. Dau arall a fyddai'n troi i mewn i'w chyfarch o bryd i'w gilydd oedd ei nai Dai Davies, pêl-droediwr ifanc oedd ar fin dechrau gyrfa broffesiynol fel gôl-geidwad gydag Abertawe, a'i frawd mawr, Tomi, heddwas yn Llanelli. Gofynnais i Dai a oedd yn uchelgais ganddo chwarae i Gymru. 'Rhaid i mi ennill fy lle yn nhîm Abertawe gynta,' meddai, yn nodweddiadol ddiymhongar.

Yn fuan wedi agor y swyddfa, penodwyd Dilys Richards yn deipydd, i olynu Mary Brown, nad oedd wedi'n dilyn o'r Barri. Fe'i cefais yn gydweithredol a chyfeillgar. Yn ddiweddarach, penodwyd Eluned Roberts yn gynorthwywraig – hithau'n wraig hawddgar ac ymroddedig. Setlais i batrwm gwaith digon derbyniol: gweithio o naw tan bump yn y swyddfa, gyda thoriad i ginio, adref am bryd o fwyd tua chwech, ac yna pwyllgor am hanner awr wedi saith neu ddychwelyd i'r swyddfa i gyfarfod ag aelod o bwyllgor oedd eisiau cymorth gyda rhyw dasg neu'i gilydd. Gyda'r nos, dim ond fi oedd ar gael gan amla pan fyddai Tomi a Dilys Cadogan yn dychwelyd i Abertawe. O dipyn i beth, gwelais gyda phleser mawr fod llawer o'r bobl leol yn troi ata i am wybodaeth neu gyngor am 'mod i'n byw'n lleol ac felly'n gymorth hawdd ei gael mewn cyfyngder – cyflwr cyffredin mewn eisteddfodau!

Cyfaddefodd Mrs Anthony fod phobl yn y dref yn ei holi a oedd bachgen ifanc estron yn lletya gyda hi a pham na fyddai'r Eisteddfod Genedlaethol yn cyflogi rhywun lleol yn hytrach na thramorwr. Rhoes y wybodaeth hon siom enbyd i mi. Ofnwn y medrai anniddigrwydd lleol fod yn arf ychwanegol i gael fy ngwared o'r swyddfa. Serch hynny, roedd yr awr dywyllaf drosodd heb i mi sylweddoli. Cyn i'r chwe mis ddod i ben, dywedodd Tomi fod y Cyngor, yn dilyn ei adroddiad diweddara ar fy mherfformiad, wedi cadarnhau fy swydd. Diolchais yn ddiffuant iddo ond doeddwn i ddim am ddangos fy ngorfoledd. Nid oedd angen i mi ofidio rhagor am fy nyfodol agos, ac roedd fy nghynllun yn dal yn fyw.

Y Parchedig Ronald Walters oedd Cadeirydd y Pwyllgor Gwaith. Ef hefyd oedd arweinydd Plaid Cymru ar Gyngor Tref Rhydaman. Dwy o'i gyd-weithwyr mwyaf teyrngar a chydwybodol oedd Jean Huw Jones, Betws, Ysgrifennydd y Pwyllgor Gwaith, a Margaret Jones, Rhydaman, Ysgrifennydd y Pwyllgor Cyllid. Rhoddodd y ddwy oriau o waith gwirfoddol a diddiolch i'r Eisteddfod.

Eisteddfod yn llawn hapusrwydd fu prifwyl Rhydaman i mi o'i dechrau, er y cecru yn y dref ac o fewn rhengoedd y Pwyllgor Gwaith. Galwai'r Cynghorydd Howard Cooke yn y swyddfa'n feunyddiol. Gwyddwn am yr elyniaeth wleidyddol chwedlonol rhwng cynghorwyr Llafur a Phlaid Cymru yn Rhydaman, a Howard oedd ar flaen y gad yn y dref dros y Blaid Lafur. Byddai'n cwyno'n gyson yn erbyn y 'cenedlaetholwyr' ac yn cyhuddo hwn a'r llall o fod yn eithafol ei ymateb ar ryw benderfyniad neu'i gilydd gan y Cyngor Sir neu'r Cyngor Trefol. Ni fedrai ddeall na gwerthfawrogi unrhyw sylw cefnogol i Gwynfor Evans, ac roedd gweld y Cynghorydd Ronald Walters yn Gadeirydd ar y Pwyllgor Gwaith fel rhacsyn coch i darw i Howard. Ni fyddai'n gwerthfawrogi pan fyddwn i'n cymryd ei ymosodiadau'n ysgafn ambell dro a chefais yr argraff nad oedd yn rhy hoff ohonof. 'Pa hawl sydd gennyt ti i fod yma?' gofynnodd yn swrth i mi un noson yn ystod cyfrif etholiadau lleol. Arhosodd e ddim i glywed 'mod i yno ar wahoddiad un o'r cynghorwyr. Yn Saesneg y cyfathrebai â ni, a medrai fod yn bur ddibris ei agwedd tuag at y Gymraeg, er ei fod yn ei siarad yn rhugl.

Yna, gwawriodd blwyddyn gythryblus arwisgo'r Tywysog Charles yng Nghaernarfon – achlysur a fyddai'n hollti Cymru. Dwysaodd y teimladau gwleidyddol wrth i'r dyddiad agosáu. Bwriad cefnogwyr Llafur a phleidiau Prydeinig eraill oedd bod allan ar y pafin yn croesawu'r motorgâd wrth iddi fynd heibio'r dref. Dymuniad cefnogwyr Plaid Cymru oedd anwybyddu'r digwyddiad. Cytunwyd y byddai staff y swyddfa yn aros yn yr adeilad, gan fynd at y ffenest wrth i'r ceir brenhinol lithro heibio. Dewisais innau aros gyda'r criw bach oedd yn cysgodi yn un o'r ystafelloedd cefn.

Ychydig ddyddiau ynghynt rown wedi mynychu rali gwrth-arwisgo Cilmeri. Un o bobl y dref fu'n groesawgar i mi o'r dechrau oedd Dr Davies, meddyg lleol a chynghorydd Plaid Cymru ar Gyngor Tref Rhydaman. Siaradai ychydig o Gymraeg, ond heb fod yn rhugl ar y pryd. Gwahoddodd fi i swper yn ei gartref un noson yng nghwmni ei wraig a'i ferch, disgybl yn chweched dosbarth Ysgol Ramadeg Dyffryn Aman ac, wrth neidio o bwnc i bwnc, tarwyd ar destun yr arwisgo, ac ar y rali a oedd i'w chynnal yng Nghilmeri ddydd Sadwrn 28 Mehefin i wrthdystio yn erbyn miri mawr Caernarfon. Dywedodd y meddyg ei fod yn bwriadu mynd yno a chynigiodd lifft i mi. Y drefn oedd i bawb a ddymunai fynychu'r achlysur gyfarfod ym maes parcio'r dref i rannu ceir.

Ar fore'r rali, gwelais y meddyg yn tywys dwy ferch ifanc at ei gar, ac agor y drws cefn iddynt. Yn ystod y daith, byddwn yn troi yn aml atynt i gynnal sgwrs, a ches wybod mai Olwen a Delyth oedd eu henwau. Gwelais y ddwy ferch ifanc droeon ynghanol y dorf yn ystod y prynhawn braf a heulog, gan gyfnewid gair neu ddau cyn symud ymlaen i gyfarfod â chyfeillion nad own wedi'u gweld ers misoedd. O blith yr areithiau, cofiaf eiriau tanllyd Emyr Llew, a'i lais angerddol drwy'r uchelseinydd yn dyfynnu llinell o gerdd broffwydol am ail ddyfodiad Owain Glyndŵr, 'Myn Duw, mi a wn y daw...' geiriau a fu wedyn yn ysbrydoliaeth i un o ganeuon mawr Dafydd Iwan.

Wrth i'r Ŵyl Gyhoeddi agosáu, daeth Olwen a Delyth yn ymwelwyr rheolaidd â Swyddfa'r Eisteddfod yn eu gwisg ysgol. Er gwaethaf y gwahaniaeth oedran, datblygodd cyfeillgarwch rhyngof a'r ddwy, a threuliodd y tri ohonon ni lawer o amser difyr yng nghwmni'n gilydd. Yn fuan iawn, datblygodd mwy na chyfeillgarwch rhwng Delyth a minnau a deugain mlynedd yn ddiweddarach, mae'n dda gen i ddweud ei fod yn parhau i ddatblygu. Cyn bo hir rown i'n ymwelydd cyson â Mans Heol Bryn-lloi, Glanaman, cartref Delyth.

Yn ystod y gaeaf blaenorol dechreuais deimlo 'mod i'n cael fy llethu gan bryderon ac yn isel fy ysbryd. Mentrais godi'r ffôn ar Harri Pritchard Jones. Gwahoddodd yntau fi i ddod i'w gyfarfod y Sadwrn canlynol yn ei gartref ym Mro Morgannwg, lle'r oedd yn gweithio a byw gyda'i wraig Lena a'u plant bach, Guto a Nia. Credai Harri 'mod i'n dioddef o iselder. Roedd modd trin y cyflwr hwnnw ond, gan 'mod i'n byw yn Nyffryn Aman, byddai'n trefnu i mi gyfarfod â'i gyfaill Dr Tom Davies, Seiciatrydd yn Ysbyty Cefn Coed, Abertawe.

Bûm yn ymweld â Tom Davies yn wythnosol dros gyfnod o ryw ddeufis. Ar wahân i'w effeithiolrwydd proffesiynol, roedd yn ŵr difyr ei sgwrs ac yn hynod garedig. Dwn i ddim ai'r cyffur a roddodd i mi ynteu ei sgyrsiau diddorol a gliriodd fy iselder, neu ai cyfarfod â Delyth fu'r moddion gorau? Rown i'n argyhoeddedig mai'r unigrwydd, y pellter oddi wrth fy nheulu, tywyllwch y gaeaf a'r bygythiad i fy swydd oedd wedi pwyso ar fy meddwl. Er i mi'n ddiweddarach deimlo'n ddigalon pan fyddai pethau'n 'mynd o chwith' yn y gwaith neu fod rhywun o 'nheulu yn dioddef rhyw aflwydd, medraf ymfalchïo na ddychwelodd yr hen iselder byth wedyn. Diolch i Harri Pritchard Jones a Tom Davies am eu clust a'u cyngor.

Ar faes Eisteddfod Sir y Fflint, rhan o 'nyletswyddau oedd bod yn aelod o staff pabell Eisteddfod Rhydaman ar gyfer gwerthu tocynnau ac ateb ymholiadau. Cytunodd Delyth i ddod yn gwmni i mi. Yr unig anhawster oedd bod yr Eisteddfod wedi trefnu llety i mi yn y dref tra'i bod hithau ar y maes pebyll gydag Olwen. Wedi bod yn rhan o'r dorf fu'n gwrando ar Dafydd Iwan, rown i'n ei hebrwng yn hamddenol yn ôl at y maes un noson, pan ddaeth tua hanner dwsin o gewri meddw rownd y gornel. Doedd dim enaid byw arall ar gyfyl y stryd. Er i ni geisio eu hanwybyddu gwaeddodd y cawr blaenaf '*Hey, Welshie! Where do you think you are going?*' Doedd dim modd dianc. Gwyddwn 'mod i'n wynebu cosfa, ond a fedrai Delyth ddianc yn ddianaf?

Camodd tuag ataf gan yngan sylw annealladwy ac anelu dwrn. Wrth symud yn gyflymach nag a wneuthum erioed i'w osgoi, baglodd fy sawdl yn erbyn ymyl y pafin a disgynnais ar fy mhen-ôl. Codais, gan ddisgwyl y gwaethaf a gobeithio rhoi amser i Delyth redeg i chwilio am gymorth. Daeth bloedd o rybudd oddi wrth un o'r ymosodwyr, cyn iddynt ddiflannu'n rhyfeddol i'r tywyllwch. Gwyddwn nad fi oedd wedi'u dychryn. Gyda rhyddhad enfawr, gwelais ddau heddwas yn dod rownd y gornel. Rown i'n dal i grynu ond doedd Delyth ddim yn dangos unrhyw arwydd ei bod wedi cynhyrfu o gwbl.

Cytunwyd na fyddai'n ddoeth i mi gerdded yn ôl i'r dref ar fy mhen fy hun a doedd dim lle i mi yn y babell fach a rannai Delyth gydag Olwen. Nid oedd hithau'n fodlon fy ngadael ar fy mhen fy hun. Yn y diwedd, penderfynon ni gysgodi mewn caban tocynnau y maes – sièd fechan yn cynnwys drws a ffenest di-wydr, ar gyrion y maes pebyll. A dyna sut y treulion ni ein noson gyntaf gyda'n gilydd, heb na chot na jwmper amdanom yn ein lloches ddrafftiog. Doedd dim unrhyw ramant yn perthyn i noson mewn adeilad o'r fath, ond doedd dim pwynt ceisio darbwyllo rhai o aelodau staff gwirfoddol Eisteddfod Rhydaman i'r gwrthwyneb y bore canlynol. Bu'n rhaid i ni gerdded yn blygeiniol i chwilio am frecwast, ond teimlwn yn anghysurus yn yr un dillad ag y gwisgwn y diwrnod cynt a heb gael fy nghawod foreol. Synhwyrai fy ffroenau'n ddiweddarach nad oedd ambell eisteddfodwr yn newid drwy'r wythnos!

Efallai i'r profiad o fod mor agos at ennill yn y Barri ysgogi Dafydd Rowlands. Mae'n siŵr hefyd iddo ffansïo'i siawns wrth weld bod Euros Bowen unwaith eto'n un o feirniaid cystadleuaeth y Goron yn 1969. Ni phrofodd ei obeithion yn ddi-sail, oherwydd cytunai J. M. Edwards a Gwyn Thomas â dyfarniad eu cyd-feirniad y tro hwn, ac enillodd ei ddilyniant o gerddi ar fywyd cyfoes dan y teitl 'I gwestiynau fy mab' nid yn unig Goron yr Eisteddfod i Dafydd, ond poblogrwydd a chlod haeddiannol. Jâms Nicholas a gipiodd y Gadair.

Cafwyd atsain o'r arwisgo yng Nghaernarfon ar faes Sir y Fflint pan ddaeth y Tywysog Charles ar ymweliad â'r ŵyl. Y tro hwn eto, dywedwyd wrthym i sefyll o flaen y babell i'w groesawu a'i gymeradwyo wrth iddo gerdded heibio. Pan wrthodais, awgrymwyd yn garedig efallai y byddai'n syniad da i mi fynd i grwydro'r maes am hanner awr ar yr amod nad awn yn agos at brotestiadau Cymdeithas yr Iaith. Hyd yn oed petawn i wedi ceisio, fyddai dim gobaith gen i dorri drwy'r dorf niferus oedd wedi ymgasglu o gwmpas y pafiliwn. Ond gwelais brotestiwr yn cael ei gario gerfydd ei draed a'i freichiau, a hen wraig yn ceisio'i daro ag ambarél. Ni wnaeth yr heddweision unrhyw ymgais i atal ei throsedd. Dychwelais i'r babell i ganfod nad oedd gorymdaith y tywysog wedi mynd heibio i'n pabell ni wedi'r cyfan, er mawr siom i rai a rhyddhad i eraill. Gwenai ambell un yn foddhaus.

Gadawyd fi'n unig ar ddiwedd yr Eisteddfod, pan ddaliodd Delyth y trên i Lundain er mwyn ymuno â'u rhieni ar ffarm *Home Farm*, cartref Mr a Mrs Ifan Morgan, eu mab Ifan a'i wraig Rosemary, a'r ŵyr ifanc, Evan (sydd, bellach, yn weinidog uchel ei barch yng Nghapel Salem, Treganna), hen gyfeillion iddynt ers dyddiau gweinidogaeth tad Delyth, y Parch Alun

Thomas, yng Nghapel Wood Green. Dychwelyd i Rydaman oedd fy nhynged i, heb gyfle i'w gweld am bythefnos. O edrych yn ôl, credaf mai dim ond dwywaith wedi hynny rydym wedi treulio cyfnod hirach ar wahân, a hynny oherwydd bod amgylchiadau yn fy ngorfodi i fynd dramor.

Derbyniais alwad ffôn rhyw brynhawn yn holi a fyddai gen i ddiddordeb mewn rhedeg swyddfa Conswl un o wledydd De'r Amerig yn Abertawe. Eglurodd yn fras beth oedd natur y gwaith a threfnais i fynd gydag ef i gyfarfod â'r Conswl yn ei swyddfa. Er i hwnnw gynnig cyflog anrhydeddus, doeddwn i ddim wedi hoffi ei agwedd a ffoniais i ddweud na fedrwn gymryd y swydd.

Yn yr hydref gwahanodd llwybrau Delyth a minnau wrth iddi ddechrau dilyn cwrs gradd mewn Hanes yng Ngholeg Prifysgol Cymru, Caerdydd. Rown i'n benderfynol na fyddwn yn gollwng gafael arni ar chwarae bach am y gwyddwn mai gyda hi rown i eisiau treulio gweddill fy mywyd. Bûm felly, yn gwsmer da iawn i'r gwasanaeth bysiau, gan dreulio cynifer o benwythnosau ag y medrwn gyda'n gilydd yng Nghaerdydd – neu yng Nglanaman pan ddychwelai hi adref.

D. O. Davies, Rheolwr cangen Rhydaman o Fanc Lloyds, oedd Trysorydd yr Eisteddfod – gŵr parod ei gyngor a'i gymwynas, a'r un mor barod ei gerydd teg pan fyddai galw amdano. Un o'i gynlluniau i godi arian i'r gronfa oedd trefnu cyngerdd gyda chôr meibion Llandybïe ac artistiaid eraill i'w gynnal yng nghapel Rhydcymerau nos Sul gyntaf Ionawr 1970. Trefnodd yn ofalus a pherswadiodd berthynas enwog iddo, D. J. Williams Abergwaun, i ddod yn ŵr gwadd. Ysgrifennodd DJ lythyr apêl taer ei berswâd a gofynnodd DO i mi ei ddosbarthu'n eang. Fel y gellid fod wedi disgwyl, cafwyd ymateb rhagorol iddo. Fy ngwobr am gynorthwyo DO oedd derbyn gwahoddiad ganddo i ddod gyda Delyth am de yn ei gartref brynhawn Sul 4 Ionawr yn ei gwmni ef, ei wraig a DJ cyn ymlwybro tua Rhydcymerau. Roedd golwg nerfus ar DJ wrth y bwrdd te, a phrin oedd ei barabl er iddo ddangos fflach neu ddau o'i hiwmor cyn gofyn am gael ei esgusodi am awr i fwynhau ychydig o gwsg. Erbyn cyrraedd y car, roedd wedi adennill ei hwyliau ac ni fu taw arno yn ystod y siwrnai.

Roedd y capel yn prysur lenwi ac nid oedd lle i'r pump ohonom gyda'n gilydd. Gorfu i DJ eistedd ddwy res o'n blaenau. Eisteddai Gwynfor Evans ym mhen y rhes rhyngddo ef a ninnau. Ar ddiwedd y rhan gyntaf, traddododd y gŵr gwadd anerchiad ysbrydoledig, a chafodd gymeradwyaeth frwd, fel y gellir disgwyl. Wedi iddo ddychwelyd i'w sedd, agorodd y côr meibion yr ail hanner. Wrth i'r côr ganu, gwelais DJ yn codi ar ei draed am rai eiliadau gan ddal yn dynn yng nghefn y sedd o'i flaen, ei gorff yn siglo a sŵn gyddfol yn dod o'i enau. Cawn yr argraff ei fod yn cael trafferth mawr i anadlu. Wrth godi i'w gynorthwyo, troais i rybuddio DO ac wrth wneud gwelais gorff DJ yn disgyn yn llipa ar y sedd. Tawodd y côr wrth weld y cynnwrf.

Cyrhaeddodd Gwynfor ato o flaen pawb arall. Ymhen ychydig eiliadau, cododd ei ben i gyhoeddi fod gyrfa ddaearol DJ wedi darfod. Rhoddwyd ei gorff i orwedd ar y sedd a galwyd am feddyg. Gadawodd pawb y capel mewn distawrwydd, gyda geiriau Gwynfor yn troi yn ein meddyliau: 'Mor addas yw ei fod wedi dod adref i farw yn ei fro ac ymhlith ei bobl.' Distaw iawn oedd y pedwar a deithiodd yng nghar DO yn ôl i Landybïe. Ychydig ddyddiau'n ddiweddarach, cyrhaeddodd Delyth a minnau unwaith eto gapel Rhydcymerau mewn pryd i gael sedd. Roedd y lle'n orlawn a llawer o bobl yn sefyll y tu allan. O'r holl eiriau a glywais y prynhawn hwnnw, y rhai sy'n dod yn ôl i mi yw'r rhai y cafodd Dafydd Iwan gymaint o drafferth i'w canu: 'Daw, fe ddaw yr awr yn ôl i mi...'

17

Ar linell annelwig

Y N YSTOD HAF 1970 llwyddais i berswadio Delyth i 'mhriodi. Cyhoeddwyd ein dyweddïad flwyddyn yn union wedi i ni gyfarfod am y tro cyntaf. Dwn i ddim, felly, pa un ai'r Eisteddfod Genedlaethol, Llewelyn ap Gruffydd, y Tywysog Charles, neu'r rhyfeddol George Thomas, ysbrydolwr mawr yr arwisgo, y dylid ei ddal yn gyfrifol am fy ffawd. Neu Dr Davies a'i gar, efallai. Ni ellid gwadu fod hwn yn benderfyniad dewr ar ei rhan hi, gan na wyddai ddim byd amdanaf nac am fy nghefndir ar wahân i'r hyn rown i wedi ei ddweud wrthi. Efallai fod teimladau pryderus ac, yn wir, amheuon wedi croesi meddyliau ei rhieni. Gwn heddiw y byddwn i mewn gwewyr pa cawn fy hun yn yr un sefyllfa â hwy. Roedd un mater bach heb ei setlo, sef y dyddiad.

Gan fod chwiorydd May Thomas, mam Delyth, yn dal i fyw ym Mhontrhydfendigaid, byddai'r teulu'n ymweld yn rheolaidd â'r pentre, a chawn fynd yno yn eu cwmni. Enillydd coron Eisteddfod y Bont y flwyddyn honno oedd Bryan Martin Davies, a thueddai'r farn gyhoeddus broffwydo y byddai o'n cipio Coron Rhydaman yn ogystal. Mewn cystadleuaeth dda, cytunodd y beirniaid, Euros Bowen, Eirian Davies a Gwilym R. Jones, a gwireddwyd y broffwydoliaeth. Tomi Evans oedd enillydd y Gadair.

Uchafbwynt arall yr Eisteddfod oedd gweld ffermwr ifanc o Gardi yn cipio'r Rhuban Glas, a'r digymar Geraint Evans yn darogan y deuai'n fyd-enwog petai'n troi'n broffesiynol. Yn ffodus i fyd adloniant Cymru, wnaeth o ddim, a daeth Dai Jones Llanilar yn wyneb ac yn llais cyfarwydd ar sgriniau teledu a thonfeddi radio ein gwlad.

Rown i'n cael gwyliau yn ystod tair wythnos olaf Awst. Gwyddwn y byddai llwybrau Delyth a minnau'n gwahanu wrth i'r haf ddirwyn i'w derfyn ac wrth i mi ddechrau paratoi symud gyda'r Eisteddfod i Hwlffordd. Down i ddim yn edrych ymlaen at hynny, gan nad own i eto'n hollol gartrefol yn siarad Saesneg. Byddai cwmni Delyth wedi gwneud y cyfan yn gymaint haws i mi ei dderbyn, ond roedd y milltiroedd yn ein gwahanu wrth iddi hithau droi'n ôl tua Chaerdydd.

Wedi hir drafod ac nid ar chwarae bach, penderfynodd Delyth roi'r gorau i'w chwrs er mwyn i ni fedru priodi cyn gynted ag y byddai modd. Ymhlith ystyriaethau eraill, roedd angen rhoi digon o amser i fy rhieni ac aelodau eraill o'r teulu ystyried dod drosodd ar gyfer ein priodas. Gwyddwn y gwnaent bob ymdrech i fod yn bresennol ar achlysur mwya 'mywyd. O ganlyniad, cytunwyd mai 12 Rhagfyr fyddai'r dyddiad. Golygai hynny nad oedd angen i Delyth orffen yng Nghaerdydd tan ddiwedd y tymor wedyn, a manteisiodd ar y cyfle i ddychwelyd i'r coleg tan wyliau'r Nadolig. Gwyddwn ei bod yn aberthu'i gyrfa er fy mwyn i. Bûm yn archwilio 'nghydwybod droeon heb lwyddo i 'mherswadio fy hun y dylwn ei hannog i barhau â'i chwrs nes iddi raddio. Trwy gydol y trafodaethau hyn, cawsom gefnogaeth lwyr ei rhieni.

Gan na fyddai llawer o gyfle i drefnu'r briodas yn ystod yr hydref hwnnw, daethom i'r casgliad fod yn rhaid i ni gael y cyfan yn barod cyn diwedd y gwyliau. Cytunwyd fod y gwasanaeth i'w gynnal yng nghapel Bethania, Glanaman, a'r Parchedig Glenville Rees, hen gyfaill annwyl i Alun Thomas (ac 'Yncl Glen' i Delyth), fyddai'n gwasanaethu er mai Annibynnwr oedd o. Lluniwyd rhestr y gwahoddedigion hefyd, ond cawsom gadarnhad na fedrai fy rhieni nac unrhyw un arall o 'nheulu agosaf fod yn bresennol, a chytunodd Tom a Myra Gravell i lenwi'r bwlch.

Roedd Delyth a minnau wedi bod ym mhriodas Alcwyn a Rhoswen ychydig wythnosau ynghynt ac wedi hoffi'r cerdyn gwahodd, a argraffwyd gan Y Lolfa. Felly, wedi i ni lunio'r gwahoddiadau a threfn y gwasanaeth, i fyny â ni i Dal-y-bont am sgwrs gyda Robat Gruffydd. Roedd yntau'n barod i wneud pob dim a doedd dim yn amhosibl yn ei olwg. Cytunwyd ar y diwyg gydag Elwyn Ioan ac, erbyn canol mis Hydref, roedd y gwahoddiadau yn y post. Er bod fy nghynllun tair blynedd ar fin dod i ben, rown i nawr yn gobeithio 'mod i'n cychwyn ar un a fyddai'n para am gyfnod llawer hirach. Roedd proffwydoliaeth Ieuan Arnold yn cael ei gwireddu, wedi'r cyfan.

Cynigiodd Alcwyn i mi dreulio'r noson cyn y briodas yn Nhalar Wen. Byddai hynny wedi bod yn gyfleus i'r ddau ohonom gan mai ef oedd fy ngwas priodas a byddem wedi medru teithio gyda'n gilydd y bore canlynol dros y Mynydd Du i Lanaman. Ond roedd yn amhosibl i mi newid y trefniadau a wneuthum fisoedd ynghynt. Pan ffarweliais â Mrs Anthony a symud i Hwlffordd, ei geiriau olaf oedd, 'Mae croeso i chi gychwyn i'ch priodas o fan hyn. Dewch i aros yma'r noson cynt'. Galwodd Alcwyn amdanaf ac yn ei gar ef y teithiais i seremoni bwysica 'mywyd.

Cynhaliwyd y gwasanaeth yng Nghapel Bethania a'r brecwast yng ngwesty'r Cawdor, Llandeilo. Aeth popeth yn iawn am wn i ar wahân i lithriad bychan gan staff y gwesty, wrth iddynt gamleoli cardiau enwau'r gwesteion ar y byrddau, gan osod ein cyfeillion agosa bellaf oddi wrthym. Rhaid i mi ddweud i mi fwynhau pob araith ar wahân i fy un i. Gan mai prin oedd y priodasau rown i wedi bod ynddynt yng Nghymru, wyddwn i ddim beth yn union oedd yn ddisgwyliedig i mi ei ddweud. Ffilmiwyd y digwyddiadau ar Super8 gan John Bron Ceiro, cefnder i Delyth, ond dirywiodd y llun gyda threigl y blynyddoedd. Yn ffodus, trosglwyddodd Héctor Ariel o i CD, a'i arbed er mwyn i ni yn ein hen ddyddiau fedru atgoffa ein hunain o'r hyn a fu!

I Sbaen yr aethon ni ar ein mis mêl a cherddodd Delyth drwy'r adran fewnfudo yn ddidrafferth. Pan ddaeth fy nhro i, dywedwyd wrthyf na chawn fynd i mewn i'r wlad oherwydd nad oedd gen i fisa, a oedd yn angenrheidiol i ddinasyddion yr Ariannin. Dywedais y gwir wrth y swyddog: 'mod i wedi holi yn swyddfa'r Conswl a chael gwybod, yn anghywir, nad oedd

angen fisa arnaf; 'mod i wedi dyheu am ymweld â Sbaen ers fy
mhlentyndod a 'mod i ar fy mis mêl. Yn rhyfeddol, llwyddais
i feddalu ei galon a rhoes yntau ganiatâd amodol i mi gamu
drwy'r pyrth. Byddai'n cadw 'mhasport hyd nes y dychwelwn
ymhen yr wythnos. Nid dyna'r tro cynta i mi gael trafferthion
gyda pasborts a fisas na'r tro olaf chwaith. Y tro hwn, o leiaf,
roedd o'n werth y drafferth.

Gwnaethom ein cartref am y ddwy flynedd nesaf mewn fflat yn
College Court, yn rhan uchaf tref Hwlffordd, yn union gyferbyn
â chapel Albany. Er mai capel Saesneg oedd o, Cymro Cymraeg
oedd y gweinidog, sef y Parchedig Gwilym Thomas. Gan mai
hwn oedd y capel agosa aton ni, penderfynon ni ei fynychu, fel
arbrawf. Cawsom groeso mawr gan yr aelodau a mwynhau ein
cyfnod yno, er gwaetha'r ofnau na fyddwn i'n medru dygymod
ag addoli drwy gyfrwng fy Saesneg prin. Erbyn i ni ddarganfod
fod yna wasanaethau Cymraeg achlysurol yn cael eu cynnal yng
Nghapel y Tabernacl gan y Parchedig Arwyn Thomas, roedd hi'n
rhy hwyr a ninnau wedi gwneud gormod o ffrindiau i ni newid
ein meddwl.

Byddai wedi bod yn hawdd iawn i ni ymgartrefu yn Sir Benfro,
gan 'mod i mor hoff o'i thirwedd, ei môr a'i golau. Bu Delyth
yn byw yno pan symudodd ei rhieni o Lundain, lle ganed hi.
Gwnaeth y teulu eu cartref yn Nhrefdraeth, ac yno y bu hithau'n
byw nes ei bod yn bedair ar ddeg oed. Felly, roedd ganddi nifer
o gyfeillion yno o hyd. Un ohonynt oedd Haiddwen Jones, cyn-
athrawes yn ysgol Dinas, a hefyd blaenor yn un o gapeli Alun
Thomas. Yn weddol gynnar yn ein carwriaeth, gwahoddodd
Delyth fi i ddod gyda'i rhieni i ymweld ag 'Anti' Haiddwen yn ei
chartref yn Nhrefdraeth. Yn ystod y sgwrs, digwyddodd hithau
ddweud fod perthnasau i'w thad wedi ymfudo i Batagonia. Wedi
llawer o holi a chymharu enwau hynafiaid, daeth yn amlwg fod
Haiddwen Jones yn gyfnither i Mam a bod gen i fwy o hawl na
Delyth i'w galw hi'n 'Anti'. Ar ôl i ni briodi, byddai Anti Haiddwen
yn galw i'n gweld o bryd i'w gilydd neu byddem ni'n ymweld â

hi yn ei chartref.

Rown i wrth fy modd yn y swyddfa hefyd gan nad oedd, o'r diwedd, unrhyw rwystr i mi rhag llenwi'r swydd y penodwyd fi iddi – tair blynedd yn hwyr! Penodwyd merch o'r ardal yn deipydd, sef Glynwen Nicholas, a Janet Gregg, o Gwm Tawe, a geneth ifanc leol, Melrose Ladd, yn glercod. Bûm yn ffodus o gael cydweithio'n hapus iawn gyda'r tair ohonynt. Ymhlith nifer o wirfoddolwyr, deuthum yn gyfeillgar iawn ag Idris Evans, un o uchel swyddogion ariannol y Cyngor lleol, ac ysgrifennydd Pwyllgor Cerdd yr Eisteddfod, a nifer o swyddogion yr Adran Addysg a lenwai swyddi allweddol ar y Pwyllgor Gwaith: Gethin Jones, Dewi Davies, W. R. Evans a Colin Evans, ymhlith eraill. WR a luniodd sgript y sioe lwyddiannus *Cilwch Rhag Olwen*.

Roedd WR yn awyddus iawn i lwyfannu'r sioe ar lwyfan y pafiliwn ond doedd adnoddau technegol y pafiliwn ar y pryd ddim yn addas at y pwrpas hwnnw. Ioan Bowen Rees, Clerc yr Awdurdod lleol, oedd Ysgrifennydd y Pwyllgor Gwaith. Cefais gyfle i gydweithio hefyd gyda nifer o athrawon lleol megis Glan Rees a Granville John.

Yn ystod y gwanwyn, dywedodd Tomi wrthyf ei fod wedi derbyn swydd newydd, sef Cyfarwyddwr Cymdeithas Celfyddydau Gorllewin Cymru, a'i fod yn bwriadu rhoi'r gorau i'w swydd bresennol ddiwedd Awst. Ychwanegodd y byddai'n gorfod neilltuo llawer o'i amser i baratoi at ei yrfa newydd. Tybed a fyddwn i'n fodlon gofalu ar ôl y pwyllgorau yn ei absenoldeb? Mi fyddai yntau'n dal i fynychu cyfarfodydd y pwyllgorau Gwaith a Chyllid. Teimlais fod hwn yn gyfle ardderchog i mi brofi 'ngallu, a theflais fy hun gydag egni newydd i'r gwaith. Cefais bob cefnogaeth gan Delyth hefyd. Bu cyfnodau pan na welem fawr iawn ar ein gilydd ac eithrio amser bwyd gan y byddai'n hwyr iawn yn y nos arnaf yn dychwelyd adref.

O dipyn i beth byddai dyletswyddau newydd Tomi yn ei gadw yng Nghaerfyrddin yn ystod oriau swyddfa hefyd ond gwyddwn ei fod o hyd ar gael i ymgynghori ag ef. Rown i'n fwy na hapus i gael gweithredu fel pâr o ddwylo ar ei ran ac fel llais i lefaru drosto yn ei absenoldeb – hyd yn oed yn Saesneg!

Pan hysbysebwyd ei hen swydd, perswadiodd fi i ymgeisio amdani a'i gyngor oedd i mi fod yn uchelgeisiol a blaengar wrth gyflwyno 'ngweledigaeth am ddyfodol yr Eisteddfod. Anfonais fy nghais i mewn a ches wahoddiad i gyfweliad fis Mehefin yn y Drenewydd. Gan nad oes modd cadw cyfrinachau yng Nghymru, clywais nad myfi oedd y ffefryn. Cynigiwyd y swydd i'r Parchedig Idris Evans, Port Talbot. Diolchwyd i bawb arall a gofynnwyd i mi aros ar ôl am sgwrs gyda'r panel. Eglurwyd i mi nad own eto'n ddigon aeddfed ar gyfer swydd mor gyfrifol ond fod y panel yn ymwybodol o'r gwaith rown i'n ei gyflawni a'u bod yn cynnig codiad cyflog bychan i mi i ddangos eu gwerthfawrogiad. Gan nad own wedi rhoi gormod o obaith ar fy siawns doedd hyn ddim yn ormod o siom ac roedd ychydig rhagor o gyflog o hyd yn dderbyniol.

Yn ddiweddarach dywedodd y Parchedig Meic Parry wrthyf ei fod yn bresennol mewn cyfarfod oedd yn rhagflaenu'r cyfweliadau a bod aelod dylanwadol iawn o'r Cyngor wedi taflu 'nghais a'r syniadau 'uchelgeisiol a blaengar' ar y bwrdd gan holi: 'Pwy ddiawl ma hwn yn 'i feddwl ydi o?' Yr un aelod dylanwadol wnaeth erfyn arnaf yn ddiweddarach i sicrhau mai ef ac nid aelod arall o'r panel fyddai'n traddodi'r feirniadaeth mewn cystadleuaeth bwysig.

Dydd Mawrth 20 Gorffennaf, ganwyd Camwy Prys, ein plentyn cyntaf, ac roedd hynny'n destun llawenydd mawr i ni'n dau a'r teulu estynedig yma yng Nghymru a thros yr Iwerydd. Bellach, rown i'n dad ac un person bach arall yn dibynnu ar fy ngallu i ofalu amdano. Yn bur hwyrfrydig y gadewais Delyth a'n cyntaf-anedig i fynd i weithio ar stondin Eisteddfod Bangor ddechrau Awst. Teimlwn mai adref gyda hwy y dylwn fod. Ond daeth rhieni Delyth i dreulio'r wythnos yn Hwlffordd ac rwy'n siŵr i May Thomas roddi llawer mwy o gymorth nag y byddwn i wedi'i wneud.

Dechreuodd Idris Evans ar ei swydd newydd ym Medi. Teithiai bob dydd o Bort Talbot ond, wrth i'r dyddiau fyrhau a thywyllu, doedd dim dewis ganddo ond aros dros nos. Tybiais y byddwn i, o hynny ymlaen, yn dychwelyd at fy mhriod waith unwaith eto ond, oherwydd ei fod yn ymwybodol iawn y byddai angen amser arno i setlo, mynegodd y Trefnydd newydd ei obaith y byddwn i'n barod i ysgwyddo cyfran helaeth o'r trefniadau. Byddai yntau'n cymryd drosodd yn raddol. Rhoddai'r trefniant hwnnw gyfle i mi o leiaf ddal gafael ar y cyfrifoldebau oedd yn apelio fwyaf ataf. Felly, er nad own i'n newid swydd, roedd fy nyletswyddau'n newid unwaith eto, heb i hynny gael ei adlewyrchu yn y cyflog. Ar yr ochr gadarnhaol, elwais o'r profiad hwn a ches gyfle i 'aeddfedu', chwedl y panel penodi. Ni allai neb fod yn hir yng nghwmni Idris heb ddod i'w hoffi ac, er gwaethaf ambell anghytundeb a gwahaniaeth barn digon cyfeillgar – ynglŷn â dulliau gweithredu yn bennaf – bu llawer o gydweithio hapus rhyngom. Roedd ganddo deulu annwyl iawn hefyd ac rown i'n hoff iawn o Olwen a'r plant.

O bryd i'w gilydd, byddai Olwen Jenkins, ffrind Delyth, yn dod i aros atom a chyflwyno newyddion diweddara Dyffryn Aman i ni. Erbyn hyn, roedd hithau'n caru ag Emyr, ffermwr ifanc o Sir Gaerfyrddin, ac edrychai yn fodlon ei byd. Yn sydyn, trawyd hi'n sâl, a threuliodd sawl cyfnod yn Ysbyty Treforus, gan achosi cryn ddryswch am fisoedd i'r meddygon, na fedrent ddirnad beth oedd yn ei blino.

Derbyniais alwad ffôn annisgwyl un bore oddi wrth May Thomas yn fy hysbysu bod Olwen wedi marw, a hithau ond yn ugain oed. Wyddwn i ddim sut i dorri'r newydd wrth Delyth. Wythnos yn ddiweddarach, rhaid oedd ffarwelio â hi yn amlosgfa Treforus. Cefais drafferth i ddal fy nagrau pan gerddais i mewn a chlywed nodau 'Traumerei' (Breuddwyd) enwog Schumann ar yr organ. Ni fyddai'r un o freuddwydion ifanc Olwen yn cael ei gwireddu mwyach. Byddaf yn cofio amdani bob tro y clywaf y darn. Ychydig flynyddoedd yn ddiweddarach, bu farw Emyr hefyd mewn damwain ddiwydiannol ar dir ei ffarm.

Tra byddai cyfarfodydd pwyllgorau Eisteddfod Rhydaman wedi'u cynnal drwy gyfrwng y Gymraeg, dwyieithog oedd trafodaethau nifer o bwyllgorau Sir Benfro – yn cynnwys y Pwyllgor Gwaith – gydag ambell bwyllgor, megis Cae a Phabell, yn cynnal eu busnes yn gyfan gwbl drwy gyfrwng y Saesneg. Gwyddwn am raniad ieithyddol y Landsker a'r elyniaeth honedig tuag at y Gymraeg ymhlith trigolion yr ardal i'r de o'r llinell annelwig a dychmygol honno. Ond rhaid dweud mai prin oedd yr enghreifftiau o hynny a welais i, er bod rheini'n arwyddocaol iawn. O fewn rhengoedd y pwyllgorau, doedd dim mwy na rhyw hanner dwsin o unigolion fyddai'n amlygu arwyddion o rwystredigaeth gyda'r 'gwastraff amser ac adnoddau' a achosai defnyddio'r ddwy iaith. Ni ddeuthum ar draws unrhyw enghraifft o elyniaeth agored nes i'r Eisteddfod gyrraedd.

Y dyddiau hynny, dechreuai'r brifwyl ar y dydd Llun, ond cynhelid gwasanaeth ar y bore Sul blaenorol. Gyda dim ond diwrnod i fynd gwelais gadeirydd un o'r pwyllgorau arddangos – un o'r hanner dwsin y cyfeiriais atynt uchod – ar ben ucha ysgol yn gosod arwydd enfawr uniaith Saesneg uwchben mynedfa'r babell. Credai 'mod i'n gwamalu pan ddywedais wrtho am ei dynnu i lawr a gosod un Cymraeg yn ei le. Ond, wedi i mi ei rybuddio y gwnâi un o weithwyr y maes hynny drosto, taflodd edrychiad milain tuag ataf cyn dilyn fy ngorchymyn. Cyn diwedd y prynhawn, roedd arwydd Gymraeg newydd yn ei le.

Tua deg o'r gloch y noson honno, a minnau'n ceisio brysio i glirio 'nesg, cerddodd Eric Jenkins – un o uchel swyddogion yr awdurdod lleol a ddaeth yn Brif Weithredwr rai blynyddoedd yn ddiweddarach – i mewn i siarad ag Idris. Cariai fwndel o faneri o dan ei fraich, a gwelais liw glas tywyll yno'n gymysg â choch, gwyn a gwyrdd ein baner genedlaethol. Yn y man, daeth allan ataf gan ddweud bod yn rhaid i mi wneud archeb swyddogol am ddwy faner Jac yr Undeb. Holais ymhle y bwriadai eu codi a dywedodd y bwriadai osod un wrth y brif fynedfa ac un ar do'r pafiliwn. Ffromodd pan wrthodais ei gais. Ar ôl dadlau'n aflwyddiannus am ychydig eiliadau, dywedodd y gofynnai i Idris. 'Gofynnwch chi, ond yr un fydd y dyfarniad, a dydw i ddim yn bwriadu llofnodi'r archeb,' meddwn gan estyn y llyfr archebion iddo. Gwrthododd gydio ynddo, gan wybod cystal â minnau na chytunai un o swyddogion yr Eisteddfod â'i gais. Cerddodd oddi yno'n ddig gan fygwth y cawn fy rhoi yn fy lle'n fuan. Ond ni chlywais ragor am y mater. Dim ond yn ddiweddar iawn y deallais ei fod yn gallu siarad Cymraeg yn rhugl er mai Saesneg yn unig a siaradai yn fy ngŵydd i.

Bu enghreifftiau o'r math hyn o agwedd yn destun siom i mi droeon ar draws tri degawd o ymwneud â'r ddwy eisteddfod genedlaethol yn eu tro. Gwyddom ers degawdau nad oes modd cynnal gweithgaredd mor fawr â'r Eisteddfod heb gyfraniad mewnfudwyr sydd wedi ymsefydlu yn nalgylch yr ŵyl. Mae degau ohonynt wedi cyfoethogi'r pwyllgorau gyda'u syniadau a'u doniau amrywiol, ac maent yn haeddu pob croeso a chlod. Ond lleiafrif bach iawn ydynt ac roedd mwyafrif llethol y mewnfudwyr y deuthum i ar eu traws, yn gwbl anwybodus a difater parthed ein hiaith a'n diwylliant, gyda chanran sylweddol hefyd yn elyniaethus. Yn eu plith, gwelais weision cyflog yr awdurdodau lleol a noddai'r ŵyl yn ymdrechu i osod rhwystrau ar ein ffordd. Iddynt hwy, doedd Cymru ddim mwy na thalaith o Loegr, a thueddent i gredu fel y Saesnes a ofynnodd i mi unwaith pam na allai trigolion ynysoedd Prydain gyd-fyw fel un genedl gan anghofio'n gwahaniaethau. 'Wedi'r cyfan', meddai, 'onid ydym yn rhannu'r un hanes, yr un diwylliant, a'r un iaith?' Ie, ond pa hanes, pa ddiwylliant, ac iaith pa un o'r gwledydd tybed?

Cwmni'r *Western Telegraph* oedd yn argraffu'r rhan fwyaf o'n cyhoeddiadau, yn cynnwys mân raglenni, posteri ac ati. Hwy hefyd, enillodd y cytundeb i argraffu'r Rhestr Testunau a'r Rhaglen Swyddogol. Derbyniais alwad ffôn oddi wrth Dafydd Williams, Ysgrifennydd Plaid Cymru yn gofyn a fyddwn i'n fodlon darllen proflenni misol y *Welsh Nation*. Clive Betts, newyddiadurwr gyda'r *Western Mail*, oedd y golygydd a gydag ef y byddwn i'n delio. Eglurodd yntau na fyddai angen i mi wastraffu fy Saesneg prin ar gywiro proflenni gan y byddai'r papur eisoes wedi'i gysodi erbyn i mi dderbyn galwad misol y wasg. Fy unig swyddogaeth fyddai penderfynu pa baragraffau neu gymalau y byddai'n rhaid eu hepgor pan fyddai gofod yn brin. Serch hynny, gorfu i mi ymgynghori droeon â Clive. O hynny 'mlaen, byddwn yn galw'n rheolaidd yn swyddfeydd y *Western Telegraph* gan ddod yn gyfarwydd iawn â rhai o staff yr argraffty. Stephen Thomas, gŵr egnïol pedair blwydd ar hugain oed, a gobaith mawr y cwmni, fyddai'n delio gyda ni. Am ryw reswm, methai Stephen dderbyn dull Idris o weithredu.

Cyn bo hir, derbyniais alwadau ffôn oddi wrth Gwyndaf, Cofiadur yr Orsedd, yn gofyn a wnawn i ofalu bod llawlyfr yr Orsedd yn cael ei gyhoeddi mewn pryd erbyn Gŵyl Gyhoeddi Eisteddfod Rhuthun. Roedd pethau wedi mynd braidd yn hwyr a brys mawr i'w ddosbarthu. Down i ddim eisiau troedio ar dir Idris, felly trosglwyddais y neges iddo. Cyfeiriodd yntau at ei anawsterau gyda Stephen a gofynnodd a fyddwn i'n fodlon delio ag ef. Wedi llawer o berswadio, cafwyd y llawlyfr allan mewn pryd i ddwylo'r gorseddogion. Yna taflodd Stephen fom anferth i'n cyfeiriad: ni fyddai'r Rhaglen Swyddogol allan mewn pryd. Yr arfer y dyddiau hynny oedd ei chael i'r siopau rhwng tair a phedair wythnos cyn dechrau'r ŵyl. 'Pa mor hwyr, felly, wythnos arall?' 'Dwyt ti ddim yn gwrando arna i,' atebodd. 'Fydd hi ddim yn barod erbyn dechrau'r Eisteddfod,' taranodd ynghanol llif o regfeydd lliwgar. Ymbiliais arno i roi cyfle arall i ni. 'Iawn,' meddai. 'Rwy'n disgwyl dy weld yn y wasg bore fory. Bydd yno'n brydlon.'

Gan mai fi oedd wedi llunio'r amserlen, doedd dim angen i mi wneud mwy na phori dros y deunydd oedd eisoes wedi cyrraedd yr argraffty i wybod sut i lenwi'r bylchau. Treuliais dair sesiwn hir yn y wasg yn cydweithio â'r argraffwyr ac, o'r diwedd, gyda thua phythefnos i fynd, derbyniais set o broflenni i'w cywiro. Bûm wrthi un noson tan bump o'r gloch y bore canlynol yn darllen a chywiro'r proflenni terfynol ac rown i'n falch o fedru'u trosglwyddo i'r wasg wrth iddynt agor eu drysau ychydig oriau'n ddiweddarach. Ddeuddydd wedi hynny, derbyniais lyfryn trwchus yn llawn tudalennau gwyn ynghyd â chopi glân o'r proflenni a photyn o lud. 'Rhaid i ti dorri'r rhain a gosod pob rhan yn y dudalen berthnasol,' dywedwyd wrthyf. Cystal i mi gyfaddef imi wneud ambell gamgymeriad wrth i'r wawr dorri ac i gwsg fynd yn drech na mi. O edrych yn fanwl ar Raglen Swyddogol 1972, gellir darganfod un neu ddau ddigwyddiad sydd wedi'u camleoli ac ambell ddarn o wybodaeth sydd wedi'u cywasgu i ofod bychan.

Wrth i'r Eisteddfod agosáu, boddwyd ni â galwadau ffôn cannoedd o eisteddfodwyr a deimlai'n hollol rwystredig oherwydd na fedrent gael gafael mewn rhaglen mewn pryd. Collai ambell un ei amynedd yn lân gan siarad yn llawer cryfach na'r achwynwyr arferol. Y pryd hynny, arferai trefnyddion y de a'r gogledd ymuno â staff swyddfa'r Eisteddfod oedd ar fin cael ei chynnal yn ystod yr wythnos flaenorol ac wythnos yr ŵyl. Bu ymddangosiad John Roberts, trefnydd profiadol a hollol effeithiol eisteddfodau'r gogledd, yn fodd i setlo nerfau pawb. Cerddodd y ddau ohonom un bore i ystafell lle roedd swyddog yn eistedd â'i ben yn ei ddwylo wrth ei ddesg a honno'n orlawn o bapurau. Holais a hoffai i ni gymryd y bwndeli oddi wrtho a chefais ateb cadarnhaol. Caeodd John a minnau ein hunain mewn ystafell dawel ac, erbyn amser cau, roedd pob llythyr wedi'i ateb, pob bil ar ei ffordd i'w dalu, a phob cwyn wedi cael sylw.

Rown ar fin agor drysau'r pafiliwn fore Sul cynta'r Eisteddfod pan glywais sŵn brêcs y tu cefn i mi. Stephen Thomas ac aelod o'i staff oedd yno. Dadlwythwyd cyflenwad bychan o gopïau'r Rhaglen Swyddogol o fan y WT. Roedd ei iaith mor liwgar ag arfer ond gwenai am y tro cyntaf ers misoedd. Bwriadai ddychwelyd yn fuan gyda rhagor o gopïau. Gwerthwyd pob rhaglen o fewn ychydig funudau a hefyd yr ail gyflenwad wrth i bobl gerdded allan o'r gwasanaeth. Un atgof am y bore hwnnw sy'n codi gwên yw'r inc glas oedd yn drwch ar ddwylo pawb a gydiai yng nghloriau gwlyb glas a gwyn y rhaglen 'ffres o'r wasg'. Ymhen ychydig fisoedd, rown i yn amlosgfa Arberth yn ffarwelio â gweddillion marwol Stephen Thomas, a fu farw mewn damwain car erchyll ar ei ffordd o Gaerfyrddin i Hwlffordd.

Idris Evans Hwlffordd, Gethin Jones a minnau fu wrthi'n

trefnu'r cyngherddau. Roedd y tri ohonon ni'n hoff iawn o'r fiolinydd Kyung Wha Chung a oedd yn boblogaidd iawn ar y cyfryngau Prydeinig ar y pryd, ac yn awyddus iddi ymddangos yn yr Eisteddfod. Mater bach fu perswadio'r Pwyllgor Cerdd ac anfonwyd llythyr at ei hasiant yn gofyn am ei thelerau. Derbyniwyd ateb cadarnhaol, ond roedd yna un anhawster bach i'w oresgyn. Er i ni ofyn iddi chwarae Consierto Mendelssohn, cynigiai'r asiant Consierto Tchaikovski 'oherwydd mai dyna'r darn sydd ar fysedd Miss Kyung ar hyn o bryd'. Wedi i ni gyfnewid cwpwl o lythyrau, cytunwyd ar ddewis yr Eisteddfod. Y peth cyntaf a darodd y tri edmygwr wrth ei chroesawu oedd pa mor fechan ac eiddil yr edrychai. Ar ôl y brawddegau cwrtais agoriadol, dangos y pafiliwn a'r llwyfan iddi a chael ei llofnod ar ein rhaglenni, gofynnodd ymhle roedd ei hystafell newid. Doedd dim o'r fath adnoddau ar gael yn yr hen bafiliwn pren ond, gan fod ystafell y Llywydd yn wag bob nos, meddyliais nad oedd dim o'i le ar i ni gynnig honno iddi. Ymhen ychydig funudau, derbyniais alwad frys. Roedd Syr David Hughes-Parry, Llywydd yr Eisteddfod ar y pryd, wedi penderfynu dod i'r cyngerdd ac wedi cerdded i mewn i'w ystafell a'r artist wrthi'n newid. Derbyniodd y ddau yr eglurhad a'r ymddiheuriad yn raslon a gwên swil ar eu hwynebau. Roedd pob sedd wedi'i gwerthu'r noson honno a chafwyd cyngerdd ardderchog.

Carwyn James oedd Llywydd y Dydd ar ddydd Mawrth yr Eisteddfod. Derbyniwyd copi o'i araith ryw wythnos ynghynt, er mwyn paratoi copïau i'w dosbarthu i'r wasg a'r cyfryngau wrth iddo ddringo i'r llwyfan. Araith ardderchog oedd hi hefyd a thraddododd hi gydag arddeliad, gan dderbyn cymeradwyaeth wresog y gynulleidfa. Yr hyn na fedrai gwrandawyr meddylgar ei ddirnad, o bosib, oedd sut y medrai'r siaradwr huawdl ddyfynnu'r epigram cofiadwy o'r bryddest fuddugol: 'Dysgu am Lisi Drws Nesa, a gwybod dim am Mam.' Fyddai defod y Coroni ddim yn digwydd am hanner awr arall ac, o gofio am arafwch diarhebol y croeso i'r brodyr Celtaidd, ni fyddai'r feirniadaeth yn debyg o gael ei thraddodi cyn tri o'r gloch.

Serch hynny, tua hanner awr cyn dechrau'r ddefod, roedd yn amlwg i'r eisteddfodwyr craffaf fod Llywydd y Dydd yn gwybod rhywfaint am gynnwys y bryddest arobryn ac yn gwybod, o bosib, pwy oedd ei hawdur. Tybed a oedd y ffaith fod y bardd a'r Llywydd yn digwydd cydweithio yn yr un sefydliad ar y pryd rywbeth i'w wneud â hynny? Ond ni chyfeiriodd y wasg na'r cyfryngau at y llithriad o gwbl. Erioed. Enillydd y Goron oedd Dafydd Rowlands, prifardd coronog Eisteddfod Sir y Fflint a chystadleuydd a ddaethai mor agos i ennill Coron Eisteddfod y Barri. Dafydd hefyd a enillodd y Fedal Ryddiaith y flwyddyn honno, gyda'i *Ysgrifau'r hanner bardd*, casgliad godidog a ysgogodd sylw coeglyd y prifardd R. Bryn Williams – un o feirniaid cystadleuaeth yr awdl – fod Eisteddfod Hwlffordd wedi rhoi'r Goron am ryddiaith a'r Fedal Ryddiaith am farddoniaeth.

Fore Iau, galwodd y Parchedig a Mrs Dafydd Owen, Brynaman, yn y swyddfa, i esbonio eu bod wedi cyrraedd heb eu tocynnau, ac wedi gorfod prynu tocynnau maes. Anfonwyd neges i'r swyddfa docynnau a chafwyd dau docyn am seddau yn un o'r blociau seddau cadw, yng nghefn y pafiliwn. Roedd y broblem wedi'i datrys. Y dyddiau hynny, roedd y pafiliwn pren yn orlawn ar gyfer seremonïau'r Goron a'r Gadair, a'r drysau oll yn cael eu cau rai munudau cyn araith Llywydd y Dydd. Rown i ar fin cloi drws Swyddfa'r Eisteddfod pan welais Dafydd Owen a'i wraig yn rhuthro tuag ataf unwaith eto, â golwg bryderus ar eu hwynebau. 'Mae'n hen bryd i chi fod yn eich seddau,' dywedais. 'Mae'r drysau wedi'u cau.' Roedd Dafydd wedi colli ei ail set o docynnau! Yn ffodus, rown wedi cael dau docyn yn ôl ychydig funudau ynghynt drwy law fy nhad-yng-nghyfraith, ac estynnais hwynt iddo, gan esbonio y byddent yn eistedd yn union o flaen Alun a May Thomas ac yn agos i'r llwyfan. Gan na allwn eu hanfon allan am na fyddai modd iddynt ddod yn ôl i mewn i'r pafiliwn, cerddais gyda hwy o'r swyddfa a'u harwain at ymyl y llwyfan, gan ddangos y bloc perthnasol iddynt yr ochr arall. Roedd hi bellach yn hwyr glas a'r Llywydd a'i osgordd ar fin camu ar y llwyfan. Erfyniais arnynt i ruthro at eu seddau, a dychwelais i'r swyddfa at fy nyletswyddau.

Cefais weddill yr hanes gan Alun Thomas. Am ryw reswm, ni chyrhaeddodd Dafydd Owen a'i wraig y seddau mewn pryd i wrando ar y Llywydd, a bu'n rhaid iddynt weithio'u ffordd at y bloc perthnasol pan oedd yr Orsedd wrth y drysau cefn yn barod i orymdeithio. Pan gyraeddasant at eu seddau, roedd yna bâr arall eisoes yn eistedd ynddynt. Dangosodd Dafydd Owen ei docynnau ond gwrthododd y pâr symud. Gofynnodd yn gwrtais ond ychydig yn gadarnach yr eildro, ond anwybyddwyd ef eto. Wedi trydedd ymgais aflwyddiannus a'r amser yn prysur ddianc, dywedodd nad oedd dewis ganddo ond mynd i ddweud wrth y stiward. 'Fi *yw*'r stiward,' atebodd y dyn, 'a dw i isie gweld seremoni'r Cadeirio. Symuda i ddim o 'ma nes iddi orffen.' Gan synhwyro'u rhwystredigaeth, cododd Alun a May a rhoi eu seddau hwy iddynt, gan fynd i sefyll â'u cefnau yn erbyn wal y pafiliwn.

Pan alwyd ar 'Kerguelen', a 'Kerguelen' yn unig, i godi ar alwad y Corn Gwlad, edrychodd y stiward, fel pawb arall yn y pafiliwn tuag at y seddau cefn. Tybed beth a feddyliai wrth weld Dafydd Owen, y gŵr a ddaliai'r tocyn ar gyfer y sedd y bu mor gyndyn i'w hildio, yn sefyll yn union y tu ôl iddo yng ngolau llachar y llifoleuadau? Tybed a groesodd ei feddwl i ddweud wrtho am eistedd, rhag ei rwystro rhag gallu gweld y prifardd yn y cefn? Er gwaetha'r rheidrwydd i sefyll ar eu traed am awr neu fwy, cafodd Alun a May Thomas destun difyrrwch mawr y diwrnod hwnnw.

Oherwydd 'mod i'n gorfod bod ar y maes drwy'r dydd ac yn hwyr i mewn i'r nos, trefnais i aros mewn carafán ar faes yr Eisteddfod, nid nepell o fyngalo Mr Westby, adeiladydd y pafiliwn, ac o olwg y cyhoedd. Yn y modd hwnnw, medrwn fod yn blygeiniol yn y swyddfa ac aros yno tan i'r gweithgareddau ddod i ben bob nos. Unwaith eto, Alun a May Thomas oedd yn gwarchod fy ngwraig a 'mhlentyn ac er bod yna blentyn arall i fod cyrraedd unrhyw ddiwrnod yr wythnos honno, ymwelodd Delyth â'r maes bob dydd. Galwai yr eildro tua chwech o'r gloch i ddod â phryd o fwyd cynnes i mi, gan nad oedd unman ar y maes i gael pryd maethlon gyda'r nos y dyddiau hynny. Cawn gyfle i'w fwyta wrth fy nesg rhwng diwedd cystadlaethau'r Eisteddfod a'r cyngerdd gyda'r nos.

Cyrhaeddais adref nos Sadwrn tua chwarter i un ar ddeg. Gan nad oedd angen i mi fod yn y pafiliwn tan y Gymanfa Ganu'r noson ganlynol, cawn gyfle i ymlacio am rai oriau'r bore canlynol. Roedd Olwen Williams, ysgrifenyddes Swyddfa'r Gogledd, yn digwydd bod gyda ni. Tuag un ar ddeg o'r gloch, dyma Delyth yn cyhoeddi yn eithaf didaro ei bod yn bryd iddi fynd i'r ysbyty, a gyrrodd ei thad hi yno. Codais yn hwyr y bore canlynol a cherddais i'r ysbyty yn fy mhwysau, gan obeithio na fyddai'r babi newydd yn oedi'n rhy hir cyn dod i'r byd. Gyda syndod y clywais Delyth yn dweud fod Meleri wedi'i geni'r noson cynt am chwarter i hanner nos. Doedd hi ddim yn ffasiynol y pryd hynny i dadau fod yn bresennol yng ngenedigaeth eu plant ond hwn oedd yr eildro i mi hyd yn oed fethu â bod yn yr ysbyty.

Gwyddwn mai Caerfyrddin fyddai cartref Eisteddfod 1974, er nad oedd y Cyfarfod Cyhoeddus wedi'i alw eto. Awgrymodd rheolwr fy manc y dylai Delyth a minnau feddwl am brynu tŷ yn yr ardal yn hytrach na rhentu. Cyn bo hir, derbyniwyd ein cynnig am dŷ yng Nghydweli. Byddai ar gael i ni o 22 Rhagfyr ymlaen. Yn y cyfamser, symudodd Delyth, Camwy, Meleri a minnau i fyw dros dro gydag Alun a May Thomas yng Nglanaman yn hytrach nag aros yn Hwlffordd. Ond roedd llawer o waith i'w wneud o hyd yn swyddfa Hwlffordd, a byddai'n weithredol hyd at ganol Hydref. Gyrrai Idris bob bore o Bort Talbot i Lanaman ac, oddi yno, teithiem i Sir Benfro yn fy nghar. Rown newydd brynu'r Renault 8 ail law yn garej Gravell's Cydweli rhag gorfod dibynnu ar drafnidiaeth gyhoeddus nac ar lifft gan rywun arall.

Wrth baratoi i gefnu ar Sir Benfro, dechreuais feddwl am fy nyfodol. Bellach, doedd dim troi yn ôl. A theulu mor ifanc yn dibynnu arnaf, doedd dim modd yn y byd i mi feddwl am ddychwelyd i'r Ariannin. Synhwyrwn hefyd fod Idris yn edrych ar Gaerfyrddin fel cyfle i ddechrau o'r newydd, heb ddibynnu cymaint arnaf i. Tybed, felly, a ddylwn ystyried ymgeisio am swydd arall i wella fy myd? Yn annisgwyl, anogwyd fi i drio am swydd gyda Chyngor Sir Caerfyrddin ac, er nad own i'n gymwys, rhoddais gynnig arni a chefais restr fer, ond nid euthum pellach na hynny.

Tomi Scourfield oedd yr ymennydd y tu ôl i drefniadau cychwynnol Eisteddfod Bro Myrddin, a chawsom sawl cyfarfod yn ei swyddfa. Roedd yna gonsensws cyffredinol ymhlith y criw oedd yn llywio'r gweithgareddau mai Norah Isaac fyddai Cadeirydd y Pwyllgor Gwaith er bod yna enw arall yn hofran o gwmpas hefyd. Trefnwyd y cyfan yn dynn ac yn ofalus ac, ar y noson, enw Norah a gariodd y dydd – heb fynd i bleidlais. Dosbarthwyd ffurflenni i alluogi pawb a ddymunai wasanaethu ar wahanol bwyllgorau i nodi hynny, gan ofyn iddynt eu dychwelyd i'r Swyddfa yn Hwlffordd. Wedi didoli'r ffurflenni a llunio rhestr yn nodi pob enw gyferbyn â'i ddewisiadau, gwahoddwyd pawb i gyfarfod arall lle rhannwyd hwy'n bwyllgorau mewn gwahanol ystafelloedd. Yno, dewiswyd swyddogion y pwyllgorau, a fyddai wedyn hefyd yn aelodau o'r Pwyllgor Gwaith, a phob cadeirydd pwyllgor yn aelod o'r Pwyllgor Cyllid, yn ogystal.

Doedd y broses ddim mor ddemocrataidd ag yr ymddangosai. Ym mhob ystafell, roedd o leiaf un person a fyddai'n awgrymu enwau oedd wedi'u dewis eisoes gan griw o ddarpar swyddogion (rhyw fath o bwyllgor llywio answyddogol). Anaml iawn y byddai'r enwau hynny'n methu cyrraedd y Pwyllgor Gwaith. Yr egwyddor a reolai'r drefn oedd chwarae'n saff a sicrhau fod y rhai a gâi eu hethol yn gymwys i'w swyddi. Fodd bynnag, achosodd un methiant yn y drefn hon lawer o ddiflastod i Norah. Yn fuan wedi sefydlu'r Pwyllgor Gwaith derbyniodd gyfres o lythyrau oddi wrth gydnabod iddi a achwynai iddo gael ei anwybyddu ar gyfer swydd benodol a'i fod wedi'i osod ar bwyllgor nad oedd o unrhyw ddiddordeb iddo. Roedd yn argyhoeddedig taw Norah oedd yn gyfrifol am hyn a bygythiai ddwyn achos cyfreithiol yn ei herbyn. Mewn gofid mawr, ceisiodd Norah egluro nad oedd a wnelo hi ddim o gwbl â'r digwyddiad. Pan welais y llythyrau, rown i'n gwybod ar unwaith beth aeth o'i le ac nad oedd bai ar Norah o gwbl.

Glynwen Nicholas oedd yn didoli'r ffurflenni yn Hwlffordd ac yn teipio'r rhestr enwau ar gyfer pob pwyllgor. 'Mae Hwn a Hwn wedi rhestru llawer o bwyllgorau. Ar ba un y dylai fod?' holodd. Roedd yn enw adnabyddus a chynigiais enw pwyllgor addas iawn ar ei gyfer. Roedd yn enillydd cenedlaethol yn y maes. Yn anffodus, wyddwn i ddim bod yna ddau wirfoddolwr yn cario'r un enw. Byddwn wedi hoffi egluro'r sefyllfa wrth y gŵr anhapus hwnnw ond, oherwydd ei fod wedi bygwth mynd â Chadeirydd y Pwyllgor Gwaith i'r gyfraith, cynghorwyd fi i gadw'n ddistaw. Er gwaetha'r broblem hon, sefydlwyd Pwyllgor Gwaith cryf, gan fod yna fôr o dalent yn y cylch, y dref a'r Coleg.

Yn gynnar yn 1973, ymgeisiais am swydd gyda Chwmni Theatr Cymru a gwahoddwyd fi i gyfweliad ym Mangor. Cynigiwyd y swydd i un o'r ymgeiswyr eraill ond gofynnodd Wilbert Lloyd Roberts a fedrwn aros i gael sgwrs gyda'r panel penodi. Roeddent ar fin creu swydd newydd ac am ei chynnig i mi, a gofynnwyd i mi aros i glywed oddi wrthynt. Hyd yn oed o feddwl y byddai angen i mi symud i Fangor, byddwn yn elwa'n ariannol. Rhyw fis yn ddiweddarach, darllenais yn y wasg am benodiad newydd gan Gwmni Theatr Cymru a deuthum i'r casgliad eu bod wedi ailystyried. Tua'r un amser, derbyniais alwad ffôn oddi wrth Tomi. A own i'n rhydd i ddod i gyfarfod ag R. E. Griffith a Cyril Hughes, Cyfarwyddwr a Darpar Gyfarwyddwr Urdd Gobaith Cymru, oedd yn digwydd bod yng Nghaerfyrddin? Synnais pan glywais am eu hymholiad: Fyddai gen i ddiddordeb mewn ymgeisio am swydd Pennaeth Eisteddfod yr Urdd? Roedd y deilydd presennol wedi ymddiswyddo. Neidiais at y cyfle.

Y noson honno, rhoddais ganiad i Wilbert i dorri'r newydd iddo. Llongyfarchodd fi a gyda'i foneddigeiddrwydd arferol, eglurodd nad oedd penodiad diweddaraf y cwmni ddim oll i'w wneud â'r swydd a drafodwyd gyda mi. Roedd honno'n dal i fod ar gael i mi petawn i'n newid fy meddwl. Bûm mewn gwewyr meddwl am ychydig ddyddiau, penderfynais mai aros yn y maes y gwyddwn amdano orau oedd y peth callaf. Wedi'r cyfan, dyna rown i wedi bod eisiau ei wneud ers fy mhlentyndod ac rown i nawr yn cael y cyfle i redeg un o wyliau cenedlaethol Cymru. Beth mwy y medrwn i ofyn amdano? Yn fuan wedyn, ac yn dilyn cyfweliad a gynhaliwyd ym Mhencadlys yr Urdd, cynigiwyd y swydd yn ffurfiol i mi. Doedd gen i mo'r syniad lleiaf pa mor fawr oedd y cam rown ar fin ei gymryd.

18

O'r newydd

ROEDD UN PETH YN sicr, er gwaethaf pob math o amheuon roedd yn mynnu dod i 'mhoeni ambell dro, rown i'n hollol hyderus yn fy ngallu i lenwi fy swydd newydd ac edrychwn ymlaen yn eiddgar at gael gafael yn yr awenau gan ei hystyried hi'n fraint enfawr i mi. Teimlai Tomi Scourfield y dylwn i ymfalchïo 'y mod i mewn cystal swydd a minnau ond wedi byw yn y wlad am bum mlynedd a hanner.

Byddai'n gwbl amhosibl i mi grynhoi'r holl uchafbwyntiau (heb sôn am yr isafbwyntiau!) y chwarter canrif namyn blwyddyn y bûm i'n gofalu am drefniadau Prifwyl Ieuenctid Cymru, na manylu ar bob Eisteddfod unigol, er bod pob un yn haeddu pennod hir. Ni fedraf enwi pawb y bûm i'n cydweithio â hwy dros y cyfnod hwnnw, na hyd yn oed llawer o 'nghyfeillion agosaf – oni bai eu bod yn rhan o'r digwyddiadau y byddaf yn cyfeirio atynt, yn gwbl fympwyol. Fy ngolwg oddrychol i a geir ar bethau, ac nid unrhyw dafoli ar fy nghyfnod i wrth y llyw. 'Canmoled arall dydi', oedd un o hoff ddyfyniadau Mam. 'Bydd yn wrthrychol a hunanfeirniadol', ychwanegaf innau.

Ymhell cyn i mi gychwyn ar fy ngwaith yn swyddogol, rown i wedi mynychu cyfarfod o Bwyllgor Gwaith Eisteddfod Llanelli (1975), er mwyn cael cwrdd â rhai o'r pwyllgorwyr ac iddynt hwythau ddod yn gyfarwydd â mi. Rown i eisoes yn adnabod cadeiryddion y Pwyllgor Gwaith, sef Dennis Jones, Prifathro Ysgol Ramadeg y Bechgyn, a hefyd Cyllid, W. S. Thomas, Clerc Cyngor Sir Gaerfyrddin, gan eu bod yn swyddogion hefyd ar Bwyllgor Gwaith Eisteddfod Bro Myrddin. Rown yn gyfarwydd yn ogystal â rhai ffigurau blaenllaw eraill megis Garry Nicholas, ysgrifennydd y Pwyllgor Gwaith, sy'n aelod o deulu a roddodd flynyddoedd hir o gefnogaeth diamod i'r Urdd ar sawl lefel. Nid oedd amser na'r pellter yn caniatáu i mi deithio i gyfarfodydd eisteddfodau'r Gogledd, a bu'n rhaid i mi aros nes 'mod i wedi dechrau yn fy swydd cyn ymweld â phwyllgorau y Rhyl a Phorthaethwy, oedd yn croesawu'r Eisteddfod yn 1974 a 1976.

Bachgen ifanc a secondiwyd o'i swydd fel Trefnydd Sir oedd fy nghyd-weithiwr cyntaf. Bûm yn ffodus iawn yn Dewi Jones, a roddodd bob ymdrech, a llawer o ddeallusrwydd, i'r tasgau a ddirprwywyd iddo, a daethom yn ffrindiau da yn ystod cyfnod byr ei wasanaeth ar staff yr Eisteddfod. Oherwydd nad oeddwn yn hoffi bod oddi cartref dros nos fwy nag oedd yn hollol angenrheidiol, teithiai'r ddau ohonom i bwyllgorau gan ddychwelyd adref hyd yn oed yn y tywydd garwaf.

Gadawsom Bencadlys yr Urdd tua phedwar o'r gloch un noson, ar ein ffordd i'r Rhyl, a phlu eira'n disgyn dros y wlad. Y bwriad oedd cyrraedd mewn pryd i gael rhywbeth cyflym i'w fwyta cyn dechrau ar y gwaith. Er bod y dyddiau'n ymestyn, roedd y cymylau duon wedi tywyllu'r ffurfafen erbyn i ni fynd heibio'r Brithdir a disgynnai'r eira'n drwm ar y sgrin o 'mlaen. Er gwaethaf golau'r car a diwydrwydd y weipars, ni fedrwn weld dim, a bu'n rhaid i mi arafu. Rhyddhawyd y tyndra ryw ychydig wrth i Dewi estyn ei ben allan yn y gobaith o weld y ffordd yn gliriach na thrwy'r sgrin, heb gofio nad oedd weipars ar ei sbectol! Bu'n rhaid i ni chwerthin. Araf iawn fu'n cynnydd, a gorfu i ni oedi yng Ngwersyll Glan-llyn i roi galwad ffôn i swyddogion yr Eisteddfod i'w hysbysu na fyddem yn cyrraedd yn brydlon. Gorfu i ni hefyd fynd heb swper. Er i'r tywydd wella, roedd hi'n hanner nos arnom yn cyrraedd adref.

Cefais sawl profiad tebyg – ac ambell ddamwain hefyd. Rown wedi malu fy nghar personol yn Llanfarian, wrth i mi deithio o Gydweli i Aberystwyth ar fy niwrnod cyntaf yn y swydd. Rhew du a gafodd y bai ond rown i'n falch i mi lwyddo i osgoi taro yn erbyn plant a gerddai ar ddiwrnod cyntaf y flwyddyn i'w hysgol newydd.

Tua blwyddyn yn ddiweddarach, methodd tacsi, a deithiai y tu ôl i mi, frecio mewn pryd ar gyffordd yng Nghaerfyrddin oedd yn wyn dan eira, gan falu cefn y cerbyd cyntaf a ymddiriedodd yr Urdd i 'ngofal. A bûm yn ffodus iawn i ddod allan yn fyw mewn damwain nid nepell o Lanelwedd ym 1978 pan lithrodd fy nghar ar ddail yr hydref a chroesi'r ffordd wrth i mi gyrraedd tro hynod beryglus – eiliadau cyn i lorri fawr ddod yn gyflym o'r cyfeiriad arall. Y garej a roddodd deiars anghywir ar fy nghar y diwrnod cynt drwy gymysgu teiars *radial* a *crossply* a gafodd y bai gan yr arbenigwr a archwiliodd y difrod. Ni welais i na'r Urdd y car hwnnw byth wedyn.

Daeth tymor tair blynedd Arwel Jones, prifathro Ysgol y Moelwyn wedi hynny, fel cadeirydd y Pwyllgor Eisteddfod a Gŵyl (PEaG) i ben yn fuan wedi i mi gydio yn fy swydd. Yn ystod y cyfnod byr hwnnw, derbyniodd y PEaG yr egwyddor fod rheidrwydd ar bob Pwyllgor Cyllid lleol i baratoi amcangyfrifon manwl ar ddechrau'r gweithgareddau a'u hadolygu'n rheolaidd. Hefyd, lluniwyd Rheolau Sefydlog a fyddai'n gosod canllawiau pendant ar weithrediadau pob Pwyllgor Gwaith a'i is-bwyllgorau. Allwn i ddim fod wedi gofyn am gadeirydd mwy cefnogol ond teimlais 'mod i'n ffodus hefyd pan gytunodd Alun Jones i'w olynu. Gwyddwn amdano fel athro Cymraeg blaengar uchel ei barch yn y cymoedd cyn iddo dderbyn swydd Pennaeth Adran Gymraeg Ysgol Gyfun Penweddig, a doedd dim amheuaeth am ei ymrwymiad llwyr i'r Eisteddfod. Gwelodd ei ddau dymor yntau nifer o ddatblygiadau a fu'n gyfrwng i symud yr ŵyl yn ei blaen. Dechreuwyd drwy dynhau neu ddileu rheolau nad oedd modd eu plismona, megis y gwaharddiad ar hyfforddwyr Adrodd a Cherdd Dant rhag 'arwain' eu disgyblion o fannau strategol yn y gynulleidfa!

Bu syllu ar siapau wynebau'r hyfforddwyr hyn yn destun difyrrwch droeon, ond nid oedd modd neilltuo staff i'w gwylio'n gyson, neu i ddod o hyd iddynt ymhlith y gynulleidfa. Ymdrechwyd yn ddyfal hefyd i sicrhau mai dysgwyr *bona fide* yn unig fyddai'n cyrraedd eu cystadlaethau hwy yn y rhagbrofion.

Yn llawer rhy aml gwelid Cymry Cymraeg naturiol yn cystadlu fel dysgwyr, tuedd annheg a barhaodd am flynyddoedd maith waeth pa mor dynn y gosodid y canllawiau. Y drwg mawr oedd nad oedd pawb yn diffinio dysgwr yn yr un modd. Roedd ein rheolau'n cau'r drws yn glep ar ddysgwyr a dderbyniai eu haddysg mewn ysgolion cyfrwng Cymraeg, gan greu dryswch ym meddyliau rhai rhieni di-Gymraeg. Dadl PEaG oedd bod pob plentyn a gâi ei addysg mewn ysgolion Cymraeg yn treulio'i oriau ysgol yn sŵn yr iaith, ac yn cael ei addysg drwyddi ac, felly, bod ganddo fantais fawr dros y rhai a'i derbyniai fel pwnc ail iaith yn unig.

Pan ddychwelodd Dewi at ei ddyletswyddau sirol, gadawyd fi ar fy mhen fy hun am ryw chwe mis, nes penodi Geraint Davies, myfyriwr ifanc o Abertawe, a benderfynodd, fel y gwneuthum innau flynyddoedd ynghynt, nad oedd yn dymuno mynd yn athro. Nid dyna'r unig beth oedd yn gyffredin rhyngom. Roedd o'n hoff o ganu hefyd ac yn aelod blaenllaw o fand Hergest. Erbyn hyn, roeddem ar fin cloi cyfrifon y Rhyl ac wedi sicrhau cartref i brifwyl 1977 yn y Barri.

Ffitiodd Geraint i'w swydd fel llaw i faneg, a chyflwynodd nifer o welliannau yn ein dulliau o weithredu. Yn un peth, roedd o'n drefnus iawn, a hoffai gael popeth yn ei le. Un o'i gymwynasau mawr i mi oedd ei bendantrwydd bod angen i ni barchu oriau bwyd a neilltuo amser i fwyta. Fel mae'n digwydd, rown i newydd gael rhybudd gan fy meddyg teulu bod angen i mi gynnal oriau bwyta rheolaidd. Rhywsut, gofalodd Geraint ein bod yn cadw'n weddol agos at normalrwydd a chael pryd o fwyd bob nos pan fyddem ar daith. Roedd o hefyd yn ffraeth iawn ac yn feistr ar sylwadau tafod-yn-y-boch. Apeliai ei synnwyr hiwmor sych yn fawr ataf. Cefais y fraint o gydweithio ag ef hyd at ei benodiad yn Drefnydd Iaith yr Urdd tua diwedd 1979. Dim ond un o'i olynwyr hyd yma a dreuliodd gyfnod hirach nag ef yn y swydd.

Profodd Geraint i fod yn gyfaill cymwynasgar hefyd. Fis Hydref 1975, anfonwyd Delyth i Ysbyty Bronglais ar frys. Ychydig fisoedd ynghynt, roeddem wedi cytuno i fod yn rhieni maeth i Malcolm, plentyn dwyflwydd oed oedd mewn cartref maeth yn y Trallwng. Yn fuan wedyn, daeth yn amlwg bod plentyn arall ar y ffordd. Gyda rhyw bum mis i fynd, rhwygodd y bag oedd yn ei gynnal yn y groth ac roedd peryg i ni ei golli oni threuliai Delyth y misoedd canlynol yn ei gwely dan ofal meddygol cyson. Gadawodd hynny ni mewn cyfyng-gyngor. Gwyddwn na fedrwn ddal fy swydd a gofalu am dri o blant (a phryderu am eu mam a'r un bach arall oedd ar y ffordd) ar yr un pryd.

Yr un gyntaf i ddod i'r adwy oedd May Thomas, mam Delyth, ond nid oedd modd iddi hithau fod yn absennol o'i chartref am gyfnod hir, yn enwedig o gofio ei bod yn gwanhau'n ddyddiol o ganlyniad i'w brwydr galed yn erbyn y canser a'i llethai. Yna daeth Anti Mag, un o'i chwiorydd o Bontrhydfendigaid, i ofalu amdanom dros dro, ac wedyn Ivonne Owen, merch o Ddyffryn Camwy oedd wedi dilyn trywydd digon tebyg i mi drwy ddod i astudio yng Ngholeg Harlech a sefyll i weithio yng Nghymru. Dangosodd mamau cyd-ddisgyblion Camwy a Meleri yn Ysgol Gymraeg Aberystwyth a'r Ysgol Feithrin eu cefnogaeth hefyd, gan gymryd gofal o'r ddau am rai oriau bob dydd, gan fy ngalluogi i fynychu'r swyddfa'n ddyddiol. Manteisiais yn yr un modd hefyd ar garedigrwydd Glenys, gwraig Golygydd Cylchgronau'r Urdd, Ieuan Griffith. Ni fedraf ddiolch digon iddynt oll. Bu staff yr ysbyty yn hynod garedig wrthyf hefyd, gan adael i mi ymweld yn hwyr iawn yn y nos ar fy ffordd yn ôl o Borthaethwy neu'r Barri.

Ond roedd cymwynasau Geraint y tu hwnt i'r hyn y gellid ei ddisgwyl oddi wrth gyd-weithiwr. Nid yn unig roedd o wedi ysgwyddo llawer iawn o waith ychwanegol yn y swyddfa ond gofalodd hefyd am y rhan fwyaf o gyfarfodydd y pwyllgorau yn fy absenoldeb. Yn ogystal, rhoddodd o'i amser ei hun ambell dro i 'nghynorthwyo i roi sylw i Camwy a Meleri. Rhwng popeth, roedd hwn yn gyfnod pur ansefydlog, a gwyddwn fod gen i dasg enfawr o 'mlaen os oeddwn am gadw'r teulu ynghyd a chadw fy swydd ar yr un pryd. Yn erbyn ein dymuniadau a gyda chalon drom, penderfynodd Delyth a minnau na fyddai modd i ni gadw Malcolm, y bachgen maeth. Gallwn daflu fy mhlant fy hun ar drugaredd cyfeillion ond ni theimlwn fod gen i'r hawl i wneud hynny gyda phlentyn rhywun arall, un ag angen sylw mawr a llawer o gariad. Cyn i Delyth ddychwelyd o'r ysbyty, cafodd Malcolm ei symud i gartref arall lle câi bob chwarae teg a sefydlogrwydd.

Derbyniais alwad ffôn tua thri o'r gloch fore Sadwrn, 10 Ionawr 1976, oddi wrth Eleri, y nyrs a ofalai mor ardderchog am Delyth bob gyda'r nos, i ddweud bod ein trydydd plentyn wedi'i eni, ddeufis o flaen ei amser. Roedd Delyth yn iawn ond byddai'n rhaid aros am rai dyddiau cyn gwybod am dynged y bychan. Pan gyrhaeddais yr ysbyty, ni chawn fynd ato ac roedd yn rhaid i mi fodloni ar edrych arno drwy ffenest. Gorweddai mewn gwely deor dan orchudd tryloyw, a phibau o bob math yn cysylltu ei gorff â pheiriannau cynnal bywyd.

O gofio am holl gymwynasau Geraint Wyn Jones, Coleg Harlech, tua degawd ynghynt, a Geraint 'MacEisteddfod' fel yr ailfedyddiodd fy nghyd-weithiwr ei hun rywdro gyda'i synnwyr digrifwch unigryw, doedd dewis enw cynta Geraint Llŷr ddim yn dasg anodd. Ond bu'n rhaid i ni aros yn amyneddgar ac ymweld â'r ysbyty'n ddyddiol am rai wythnosau cyn iddo gael dod adref ac i minnau fedru ailgydio yn llawn yn fy ngwaith. Ysgwyddodd Geraint llawer o'r baich hefyd pan gyfyngwyd ar fy ngallu i deithio i bwyllgorau yn ystod dyddiau olaf cystudd May Thomas.

Ddwy flynedd yn ddiweddarach, galwyd fi'n ôl ar frys i'r Gaiman. Roedd Nhad ar fin derbyn llawdriniaeth i gael gwared â'r canser oedd yn ei ddifa. Yn ystod fy absenoldeb am dair wythnos, Geraint a lenwodd fy esgidiau yn hollol hyderus a medrus. Sylweddolais, yn rhy hwyr, nad oedd angen i mi fod wedi rhuthro yn ôl i Gymru a cholli bod gyda Nhad yn ystod wythnosau olaf ei fywyd. Gwyddwn na fyddai Cyril, nac awdurdodau'r Mudiad, wedi gwarafun yr amser ychwanegol i mi.

Dangosodd cyfrifon y Rhyl fod yr Eisteddfod wedi llwyddo i gadw'r gwariant ychydig filoedd yn is na'r incwm. Pan gyhoeddwyd ffigurau Llanelli ychydig fisoedd cyn Eisteddfod Porthaethwy, gwelwyd eu bod wedi mynd gam neu ddau yn well. Un nos Wener, pan oeddwn eisoes yn fy nghar ac ar fy ffordd adref o'r ynys, deuthum ar draws grŵp o swyddogion yr Eisteddfod honno, a thrafodwyd materion cyllidol. Gofynnwyd i mi a oedd angen cynyddu'r gronfa, rhag i'r cyfrifon fynd yn rhy dynn. Doeddwn i ddim wedi astudio'r ffigurau yr wythnos honno ond meddyliais tybed a wyddent hwy rywbeth nad oedd eto'n amlwg i mi. Pa argraff fyddwn yn ei chreu petawn i'n ateb yn nacaol a'r Eisteddfod wedyn yn gwneud colled? Awgrymais y byddai'r sefyllfa'n ddiogelach pe medrid cynyddu'r nod. Yn rhyfeddol, dwysawyd yr ymgyrch godi arian a phan gyhoeddwyd y cyfrifon, gwelwyd bod y gweddill ariannol yn llawer, llawer uwch nag erioed o'r blaen, a throsglwyddwyd swm sylweddol iawn i gronfa ganolog y mudiad. Yn unol â'r drefn, defnyddiwyd pob ceiniog at hyrwyddo gwaith y mudiad mewn meysydd eraill heblaw'r Eisteddfod.

Rown i'n ôl ymhlith hen gyfeillion pan ddechreuwyd ar y trefniadau ar gyfer Eisteddfod 1977, oedd i'w chynnal yn y Barri. Oherwydd bod y wladwriaeth – a mwyafrif o drigolion y dref – yn dathlu Jiwbilî Elizabeth yr Ail yr haf hwnnw, gorfu i ni symud yr Eisteddfod i'r wythnos ganlynol, gan achosi pob math o broblemau gyda chyflenwyr a dueddai i ddilyn yr un math o amserlen flwyddyn ar ôl blwyddyn. Yn waeth byth, mi gyfnewidion ni wythnos heulog hyfryd am un oer a glawog. Cofiaf Rhoswen Deiniol yn rhedeg 'nôl adref i gasglu cwpwl o siwmperi Alcwyn i mi oherwydd 'mod i wedi bod mor ffôl ag ymddiried yn haul cynnes y bore bach a gwisgo'n ysgafn, a'r diwrnod wedi troi'n aeafol a minnau'n crynu. Unwaith eto cefais lawer o gwmni Islwyn 'Gus' Jones ac Ann ei wraig, a David Meredith. David, Geraint a minnau fu'n gyfrifol am lunio pamffledyn cyhoeddusrwydd a anelwyd yn hollol ddigywilydd at gartrefi di-Gymraeg y dref, ar lun taflen hysbysebu sêl. *Four*

Days Only oedd y pennawd uwchben rhestr o ogoniannau'r
ŵyl. Anodd iawn oedd y dasg o geisio deffro diddordeb mewn
gŵyl a ddisgrifiwyd gan eneth frodorol fel *'something the Welsh
are holding up there in Colcot'*. Hyn, er gwaethaf ymdrechion
glew pobl fel Elwyn Richards, Cadeirydd y Pwyllgor Gwaith a
phrifathro Ysgol St Ffransis, a John Rowley, cyn Reolwr y BBC
a gadeiriai'r Pwyllgor Cyllid.

Cefais oriau o ddiddanwch yn gwrando ar John yn adrodd
am ei brofiadau yn India ac am ei sgyrsiau â Mahatma Gandhi.
Mae'n debyg bod hwnnw'n arfer dyfynnu'r hen ddihareb 'Colla
dy dymer ac fe golli di'r ddadl', cyn ychwanegu 'a'th hunan-
barch'. Chollais i mo 'nhymer ond bûm yn eithaf anfodlon gyda'r
hyn rown i'n ei ddehongli yn fanteisio annheg, ac yn teimlo y
dylai John wneud rhywbeth yn ei gylch. Roedd diwydiannwr
amlwg wedi cynnig trefniant codi arian oedd yn gofyn am
lawer o ymroddiad. Yn gyfnewid am lenwi blychau â nwydd
arbennig, telid swm penodol o arian i'r Eisteddfod. Roedd angen
llawer o ddwylo i lenwi'r blychau hyn unwaith yr wythnos. Fe
benderfynodd Geraint a minnau ymuno â nhw unwaith, er
mwyn dangos ewyllys da. Er ei fod yn waith ysgafn roedd yn
undonog ac anniddorol, ond llwyddai mân siarad difyr y cwmni
i ladd amser.

Beth bynnag, testun fy anfodlonrwydd oedd bod y
diwydiannwr dan sylw wedi mynnu rhoi hanner yr incwm a
gynhyrchid i ysgol ddwyieithog o'r ardal, er nad oedd neb o'r
ysgol honno wedi gwirfoddoli i gynorthwyo yn y gwaith. Ond
doedd Rowley ddim yn poeni. 'Mae'r hanner 'dan ni'n 'i gael yn
well na dim o gwbl' oedd ei ddyfarniad doeth. Llwyddodd yr
Eisteddfod hon eto i adael gweddill iach iawn a drosglwyddwyd
i gronfa ganolog y mudiad.

Oherwydd y drefn hon, a wnaed yn hysbys i bob eisteddfod o'r
dechrau, byddai pob Pwyllgor Gwaith a'i bwyllgorau yn gorfod
dechrau eu hymgyrchoedd heb arian yn y coffrau. Gofynnai'r
swyddogion lleol a fyddai modd cael cyfraniad o'r canol i
ddechrau'r ymgyrch, megis i brynu nwyddau y gellid eu gwerthu

am elw. Yr unig gynnig y medrwn i ei wneud oedd rhoi benthyciad o £50 i'w ddefnyddio fel arian sych, ond yng nghyfarfod cyntaf Pwyllgor Gwaith Eisteddfod Llŷn ac Eifionydd, wfftiwyd at y cynnig hwn a chafwyd benthyciad o £5,000 gan gyfreithiwr lleol nid anadnabyddus. Yn y modd hwnnw y llwyddwyd i brynu cyflenwad o nwyddau cyhoeddusrwydd. Gwerthwyd y rheiny am elw da yn ystod cyfres o ddigwyddiadau a drefnwyd yn sydyn ledled yr ardal, a llwyddwyd i ad-dalu'r benthyciad o fewn ychydig amser.

Does dim modd i mi wadu na fu gadael staff Eisteddfod Genedlaethol Cymru yn brofiad poenus i mi, er gwaethaf y llawenydd a deimlwn wrth wynebu her newydd. Wedi pum mlynedd a hanner o wasanaethu'r Eisteddfod dan amodau amrywiol, roedd ei gafael yn dynn arnaf. Hiraethwn yn hir am yr ŵyl ei hun, nifer o unigolion y teimlwn mor gartrefol yn eu cwmni, a hefyd ei pheirianwaith, oedd mor gyfarwydd i mi. Dim ond yr Eisteddfod ei hun a ddenai sylw ac egni ei Chyngor, tra bod Cyngor yr Urdd yn gorfod ymboeni hefyd ag anghenion a dyfodol gwersylloedd Llangrannog a Glan-llyn, nifer o gylchgronau, gwaith swyddogion y maes, ac ati, ac yn dirprwyo gofal dros yr Eisteddfod i un o'i bwyllgorau, sef y Pwyllgor Eisteddfod a Gŵyl. Cawn fy atgoffa'n rheolaidd mewn cyfarfodydd a chynadleddau staff, 'mai dim ond un rhan o waith y mudiad yw'r Eisteddfod', neu 'mae'r Urdd yn lot mwy na Steddfod'. Siomwyd fi'n ddirfawr droeon gan eiriau felly yn ystod y blynyddoedd cyntaf. Brathwn fy nhafod wrth eu clywed, nes i mi gyfarwyddo â nhw a'u hanwybyddu. Anhawster y gyfundrefn lywodraethol o ran Eisteddfod yr Urdd oedd bod gan y Cyngor y grym i wrthdroi unrhyw benderfyniadau gan y PEaG na fyddai'n eu hoffi. Ni fyddai aelodau'r Cyngor, yn aml, yn gwbl gyfarwydd â'r rhesymau a'r meddylfryd oedd y tu ôl i'r penderfyniadau hyn ac o bryd i'w gilydd, clywyd lleisiau'n codi ar lawr y Cyngor yn herio rhai o bolisïau Pwyllgor yr Eisteddfod.

Mae'n rhyfedd clywed yr un geiriau'n cael eu llefaru hyd heddiw – hyd yn oed mewn darllediadau o faes Eisteddfod

Genedlaethol yr Urdd, fel pe na fedr rhai pobl fwynhau eu prifwyl am yr hyn ydyw, heb gyfeirio at weithgareddau eraill y mudiad. Ni ddigwyddai hynny fyth mewn perthynas ag unrhyw adran arall o waith y mudiad, a chlywais i neb erioed yn dweud, er enghraifft, 'Mae'r Urdd yn fwy na'r gwersylloedd'.

Testun dadrithiad arall oedd perthynas hyd braich rhai swyddogion cenedlaethol gyda'r Eisteddfod – pwysleisiaf *rhai*. Byddwn yn eu gweld yn gorymdeithio i'r pafiliwn mewn pryd i'r seremonïau gan adael yn sydyn wedyn. Mynychent gynadleddau dyddiol y wasg a'r derbyniadau i'r noddwyr (pan ddaeth yn ffasiynol i siwgwra a bwydo'r rheiny). Ond tynnai eu seddau gwag sylw pawb am weddill y diwrnod. Un a amlygodd deyrngarwch eithriadol ac a fu'n esiampl i eraill oedd Lady Edwards. Byddai'n gofalu bod ar gael i roi ei chefnogaeth i bob Eisteddfod drwy fod yn bresennol yn y cyfarfodydd cyhoeddus a gynhelid yn flynyddol yn un o drefi'r wlad, gogledd a de bob yn ail. Teithiem yng nghar Cyril gan amlaf ac, ar y daith yn ôl, byddai'n adolygu'r noson, a minnau, ddegawdau'n iau na hi, yn ysu am gau fy llygaid a llithro i drwmgwsg. Mynychai'r ŵyl gyhoeddi i dderbyn copi cyntaf y Rhestr Testunau, gan ofalu canmol yr ymdrechion lleol ac annog pawb i gefnogi'r Urdd 'er mwyn Cymru'. Yn ddi-ffael, byddai'n bresennol yn yr Eisteddfod hefyd, gan dreulio oriau benbwygilydd yn y pafiliwn, yn effro ei chefnogaeth i'r cystadleuwyr. A medraf ei gweld nawr yn cymryd ei lle'n urddasol ar y llwyfan yn ystod y seremonïau agor a chloi. Ni fyddai byth yn gadael y maes heb air hael o ganmoliaeth i wirfoddolwyr a staff fel ei gilydd. Wedi'i marwolaeth, olynwyd hi gan Prys, a gofalodd yntau gynnal y safonau a osodwyd gan ei fam. Un peth na ellid byth ei edliw iddo yntau yw diffyg brwdfrydedd.

Fel ym mhob casgliad o fodau dynol, roedd staff yr Urdd yn ymdebygu i blaid wleidyddol sy'n ymochel tueddiadau amrywiol o dan ei ambarél fawr. Roedd yno garfan gref o bobl frwd a llawn argyhoeddiad, rhai'n flaengar ac egnïol, ac eraill yn geidwadol a llesg. Roedd yno hefyd bobl a fanteisiai ar bob cyfle i feirniadu, a chyfaddefodd un o'r cyn-staff yn ddiweddar iddo dreulio'i yrfa'n ceisio tanseilio Adran yr Eisteddfod.

Rown i'n ffodus bod mwyafrif y cynrychiolwyr sirol yng nghyfarfodydd y Pwyllgor Eisteddfod a Gŵyl yn dangos cefnogaeth a gwybodaeth am y maes. O holl bwyllgorau canolog yr Urdd, hwn oedd â'r presenoldeb gorau a hwn fyddai'r olaf o gryn dipyn bob tro i orffen ei drafodaethau manwl. Yn dilyn ad-drefnu llywodraeth leol Cymru yn 1974, crebachodd nifer y siroedd i wyth, a gorfu i'r Urdd ailedrych ar ei chyfundrefn. Yn ogystal â'r effaith ar y patrwm staffio, roedd nifer y cystadleuwyr a fyddai'n cyrraedd yr Eisteddfod Genedlaethol nawr mewn peryg o ostwng yn sylweddol. Ar y llaw arall, byddai gwahodd pob sir newydd i anfon dau enillydd i'r Genedlaethol yn cynyddu'r nifer gan roi straen eithriadol ar amserlen y rhagbrofion, a hynny'n sicr o gael effaith ar amserlen y llwyfan.

Cytunwyd, felly, i rannu Cymru'n siroedd newydd at anghenion yr Urdd, siroedd a alwyd yn 'unedau cystadleuol' at bwrpas yr Eisteddfod, ac a fyddai'n anfon un cystadleuydd yr un i'r rhagbrofion cenedlaethol. Bu cryn ddadlau. Doedd pwyllgorau Morgannwg Ganol ddim yn hapus gyda'r syniad bod Ysgol Gyfun Rhydfelen ac Ysgol Gyfun Llanhari yn cystadlu benben â'i gilydd am y fraint i gyrraedd yr Eisteddfod Genedlaethol. Mewn cyfarfod o'r cyngor ym 1975, cododd prifathro un o ysgolion cynradd y sir i bledio'n huawdl dros rannu'r uned gystadleuol yn ddwy, er nad oedd nifer yr aelodaeth yno'n cyfiawnhau'r fath raniad. Derbyniodd ei gynnig gefnogaeth frwd ac, er gwaethaf gwrthwynebiad rhai o aelodau'r PEaG a welai berygl i effeithiolrwydd trefniadau'r Eisteddfod, fe'i pasiwyd drwy fwyafrif ysgubol – a PEaG heb gael cyfle i drafod y mater hyd yn oed. Gwnaed y penderfyniad byrbwyll hwn er bod llawer mwy o gystadleuwyr mewn siroedd eraill a bod ganddynt achosion cryfach dros rannu. Gan y byddai prifwyl y mudiad yn cario un uned yn fwy, byddai mwy o bwysau i orffen y rhagbrofion mewn pryd i ddechrau gwaith y llwyfan am un ar ddeg bob bore. Felly, ymestynnwyd hyd y seremoni agoriadol fel bod mwy o amser gan y cystadleuwyr i gyrraedd y maes – y diwrnod trymaf oedd y diwrnod cyntaf bryd hynny. Yn naturiol, ysgogwyd siroedd eraill i wneud ceisiadau i rannu'n ddwy, ond gwrthodwyd hwy gan y PEaG cyn iddynt gyrraedd y Cyngor.

Daeth yn amlwg erbyn y 1980au bod angen cryfhau system staffio'r Eisteddfod. Ers fy mhenodiad, Pennaeth ar fy mhen fy hun rown i tan ddyfodiad Geraint. Yna, yn 1978, a'r Eisteddfod yn cael ei chynnal yn Llanelwedd ond yn cael ei threfnu o Aberystwyth, cyflogwyd gwraig ifanc o Dol-y-bont, fel ysgrifenyddes. Llinos Evans oedd ei henw a daeth yn fuan i fod yn un o'r bobl anhepgor hynny sy'n gonglfaen i bob swyddfa effeithiol, oherwydd ei chywirdeb ym mhob tasg a ymddiriedid iddi, ei hoffter o'r gwaith, a'i hymroddiad diflino. Ychwaneger at y doniau hynny ei chof enseiclopedig a'i hadnabyddiaeth o Gymru a'r Cymry (amlwg a di-nod fel ei gilydd) ac o'r maes eisteddfodol, a dyna chi wedi darganfod y person delfrydol i'r swydd. Cariai lawer mwy o gyfrifoldeb nag y telid hi amdano, a gwnâi hynny'n llawen bob amser. Ar derfyn ei chytundeb, estynnwyd ef deirgwaith dros dro nes sicrhau penodiad amser llawn iddi. Dim ond ffŵl fyddai wedi gadael iddi ddianc o'i afael.

Rhyw bedair blynedd yn ddiweddarach, llwyddwyd i ad-drefnu'r staff gan greu dwy swydd newydd. Dyrchafwyd y Trefnydd Cynorthwyol (Elwyn 'Wews' Jones ar y pryd) yn Drefnydd y Gogledd, a phenodwyd Gareth Jâms yn Drefnydd y De. Golygai hynny y medrem roi llawer mwy o amser i gefnogi'r pwyllgorau. Dyna pryd y dechreuwyd cynllunio lleoliad yr eisteddfodau, a thrafod gyda'r awdurdodau lleol, tua phum mlynedd ymlaen llaw.

Ymddangosai Gareth yn hollol hyderus a doedd dim ofn arno fentro i drafodaethau gyda swyddogion awdurdodau lleol, sefydliadau mawr neu ddarpar noddwyr. Roedd ei bresenoldeb a'i bersonoliaeth hawddgar, a'i wên gyfeillgar yn agor drysau iddo ymhob man yr âi. Roedd yn feistr ar jargon hefyd, cwbl ddieithr i mi'n aml, ond a ddisgynnai'n esmwyth ar glustiau trigolion coridorau pŵer. Yn ogystal â'r hyder a feddai, roedd hefyd yn fachgen sensitif iawn a fedrai gydymdeimlo ag amheuon pobl. Amlygodd droeon ei barodrwydd i gerdded llawer mwy na'r filltir ychwanegol. Gwelwyd ef yn gyrru tractor ar faes mwdlyd Eisteddfod Dyffryn Teifi a hithau'n hwyr y nos a Jim O'Rourke yn cario postyn gwyn i ddangos y ffordd iddo!

Rai blynyddoedd yn ddiweddarach, cwblhawyd ein tîm gweinyddol gyda phenodiad Doreen Watts-Williams. Cydweithiodd yn ardderchog gyda phob un ohonom a bu'n hynod effeithiol wrth roi trefn ar fy ngwaith papur – camp nid bychan. Roedd ganddi arddull groesawgar iawn wrth ddelio ag ymholwyr a byddai'n gofalu na wnâi'r ffôn neu ymwelydd annisgwyl aflonyddu arnaf pe medrai hi neu gyd-weithwyr eraill ddelio â'r mater. Roedd ganddi stôr o synnwyr cyffredin. Trown yn rheolaidd at Llinos a Doreen am farn wrth delio â materion roedd angen dogn helaeth o sensitifrwydd i ddelio â nhw.

Roedd gan Cyril Hughes ddiddordeb mawr yng ngwaith yr Eisteddfod a phrofiad helaeth o ymwneud â'i gweinyddiaeth. O ganlyniad, trown ato pan geisiwn gyngor diogel neu i gael sgwrs gyffredinol am gyflwr y trefniadau, yn y sicrwydd y byddai ganddo gyfraniad awdurdodol. A dweud y gwir, byddai safbwynt gwahanol yn aml iawn yn agor drysau i atebion gwell. Teimlwn ein bod yn rhannu'r un uchelgais parthed dyfodol yr ŵyl. Am gyfnod, teithiais lawer yn ei gwmni i wahanol gyfarfodydd ac ef oedd yn gyfrifol am fy nghyflwyno i bwyllgorau gwaith yr eisteddfodau oedd ar y gweill.

Yn ystod ein sgyrsiau cynharaf, byddai Cyril o hyd yn pwysleisio'i gred taw Eisteddfod yr Urdd oedd yr orau o'r ddwy brifwyl genedlaethol. Ar y dechrau, derbyniwn y gosodiad hwn gyda phinsied o halen. Wedi'r cyfan, prin yw'r bod dynol nad yw'n credu mai ei blant ef ei hun yw'r rhai harddaf, galluocaf ac anwylaf ar wyneb y ddaear. Eto, rown i'n gredwr mor gryf ym mhwysigrwydd a rhagoriaethau Eisteddfod Genedlaethol Cymru. Ond does dim dwywaith nad oedd gosodiad Cyril yn un hollol gywir am nifer o resymau. Mae cyfundrefn eisteddfodol yr Urdd yn sicrhau bod cystadleuwyr o bob sir yn cyrraedd rhagbrofion y brifwyl a bod tri ymgeisydd ar y llwyfan yn y mwyafrif llethol o gystadlaethau. Yn hyn o beth, mae'r Urdd yn rhagori. Mae'r tri sy'n cyrraedd y llwyfan o'r safon uchaf ac wedi ennill eu hawl drwy guro cystadleuwyr o bob rhan o Gymru yn y rhagbrofion a'r rheiny yn eu tro, wedi curo degau o rai eraill ar lefel cylch a sir. Dyma wir eisteddfod genedlaethol felly. Rhaid cofio bod Eisteddfod Genedlaethol Cymru yn tynnu canran uchel o'i chystadleuwyr o ardal bro'r ŵyl a rhanbarthau cyfagos. Gwelwn ddylanwad Eisteddfod yr Urdd hefyd ar eisteddfodau bach a gynhelir mewn pentrefi ledled Cymru wrth i'r plant ddefnyddio testunau'r Urdd i gystadlu. Ydi, mae ei dylanwad yn bellgyrhaeddol. Ar y llaw arall, gwelid mai gwanhau fyddai cystadlaethau'r Urdd yn yr oedrannau hŷn o ran nifer a safon, er bod eithriadau clodwiw. Roedd yn amlwg bod hyn yn rhywbeth y dylid ei gryfhau.

Roedd yr adran Cerdd Dant fel petai'n nofio mewn pwll bas a'i dibyniaeth ar drefniannau Haydn Morris, Llanelli, o hen alawon traddodiadol ac ar gyhoeddiadau Snell yn llesteirio'i thwf. Cenid y gosodiadau ar yr un hen alawon o eisteddfod i eisteddfod. Daeth yn amlwg hefyd rai blynyddoedd yn ddiweddarach nad oedd hyfforddwyr blaengar yr adran Adrodd yn fodlon gyda'r llyffetheiriau a dagai'r grefft wrth fynnu dilyn yr un rhigolau'n dragwyddol. Felly, roedd angen dybryd i fwrw golwg dros y ffrâm destunau. Gan nad yw Archentwyr call yn hoff o chwyldro, gam wrth gam oedd y ffordd i weithredu unrhyw newidiadau. Roedd y byd yn ifanc a digon o amser gennym i gyflawni pob datblygiad.

Er bod y rheolau'n dweud mai unwaith bob pum mlynedd yn unig y dylai unrhyw ddarn prawf ymddangos yn y Rhestr Testunau, y gwir oedd bod pwyllgorau lleol yn llwyddo i ddewis darn a fyddai wedi'i gynnwys mewn eisteddfod ddiweddar ond mewn cystadleuaeth wahanol. Digwyddai hynny ar ddamwain ambell waith. Yn ystod yr wythnosau oedd yn arwain at

Eisteddfod y Rhyl, derbyniais alwad ffôn oddi wrth Tydfil Enston, Cadeirydd Pwyllgor Cerdd Eisteddfod Llanelli a'r Cylch, i dynnu fy sylw at y ffaith bod yr un darn wedi ei ddewis ar gyfer y brif gystadleuaeth gorawl i aelwydydd yn y ddwy Eisteddfod ond bod yr enw Lladin mewn un a'r enw Cymraeg yn y llall!

Cryfhau'r system adolygu testunau drwy greu pwyllgorau canolog sefydlog cryf, atebol i'r Pwyllgor Eisteddfod a Gŵyl oedd y cam cyntaf i oresgyn problemau o'r fath. Ar draws y blynyddoedd, cyflawnodd y pwyllgorau hyn waith canmoladwy iawn, gan sicrhau cysondeb rhwng gradd anhawster y darnau o Eisteddfod i Eisteddfod. Felly, er mwyn diwygio'r ffrâm destunau yn ei chyfanrwydd, galwyd cynhadledd o'r holl bwyllgorau testunau sefydlog i drafod y ffordd ymlaen, a rhoddwyd her iddynt fywiocáu rhai adrannau a chodi safonau rhai eraill.

Denai'r cystadlaethau offerynnol lawer iawn o ddiddordeb cystadleuwyr a'r cyhoedd fel ei gilydd ac roedd safon yr ymgeiswyr yn uchel. Yr unig anhawster oedd bod y Rhestr Testunau yn nodi darnau gosod ar gyfer pob oedran, gan gyfyngu ar allu'r cystadleuwyr i arddangos eu doniau i'r eithaf. Dyma un adran lle roedd safon yr Eisteddod 'fawr' yn llawer iawn uwch. Yr unig ffordd i fedru ymgyrraedd at gydraddoldeb oedd drwy roi rhyddid i'r cystadleuwyr ddewis eu darnau eu hunain. Wynebodd y syniad hwn wrthwynebiad cryf gan lawer o bwyllgorau a chan ambell aelod o staff maes y mudiad, ond dewisodd y PEaG blaengar gadw at y drefn newydd.

Bu'r gair 'safon' yn destun trafod am flynyddoedd hir hefyd ymhlith staff a phwyllgorau. Teimlai llawer iawn na ddylid gosod darnau prawf nad oedd o fewn gallu aelodau 'cyffredin' neu a fyddai'n ormod o dreth ar allu arweinyddion a chyfeilyddion 'cyffredin'. Roedd hwn yn safbwynt afresymol ym marn eraill a phrofwyd mai eu safbwynt hwy oedd yn gywir pan welwyd bod gosod testunau mwy uchelgeisiol yn cynyddu nifer y cystadleuwyr o flwyddyn i flwyddyn.

Wynebai'r gwyliau cenedlaethol yn aml broblemau wrth geisio sicrhau copïau o ddarnau yn yr adran Cerdd Dant a gyhoeddid gan gwmni Snell a'i Feibion, Abertawe. Er eu bod mewn print, ni chaent eu rhyddhau i'r siopau yn y 1970au oherwydd anawsterau mewnol y cwmni. Felly yn dilyn trafodaeth gyda Dafydd Jones, un o gyn-drefnyddion yr Urdd ac Ysgrifennydd y Gymdeithas Cerdd Dant, cytunwyd i gynghori pwyllgorau testunau i osgoi cynnwys cyhoeddiadau'r cwmni hwn ymhlith eu dewisiadau. Bu hynny'n anodd, oherwydd bod nifer yr alawon cymwys mewn print yn gyfyng, a byddai llai fyth ar gael o ganlyniad i'r gwaharddiad. Felly, tueddai rhai pwyllgorau testunau lleol i anwybyddu'r argymhelliad. Yr her, felly, oedd eu perswadio i annog cerddorion ifainc i gyfansoddi alawon addas. Ac yn wir, aeth y rheiny ati i gyhoeddi cyfrolau o alawon cerdd dant newydd a derbyniwyd alawon ffres a gafodd lawer o groeso gan hyfforddwyr a chystadleuwyr. Mae'r llif yn parhau, gan gyfoethogi'r traddodiad. Gydag amser, goresgynnwyd problemau mewnol Snell a'i Feibion a daeth eu cyhoeddiadau hwythau yn ôl i gylchrediad.

Cam ychydig yn fwy dadleuol oedd agor y drws i offerynnau amrywiol yn y cystadlaethau Cerdd Dant, ond araf fu'r broses honno. Dwy a fu'n ddyfal ymhlith eraill yn hyrwyddo'r datblygiadau hyn oedd Haf Morris a Bethan Bryn. Cafwyd llawer o syniadau blaengar a beiddgar, megis hepgor y delyn yn llwyr mewn un gystadleuaeth yn yr oedrannau hŷn, gan ddefnyddio naill ai offerynnau eraill neu gôr i gario'r alaw ac unawdydd i ganu'r gyfalaw. Ond ni ddaeth dim o hyn oll, er boddhad mawr i'r purwyr – a dichon y bydd yn rhaid aros am beth amser eto cyn gweld datblygiadau pellach. 'Nid Cerdd Dant yw o heb y delyn,' meddent yn hollol ddiffuant, ac eto cynhelid cystadlaethau Cerdd Dant i gyfeiliant piano mewn nifer o eisteddfodau Cylch a Sir am flynyddoedd lawer.

Un ffaith sy'n sicr: o holl wyliau Cymru, Eisteddfod yr Urdd yw'r un sydd â'r cyfle gorau i gynnal arbrofion o'r fath yn gyson ac i fod yn feiddgar. Mae ganddi hawl a dyletswydd i fod yn fentrus a heriol, ac i ddenu cynulleidfaoedd newydd i ddod i werthfawrogi'n hetifeddiaeth genedlaethol yn cael ei mynegi mewn dulliau traddodiadol a newydd. Efallai y dylid cyfethol Gai Toms ar y pwyllgor sefydlog!

Prennaidd oedd y cystadlaethau cydadrodd ar y cyfan, a dim ond y sawl a fyddai'n cau ei lygaid a'i glustiau a fethai â sylwi fod pobl yn manteisio ar gystadlaethau'r adran hon i sleifio allan o'r pafiliwn. Aeth blynyddoedd lawer heibio cyn bod dim yn cael ei wneud i ddelio â'r diffyg hwn ac atal yr ecsodus mawr. Gweledigaeth Alun Jones, a oedd erbyn hynny'n Gadeirydd y Pwyllgor Adrodd sefydlog, oedd ffarwelio ag 'Adrodd' a chofleidio 'Llefaru'. Nid enw newydd yn unig fyddai'r Adran Lefaru ond agwedd a golwg newydd ar sut i gyflwyno darnau o farddoniaeth. Trawsnewidiwyd y cystadlaethau, yn enwedig y rhai i bartïon drwy ganiatáu iddynt symud a newid ffurf a siâp parti pan fyddai hynny'n fuddiol i gyfleu arwyddocâd y gerdd i'r gynulleidfa.

Esgorodd hyn ar ymgiprys beiddgar rhwng partïon John Owen, Alun Jones, Cefin Roberts, Delyth Mai Nicholas, ac eraill a wnaeth gymaint i fywiocáu'r cyflwyniadau llafar, a'u gwneud yn achlysuron roedd cynulleidfaoedd yn tyrru i'w gweld gan lenwi'r pafiliwn. Mae'n wir i ambell barti fynd dros ben llestri a thynnwyd fy sylw ar ddiwedd un Eisteddfod at barti ysgol uwchradd a ffugiodd weithred rywiol ar y llwyfan. Rhy feiddgar o lawer. Er nad oeddwn wedi derbyn cwyn swyddogol, cefais air tawel â'r hyfforddwr a sicrhaodd yntau fi fod pobl wedi camddeall a gorymateb.

Nid oedd y datblygiadau hyn yn dderbyniol gan bawb. Teimlai rhai hyfforddwyr fod cael gwared â'r gair 'adrodd' yn gyfystyr â bradychu traddodiad Cymreig. Derbyniais nifer o alwadau ffôn a llythyrau yn mynegi dicter nid bychan ac ambell hyfforddwr, yn bygwth peidio cystadlu. Bu'n rhaid i'r rhai fu'n gyfrifol am y newidiadau wynebu aml i bregeth gas ar faes yr ŵyl ac mae'r ddadl yn dal i rygnu.

Adeiladwyd ar waith arloesol Eddie Jones, Glyn T. Jones ac eraill yr yr adran Dawnsio Gwerin, o dan ddylanwad to newydd o hyfforddwyr. Trawsnewidiodd Eirlys Britton, Prydwen Elfed-

Owens ac Eirlys Phillips y cystadlaethau ac nid yn unig y dawnsio ei hun ond y cyfeiliant offerynnol hefyd, gan gyflwyno alawon newydd ac amrywiol. Cyflwynodd y ddwy gyntaf newidiadau pellgyrhaeddol i'r dawnsfeydd teyrnged ym mhrif seremonïau'r Eisteddfod, yn ogystal, gan ddisodli'r ddawns flodau draddodiadol a chreu dawns wahanol ar gyfer pob un o'r pum seremoni wobrwyo a gynhelid y dyddiau hynny.

Roedd y rhain yn bobl oedd yn barod i dorri'r mowld, i fentro y tu hwnt i reolau technegol anhepgorol, a hynny er mwyn diddanu cynulleidfaoedd. Iddynt hwy, roedd y cystadlaethau'n golygu llawer mwy na chyfle i arddangos sgiliau. Gwelent gyfleoedd i genhadu, i agor llygaid y cyhoedd, ac i ddenu cefnogwyr newydd i'w celfyddyd. Gall gwelliannau o'r math gyflawni swyddogaeth ddeublyg: gwella delwedd y llwyfan ar y naill law a chwyddo'r cynulleidfaoedd yn y pafiliwn ac ar y teledu ar y llall.

Yn anffodus i mi, penodwyd Elwyn Jones i swydd y tu allan i'r mudiad, a chollwyd y cliriwr gwaith mwyaf egnïol a chyflymaf a welais i erioed. Roedd o'n brysur ac yn ddygn gydol y dydd ac yn cyflawni tasgau ar gyflymdra, fel petai o'n beiriant wedi colli'r botwm 'Diffodd'. Edrychwn mewn edmygedd arno weithiau, gan 'mod i fy hun yn eithriadol o bwyllog uwchben fy ngwaith papur a heb fod yn arbennig o hoff o lenwi ffurflenni. Gadawodd Elwyn fwlch enfawr ar ei ôl. Ef fu'n gyfrifol am brofi ar bapur bod modd llenwi pumed diwrnod o gystadlu ar lwyfannau'r Urdd. Ychwanegwyd y diwrnod hwnnw heb i neb godi llais i gwestiynu'r penderfyniad er iddi gymryd naw mlynedd cyn y gwireddwyd y cam mawr hwnnw. Y fantais amlwg o ddechrau ar y dydd Mawrth, ar wahân i roi rhagor o gyfle i fwy o gystadleuwyr ddisgleirio, oedd sicrhau cynnydd sylweddol yn yr incwm a hynny heb fawr o gost ychwanegol. Dim ond un diwrnod arall oedd ei angen arnom nawr cyn cyrraedd at y nod o fod yn ŵyl wythnos gyfan (ond byddai rhaid aros tan Eisteddfod Cwm Gwendraeth 1989 i wireddu'r freuddwyd honno).

Elfed Roberts, Trefnydd Eryri hyd at hynny, a benodwyd yn

olynydd i Elwyn. Rown wedi cael y fraint o gydweithio ag ef yn Swyddfa Eisteddfod Llŷn ac Eifionydd ym Mhwllheli lle trawyd fi gan ei ffordd hawdd a'r gallu oedd ganddo i roi amser i'w bobl. Doedd neb gwell nag ef, chwaith, am amddiffyn ei wirfoddolwyr, ac yntau, yn ei dro, yn dderbyniol iawn ganddynt hwythau. Roedd yn gwmnïwr ffraeth, a byddai'n ddiddorol gwrando arno'n traethu am ei brofiadau fel newyddiadurwr a gwerthwr bwyd anifeiliaid i ffermwyr. Iddo ef mae'r diolch am gyflwyno'r syniad o greu cystadlaethau ar gyfer plant ag Anghenion Addysg Arbennig. Llwyddodd i berswadio'i gyd-weithwyr a phwyllgorau perthnasol nad oedd dewis gan yr Eisteddfod ond mentro arni, ac roedd o'n hollol ffyddiog o sicrhau eu llwyddiant.

Yn Eisteddfod yr Wyddgrug 1984 y cofleidiwyd y cystadlaethau newydd gyntaf a chafwyd ton o gefnogaeth gan gynulleidfa a werthfawrogodd ddoniau cystadleuwyr nad oedd erioed wedi cael dod yn agos at lwyfan prifwyl genedlaethol cyn hynny. Rown i wedi bod yn poeni am y posibilrwydd mai gwrthrych tosturi a chydymdeimlad fydden nhw ond profwyd yr ofnau hynny'n gwbl ddi-sail. Yr hyn sy'n sefyll yn fyw yn fy nghof i yw bod y tu cefn i'r llwyfan a thua hanner dwsin o blant hollol ddieithr i mi'n rhedeg amdanaf â breichiau agored i 'nghofleidio. Neidiodd un hogyn bach hollol fyddar tua wyth mlwydd oed amdanaf, ei freichiau'n dynn am fy ngwddw a'i goesau am fy nghanol, gan fy nghusanu'n frwd. Mae'n debyg bod un o'r athrawon wedi dweud wrthynt mai fi oedd yn gyfrifol am eu cael ar y llwyfan. Sôn am gael clod heb ei deilyngu! Ond dyna un o'r pethau hyfrytaf a ddigwyddodd i mi erioed mewn unrhyw Eisteddfod.

Flynyddoedd yn ddiweddarach, derbyniais gais ffurfiol gan nifer o bobl a deimlai'n hollol ddiffuant na ddylid cynnal y cystadlaethau hyn oherwydd eu bod yn mynd yn erbyn y duedd o integreiddio disgyblion ag anghenion arbennig yn hytrach na'u gosod ar wahân. Dalient mai annheg oedd gwrthod yr hawl i'r aelodau hyn gystadlu gyda'u cyfoedion ym mhob un o adrannau'r cystadlu. Gwendid eu dadl oedd ei bod yn seiliedig ar anwybodaeth. Doedd dim yn rhwystro hyfforddwyr rhag cynnwys disgyblion ag anghenion addysgol arbennig mewn unrhyw un o gystadlaethau'r Eisteddfod, ond y rhain oedd yr unig gystadlaethau a gynigiai *warant* o gyrraedd y llwyfan i'r plant ardderchog hynny.

Y tu allan i'r pafiliwn, prinder atyniadau ar y maes oedd y gwendid pennaf. Nid oedd llawer iawn o stondinau i ddenu pobl nad oeddent yn dymuno treulio'u holl amser yn y pafiliwn, na fawr o ddim i ddiddanu aelodau ifanc y mudiad na fu'n llwyddiannus yn y rhagbrofion. Gwyddwn am rai ysgolion yn dychwelyd adref yn siomedig o'r Eisteddfod heb iddynt fod yn agos i'r maes. Cofiaf glywed criw o blant yn erfyn ar eu hathrawes yn gynnar un prynhawn: 'Plîs, Miss, gawn ni fynd adre nawr?' Wrth eu holi pam, eu hateb oedd: 'Ni'n bôrd, does dim byd i ni 'neud 'ma'. Rhaid felly fyddai sicrhau atyniadau eraill ar gyfer y rhai na fyddai'n mynychu'r pafiliwn ac ar gyfer y rhai â diddordeb mewn un neu ddwy gystadleuaeth yn unig.

Er i rai pobl ddadlau bod yr Eisteddfod yn defnyddio plant er mwyn cynnig adloniant i oedolion, roedd fy mhrofiad i'n awgrymu bod llawer iawn o blant yn mwynhau'r cyfle. Daeth yr un mor amlwg bod llawer o deuluoedd yn mynychu'r ŵyl er mwyn dilyn un plentyn a oedd yn ymgeisio mewn un gystadleuaeth. Rhwng y rhagbrawf a'r llwyfan, doedd ganddo ef na'i deulu fawr ddim i'w cadw'n ddiddan am ddiwrnod cyfan a phan fyddai gwynt, glaw ac oerni medrai hynny brofi'n artaith iddynt. Y BBC ac HTV yn aml iawn fyddai'n cynnig yr adloniant gorau ar y maes, a thyrrai torfeydd o gwmpas eu pebyll, ond roedd terfyn ar y niferoedd y medrent ddarparu ar eu cyfer, a châi mwyafrif y plant eu siomi. Dros gyfnod, llwyddodd y brwdaniaeth anhygoel a greodd Mistar Urdd ddenu cannoedd o blant i orlifo pabell yr Urdd ar y maes ond canfuwyd nad oedd y fflach o ysbrydoliaeth honno gan Wynne Melvill Jones yn ddigon chwaith. Roedd angen cynyddu at nifer yr atyniadau ar y maes a sicrhau mwy o amrywiaeth.

Yn ogystal, doedd ein pebyll arddangos – Celf a Chrefft a Gwyddoniaeth – ddim yn gwneud cyfiawnder â'r cynnyrch arobryn a ddangosid ynddynt. Ac am y Babell Wyddoniaeth, druan, dim ond testun cywilydd fu honno lawer tro. Roedd hi'n adlewyrchu diffyg diddordeb yr ysgolion yn y maes, gan mai tenau oedd trwch y cystadlu, a hefyd prinder yr adnoddau ariannol roedd yr eisteddfodau yn eu neilltuo ar gyfer yr adran. Yn aml, llwyddodd pwyllgorau i guddio'r diffygion drwy ddenu cwmnïau i arddangos eu cynnyrch ond weithiau byddai disgleirdeb hwnnw'n taflu cysgod dros waith y cystadleuwyr.

Roedd ansawdd yr adeiladau yn ogystal â'r adnoddau mewnol yn gyfrwng i gadw pobl draw yn hytrach na'u denu i mewn, ond roedd angen dod o hyd i arian sylweddol i dalu am adnoddau mwy uchelgeisiol. Y cam nesaf, felly, oedd dwyn perswad ar wahanol bwyllgorau bod angen darparu symiau penodol newydd ar gyfer gweithgareddau nad oeddent yn perthyn i'r pafiliwn a'i lwyfan. Roedd dau bwrpas i'r ymgyrch hir i gynyddu nifer y stondinau: ychwanegu at fwrlwm y maes ac at y cyfleoedd a gynigid i bobl dreulio'u hamser yn ddiddig ar y naill law ac, yn un mor bwysig, sicrhau incwm ychwanegol. Ar draws y blynyddoedd, llwyddwyd yn raddol iawn i gynnig mwy o atyniadau a gwella'r adeiladau, ond bu'n rhaid aros tan ail hanner y 1980au cyn i ni ddechrau teimlo'n fodlon yn ein gallu i gadw teulu cyfan ar y maes yn ddiddan am ddiwrnod cyfan, waeth pa mor angharedig fyddai'r elfennau.

Crëwyd llawer o gynnwrf pan gyflwynodd y Gweithgor Iechyd a Diogelwch nifer o fesurau (diangen ac afresymol ar brydiau) i ddiogelu'r cyhoedd. Achosodd y rhain gynnydd yn y costau ond buont hefyd yn fodd i godi safonau llawer o'r darpariaethau. Er y byddwn yn codi llais beirniadol yn aml i gwyno amdanynt o fewn rhengoedd ein pwyllgorau, yn ddistaw bach gwelwn hefyd gyfle i guddio y tu ôl iddynt pan fyddai'n dod yn fater o berswadio ambell bwyllgor hwyrfrydig i ddarparu ar gyfer gwelliannau yn eu hamcangyfrifon. Dyna sut y cafodd y Babell Gelf a Chrefft lawr pren un flwyddyn, gorchudd rhad drosto yr ail, carped da y trydydd, a phabell â drysau tân iddi'r flwyddyn ganlynol.

Dim ond tair Eisteddfod y gwelais i'n cael eu bygwth gan

y tywydd a dichon y byddai'r swyddogion Iechyd a Diogelwch wedi'n rhwystro rhag cynnal dwy ohonynt, petaent wedi bod yno. Gyda chryn drafferth y llwyddwyd i gwblhau Eisteddfod Maesteg (1979), a gynhaliwyd yn y parc lleol ar dir wedi'i adennill. Methodd haenen denau'r dywarchen atal llwch y glo y gorweddai arno rhag dod i'r wyneb a chofiaf blant yn gadael y maes â'u hwynebau a'u crysau gwyn yn ddu (Siôn, mab Prys Edwards, a Camwy, fy mab hynaf i, yn eu plith). Doedd pawb yn y dre ddim wedi deall union natur yr ŵyl, chwaith. Dafydd 'Miaw' Owen (a sefydlodd Wasg Dwyfor, wedi hynny) oedd Rheolwr y maes, ac aeth at fusnes lleol i hurio tractor. Cynigiwyd peiriant newydd sbon iddo am y cyfnod a hynny'n ddi-dâl. Brawychodd y gŵr busnes hael pan ddarganfu mai ei ddefnyddio ar faes mwdlyd a wnaed yn hytrach na'i arddangos dan do. Doedd dim gobaith ganddo i'w werthu fel tractor newydd wedyn.

Roedd yr amodau'n llawer gwaeth yn Eisteddfod Dyffryn Teifi (1981). Bu'n glawio'n ddi-dor gydol pythefnos ola'r paratoadau ac erbyn y diwrnod cyntaf doedd dim blewyn glas i'w weld ar y maes. Gorchuddiwyd yr hen dracfyrddau pren a ddefnyddid bryd hynny â llaid, gan achosi i nifer o eisteddfodwyr lithro arnynt a chwympo ar eu hyd yn y mwd, Lady Edwards ei hun ymysg eraill. Dyna'r Eisteddfod gyntaf lle bu'n rhaid llusgo carafannau *i mewn* i'r maes.

Cofiaf un o gefnogwyr seloca'r Urdd yn dod ataf wedi colli'i amynedd yn lân: 'Dwi'n gwybod nad arnat ti mae'r bai,' meddai, 'ond dwi ddim am aros funud yn fwy 'ma. Dwi wedi cael digon.' Ac aeth adref i Eryri yn gwbl anfodlon â'r amodau. Dyna pryd y dechreuais feddwl o ddifrif am yr angen i gynllunio safleoedd pwrpasol. Ond fyddai hynny ddim yn bosibl ar fyr rybudd ac, yn y cyfamser, roedd angen meddwl am ddarparu'n well ar gyfer eisteddfod symudol. Yn sicr, ni ddylid dewis maes ar oledd byth eto. Dylid holi'r bobl leol yn fanylach am ansawdd y tir, hefyd. Wedi'r Eisteddfod, pan oedd y tywydd yn brafiach, clywyd ffermwyr lleol yn wfftio'r dewis o safle. 'Ma pawb ffor' hyn yn gwbod yn net bod yna ffynhonne'n tarddu ar ben ucha'r ca'.

Pam, o pam na fydden nhw wedi'n rhybuddio ni'n gynt?

Wedi dweud hynny, Eisteddfod Dyffryn Teifi oedd un o'r rhai hapusaf erioed i'w threfnu. I'r diweddar Ainsleigh Davies mae'r diolch am hynny, a phob cyfarfod yn wledd o ddifyrrwch o dan ei gadeiryddiaeth. Ac yntau'n hogyn lleol, roedd yn adnabod pob aelod o'i dîm niferus yn eithriadol o dda, ac roedd yn uchel ei barch o fewn y dalgylch a thu hwnt. Defnyddiai ei hiwmor yn effeithiol i dawelu dadleuon oedd mewn peryg o fynd dros ben llestri. Medrai gael hwyl am ei ben ei hun hefyd. Cofiaf y Pwyllgor Gwaith yn chwerthin yn iach pan ddywedodd mai tacteg oedd ei atal dweud i roi amser iddo feddwl sut i ateb cwestiwn lletchwith! Yn ddiweddarach, penodwyd ef yn Brifathro Ysgol Dyffryn Teifi, swydd y bu ynddi tan ei farw yn frawychus o annhymig, er mawr golled i'w deulu, i'w fro ac i Gymru. Bu'n hynod o ffodus hefyd yng Nghadeirydd y Pwyllgor Cyllid, y Cynghorydd Sir hirben a dylanwadol Dai 'Fet' Davies. Ac mi fedrwn i enwi'r tîm cyfan – un o'r cryfaf a gefais erioed.

Ond y brifwyl a achosodd y drafferth fwyaf dros gyfnod byr ac ar yr amser mwyaf anghyfleus oedd Eisteddfod Dyffryn Ogwen (1986). A dweud y gwir, doedd y flwyddyn flaenorol ddim wedi bod yn flwyddyn hawdd i'r Urdd yn dilyn streic fawr yr athrawon. Er bod yr NUT ac undebau llai wedi datgan yn eglur na fyddent yn taro'r Eisteddfod, penderfynodd UCAC yn wahanol. Byddent yn argymell i'w haelodau beidio â rhoi o'u hamser eu hunain i hyfforddi disgyblion. Yn dilyn trafodaeth hir gyda'r undeb, anfonais lythyr manwl yn holi dau brif gwestiwn: yn gyntaf beth y medrai'r Urdd ei wneud i ateb gofynion yr undeb; ac yn ail, os nad oedd o fewn gallu'r mudiad i wneud unrhyw beth i wella sefyllfa athrawon, pam taro yn ei erbyn? Gorfu i mi bwyso am ateb ac yna pan ddaeth, ni chyfeiriai'r ychydig eiriau a anfonwyd o Ben Roc at unrhyw un o'r cwestiynau, dim ond cadarnhau'r penderfyniad.

Yn ffodus, cyfunodd dau ffactor i sicrhau na chafodd y streic yr effaith a fwriadwyd. Caniatawyd i bartïon ysgol gystadlu fel adrannau lleol nad oedd yn adrannau pentref. Yn hytrach na thorri'r streic, dewisodd y mwyafrif o athrawon fabwysiadu'r patrwm hwnnw. Er i'r nifer a gychwynnodd eu taith gystadleuol leihau ychydig ar lefel y cylchoedd, ni theimlodd yr Eisteddfod Genedlaethol unrhyw wahaniaeth. Hefyd, roedd cyfundrefn byramidaidd yr Urdd yn sicr o ddiogelu'r lefel genedlaethol hyd yn oed petai gostyngiad sylweddol ar y lefel isaf. Ymhlith nifer o gamau a gymerwyd i ddiogelu'r cystadlu yn y brifwyl, cynyddwyd y niferoedd a ddeuai o'r siroedd o un i ddau yn y cystadlaethau hynny afyddai'n cael eu gwanhau – arfer a ddilynwyd wedyn mewn eisteddfodau eraill i gryfhau cystadlaethau eraill, megis Dawnsio Gwerin, oedd yn wannach mewn rhai siroedd nag eraill.

Er na ddioddefodd yr Eisteddfod rhyw lawer yn sgil effeithiau'r streic, tarodd honno ar gyllideb y mudiad yn ganolog a phenderfynodd yr arweinyddion cenedlaethol dorri cyflogau'r staff. Gorfodai'r penderfyniad hwn nifer ohonom i ystyried chwilio am swyddi eraill, ond, cyn iddo gael ei weithredu, fe'i gwrthodwyd gan y Cyngor. Arbedwyd y toriadau, a chynhaliwyd apêl genedlaethol eithriadol o lwyddiannus i atgyfnerthu'r coffrau. Er gwaethaf y tro pedol, i rai roedd y syniad o chwilio am swyddi eraill wedi'i blannu ac, ar droad y flwyddyn gorfod i ni ffarwelio ag Elfed, a benodwyd yn Drefnydd Eisteddfod Genedlaethol Cymru yn y Gogledd.

Penderfynwyd peidio hysbysebu am olynydd iddo a chynigiwyd y swydd dros dro i un o ysgrifenyddion y Pwyllgor Gwaith, sef Eirian Dulyn Owen. Y teimlad oedd y gwnâi hi setlo i'r gwaith yn haws na rhywun na fyddai'n gyfarwydd â'r ardal a'r gwaith. Bu'n rhaid i Elfed a minnau weithio'n ddygn i'w pherswadio i gymryd y swydd ac fe gafodd secondiad gan Bwyllgor Addysg Gwynedd drwy gydweithrediad caredig Gwilym Humphreys, Cyfarwyddwr Addysg y sir ar y pryd. Gwelwyd yn fuan ei bod yn hollol gymwys i'r swydd ac, yn fuan wedi'r Eisteddfod, fe'i penodwyd hi'n barhaol.

Wrth ddewis safle yn Nyffryn Ogwen, daeth yn amlwg nad oedd y Pwyllgor Gwaith yn fodlon ei chynnal ar diroedd stad y Penrhyn oherwydd bod y cof am y Streic Fawr yn dal yn fyw yn yr ardal. Er i rieni fy nhad ddioddef yn enbyd yn ystod y streic honno, credwn y gellid ystyried y safle gan ei bod yn eiddo i'r Ymddiriedolaeth Genedlaethol bellach. Oni allai cynnal yr Eisteddfod yno fod yn weithred symbolaidd a ddangosai fod ieuenctid Cymru wedi meddiannu'r tir a fu unwaith yn eiddo i ormeswyr. Ond sicrhawyd fi nad oedd treigl amser wedi cau'r briwiau ac na fyddai trigolion Bethesda byth bythoedd yn rhoi eu traed ar y tir halogedig hwnnw. O ganlyniad, bu'n rhaid chwilio am safleoedd eraill – proses ddigalon, gan nad oedd y tiroedd a gynigid yn ddigon mawr, gwastad, nac yn rhydd o greigiau. O'r diwedd, cytunwyd ar lain o dir hirgul a orweddai rhwng ochr ddeheuol y dref ac afon Ogwen.

Gan fod Camwy, Meleri a Geraint yn mynychu'r ysgol, nid oedd modd i 'nheulu fod gyda mi dros y deufis a dreuliwn bryd hynny yn ardal yr Eisteddfod. O ganlyniad, byddwn yn dychwelyd adref ar y penwythnos olaf ond un cyn yr ŵyl, er mwyn cael deuddydd yn eu cwmni a chasglu digon o ddillad i bara am bythefnos. Ar fy ffordd adref nos Wener, gelwais heibio i'r maes i gael gair gyda Gareth Jâms, a ofalai amdano. Testun syndod i'r ddau ohonom oedd canfod bod adeiladwyr y pafiliwn wedi gadael dau dalcen yr adeilad heb eu cau. Beth petai'n codi'n wynt?

Nos Sadwrn, dyma blisman wrth y drws. Roedd ganddo neges frys i mi o Fethesda: roedd storm o wynt wedi difrodi'r pafiliwn. Cefais y manylion gan Gareth: roedd to'r pafiliwn wedi cael ei chwythu'n ddarnau ar draws y maes a'r afon, a chan mor bwerus oedd rhyferthwy'r gwynt, plygwyd llawer o'r polion a'r trawstiau metal a godwyd i gynnal yr adeilad. Nid oedd unrhyw obaith y gellid ei drwsio – byddai angen polion, trawstiau a tho newydd. Y mesur cyntaf oedd pwysleisio nad oedd neb i wneud unrhyw ddatganiad negyddol i'r wasg. Roedd y darlun yn ddu ond roedd amser gynnon ni i chwilio am ateb. Petai rhywun yn digwydd holi – ac roedd bois y wasg yn sicr o gael gafael yn y stori – yr ateb oedd y byddai'r Eisteddfod yn cael ei chynnal.

O fewn munudau i'r alwad honno, llwyddais i dorri'r newyddion drwg i Reolwr Gyfarwyddwr y Cwmni'n hwyr y nos Sadwrn honno yn ei gartref. Na, doedd dim pafiliwn arall ganddo na darnau i drwsio'r un cyntaf ond rhoddodd rifau ffôn personol rheolwyr cwmnïau eraill i mi. Fore a phrynhawn Sul, rown ar y ffôn yn aflwyddiannus gyda nifer o gwmnïau Prydeinig ac Ewropeaidd, cyn cychwyn ar fy ffordd yn ôl i Fethesda. Yno, yn aros amdanaf, roedd Eirian a Gareth. Os cofiaf yn iawn, roedd Elfed wedi clywed am y broblem hefyd ac wedi galw heibio i gynnig ei gymorth.

Yna, goleuwyd y darlun. Mewn sgwrs ffôn gyda rheolwr Davies Bryon, clywais fod gan gwmni arall adeilad culach ond y gellid ychwanegu at ei hyd. Oedd gen i ddiddordeb? Pa ddewis oedd gen i? Yn yr alwad ffôn nesaf, doed i delerau ariannol gyda chwmni Owen Brown a'r bore wedyn roedd dynion y cwmni wrth eu gwaith. Ar yr olwg gyntaf doedd dim llawer o wahaniaeth rhyngddo a'r pafiliwn a ddifrodwyd gan y gwynt. Ond gan ei fod yn gulach, bu'n rhaid i ni ddyfeisio system i ofalu bod sedd ar gael ar gyfer pob tocyn a werthwyd cyn hynny. Gan fod pob rhes bedair sedd yn brin, roedd dalwyr tocynnau'r seddau colledig yn symud i res ychwanegol a osodwyd bob pedair rhes. Galwyd y rheiny, yn addas iawn ar faes mor wlyb, yn 'seddau gorlif'. Pwy ddywedodd nad oedd hiwmor gan staff yr Eisteddfod, er ei fod yn hiwmor braidd yn ddu, efallai?

Erbyn hyn, roedd Ainsleigh Davies wedi olynu Alun Jones fel Cadeirydd y PEaG. Gydol ei ddau dymor, amlygodd yr un agwedd flaengar a'r un hiwmor ag roedd wedi'u rhoi ar waith yn Nyffryn Teifi. Dilynwyd ef, am gyfnod byr, gan Hywel Wyn Edwards, gŵr gyda'r trefnusaf y gwn amdano. Bu'n gysylltiedig ag Eisteddfod Genedlaethol yr Urdd am flynyddoedd hir, fel cyd-ysgrifennydd Pwyllgor Gwaith Eisteddfod yr Wyddgrug 1984, a Goruchwyliwr Rhagbrofion effeithiol iawn tan ei benodiad yn Drefnydd yr Eisteddfod Genedlaethol yn y Gogledd (a Chymru gyfan, erbyn hyn). Yna, Eurig Davies, Prifathro Ysgol Gyfun Ystalyfera, arweinydd llwyfan ardderchog y ddwy eisteddfod genedlaethol, bob amser mor gywir a chymen, oedd yn y gadair yn ystod fy mlynyddoedd olaf yn y swydd. Yn Eisteddfod Maesteg, lle'r oedd yn Ysgrifennydd y Pwyllgor Gwaith, y deuthum ar ei draws gyntaf, a chofiaf ei gyfraniad mewn llawer o gyfarfodydd bywiog, yng nghwmni dau ffigwr allweddol arall yn yr eisteddfod honno, Gerallt Jones a Dilys Richards (Pennaeth a Dirprwy Bennaeth Ysgol Gymraeg Maesteg).

Datblygodd cyfeillgarwch agos rhwng Eurig ac Eleri a'u merched Sioned a Luned a'n teulu ninnau. Yn eu cartref hwy yn yr Eglwys Newydd roeddwn yn lletya yn ystod wythnos Eisteddfod Merthyr, a byddai Eurig a minnau'n gadael bob bore am hanner awr wedi chwech. Wrth gerdded allan o'r tŷ y bore cyntaf dyma sylwi ein bod wedi mynd heibio'r fan lle roeddwn i wedi parcio 'nghar, a throesom yn ôl ar unwaith. Ond doedd y car ddim yno a ffoniwyd yr heddlu i'w hysbysu ei fod wedi'i ddwyn. Yn ffodus, nid oedd dim o werth ariannol yno, ac eithrio rhai dogfennau personol. Ni welais fyth mo'r car wedi hynny, a bu'n rhaid i mi ddibynnu ar garedigrwydd Eurig am weddill yr wythnos. Ac ni allaf enwi Eisteddfod Merthyr heb gyfeirio at gadeiryddiaeth flaengar Janice Rowlands a'i phenderfyniad i wella delwedd ein cyhoeddiadau. Yno y dyluniwyd Rhaglen Swyddogol yr Eisteddfod am y tro cyntaf.

Un gwelliant nad oedd modd beio'r Gweithgor Iechyd a Diogelwch amdano oedd y penderfyniad i ddylunio'r Babell Gelf a Chrefft. Roedd Gwyn Pritchard, cadeirydd y Pwyllgor Celf a Chrefft sefydlog, wedi bod yn dadlau ers ymgymryd â'i swydd bod angen i waith y cystadleuwyr gael ei arddangos yn deilwng yn hytrach na chael ei osod ar sgriniau moel – dadl roedd Alan Victor Jones, ei ragflaenydd, wedi ei lleisio droeon hefyd. Cafodd Gwyn gefnogaeth ddyfal Eirian Dulyn, oedd wedi cymryd gofal arbennig dros yr arddangosfeydd. Iddi hi mae'r clod pennaf yn ddyledus am ofalu bod darpariaeth gyllidol ddigonol ar gael i sicrhau adeilad addas ac i gyflogi dylunydd proffesiynol. Deuai i'r trafodaethau â golwg hollol benderfynol yn ei llygaid a phendantrwydd yn ei llais. Ni welai unrhyw rinwedd na synnwyr yn nadleuon y sawl a feiddiai gwestiynu'r buddsoddiad. Ac fe gafodd ei ffordd. Ni fu cystal graen ar yr arddangosfa erioed ag yn ystod y blynyddoedd da hynny.

Yn raddol, felly, y cyflwynwyd llawer o welliannau ledled y maes. Llwyddwyd wedyn i gyflogi Rheolwr Maes amser llawn a bu'r Eisteddfod yn hynod ffodus fod gan Alan Gwynant, Warden Canolfan yr Urdd yng Nghaerdydd hyd at hynny, ddiddordeb mawr yn y swydd a syniadau pendant i'w gweithredu. Cyn iddo symud i gyflawni'r un swyddogaeth yn llwyddiannus gydag Eisteddfod Genedlaethol Cymru, bu'n gaffaeliad mawr yn y broses o ddatblygu'r maes – yn bennaf oherwydd ei agwedd flaengar a'i barodrwydd i ystyried syniadau newydd a'u rhoi ar waith. Bu Alan yn allweddol hefyd yn y dasg o drawsnewid y pafiliwn mawr noeth i fod yn neuadd berfformio y medrai'r mudiad ymfalchïo ynddi. Unwaith eto, bu'n rhaid camu'n raddol drwy gynyddu amcangyfrifon blynyddol y pwyllgorau Cae a Phabell lleol.

Dechreuwyd drwy symud y llwyfan o dalcen y babell i'r ochr, ei ostwng i lefel nad oedd fawr uwch na'r llawr, a chodi eisteddle ar oledd. Am y tro cyntaf, medrai pawb yn y pafiliwn weld y llwyfan yn glir. Tywyllwyd cefn y llwyfan hefyd. Bob blwyddyn, ychwanegwyd at hyd y welydd a fyddai'n cael eu duo nes o'r diwedd y gorchuddiwyd y cyfan, gan gynnwys y to. Creai hyn yr angen am oleuadau diogelwch uwchben yr eisteddle, gan ychwanegu eto at y costau. Roedd y cytundeb teledu yn sicrhau system oleuo llwyfan o safon uchel iawn, a'r system hon yn weithredol gydol y dydd a'r nos, yn wahanol i'r hen arfer o'i diffodd pan orffennai'r rhaglenni. Bellach, roedd gennym neuadd deilwng ac adnoddau technegol oedd yn caniatáu i ni lwyfannu cynyrchiadau mwy uchelgeisiol.

Wrth gwblhau trefniadau'r maes yn fy Eisteddfod gyntaf rown wedi digwydd mynegi fy anfodlonrwydd ynghylch y cytundeb trydan wrth Laurie Owen, o'r BBC. Awgrymodd yntau na fyddwn ar fy ngholled o drafod gyda chwmni o Dregarth, sef Jones & Whitehead. Roedd gan Oscar Jones ddiddordeb mawr yn y syniad ac, wedi iddo ddeall yr anghenion a dod i gytundeb ariannol, dechreuwyd perthynas rhwng ei gwmni (sy'n cael ei arwain, bellach, gan Iwan ei fab) ag Eisteddfod Genedlaethol yr Urdd – perthynas sy'n para hyd at heddiw ac wedi ymestyn i gynnwys yr Eisteddfod Genedlaethol hefyd.

19

Tua'r terfyn

TESTUN LLAWENYDD ENFAWR I Delyth a minnau oedd deall bod fy rhieni, Edith a Héctor Ariel, yn bwriadu dod i Gymru mewn pryd ar gyfer Eisteddfod y Rhyl. Hwn fyddai'r tro cyntaf iddynt gyfarfod â nheulu bach. Roedd llawer wedi newid yn hanes fy nhylwyth ers y tro diwethaf i ni gyfarfod, a dau ddigwyddiad wedi gadael creithiau nad oedd eto wedi'u llwyr wella. Tua phum mlynedd ynghynt, roedd Nhad wedi dod o hyd i gaolin yng nghornel dde-orllewin camp (*ranch*) oedd ar werth, ond gwrthododd rheolwyr y cwmni ei awgrym y dylid ei brynu. Nid oedd cyflenwad digonol yno, meddai'r arbenigwyr. Roedd Nhad wedi bod yn breuddwydio ers blynyddoedd am gael bod yn berchen ar ei gamp ei hun, a gwelodd ei gyfle. Gyda chymorth morgais, llwyddodd i'w brynu gyda'r bwriad o'i ffermio a chadw defaid, fel y gwnâi pob ffermwr arall yn y cyffiniau. Roedd ei faint yn ddeg cilomedr (sef ychydig dros chwe milltir) bob ffordd. Gan fod afon Camwy yn rhedeg yn llydan ar hyd ei ffin ogleddol, roedd yno hefyd dir amaethyddol da yn y mannau isel.

Ar un o ymweliadau Oscar Lange, dywedodd Nhad wrtho am ei fenter newydd. Ffromodd y diwydiannwr, a mynnodd weld y man lle'r oedd y caolin. Cadarnhaodd archwiliadau daearegwyr y cwmni fod gwaddodion enfawr o'r mwyn yno, digon i bara am ddegawdau. Nhad, felly, oedd yn iawn o'r dechrau. Gofynnodd Lange am yr hawl i'r cwmni godi'r caolin, a chytunodd Nhad yn llawen. Roedd yno ddigon o le i'r chwarel ac i'r ffarm. Roedd wedi ymserchu yn y lle, yn mwynhau ei ffermio, yn gwneud digon o elw i glirio'r taliadau misol i'r banc a thalu cyflog gofalwr, ac edrychai ymlaen at gael ei rhedeg yn amser llawn pan fyddai'n ymddeol. Petai'r cwmni'n talu iddo am yr hawl i godi'r caolin, ni fyddai'n hir cyn clirio'i forgais. Ymddangosai fod y dyddiau gwell roedd o wedi breuddwydio cymaint amdanynt ar y gorwel.

Gan fod Nhad wedi cofrestru'r eiddo yn enw Mam, Edith a minnau, roedd angen cytundeb y pedwar ohonom i newid telerau'r gweithredoedd, i osod rhan ohono ar les neu ynteu ei werthu. Oherwydd y pellter, roeddwn wedi gorfod arwyddo pŵer atwrnai a roddai awdurdod i Nhad weithredu ar fy rhan. Gwysiwyd Nhad, Mam ac Edith i Buenos Aires gan dalu eu costau teithio, bwyd a llety. Ym mhencadlys y cwmni, arhosai'r cyfarwyddwyr a thri chyfreithiwr amdanynt. Yn annisgwyl, ni chafodd Edith fynediad i'r cyfarfod a bu'n rhaid iddi aros gyda'i mab yn y cyntedd. Estynnodd un o'r cyfreithwyr ddogfen i Nhad gan ofyn iddo'i harwyddo, ac ufuddhaodd yntau. Mynnodd Mam ei darllen yn gyntaf, er gwaethaf anogaeth y cyfreithwyr a'r cyfarwyddwyr, a Nhad hefyd. 'Does dim pwynt gwastraffu amser y bobl 'ma, Sera fach, ma nhw'n gwybod be ma nhw'n wneud,' meddai Nhad wrthi. Wedi'r cyfan, roedd o wedi cytuno i roi les i'r cwmni am y rhan honno o'r tir. Ond, wedi iddi ddarllen ychydig baragraffau, deallodd Mam yn wahanol, a dadleuodd mai dogfen i drosglwyddo'r camp i eiddo'r cwmni oedd hi. Nid oedd am arwyddo nes ei dangos i gyfreithiwr annibynnol. Fe gymerodd holl ddawn perswâd Nhad i'w darbwyllo i ymddiried yn y cwmni a oedd wedi'i gyflogi cyhyd ac i gydymffurfio â'u dymuniad. Pwysodd y cyfreithwyr arni hefyd, a gwthiwyd y ddogfen yn ddiamynedd o dan ei thrwyn. Yn erbyn ei greddf a'i synnwyr cyffredin, torrodd ei llofnod ar waelod y dudalen berthnasol, gan gwblhau'r broses. Roedd hi'n dal yn ei dagrau yn gadael yr adeilad. Ar ei ffordd allan, eglurodd wrth Edith fod y cwmni wedi dwyn y camp ond gwadai Nhad fod hynny'n wir. Roedd ganddo ffydd yn ei gyflogwyr a gwrthoddodd gredu y gwnâi Lange ei dwyllo.

Wedi iddo gyrraedd 'nôl i ddyffryn Camwy, aeth Nhad ar ei union at ei gyfreithiwr, i drosglwyddo'r weithred newydd i'w ofal. Wedi i hwnnw fwrw golwg frysiog drosti, ebychodd 'Ma nhw wedi dwyn eich camp, Don Héctor!' Roedd y weithred yn nodi ei fod wedi trosglwyddo'r camp i'r cwmni, yn gyfnewid am les fyddai'n caniatáu iddo ef, ei blant a'i wyrion weithio wyneb y tir. Ond rhoddwyd cynifer o waharddiadau ynddi fel nad oedd modd i Edith na minnau na'n plant fyth fentro buddsoddi mewn unrhyw gynllun i ddatblygu'r eiddo. Aeth Nhad adref i'w wely, lle bu'n ddigysur am oriau. Cyn hir, roedd dagrau'r ddwy arall yn llifo mewn cydymdeimlad. Ni chefais wybod am y digwyddiad hwn na'i oblygiadau, a llawer mwy, nes bod Eisteddfod y Rhyl drosodd. Mae Edith yn argyhoeddedig mai'r digwyddiad hwnnw a'r gofid mawr yn ei sgil oedd achos salwch a marwolaeth Nhad.

Gwyddwn eisoes am yr ergyd arall. Ynghanol llawer o chwerwder, daeth priodas Ariel ac Edith i ben yn 1972, gan wireddu proffwydoliaeth Mam. Er ei fod yntau bellach mewn perthynas â rhywun arall, nid oedd y dyfroedd wedi tawelu. Wrth drefnu'r daith i Gymru, aeth Edith i Rawson i drefnu'i phasbort a holodd am y ffurflen roedd angen i Ariel ei llenwi i ganiatáu i'w fab deithio dramor. Dywedwyd wrthi nad oedd angen y fath drefniant.

Wedi iddynt gyrraedd swyddfeydd Aerolíneas Argentinas yn Buenos Aires, dywedwyd na châi Héctor Ariel deithio heb ganiatâd ysgrifenedig ei dad. Felly yn lle teithio i Gymru ar y dydd Mawrth hwnnw, bu'n rhaid i Edith a'r plentyn ddychwelyd i Ddyffryn Camwy a galw eto ym mhrifddinas y dalaith i gasglu'r ffurflen. Pan holodd pam roedd wedi cael ei chamarwain, yr unig ateb a gafodd oedd gwên wawdlyd. Fodd bynnag, cafwyd y llofnod hanfodol, a hedodd y pedwar i Gymru wythnos yn ddiweddarach na'r disgwyl. O ganlyniad, collasant ddiwrnod cyntaf yr Eisteddfod, sef y dydd Mercher bryd hynny.

Daeth neges oddi wrth Tom Gravell yn dweud ei fod wedi siarad â Nhad a'u bod ar y trên i Brestatyn, lle'r oeddem yn aros dros gyfnod yr Eisteddfod. Aeth Delyth a minnau a'r plant i'r orsaf y noson honno ond nid oedd sôn am neb. Dychwelais adref yn siomedig yn methu deall beth oedd wedi digwydd iddynt. Gan 'mod i wedi blino'n lân ac yn gorfod codi am chwech o'r gloch y bore canlynol, rown yn fy ngwely erbyn deg o'r gloch. Yna daeth cnoc ar y drws. Heddwas oedd yno yn fy hysbysu bod fy rhieni, Edith a Héctor Ariel yn aros amdanaf yng ngorsaf y Rhyl. Gyrrais yno ar frys ond unwaith eto, doedd dim sôn amdanynt. Yn waeth byth, roedd pob drws wedi'i gau a dim enaid byw wrth law – ac adref â fi eto, mewn pryder mawr. Codwyd fi o 'ngwely am yr eildro gan heddwas arall. Wedi i mi ddychwelyd, gwelais fy nheulu yn aros y tu allan i'r orsaf. Roeddent wedi bod yn cysgodi am oriau mewn ystafell oer, ddigysur a digroeso – yr unig un oedd ar agor yr adeg hynny o'r nos.

Tra own i yn y swyddfa neu'n teithio i gyfarfodydd, ymwelsant â llawer iawn o ardaloedd yng nghwmni rhieni Delyth, a Tom a Myra Gravell a nifer o gyfeillion eraill. Yn Nhanygrisiau, syfrdanwyd fy Nhad gan hen wraig a gofiai'i dad yn pedlera llyfrau yn yr ardal. Neilltuodd Gwyn Erfyl raglen gyfan o *Dan Sylw* i'w holi, a chlywais sylwadau canmoliaethus gan nifer mawr o bobl oedd wedi mwynhau'r cyfweliad. Cysurais fy hun ar ddiwedd eu hymweliad fod y byd yn mynd yn llai ac y cawn weld fy nheulu'n amlach o hynny ymlaen. Hwn, ysywaeth, fyddai unig ymweliad Nhad â Chymru.

Yn 1978, derbyniais alwad ffôn oddi wrth Edith yn gofyn i mi ddod drosodd ar frys. Bryd hynny, doedd gen i mo'r arian i dalu am y daith, ond mynnodd Nhad i mi ofyn i Tom Gravell am fenthyg y swm angenrheidiol gan fy sicrhau y cawn yr arian ganddo ef i'w ad-dalu. Anfonais gerdyn o Rio de Janeiro at Delyth ac anghofiais gwblhau'r cyfeiriad cyn ei daflu i'r blwch post. Dim ond ei henw, enw'r tŷ, a Rhyd-y-felin oedd arno. Serch hynny, fe gyrhaeddodd ben ei daith ymhen pedwar diwrnod!

Cafodd Nhad lawdriniaeth rhag canser ar y fron – cyflwr anarferol mewn dynion – y diwrnod wedi i mi gyrraedd. Roedd wedi mynnu ei gohirio tan hynny. Dywedodd Edith wrthyf ei bod hi wedi gweld briw ar ei fron yn 1974 ond ei bod wedi methu ei berswadio i ymweld â'r meddyg, a'i fod wedi gwanhau fyth wedi hynny. Dywedodd y llawfeddyg wrthyf fod y canser wedi gweithio'i ffordd i'w ysgyfaint, ond nad oedd modd dweud ar y pryd ai deufis ynteu dwy flynedd o fywyd oedd ganddo ar ôl. Mynnais gredu'r dewis gorau o'r ddau, a dychwelais adref gan addo dod 'nôl i'w weld yn fuan. Cofiaf Gwyn Erfyl yn cydymdeimlo'n gynamserol â mi yn Eisteddfod Llanelwedd, eithr bu Nhad fyw am rai dyddiau wedi hynny. Roedd o'n ddyn cryf eithriadol. Mae Héctor Ariel yn hoffi sôn amdano'n stopio ar y ffordd i Drelew i helpu gwraig oedd yn ceisio newid teiar ar ei char heb jac. Cododd Nhad y cerbyd â'i ddwylo er mwyn ei galluogi i gwblhau'r dasg, a diolchodd hithau iddo'n llawn edmygedd anghrediniol.

Bu Mam drosodd droeon wedi'r ymweliad hwn – cyrhaeddodd unwaith ar y diwrnod wedi i luoedd yr Ariannin gipio ynysoedd De Georgia, fel rhaghysbysiad o'u bwriad i feddiannu'r *Malvinas* hefyd. Cadwyd hi am amser hir cyn i'r swyddogion mewnfudo fy ngalw innau i 'nghroesholi. Roedd y tro olaf iddi ddod drosodd, yn achlysur braidd yn gyhoeddus. Ar fore fy mhen-blwydd yn bum deg a chwech mlwydd oed, a minnau'n ôl ym Mhencadlys yr Urdd wedi Eisteddfod Islwyn 1997, roeddwn wrthi'n clirio pob math o annibendod pan glywais rywun yn cerdded i mewn y tu ôl i mi. Trois i wynebu camera ac Arfon Haines Davies yn cyfarch Pen-blwydd Hapus! Roedd cwmni Gwdihŵ wedi casglu ffeithiau am fy hanes a llunio rhestr o 'nghyfeillion a chydnabod, gyda chymorth cynllwyngar Delyth, Llinos a Doreen. Un o hanfodion rhaglen o'r fath yw'r angen i bawb gelu unrhyw gyfeiriad ati rhag y gwrthrych, ac ni fradychodd neb y gyfrinach. Bwriedid recordio'r rhaglen yn y stiwdio ychydig wythnosau'n ddiweddarach. Y noson honno, ni fedrai Delyth a'r plant ddeall nad oeddwn yn cyfeirio o gwbl at y digwyddiad ac ofnent nad oedd y criw camera wedi llwyddo i ddod draw. Ond tawelodd Llinos eu pryderon; roedd rhan gynta'r rhaglen wedi'i ffilmio. Serch hynny, gwrthodais ildio am rai munudau'n ychwanegol nes iddynt gydnabod eu rhan yn y cynllwyn!

Bu llawer o chwerthin wedi hynny ond ni wirfoddolwyd unrhyw wybodaeth i mi am gynnwys y rhaglen arfaethedig a phenderfynais beidio â'u holi, rhag difetha'r hwyl. Gwyddwn fod iechyd Mam yn hynod fregus a chymerais yn ganiataol mai recordiad ohoni'n fy nghyfarch oedd y gorau y medrwn obeithio amdano. Chwe blynedd ynghynt, bûm i bron â difetha'r hwyl. Doedd fawr o amser i fynd cyn yr Eisteddfod, minnau ynghanol fy mhrysurdeb, ac, erbyn cyrraedd Llanuwchllyn ar fy nhaith, cefais fy nhemtio i droi'n ôl i'r swyddfa yn Nhaf Elái. Dim ond y ffaith na fedrwn gysylltu â stiwdio Barcud a 'mherswadiodd i fynd ymlaen i Gaernarfon. Y noson honno rown i'n westai i Huw Llywelyn Davies a'r rhaglen wedi dod ag Edith drosodd, heb yn wybod i mi. Y tro hwn, felly, byddai'n rhaid i mi fodloni ar negeseuon ar dâp, neu ar y ffôn ar y gorau. Wrth i'r rhaglen fynd yn ei blaen, daeth nifer o gyfarchion gan gyfeillion o'r Gaiman, gydag Edith yn cyflwyno pob un ac yna, cyfarchion gan Mam. Roeddwn yn barod i weld y rhaglen yn cloi pan gerddodd Mam, Edith ac Oscar, ei gŵr, i flaen y stiwdio. Fedrwn i ddim credu fy lwc. Arhosodd y tri am rai wythnosau'n ychwanegol a chael bod yn bresennol ym mhriodas Meleri a Morys. Rhwng popeth, bu 1997 yn wirioneddol yn flwyddyn i'w chofio.

Twelly Davies, arlwywr yr Eisteddfod yn ystod fy mlynyddoedd cynnar yn fy swydd, grybwyllodd enw *Fedwen Tentage* wrthyf gyntaf, yn Eisteddfod y Rhyl wrth i mi drafod dibyniaeth yr Eisteddfod ar gwmnïau o Loegr. Ond pan eglurodd nad oedd ganddynt unedau tebyg i rai cwmni Woodhouse, collais ddiddordeb. Serch hynny, erbyn Eisteddfod Llanelli y flwyddyn ganlynol, roedd ganddynt res o bump uned ar y maes. Wrth drafod gyda'r ddau Keith (Davies ac Evans), cytunais i roi cytundeb blynyddol i'w cwmni gan osod her iddynt gynyddu'u stoc o flwyddyn i flwyddyn. Digwyddodd hynny ac, ar un adeg, daeth Fedwen Tentage i fod yn brif gyflenwyr unedau pebyll y maes. Ynghyd â Jones & Whitehead dyma gwmni Cymreig arall a dyfodd ar y cyd â'r Eisteddfod.

Tua phymtheg mlynedd yn ddiweddarach, chwyldrowyd yr arlwyo ar faes yr Eisteddfod. Y gŵyn, gan amlaf, oedd anghysondeb y safon – yn foddhaol weithiau ac yn siomedig droeon eraill. Roedd prisiau'n destun cwynion hefyd. 'Afresymol' oedd barn canran uchel o eisteddfodwyr amdanynt.

Yn ystod trefniadau Eisteddfod 1989 yng Nghwm Gwendraeth, deuthum yn gyfarwydd â Martin Cray, prifathro ysgol leol, cyn iddo symud i fod yn un o swyddogion addysg Dyfed. Doedd o ddim yn fodlon gyda'r arlwy a chredai fod modd ei wella'n sylweddol. Cwyn arall ganddo oedd diffyg parch arlwywyr tuag at y Gymraeg. Doedd eu harwyddion yn aml iawn yn ddim mwy na darn o ganfas neu blastig yn cario enw'r cwmni mewn llythrennau blêr. Deuai'r mwyafrif ohonynt o Loegr. Yn dilyn Pwyllgor Gwaith un noson taflodd Martin her i mi: 'Gwertha'r hawl i fi am flwyddyn ac mi wertha i fwyd gwell o gerbydau fydd yn cario arwyddion Cwmrâg. Fe gei di fwy o dâl ac fe wna i elw'. Pan agorwyd yr amlenni dan sêl, gwelwyd nad oedd yn gwamalu. Wedi iddo ennill y cytundeb, dangosodd ei gerbydau newydd i mi – pob un yn cario enw'r cwmni 'Tŷ Arlwy' ac yn arddangos bwydlen yn Gymraeg. Gyda'r blynyddoedd, ychwanegodd at nifer ei gerbydau – arwydd bod ei fusnes yn llwyddo. Gwaetha'r modd, rhoes y gorau iddi yn union wedi Eisteddfod Islwyn 1997.

Does gen i ddim amheuaeth bod y gwasanaeth a gynigiodd wedi trawsnewid delwedd maes Eisteddfod Genedlaethol yr Urdd er gwell, fel y gwellodd Dolen (cwmni Arwyn ac Eleri Davies a Tom a Margaret Jones Davies) ansawdd yr arlwyo yn y pebyll bwyd. Bechod nad yw cyllidebau rhai eisteddfodau yn caniatáu i hynny ddigwydd mwyach, a bod rhaid ymdrechu i gael gwasanaeth Cymraeg cyflawn mewn ambell gaffi eisteddfodol diddychymyg a blêr ei arlwy.

Chwaraeodd y cyfryngau hefyd eu rhan yn y broses o godi safonau. Cynhelid trafodaethau blynyddol gyda'r BBC a HTV i drafod y cytundebau darlledu. Cystal cydnabod mai prin oedd y cynnydd blynyddol yn y taliadau i'r Urdd a'r teimlad cyffredinol o fewn y tîm trefnu a'r PEaG oedd eu bod yn gwbl annigonol ac nad oeddent yn cyfateb mewn unrhyw fodd i werth y cynnyrch gwerthfawr a gaent hwy allan o'r Eisteddfod. Roedden ni wrth reswm am i'r Eisteddfod wneud elw o'r cytundeb teledu. Yr elw hwnnw fedrai rhoi'r sglein angenrheidiol i wella'r ŵyl a'i gwneud yn fwy deniadol i'r darlledwyr a'r gwylwyr.

Dyfodiad S4C a newidiodd y gêm – a'i chwyldroi, mewn gwirionedd. Oherwydd teimlad y PEaG fod cyndynrwydd y ddau ddarlledwr i dalu'n briodol yn llesteirio'r gwaith o ddatblygu'r ŵyl, cafwyd y syniad y dylai'r Urdd fynd yn gynhyrchydd annibynnol a gwerthu'i rhaglenni i S4C. Cofiaf deithio i Gaerdydd yng nghwmni Elwyn 'Wews' Jones, i drafod y mater yn swyddfeydd cynta'r sianel yng Ngerddi Sophia, cyn i'r cwmni ddechrau darlledu. Cefnogodd y sianel newydd y syniad a chafwyd cyfarwyddyd ganddynt ar sut i symud ymlaen i'w wireddu. Yn dilyn cyfweliadau ardderchog a gynhaliwyd yn Aberystwyth o dan gadeiryddiaeth Prys Edwards, penodwyd Gwilym Owen yn gyfarwyddwr rhaglenni. Barcud fyddai'n darparu'r adnoddau technegol. Gwynfryn Evans, Trysorydd teyrngar y mudiad, oedd yr unig swyddog cenedlaethol arall i ddod i 'nghefnogi yn y cyfarfod.

Nid oedd y penderfyniad hwn wrth fodd darlledwyr eraill a dechreuwyd ymgyrch i'w wrthdroi. Bu llinellau ffôn rhwng Caerdydd ac Aberystwyth yn boeth am rai wythnosau; taenwyd nifer o straeon cyfeiliornus am gyflwr offer y cwmni adnoddau o Gaernarfon. Yn wir, daeth rhybudd annisgwyl na fyddai Radio Cymru yn darlledu eu rhaglenni o'r Eisteddfod oni bai bod HTV yn cael y cytundeb Teledu. Dyna arwydd syfrdanol o frawdgarwch cyfryngol na fu mor eglur cyn hynny. Fy nheimlad i oedd mai blyffio eitha digywilydd oedd hynny ac na fyddai'r BBC yn fodlon wynebu llid ei chynulleidfa petaen nhw'n cadw Hywel Gwynfryn o'r maes. Ond rhoddwyd llawer o bwysau ar swyddogion allweddol a bu llawer o lobïo yn erbyn y cynllun. Cyn bo hir, daeth neges oddi wrth S4C yn diddymu'r trefniant.

Bu hyn yn destun siom aruthrol, a chlywais flynyddoedd yn ddiweddarach fod un o ffigurau amlyca'r byd teledu Cymreig yn nodi'i gred bod y tro pedol wedi arafu datblygiad darlledu

Cymraeg. Mae pori dros ddogfennau'r bennod hon yn gwneud darllen difyr iawn. Fi gafodd y dasg o dorri'r newydd drwg i Gwilym Owen wyneb yn wyneb er mwyn medru egluro'r amgylchiadau'n llawn iddo – mor llawn ag y gwyddwn i amdanynt. Medrai, mae'n siŵr, fod wedi cynnal achos cyfreithiol yn erbyn yr Eisteddfod am dorri cytundeb, eithr derbyniodd y sefyllfa yn hynod raslon.

Bûm yn hir iawn cyn dod dros y siom enfawr hon. Eithr ni chollwyd y cyfan. Yn wir, derbyniwyd y cytundeb ariannol gorau erioed y flwyddyn honno, oedd yn fwy na dyblu taliadau cyfansawdd y BBC a HTV gan ddod yn agosach at y ffigwr a ddisgwyliai'r Eisteddfod. Gymaint oedd fy moddhad bûm mor ffôl â rwbio'r newydd yn nhrwyn un o uchel swyddogion HTV y tro nesa i mi ei gyfarfod, a difaru ar unwaith am fy niffyg gras. Cynyddwyd y swm hwnnw eto yn y rownd nesaf o drafodaethau. Ymhen ychydig flynyddoedd, sicrhawyd cytundeb arall mwy proffidiol fyth – y cytundeb masnachol gorau erioed yn hanes cwmni Urdd Gobaith Cymru ar y pryd. Gwerthwyd yr hawliau i S4C dros gyfnod o bum mlynedd am swm sylweddol a theg iawn, er mawr siom i ambell gwmni teledu. Yn dilyn hyn, ni fyddai angen trafod arian gyda'r cwmnïau cynhyrchu, dim ond natur y telediadau, nifer yr oriau, y system oleuo, safleoedd y camerâu a manion felly.

Gwaetha'r modd, ni fu canlyniadau'r llwyddiant ariannol hwn cystal i ni yn adran yr Eisteddfod. Yn wir, esgorodd ar gyfnod o gecru mewnol rhwng rhai o swyddogion yr eisteddfodau oedd ar y gweill a'r bwgan mawr hwnnw i bwyllgorau lleol, sef Pencadlys yr Urdd yn Aberystwyth. Teimlad arweinyddion y Mudiad oedd na ddylid trosglwyddo'r arian hwn i gyllidebau'r eisteddfodau. Yn hytrach, cytunwyd i'w fuddsoddi ac i gyfrannu swm amrywiol o flwyddyn i flwyddyn yn ôl yr angen. Lluniwyd dogfen fechan yn nodi sefydlu cronfa newydd sbon fyddai'n cael ei neilltuo yn gyntaf i ddiogelu'r Eisteddfod rhag colledion ariannol ac yn ail i gyfrannu symiau o arian i'r gwersylloedd mewn achosion o argyfwng. Ni chroesawyd y penderfyniad hwn gyda'r gorfoledd disgwyliedig. Bellach, roedd ffynhonnell gyllid bwysig y dibynnai'r eisteddfodau gymaint arni yn cael ei rheoli o'r canol ac, am y tro cyntaf, heb fod yn warantiedig iddynt yn ei chyflawnder. Mewn ardaloedd tlawd, isel eu hincwm, roedd hwn yn newydd cwbl annerbyniol. Ond y negesydd a gâi ei daro, er nad oedd hwnnw'n anghydweld â'r safbwynt lleol a'i fod yn cydymdeimlo â'r anfodlonrwydd cryf a fynegid ganddynt.

Yn anffodus, collwyd elfen gwbl hanfodol ym mherthynas trefnwyr a'u pwyllgorau, ac yn sicr rhwng rhai swyddogion lleol a'r pencadlys: sef ymddiriedaeth, a fu'n ddigwestiwn tan hynny. Clywyd llawer o leisiau'n codi i feirniadu heb iddynt roi clust bob tro i wrando ar unrhyw ymgais at egluro. O dipyn i beth, teimlai rhai pobl yn rhydd i feirniadu a chwestiynu unrhyw gyfarwyddyd a ddeuai o'r canol, weithiau'n deg ond yn amlach na pheidio yn gwbl anwybodus, gan fod yn annerbyniol o bersonol eu beirniadaeth ambell dro. Ac eto, er mwyn sicrhau bod yr olwyn yn troi a bod modd dod i ddealltwriaeth, roedd yn rhaid brathu tafod ac osgoi dangos gwir deimladau.

Cynog Dafis, yn un o bwyllgorau Eisteddfod Dyffryn Teifi 1981, oedd y cyntaf i awgrymu cynnal Opera Roc ac, yn dilyn methiant y tîm a ddewiswyd yn wreiddiol i gwblhau'r gwaith mewn pryd, comisiynwyd Emyr Edwards a Dulais Rhys i sgriptio a chyfansoddi'r caneuon. John Owen, Pennaeth Drama Ysgol Gyfun Rhydfelen, fyddai'n cynhyrchu. Er bod rhai rhieni wedi cwyno bod y sgript yn trafod themâu anghymwys i oedran uwchradd, cafodd y cynhyrchiad dderbyniad cynnes iawn gan y cynulleidfaoedd fu'n gwylio'r gwahanol berfformiadau.

Bu'r Opera Roc yn gyfrwng eithriadol o gadarnhaol i gynnig profiad theatrig a cherddorol i nifer mawr o ieuenctid gwahanol ardaloedd am flynyddoedd lawer. Byddwn yn sicrhau fod yr amcangyfrifon yn cynnwys swm o arian digonol ar gyfer cynnal y sioe. Yn naturiol, mynnai'r cynhyrchwyr y safonau uchaf posibl a phob math o adnoddau technegol, gan ychwanegu at y gost yn flynyddol. Y cynyrchiadau a dderbyniodd ganmoliaeth uchaf y beirniaid oedd Penderyn (1983), Trafferth Lawr yn Tseina (1987), a Pum Diwrnod o Ryddid (1988) y ddau gyntaf am rymuster y profiad theatrig a gynigient a'r trydydd am ansawdd uchel y canu bythgofiadwy (a choesau Arwyn Evans yn ymestyn yng nghamau'r Minwét difyrraf i mi ei weld ar unrhyw lwyfan). Fel gyda sawl cynhyrchiad canmoladwy arall, bu'n rhaid trefnu perfformiadau ychwanegol oherwydd y galw mawr amdanynt.

Ar y cyfan, derbyniwyd y datblygiadau hyn gan y mwyafrif er fod ambell lais yn dal i godi yn eu herbyn hyd yn oed yn y 1990au. Gwyddwn fod rhai swyddogion lleol yn teimlo 'mod i'n rhy lawrydd gyda chyllidebau'r operâu roc a sioeau eraill a bu llawer o holi a oedd angen gwario'r holl arian yn y theatrau a'r pafiliwn. Teimlwn ar dir eithaf cadarn parthed yr olaf. Mae hurio pafiliwn mawr yn gofyn am wariant sylweddol a gweithred anghyfrifol fyddai ei gadw'n wag pan ellid cynhyrchu incwm ac elw drwy gynnal gweithgareddau ynddo bob nos. Doedd dim rhaid i bob cynhyrchiad fod yn ddrud i'w lwyfannu, a doedd dim dwywaith fod symud y cystadlaethau Canu Actol i'w cynnal gyda'r nos yn gam llwyddiannus iawn.

Y ffair a gynhyrfodd y gwrthwynebiad cryfaf. Teimlai llawer o bobl nad oedd lle iddi ar faes yr Eisteddfod, hyd yn oed ar y cyrion. Ni allaf hawlio'r clod am ei chyflwyno i'r maes. Gareth James, trefnydd eisteddfodau'r de ar y pryd, sy'n haeddu hwnnw. Daeth i gytundeb gyda'r bonwr Abi Danter i osod ychydig reidiau ychydig lathenni dros ffin y maes am ffî resymol. Y flwyddyn ganlynol, roedd wedi croesi'r ffens. Llifai'r plant iddi gydol y dydd, bob dydd, gan achosi llawer o gwynion gan rieni a deimlai eu bod yn gwario gormod. Fodd bynnag, daeth y ffair ymhen amser i fod yn dderbyniol gan y mwyafrif ac, yn bwysicach, daeth yn ffynhonnell incwm bwysig a alluogai'r Eisteddfod i dalu am adnoddau angenrheidiol. Ynghyd â nifer o atyniadau llai eraill a gyflwynwyd bob yn ychydig, llwyddwyd i droi maes Prifwyl Ieuenctid Cymru yn ganolfan o ddiddanwch i deuluoedd cyfan ac i blant o bob oed. Yn un o'r eisteddfodau olaf cyn i mi ymddeol, clywais blant yn crefu ar eu hathrawon ar ddiwedd y prynhawn am gael aros ychydig yn hwy. Roedd yr olwyn wedi troi.

Yn raddol hefyd, ac yn dilyn yr un drefn, y cyflwynwyd gwelliannau i'r pafiliwn. Ond y flwyddyn roedd hynny i fod i ddigwydd, bu ond y dim i ni fethu â chael pafiliwn o gwbl a gorfod cynnal yr eisteddfod awyr agored gyntaf yn hanes y mudiad. Ni fyddai hynny wedi amharu rhyw lawer ar Eisteddfod Llŷn ac Eifionydd 1982, o gofio pa mor gynnes fu'r wythnos honno, gan ein gorfodi i dynnu'r waliau canfas hyd yn oed er mwyn i'r awel ysgafn lifo dros yr eisteddle. Roedd y Pwyllgor Cae a Phabell, gyda chefnogaeth y Pwyllgor Gwaith, wedi cytuno i wario mwy na'r amcangyfrif gwreiddiol er mwyn cael pabell ychydig yn fwy uchelgeisiol. Cytunodd y Pwyllgor Cyllid i'r cynnydd hwnnw gan fod yr ymgyrchoedd codi arian wedi llwyddo y tu hwnt i'r disgwyliadau. Y teimlad nawr oedd y dylid gwobrwyo'r cefnogwyr lleol drwy ddarparu gwell adeilad ar eu cyfer.

Ni fedrai'r darparwyr arferol gynnig y math o adeilad roedden ni'n chwilio amdano, ond daethon ni o hyd i un yng Nghymru tua blwyddyn cyn yr Eisteddfod. Dangoswyd y cynlluniau i ni, a daethpwyd i gytundeb. Yna, ychydig wythnosau cyn yr Eisteddfod, hysbyswyd fod problem wedi codi – roedd y babell arfaethedig yn llawer llai na'r un y gofynnwyd amdani. Yn wir, ni fyddai'n ddigon llydan i ddal y llwyfan. Diddymwyd y cytundeb yn y fan a'r lle. Y newydd drwg erbyn hyn oedd nad oedd pabell ar gael mwyach gan Davies Bryon, ein cyn-ddarparwyr o Gaer. Roeddent wedi llogi eu stoc gyflawn ar gyfer y gwahanol weithgareddau a gynhelid i groesawu'r Pab Ioan Pawl yr Ail i Brydain. Doedd dim pabell ar gael gan yr un cwmni arall ledled Prydain na'r cyfandir chwaith.

Ar y funud olaf un, derbyniais alwad ffôn oddi wrth reolwr Davies Bryon. Oeddwn i'n dal i chwilio am babell? Medrai gynnig dau hanner i ni – un o'r Alban a'r llall ar ei ffordd yn ôl o Saudi Arabia. Dim ond mewn pryd y cafwyd yr adeilad i'r maes. Yn ffodus, nid oedd neb callach, er na lwyddodd pobl dda Llŷn ac Eifionydd i wireddu'r freuddwyd am bafiliwn o safon uwch. Roedd hynny'n destun siom fawr i mi, oherwydd fy mharch mawr tuag at Gadeirydd y Pwyllgor Gwaith, y Br Huw Jones, gŵr bonheddig yng ngwir ystyr y gair, a oedd wedi rhoi ei gefnogaeth lwyr i'r bwriad o wario ar y gwelliant arfaethedig. Ac roedd ei dîm ardderchog yn haeddu cael y fraint o fod wedi arloesi'r adeilad newydd.

Bu'n rhaid aros am ddwy flynedd arall cyn y caem weld hwnnw, oherwydd bod Eisteddfod 1983 i'w chynnal yn yr Afan Lido. Roedden ni wedi bod ar safle parhaol unwaith o'r blaen yn 1978 ac, er i'r arbrawf hwnnw fod yn llwyddiannus ac iddo roi blas ar fanteision amlwg safleoedd parhaol, y teimlad cyffredinol oedd fod maes Llanelwedd yn llawer rhy fawr at anghenion yr ŵyl a bod yr holl fframiau pebyll diganfas nad oedden ni'n eu defnyddio yn creu'r argraff camarweiniol fod y maes yn wag. Doedd yr Eisteddfod y dyddiau hynny ddim yn ddigon mawr, ac edrychai ar goll neu'n anghyflawn yno.

Rhoes yr arbrawf rywfaint o straen ar gyllid yr Eisteddfod hefyd. Ar y dechrau, dywedwyd wrth Bwyllgor Sir Powys na fyddai angen sefydlu cronfa leol oherwydd y gred y gellid arbed y gwariant arferol ar hurio adeiladau'r maes a'r isadeiledd (ffyrdd, trydan, ac ati). Yna, teimlwyd bod colli'r ysbryd cydweithredol a gynhyrchir gan ymgyrchoedd codi arian yn cyfrannu tuag at deimlad o ddiffyg perchnogaeth ymhlith cefnogwyr yr Urdd mewn sir mor wasgaredig, a chytunodd y Pwyllgor Gwaith dan gadeiryddiaeth ddi-lol Emrys Parry, i sefydlu cronfa lai na'r arfer. Yn ddiweddarach, daeth yn amlwg fod y gost o addasu'r safle yn llawer uwch na'r hyn a ragwelwyd, a bod angen mewngludo rhai adnoddau drud i unrhyw faes, boed hwnnw'n un sefydlog ai peidio.

Cwbl i'r gwrthwyneb oedd y sefyllfa yn Aberafan, oherwydd nad oedd y cae bychan y tu ôl i'r Lido yn ddigonol i godi'r holl stondinau, a bu'n rhaid gosod rhai ar goncrid. Hefyd nad oedd cymaint o le yn yr adeilad ag yn y pafiliwn, a nifer y seddau oedd ar werth yn is na'r arfer, gostyngodd yr incwm a ddeuai o werthu tocynnau, ond arbedwyd ar y costau adeiladu'r maes gan sicrhau mantolen iach.

Ni dderbyniodd arbrawf Aberafan groeso unfrydol. Wrth gynllunio sut i addasu'r adeilad cytunwyd i'w droi yn theatr, gan godi'r un llwyfan ag arfer a chyflogi cwmni arbenigol i hongian llenni pwrpasol o'i gwmpas. Gallech dyngu eu bod wedi bod yno erioed. Yn ei hanfod, doedd hwn ddim yn wahanol iawn i lwyfannau arferol yr Eisteddfod Genedlaethol ac fe weithiodd i'r dim gydol yr ŵyl. Yn y rhifyn dilynol o *Barn*, beirniadwyd y llwyfan yn hallt gan golofnydd di-enw. Ymatebodd Alun Jones, Cadeirydd y Pwyllgor Eisteddfod a Gŵyl ar y pryd gan egluro safbwynt y pwyllgor lleol a'r trefnwyr ac i gwyno am yr hyn a ystyriai pawb ohonom yn feirniadaeth annheg – roedd gen i gyfraniad i'r epistol honno, os cofiaf yn iawn. Doedd y colofnydd ddim yn fodlon derbyn yr ymateb a dadleuai mai hen gynllun diflas a diddychymyg oedd i'r llwyfan, a'i fod yn hollol anaddas at y pwrpas o lwyfannu gŵyl ieuenctid. Aeth Rhydwen Williams ar ei lw nad ef oedd yn gyfrifol am y sylwadau ac nad oedd a wnelo Syr Alun Talfan Davies ddim oll â hwy chwaith.

Roedd y colofnydd, eto i gyd, wedi llwyddo i bigo 'malchder a theimlwn ddyletswydd i ddod o hyd i gynllun fyddai'n trawsnewid y llwyfan i fod yr un mwyaf atyniadol erioed. Unwaith eto, gwyddwn na fyddai dim yn digwydd dros nos na chwaith heb sicrhau'r arian angenrheidiol.

Wrth i ni wynebu wythnosau olaf y trefniadau, cerddodd Hugh Thomas, Cadeirydd dylanwadol y Pwyllgor Gwaith, i mewn i Swyddfa'r Eisteddfod a gofyn a oeddwn yn fodlon derbyn gwahoddiad i ymuno â Gorsedd y Beirdd. Fy ymateb cyntaf oedd meddwl ei fod yn tynnu 'nghoes cyn ateb y byddwn i wrth fy modd. Y syndod nesaf oedd deall mai gwisg wen Urdd Derwydd a gynigid i mi. Dim ond un dewis roeddwn i am ei gynnig ar gyfer fy enw newydd: Glan Camwy. A gyda'r enw hwnnw y derbyniwyd fi i'r rhengoedd y mis Awst canlynol yn Eisteddfod Genedlaethol Llangefni.

Doeddwn i ddim wedi rhag-weld y gwelwn yn fy swydd newydd sefyllfaoedd tebyg i rai a achosodd cymaint o drafferthion yn yr Eisteddfod Genedlaethol. Ond mae'n debyg ei bod hi'n anochel i'r natur ddynol ddod i'r amlwg, waeth pa mor agored neu gyfyngedig yw'r llwyfan a gynigir iddi. Roedd Cyril Hughes wedi dweud wrthyf mai baban yr Athro Bedwyr Lewis Jones oedd cystadleuaeth y Fedal Lenyddiaeth. Ei fwriad oedd denu myfyrwyr a phobl ifanc llengar eraill i anfon casgliad o'u cynnyrch i'r gystadleuaeth heb orfod ysgrifennu ar destun penodol. Credai y byddai cyhoeddi'r gyfrol fuddugol yn gyfrwng i ddod â gwaith llenorion ifanc addawol i olau dydd, ac yn ysgogiad i'r enillydd o leiaf barhau i ysgrifennu. Bedwyr ei hun oedd beirniad y gystadleuaeth pan gynigiwyd hi gyntaf yn Rhestr Testunau Eisteddfod y Rhyl 1974.

Roeddwn wedi anfon y cynnyrch llenyddol at y beirniaid ganol Mawrth gan ofyn am y feirniadaeth a'r gwaith buddugol yn ôl erbyn canol Ebrill. Medrwn aros ychydig yn hwy cyn derbyn y cynnyrch anfuddugol. Aeth y dyddiad olaf heibio heb i mi dderbyn dyfarniad Bedwyr. Ymhen ychydig ddyddiau, codais y ffôn i holi sut hwyl a gawsai ar y darllen a'r tafoli. Roedd ganddo broblem. Doedd yr un o'r cynigion yn barod ar gyfer ei gyhoeddi. Dywedais 'mod i'n credu y byddai'n drueni gweld yr arbrawf yn methu. Oedd hi'n bosibl iddo wobrwyo'r ymgais orau? Cytunodd ar yr amod na ddylid cyhoeddi'r gyfrol heb i'r awdur yn gyntaf dwtio cryn dipyn ar ei ddeunydd. Cytunais fod yna fodd i ni wobrwyo addewid – yn wir, ei bod yn ddyletswydd arnom i wneud hynny.

Yn fuan wedyn, derbyniais feirniadaeth Bedwyr yn dyfarnu Medal Lenyddiaeth 1974 gyda chyfarwyddyd pendant na ddylid cyhoeddi'r gyfrol heb i'r awdur ymgorffori rhai gwelliannau. Yn anffodus, ni ddigwyddodd hynny. Yn eironig ddigon, o gofio ei bod hi'n bosibl y byddai Bedwyr wedi atal y wobr oni bai am yr angen i sicrhau parhad y gystadleuaeth, clywais yr awdur buddugol yn beirniadu'r Urdd fwy nag unwaith am beidio'i chyhoeddi – er na dderbyniodd Bedwyr na minnau mo'r newidiadau! Dyna'r unig dro i ni fethu cyhoeddi'r gyfrol fuddugol, ond bu'r gystadleuaeth yn llwyddiant mawr wedi hynny.

Ychydig llai nag wythnos o rybudd a gefais i fod rhywbeth o'i le ar gystadleuaeth Cadair Eisteddfod Llanelli 1975. Ar y dydd Mercher cyn yr Eisteddfod roeddwn wedi bod yng nghartref y darpar brifardd yn hysbysu ei dad am ei fuddugoliaeth ac wedi cael manylion ganddo am gefndir ei fab a'r dylanwadau arno er mwyn briffio Meistr y Ddefod a pharatoi datganiad i'r wasg. Ar fy nghais taer, addawodd beidio hysbysu'i fab nes y cyrhaeddai adref o'r coleg ar y nos Wener am wyliau'r Sulgwyn. Tua diwedd prynhawn dydd Iau, cyrhaeddodd Delyth a'r plant Swyddfa'r Eisteddfod am sgwrs fer cyn dychwelyd i Lanaman, lle lletyem gyda'i rhieni. 'Rwy'n clywed taw X, sydd wedi ennill y Gadair' dywedodd braidd yn ddidaro, ac argoel o wên ar ei hwyneb. Edrychais yn syfrdan arni, gan ei bod yn rheol gen i i beidio â datgelu gwybodaeth fel hyn wrthi hi na neb arall nad oedd yn uniongyrchol gysylltiedig â'r seremoni wobrwyo. Eglurodd hithau iddi gyfarfod ei chefnder, Raymond Jenkins, yn gynharach y prynhawn hwnnw (un o gyflwynwyr *Rasys* wedi hynny). Dywedodd iddo glywed X mewn tafarn yng Nghaerdydd y noson flaenorol yn cyhoeddi'n llawen iawn mai ef fyddai'n eistedd ar Gadair Llanelli yr wythnos ganlynol. Roedd fy siom yn ddwbl – nid yn unig roedd y tad wedi methu cadw at ei air (yn ddealladwy, efallai) ond roedd y mab wedi bod yn ddigon ffôl i ddathlu'n gynamserol ac yn gyhoeddus. Dylai fod wedi gwybod ei fod yn difetha'r achlysur nid yn unig i'r Eisteddfod ond, yn bwysicach, iddo ef ei hun.

Codais y ffôn i rybuddio Cyril Hughes, Cyfarwyddwr yr Urdd, fod 'y gath mas o'r cwd'. Y diwrnod canlynol, fy nhro i oedd derbyn galwad oddi wrth Cyril. Roedd cyn-Archdderwydd wedi egluro wrtho nad X oedd awdur y gerdd fuddugol. Camgymeriad oedd y cyfan, a dymuniad y teulu oedd clirio'r mater yn y modd tawelaf posibl. Y cam cyntaf wedyn oedd cael sgwrs gyda'r beirniad. Yn Swyddfa'r Eisteddfod ar y bore Gwener, eglurwyd y sefyllfa iddo, a gofynnwyd a ellid cadeirio'r sawl a ddaethai'n ail. 'Gellid,' meddai, 'ond roedd gan X gerdd arall yn y gystadleuaeth. Mi fyddwn wedi rhoi'r ail wobr iddo am honno,' ychwanegodd, 'ond teimlais mai tecach fyddai gwasgaru'r gwobrau. Tybed a ga i olwg arall arni?'

Roedd hyn yn newydd dda. Gellid felly gadeirio X am yr ail gerdd a nodi bod yna gamgymeriad wedi digwydd wrth olygu'r cyfansoddiadau. Agorais yr amlen dan sêl ac, yn wir, enw X oedd ar honno. Tynnais y gerdd allan o ffeil y gystadleuaeth a'i hestyn i'r beirniad. Cadarnhaodd yntau mai hon oedd y gerdd ail orau ac y byddai o'n ddigon parod i'w chadeirio. Er mwyn tawelwch meddwl, gofynnais a fyddai'n barod i gadeirio'r gerdd a roddodd yn ail yn ei feirniadaeth. 'Byddwn,' oedd ei ateb, gan ychwanegu gyda rhyddhad, 'ond does dim angen gwneud hynny nawr.' Ond cododd anhawster arall. Wedi bwrw golwg dros yr ail bryddest, sylwais 'mod i wedi gweld y gerdd ddwywaith cyn hynny – ymhlith y cerddi a anfonwyd i gystadleuaeth y Goron yn Eisteddfod Genedlaethol Hwlffordd ac yn *Llên y Llannau*, cyfrol cyfansoddiadau buddugol eisteddfodau Llanuwchllyn, Llanfachreth, Llandderfel a Llangwm. Gwyddwn mai'r tad oedd ei hawdur. Nid camgymeriad oedd hyn bellach.

Ar gais y teulu, trefnwyd i'r beirniad a minnau gyfarfod â'r tad a'r cyn-Archdderwydd ar y maes carafannau y prynhawn canlynol. Chwiliwyd am gornel ddistaw a chynhaliwyd y drafodaeth yn fy nghar. A hithau bellach yn Sadwrn, eglurwyd inni yr hyn a wyddem eisoes – nad X oedd awdur y naill gerdd na'r llall. Bardd adnabyddus, oedd eto i ennill ei Gadair Genedlaethol (ond ei fod hefyd wedi mynd heibio oedran cystadlu am Gadair yr Urdd), oedd awdur y gerdd a argraffwyd yng nghyfrol y Cyfansoddiadau ac ni wyddai ef fod ei gerdd wedi'i chamddefnyddio. Erfyniwyd arnom i rwygo tudalennau cystadleuaeth y Gadair allan o'r gyfrol ond roedd yn rhy hwyr i ni gydymffurfio â'r fath gais. Ffarweliwyd heb gytundeb, ond gyda'r rhybudd yn ein clustiau fod yna beryg i ni achosi drwg mawr i'r teulu drwy fynd rhagddi â'r bwriad i gyhoeddi'r Cyfansoddiadau.

Penderfynwyd cadeirio'r bardd a ddaethai'n ail yn ôl y feirniadaeth wreiddiol a chynnal y seremoni fel petai popeth mewn trefn, gyda gair o eglurhad am y Cyfansoddiadau ar y diwedd. Yn ogystal, penderfynwyd peidio â newid dim ar gynnwys y gyfrol ond argraffu llyfryn bychan yn cynnwys y gerdd fuddugol. Wedi egluro'r amgylchiadau, hysbysais Dilwyn Jones dros y ffôn ei fod wedi ennill Cadair yr Eisteddfod a gofynnais a oedd yn fodlon dod i Lanelli i gael ei gadeirio. Roedd wedi'i synnu'n ddirfawr gan y sefyllfa ond cytunodd yn garedig i gydymffurfio â'n dymuniadau. Y dydd Iau hwnnw, cadeiriwyd ef yn brifardd Eisteddfod 1975.

Nid dyna oedd diwedd ein gofidiau. Ar fy ffordd allan o'r swyddfa yng nghefn y babell ar ddiwedd y cystadlu nos Sadwrn, cerddais heibio i Martyn Williams, un o ohebwyr y BBC ar y pryd. Pwysai'n fyfyrgar ar un o'r bariau diogelwch. Wrth i mi ei gyfarch holodd yn ddidaro: 'Pryd mae pen-blwydd Tom Jones?' Disgynnodd y geiniog ar unwaith – er bod yr Eisteddfod drosodd roedd gennym broblem arall ar ein dwylo. Cynigiais ateb ysgafn gan osgoi trafod ymhellach. Y noson honno, cytunodd Cyril a minnau fod angen i ni fwrw golwg dros y ffurflenni cystadlu. Roedd ffurflen Aelwyd Pen-llys, yn dangos bod dyddiad geni Tom yn ei osod yr ochr anghywir i bump ar hugain. Nid oedd ond ychydig dros flwyddyn ers i'r Urdd benderfynu newid y dyddiad olaf i fod o fewn oedran cystadlu o ddiwedd Awst i ddiwedd Mawrth.

Hawdd deall felly, nad oedd Tom, un o aelodau gweithgar a ffyddlon y mudiad, erioed wedi sylwi ar y newid. Fel y mwyafrif o gystadleuwyr, byddai'n gadael materion fel hynny i arweinyddion a hyfforddwyr, a dichon nad oedd y rheiny wedi gweld yr angen i ddarllen rheolau oedd yn hen gyfarwydd iddynt. Ond ein problem ni oedd iddo ennill dwy brif wobr: y Goron a'r Fedal Lenyddiaeth. Anwybodaeth un a dreuliasai flynyddoedd yn cystadlu o dan yr hen drefn oedd hon. Pa fodd y dylid delio ag ef?

Fore Llun, cyfarfu panel bychan o swyddogion y mudiad ac, wedi ystyried y mater, penderfynwyd dileu gwobrau Tom ar y sail ei fod dros oedran a'i fod, o ganlyniad, yn anghymwys i gystadlu yn y cystadlaethau unigol. Nid effeithiwyd ar fuddugoliaethau eraill Aelwyd Pen-llys oherwydd fod modd cyfrif Tom ymhlith y 25 y cant o'r aelodau rhwng 25 a 30 oed a ganiateid i bob parti a chôr Aelwyd. Er mor boenus y teimlai aelodau'r panel o orfod gweithredu'r rheol mewn modd mor haearnaidd, y teimlad unfrydol oedd bod yn rhaid i'r Urdd gael ei gweld yn gweithredu'i rheolau yn deg a chytbwys, waeth pwy oedd yn eu torri. Fel llys barn, roedd y mudiad yn dewis bod yn ddall i unrhyw ystyriaethau megis teyrngarwch, ymroddiad ac anwybodaeth wrth weithredu cyfiawnder.

Hysbyswyd Tom a derbyniodd yntau'r dyfarniad yn raslon a heb amlygu unrhyw chwerder na hunandosturi. Bu'n gefnogol iawn i'r mudiad wedi hynny, ac yn wir mae ei blant yn dal i gystadlu. Yn fuan, roedd y Goron a'r Fedal yn ôl yn y pencadlys. Dyfarnwyd y Goron wedyn i'r cystadleuydd oedd yn ail yn y gystadleuaeth, sef Siân Lloyd, Port Talbot, a chynhaliwyd seremoni arbennig i'w choroni ychydig wythnosau'n ddiweddarach yn Neuadd y Brangwyn, a chyhoeddwyd ei gwaith mewn llyfryn bychan a argraffwyd ar frys yn y pencadlys. R. Alun Evans oedd meistr graenus y ddefod, ac roedd y trefniadau manwl yn nwylo Trefnydd yr Urdd yn y sir, y diweddar annwyl John Lane. Yno, yn mwynhau eu hunain, roedd nifer o uchel gynghorwyr a phrif swyddogion Cyngor Sir Gorllewin Morgannwg. Yr amlycaf yn eu plith oedd eu harweinydd blaengar, yr unigryw Arglwydd Haycock a'i wên mor llachar â'i gadwyn rwysgfawr. Yn olaf, cyflwynwyd y Fedal Lenyddiaeth i Iwan Jones a ddyfarnwyd yn ail yn y gystadleuaeth honno ond ni chofiaf iddo gael unrhyw seremoni i nodi'r achlysur.

Derbyniais gŵyn annisgwyl un bore. Pennaeth Ysgol Uwchradd yn nodi ei anhapusrwydd oherwydd bod Ysgol Glanaethwy yn dwyn ei blant. Dilynwyd ei gŵyn ef gan brifathrawon eraill a ddadleuai na ddylid caniatáu i greadigaeth newydd sbon, a hynod wefreiddiol, Cefin a Rhian Roberts gystadlu yn erbyn ysgolion uwchradd. Rhowch nhw yn erbyn yr adrannau pentref, meddent. Ond mi fyddai ufuddhau i gais y prifathrawon hyn wedi milwrio yn erbyn yr egwyddor sylfaenol bod angen i'r canghennau lleol y tu allan i'r ysgolion gael cyfle i gystadlu yn erbyn eu tebyg heb orfod brwydro yn erbyn ysgolion llawer cyfoethocach eu hadnoddau. Doedd dim amheuaeth yn fy meddwl nad oedd Ysgol Glanaethwy yn llawer tebycach i ysgol nag i Adran Bentref.

Fel y disgwyliwn, ni chafodd Cefin unrhyw broblem i brofi heb unrhyw amheuaeth nad oedd yr un o aelodau ei ysgol ef wedi cael ei wahodd i berfformio yn enw'r ysgol dan sylw nac unrhyw ysgol arall. Yn wir ni châi unrhyw ddisgybl gystadlu dros Glanaethwy mewn cystadleuaeth os oedd ei ysgol yn cystadlu yn y gystadleuaeth honno. Lleihau a wnaeth y cwynion wedi hynny, er y bu ymgais neu ddwy i ddiarddel yr ysgol. Fy nadl i oedd na fedrai Glanaethwy gystadlu mewn unrhyw adran arall. Petasai hanner dwsin neu fwy o sefydliadau cyffelyb ar gael yng Nghymru, gellid ystyried creu adran newydd yn y Rhestr Testunau ar eu cyfer. Yn y cyfamser, doedd Prifwyl yr Urdd ddim eisiau gweld ei llwyfannau'n cael eu hamddifadu o berfformwyr mor safonol. Ac roedd yn annheg i'w diarddel ar sail y ffaith eu bod yn ennill cynifer o gystadlaethau. Heddiw, gwelir Ysgol Glanaethwy ac Ysgol Gerdd Ceredigion, canolfan ardderchogrwydd aruchel arall a sefydlwyd gan Islwyn Evans, yn ymgeisio ymhob math o gystadlaethau ac eithrio rhai Eisteddfod Genedlaethol Prif Fudiad Ieuenctid Cymru. I mi, mae hynny'n fater o dristwch mawr.

'Dyna'r Steddfod ora eto!' fyddai'r cyfarchiad a glywid yn flynyddol ar ôl y Seremoni Gloi, yn gymysgwch o ewfforia dealladwy y llwyddiant, a'r siom o sylweddoli fod popeth drosodd. Nid yn unig o enau'r gweithwyr lleol y deuai'r sylw hwn ond oddi wrth y swyddogion cenedlaethol hefyd, yn ddi-ffael. Roedd pob eisteddfod yn well na'r un a'i rhagflaenai. Nid yw'n dilyn fod cyflwyno nifer o welliannau'n flynyddol, yn esgor o reidrwydd ar well gŵyl. Nid yw sioeau'r eisteddfod ddiweddaraf o reidrwydd yn well na phob un o'r rhai blaenorol nac chwaith y cystadlu. Cywirach o lawer fyddai dweud mor gyson o ragorol yw safon eisteddfodau cenedlaethol yr Urdd flwyddyn ar ôl blwyddyn a bod yna binaclau yn dod i'r golwg o bryd i'w gilydd. Rhaid canmol ambell drefnydd a'i bwyllgorau jyst am lwyddo i gwblhau'r ŵyl heb iddi gael ei chau gan y Gweithgor Iechyd a Diogelwch. Am fwd a gwynt a glaw yn bennaf y cofir eisteddfodau cenedlaethol Abergwaun a Thyddewi, Dyffryn Teifi a Dyffryn Ogwen, ond roedd llwyddo i gynnal pob cystadleuaeth a chyngerdd yn gamp aruthrol gan y timau oedd yn gyfrifol amdanynt. Anghofia i byth weld Angharad Mair yn brwydro'n arwrol yn Eisteddfod Bro Glyndŵr i gadw'r gynulleidfa'n ddiddig yn eu seddau pan achosodd storm o law nam difrifol ar y system drydanol gan ein gorfodi i'w diffodd. Doedd hi ddim yn ddiogel i ni adael y gynulleidfa allan i'r maes er mor anffafriol oedd yr amodau y tu mewn i'r pafiliwn. Cwestiwn teg i'w ofyn, wrth gwrs, yw pa mor ddoeth yw parhau â threfn sy'n gosod pwyllgorau lleol a staff yn y fath sefyllfa gan greu ar adegau amgylchiadau tra annerbyniol i'r cyhoedd sy'n eu cefnogi.

Rhaid derbyn bod eisteddfodau teithiol yn wyliau yr effeithir arnynt yn amlach na pheidio gan amgylchiadau allanol, y tywydd yn arbennig. Suddir miliynau o bunnoedd yn flynyddol i'r ddau 'faes cenedlaethol' – arian y gellid ei wario'n well ar agweddau diwylliannol a chelfyddydol. Ond gan nad yw un maes sefydlog yn mynd i blesio neb, a bod gan yr eisteddfodau rôl cenhadol, dim ond eisteddfod deithiol fydd yn dderbyniol i'r cefnogwyr. Dyma broblem na all y cytundeb diweddaraf rhwng y ddwy eisteddfod genedlaethol a Chymdeithas Awdurdodau lleol Cymru fyth ei ateb. Daw dydd pan na ellir osgoi trafod mater meysydd yr eisteddfodau heb beryglu eu dyfodol.

Penodwyd Neville Evans yn Drefnydd Eisteddfod Genedlaethol yr Urdd yn y De, i olynu Gareth James, a fachwyd i redeg canolfan Nant Gwrtheyrn. Y peth cynta sy'n eich taro wrth gyfarfod Neville yw ei addfwynder – gweithiwr tawel, dyfal, effeithiol a chydwybodol iawn, a bu'n gaffaeliad o'r funud gyntaf. Cwblhaodd drefniadau Eisteddfod Cwm Gwendraeth yn feistrolgar, a chyflawnodd y rhan fwyaf o drefniadau Eisteddfod

Taf Elái cyn symud ymlaen i agor ei fusnes ei hun yn Llambed. Rhian Llewelyn, Trefnydd Cynorthwyol yn swyddfa'r Eisteddfod Genedlaethol yn y De, a ddewiswyd i'w olynu. Roedd hi'n wraig ifanc hyderus ac effeithiol, yn gwbl sicr o'i hunan. Cyrhaeddodd ychydig yn rhy hwyr i fedru rhoi ei stamp ar Eisteddfod Taf Elái, ond cafodd ei chyfle yn ei bro ei hun, yn Eisteddfod Abertawe a Lliw ym 1993.

Yn yr Eisteddfod hon y cynhaliwd Cyngerdd Rhyngwladol cyntaf yr Eisteddfod. Derbyniodd yr Urdd wahoddiad yn 1990 i anfon tri aelod i gymryd rhan mewn gŵyl ieuenctid yn Soffia, prifddinas Bwlgaria. Teithiais yno gyda Dylan Williams, aelod o Ysgol Glanaethwy, Elin Llwyd, Caerfyrddin, ac Abigail Williams, Abertawe. Pan chwiliais am rywun i ofalu am y merched, daeth Nia Clwyd i'r adwy. Yna, gan fod *Hel Straeon* yn ffilmio'r ymweliad, teithiai Dafydd Roberts, Rhiannydd Newbury a Catrin Beard gyda ni hefyd. Creodd y tri unawdydd argraff ddofn ar y cynulleidfaoedd, a sefydlwyd cysylltiadau gyda chynrychiolwyr rhai o'r gwledydd oedd yn bresennol. Yno yr eginodd y syniad o gynnal cyngerdd amlieithog ar un o nosweithiau'r Eisteddfod, syniad a gefnogwyd gan y PEaG, ac yna gan Bwyllgor Gwaith Eisteddfod Abertawe a Dyffryn Lliw. Pan hysbyswyd fi na fedrai'r Pwyllgor Llety ddarparu llety iddynt, cysylltais â Martin Cray, oedd bellach yn swyddog addysg yn Nyfed. Ni welai yntau unrhyw broblem a sicrhaodd le ar eu cyfer mewn canolfan breswyl yn Llansteffan. Gwahoddwyd goreuon Gŵyl Soffia i'r Eisteddfod, a bu'r cyngerdd yn llwyddiant ysgubol, fel y bu'r ŵyl ei hun.

Llwyfannwyd cyngerdd rhyngwladol hefyd yn Nolgellau y flwyddyn ganlynol. Doedd pawb ddim yn deall pam bod rhai cantorion o'r gwledydd dwyreiniol yn dewis caneuon poblogaidd o'r Unol Daleithiau. Wrth ymwrthod â chomiwnyddiaeth, roeddent hefyd yn cefnu ar eu diwylliant eu hunain, gan gynnwys eu traddodiadau cerddorol. Eu nod, bellach, oedd efelychu'r diwylliant gorllewinol, neu 'Americanaidd', ond bu ymweld â'r Eisteddfod yn agoriad llygad iddynt a theimlent yn eiddigeddus iawn o'r Cymry am eu gallu i gynnal gŵyl mor fawr a diddorol heb orfod cefnu ar eu traddodiadau. Roedd hyd yn oed yr Eidalwyr yn gegrwth. Cynyddodd eu syndod o ddeall cyn lleied oedd nifer y staff cyflogedig i redeg y sioe a pha mor allweddol oedd yr elfen wirfoddol. Credent fod Llangrannog a Glan-llyn yn ganolfannau paradwysaidd ac roeddent yn uchel eu canmoliaeth i Steff Jenkins a Hywel Jones a'u timau.

Gwyddwn eisoes fod gan yr Eisteddfod y gallu i swyno pobl o wledydd eraill. Dyna pam y ceisiais ei dwyn i sylw'r byd drwy gynllunio i'w llwyfannu ym Mrwsel. Y bachyn oedd y cyhoeddiad am ddiddymu ffiniau mewnol gwledydd y Gymuned Ewropeaidd ar 1 Ionawr 1993. Awgrymais y dylai'r mudiad gynnal ei phrifwyl y flwyddyn honno ym mhrifddinas Ewrop i ddathlu'r achlysur, a dangos pa mor ardderchog oedd ein diwylliant a'n traddodiadau. Byddai'n gyfle gwych, ymresymais, i gyfleu delwedd mor eglur fel na feiddiai neb mwyach gyfeirio aton ni fel Saeson. Dechreuais yn raddol drwy drafod y syniad yn fras gyda chylch o gyd-weithwyr a chyfeillion, a chael ymateb cadarnhaol iawn, er bod ambell un yn meddwl 'mod i'n tynnu coes, fel y gwnaeth Sulwyn Thomas â'i 'sgŵp' newyddiadurol un Ffŵl Ebrill, neu'n llunio stynt gyhoeddusrwydd. Ond wedi iddynt glywed 'mod i o ddifrif, tueddent i holi'n eiddgar am fwy o wybodaeth.

Prys oedd y swyddog cenedlaethol cyntaf i glywed am y cynllun ac, unwaith eto, rhoddodd ei gefnogaeth lawn. Cytunodd y ddau ohonom na fyddai pawb o'i blaid, ond credem ei bod yn werth i ni ymchwilio i'r posibiliadau ac i'r problemau logistaidd cyn ei gyflwyno i'r PEaG a'r Cyngor. Hwn oedd y cynllun mwyaf uchelgeisiol erioed yn hanes yr Eisteddfod. Y prynhawn hwnnw, roeddwn ar y ffôn hefo Jorgen Hansen, prif swyddog swyddfa Ewrop yng Nghaerdydd. Siaradai'r Danwr hwn y Gymraeg yn rhugl. Wedi iddo glywed amlinelliad o'r syniad, cytunodd i gyfarfod â Prys a minnau yn Aberystwyth yr wythnos ganlynol.

Teimlais fod y cyfarfod hwnnw'n hynod fuddiol a ches fy arfogi â gwybodaeth newydd. Y calondid mwyaf oedd sylwi bod pawb yn fodlon trafod y syniad heb ei ddilorni. Yna, hysbyswyd staff y mudiad ein bod yn trafod y posibilrwydd o gynnal prifwyl 1993 ym Mrwsel. Anghrediniaeth oedd yr ymateb cyntaf ond prin oedd y gwrthwynebiad. Wedi dweud hynny, teimlai rhai'n ddigon cryf i ysgrifennu ataf yn bur ddiflewyn-ar-dafod. Byddai mynd â'r Eistedfod i Frwsel 'fel symud lili mâs o'r dŵr', oedd un sylw, 'ac ni fedrai'r lili wreiddio ar dir estron'. Ond doedd neb yn gofyn am drawsblannu'r Eisteddfod o Gymru, dim ond ei chynnal ym Mrwsel am flwyddyn yn unig.

Cadarnhaol oedd ymateb y PEaG a gofynnwyd i ni gynnal ymchwil fanwl. Y bore canlynol, rhanedig oedd barn y Cyngor. Cytunwyd ag awgrym PEaG ar yr amod y byddem yn ymgynghori'n gyntaf â'r pwyllgorau sirol. Byddai'r Cyngor yn derbyn arweiniad y siroedd. Roedd Alwyn Evans, Trysorydd yr Urdd, wedi mynegi ei farn yn groyw na ddylwn i fod yn arwain ymgyrch o blaid y syniad ond, yn hytrach, gasglu ffeithiau a chyflwyno gwybodaeth. Gwahoddwyd Alan Wynne Jones, arbenigwr yn y maes twristiaeth a wyddai i'r dim sut fath o fudiad oedd yr Urdd, i arwain yr ymchwil. Marc Phillips, a dreuliodd ddau gyfnod ar secondiad ar staff yr Eistedfod, fyddai'n mynychu cyfarfodydd y pwyllgorau'r sir gyda mi. Cawsom groeso cwrtais – cynnes, hyd yn oed, gan amlaf – a gwrandawiad teg, gyda llawer o holi am faterion ymarferol. Yr argraffiadau sydd wedi aros yn fy nghof yw syndod y pwyllgorwyr wrth wrando ar ein hatebion am natur yr ŵyl a gynlluniem. Hefyd ein syndod ni – yn wir, ein braw – o ddarganfod bod rhywun wedi bod yno o'n blaenau yn nodi dyletswydd ar bob cynrychiolydd i bleidleisio yn y Pwyllgor Sir yn unol â mandad ei Gylch. Gan nad oedd pwyllgorau'r Cylchoedd erioed wedi clywed neges tîm yr Eistedfod, pleidleisiwyd yno ar sail gwybodaeth (anghyflawn o reidrwydd) a gawsent gan rywun arall. Yn y modd hwn, clymwyd dwylo'r bobl oedd yn dod i wrando arnom. Roeddwn i wedi bod yn rhy ufudd i orchymyn y Cyngor a'r unig gysur a gawsom oedd bod sawl pwyllgor yn nodi'u bwriad i anwybyddu'r cyfarwyddyd ac i oleuo'u pwyllgorau cylch.

Roedden ni wedi bod mewn trafodaethau ag un o uchel

swyddogion Adran Dwristiaeth Gwlad Belg. Daeth drosodd i drafod manylion ynglŷn â'r adeiladau, trafnidiaeth a chyhoeddusrwydd yn bennaf, a chynigiodd ddangos adnoddau'r ddinas i ni. Bob Roberts, Cadeirydd Cyngor yr Urdd, a oedd wedi bod yn gefnogol a llafar iawn dros y syniad ers y dechrau, ac a fu'n gefnogol i'r Eisteddfod bob amser, Marc a minnau a anfonwyd i fwrw golwg dros y safleoedd a'r neuaddau, ac i drafod gyda gwahanol swyddogion. Gan fod hwn yn fater o ddiddordeb cenedlaethol, anfonodd HTV griw camera a dau ddarlledwr, sef Rhisiart Arwel a Wil Morgan i adrodd ar y cynllun. Bu'r ffi a gawsom am fod yn rhan o'r rhaglen yn ddigon i dalu am gostau'r daith.

Trefnwyd wythnosau ymlaen llaw i gyfarfod ag un o'r Comisiynwyr ym Mhencadlys y Comisiwn Ewropeaidd ond, wedi i ni gyrraedd adeilad banerog Berlaymont yn brydlon, daeth ysgrifenyddes i'r cyntedd i ddweud nad oedd y gŵr dan sylw yno'r diwrnod hwnnw. Ar y llaw arall, cawsom groeso twymgalon gan ein cyfaill yn yr Adran Dwristaidd. Codwyd ein calonnau pan ddangosodd yr amrywiaeth eang o adeiladau y gellid yn hawdd eu defnyddio at ein pwrpas (Stadiwm Heysel, a ddaeth mor enwog am y rhesymau anghywir, yn eu plith), yn ogystal â chanolfannau lleet hynod o addas ar gyfer yr aelodau. Cawsom lawer o hwyl yn cyfarfod â nifer o Gymry'r ddinas hefyd, pawb yn awyddus i weld yr Eisteddfod yn dod yno.

Ymddengys fod y ddinas yn arfer neilltuo wythnosau o'r flwyddyn i hyrwyddo gwahanol wledydd a'u cynnyrch. Roedden ni wedi cyrraedd yn ystod wythnos Japan, a baneri'r wlad honno i'w gweld ar adeiladau, strydoedd a meysydd. Mor hawdd oedd dychmygu'r Ddraig Goch yn cyhwfan o'r polion yn eu lle, a'r cynnyrch Cymreig gorau (o'r diwylliannol i'r diwydiannol) yn cael ei arddangos ledled y ddinas, gan nad yr Eisteddfod fyddai unig ddigwyddiad yr wythnos honno. Yn ein cynllun mawr, byddai Cerddorfa Gymreig y BBC yno hefyd, y Cwmni Opera, cwmnïau drama, a nifer o'n perfformwyr gorau o bob oed. Nid yr Urdd yn unig, ond Cymru fyddai ar y llwyfan rhyngwladol hwn am wythnos gyfan. Hwn fyddai'r digwyddiad hynotaf yn hanes yr Urdd a'r ŵyl Gymreig fwyaf erioed, a'r Gymraeg yn cerdded ysgwydd wrth ysgwydd gydag ieithoedd Ewrop. Byddai'n gyfrwng i greu ymwybyddiaeth a balchder newydd ym meddyliau'r Cymry, a chanfyddiad newydd amdanom mewn gwledydd eraill.

Wedi i ni lanio yn Heathrow, aeth Bob a Marc drwy'r clwydi'n ddidrafferth ond rhwystrwyd fi rhag eu dilyn. Nid oedd gen i fisa i ddychwelyd i wledydd Prydain, anghenraid i bob un o ddinasyddion yr Ariannin ers rhyfel y *Malvinas*. Doedd neb wedi fy rhubuddio bod ei angen arnaf, a chadwyd fi am ddwyawr cyn fy rhyddhau. Rhoddwyd stamp ar fy mhasbort a'r llythyren Z wedi'i hysgrifennu'n fras odano, i nodi fy nhrosedd. Byddai Sabena, y cwmni Belgaidd a'n hedfanodd, yn cael £1000 o ddirwy, yn ôl y swyddog, am fethu sicrhau 'mod i'n deithiwr dilys. 'Anfona i ddim ohonoch yn ôl i Frwsel oherwydd eich bod wedi byw yma cyhyd,' ychwanegodd.

Penodwyd panel o dri i synhwyro'r farn ar lawr gwlad ac i gymeradwyo'r ffordd ymlaen. Dewiswyd hwy ar sail eu safbwynt (agored neu dybiedig) parthed y cynllun: Elin Mair (yn erbyn), Marc (o blaid), ac Elfed Roberts (heb ffurfio barn). Oherwydd prinder amser, penderfynwyd llunio holiadur a anfonwyd at bob cangen. Rhyfeddais at yr atebion. Byddai disgleirdeb yr eisteddfod hon yn tynnu oddi ar yr eisteddfodau a fyddai'n ei dilyn, oedd sylw un gwrthwynebydd. Canolbwyntiodd rhai ohonynt ar ymosod ar staff a swyddogion y mudiad. 'Gwyliau i'r staff' oedd un cyhuddiad cyffredin, er mai llawer iawn mwy o waith fyddai'r cynllun yn ei olygu i ni mewn gwirionedd. Roedd sawl ymateb yn hollol enllibus. Penderfynais gadw'r rheiny'n ddiogel o olwg y byd.

Wrth i ddyddiad cyfarfod nesa'r Cyngor nesáu, roedd y newyddion am y canlyniadau sirol a gyrhaeddai'r swyddfa yn cario negeseuon cymysg – rhai yn erbyn ac eraill o blaid – ond doedd dim modd proffwydo ymateb y siroedd nad oedd eto wedi pleidleisio. Marc, ein lladmerydd gorau, fyddai'n cyflwyno'r achos yn y Cyngor. Elin Mair fyddai'n cyflwyno'r ddadl yn erbyn. Ar y diwrnod, byddai'n rhaid i bob cynrychiolydd godi'i law yn unol â mandad ei sir.

Pleidleisiodd y PEaG o blaid y cynllun. Serch hynny, roedd Marc yn benisel. Wrth drafod yn anffurfiol ar ddiwedd y noson, yn enwedig gyda dau swyddog cefnogol, roedd wedi synhwyro bod y llanw wedi troi yn ein herbyn ac nad oedd digon o bleidleisiau ar ôl i'w hennill. Y bore canlynol, agorodd Elin y drafodaeth, ac aeth Marc drwy ei gyflwyniad yn hollol gywir ond heb ei ddawn perswâd arferol. Er i lawer iawn o ddwylo godi o blaid y cynnig, roedd gan y bleidlais 'Na' fwyafrif cysurus. Wrth i mi gerdded allan o'r ystafell, daeth cynrychiolwyr tair sir ataf i ymddiheuro gan ddweud nad oedd dewis ganddynt, ac y byddai'u pwyllgorau wedi pleidleisio o blaid oni bai am y mandad o'r cylchoedd.

Roeddwn eisoes wedi cael cytundeb swyddogion Pwyllgor Sir Gorllewin Morgannwg (a gefnogodd gynllun Brwsel) i gynnal Eisteddfod 1993 o fewn y sir petai'r Cyngor yn gwrthod y cynllun. Y siom, wedi cadarnhau'r trefniant hwnnw, oedd clywed lleisiau'n codi mewn ambell gornel o'r wlad i holi tybed a fyddwn i a 'nghyd-weithwyr yn ymroi i sicrhau llwyddiant Eisteddfod Abertawe a Lliw. Sut y gallai pobl gredu y gwnaem ni, o bawb, unrhyw beth i danseilio llwyddiant gŵyl roedden ni mor falch ohoni ac wedi gweithio mor galed i'w datblygu? Ond y profiad mwyaf rhwystredig oedd clywed gwrthwynebwyr llafar yn dweud wrthyf yn ddiweddarach eu bod wedi ailfeddwl!

Hon bellach oedd fy ugeinfed eisteddfod ac roeddwn yn bum deg a dwy blwydd oed; rhy ifanc i ymddeol ac yn rhy hen i fynd am swydd arall, er i mi wneud hynny unwaith wedi croesi'r hanner cant, a sawl gwaith cyn hynny. Cofiaf Marc yn dweud wrthyf pan ymgeisiais am un ohonynt heb fawr o hyder yn fy ngallu i gyflawni'r swydd dan sylw: 'Os wyt ti'n medru trefnu Eisteddfod Genedlaethol, elli di drefnu unrhyw beth'. Ar y llaw arall, fel y dywedodd ffrind o'r Wladfa rywdro yn fy nghlyw 'Gall unrhyw un drefnu eisteddfod, fel ma' pawb yn gwbod'. Sôn am roi pìn mewn swigen! Rhesymau ariannol oedd fy mhrif gymhelliad bob tro, er bod y swyddi'n rhai diddorol iawn. Y gwir plaen oedd, roeddwn yr un mor hoff o'm swydd ag erioed, a doeddwn i ddim eisiau ei gadael. Dichon fod yna lais yn fy is-ymwybod yn sibrwd wrthyf nad oeddwn i'n gymwys i wneud unrhyw beth arall, beth bynnag a ddywedai Marc.

Pan benderfynodd Rhian Llewelyn ddychwelyd i'r Coleg olynwyd hi gan ŵr ifanc roeddwn yn ei adnabod fel un o weithwyr diwyd Eisteddfod Maesteg, ac fel tad Elin Llwyd. Bu Huw Lloyd eto'n gaffaeliad i'r Eisteddfod. Roedd yn gymeriad allblyg, o hyd yn siriol, ac yn weinyddwr profiadol a feddai ar y ddawn o ennill cyfeillion yn hawdd. Huw fu'n gyfrifol am drefnu Eisteddfod Bro'r Preseli 1995 (gŵyl lwyddiannus a graenus). Pan nad oedd ond ychydig wythnosau i fynd, gofynnais i Mel Fôn, olynydd Alan Gwynant, gasglu hysbysfyrddau'r Eisteddfod ar ei ffordd y bore Llun canlynol. Ni fedrwn ddeall pam ei fod yn hwyr yn dychwelyd nes clywed iddo fod mewn damwain ddifrifol a bod ei fywyd mewn perygl. Roedd cerbyd arall wedi taro yn ei erbyn ac roedd wedi colli'i ddwy goes o dan y ben-glin. Un gofid a oedd yn troi a throi yn fy mhen: 'Petawn i heb ofyn iddo ddod â'r hysbysfyrddau, efallai na fyddai wedi bod ar y rhan honno o'r ffordd ar y foment honno'. O fewn ychydig oriau, roedd Alan Gwynant ar y ffôn, yn cynnig llenwi'r bwlch yn ystod absenoldeb Mel.

Er mawr golled i'w gyd-weithwyr, ymddiswyddodd Huw ychydig fisoedd cyn prifwyl Islwyn 1997. Y tro hwn, llwyddwyd i lenwi'r bwlch drwy benodi trefnydd dros dro. Doedd gan Sioned Jones ddim profiad o drefnu eisteddfodau ond roedd hi'n llawn asbri, yn hynod ymarferol ac yn drefnus hefyd. Gan fod yr Eisteddfod mor agos, doedd dim amser i'w hyfforddi ond rhoddwyd tasgau arbennig iddi ac, yn wyrthiol, cyflawnodd bob un yn llwyddiannus. Dichon bod ei phersonoliaeth lawen a'i chwerthin iachus wedi agor llawer o ddrysau. Pan ddaeth ei chytundeb i ben ar ddiwedd yr Eisteddfod, collodd ein swyddfa dalp enfawr o hwyl.

Penodwyd Jim O' Rourke, y Midas hwnnw sy'n dal i ddefnyddio'i dalent unigryw i godi arian ar gyfer adeiladu a datblygu canolfannau, yn Brif Weithredwr yr Urdd. Ychydig fisoedd yn ddiweddarach, penderfynais ei bod hi'n hen bryd i mi ymddeol. Roeddwn i newydd ddathlu fy mhen blwydd yn bum deg a chwech oed ac wedi clywed bod rhai aelodau o staff y mudiad yn datgan yn agored nad oedd lle i 'bennau gwynion' mewn mudiad ieuenctid (er mai gydag oedolion yn unig y byddwn i'n ymwneud yn ddieithriad). A dweud y gwir, roeddwn wedi bod yn ystyried y posibilrwydd o ymddeol ers peth amser a theimlai rhai o aelodau 'nheulu y dylwn i fod wedi rhoi'r gorau iddi lawer ynghynt. Doedd sylwadau rhai pwyllgorwyr, a ystyriwn yn annheg ac annerbyniol, ddim yn helpu'r achos ac roedd fy ngolwg wedi dechrau teimlo effeithiau teithio yn y nos. At hyn, dylid ychwanegu'r twf cynyddol yn y llwyth papur a symudai i mewn ac allan ar fy nesg, llawer ohono'n ddiangen yn fy marn i, ac yn ychwanegol at y tunelli a gynhyrchid eisoes gan yr eisteddfodau a gennym ni yn y swyddfa (cofnodion di-rif, adroddiadau, cyfarwyddiadau, llythyrau, ac ati). Ar adegau, teimlwn fod treulio oriau yn ysgrifennu am y gwaith yn cael ei ystyried yn bwysicach na'i gyflawni. Yn ychwanegol, roedd gen i awydd neilltuo rhai o 'mlynyddoedd cynhyrchiol i ymwneud â'r Wladfa a'i hanes, ac roeddwn eisoes wedi treulio pob dydd Sadwrn rhydd yn y Llyfrgell Genedlaethol at y pwrpas hwnnw. Roeddwn hefyd wedi trefnu fy nhaith gyntaf i'r Ariannin fel arweinydd grŵp.

Dylwn gyfaddef fod cyflwyno fy ymddiswyddiad wedi llacio'r rhwymau roeddwn wedi'u gosod arnaf fy hun pan eisteddais gyntaf wrth fy nesg yn ôl yn 1973. Camgymeriad oedd penderfynu peidio cadw tan y diwedd at fy arfer oes o beidio ymateb i bryfocio. Lle byddwn gynt yn brathu 'nhafod, tueddwn yn awr i ddangos fy anfodlonrwydd. Ofnaf i mi fethu celu fy anhapusrwydd pan gynigiodd un swyddog llafar y dylid gohirio trafod cynnig penodol a oedd gerbron tan bod John Roberts, Pennaeth Ariannol yr Urdd, a minnau wedi ymddeol (roeddem wedi gwrthod y cynnig ar sail cytundebol gan ddilyn canllawiau canolog y mudiad). Cofiaf o hyd y siom ar wyneb cyn Brif-Weithredwr awdurdod lleol oedd yn eistedd ar y pwyllgor wrth iddo edrych arnaf, fel petai o'n gofyn: 'Oedd rhaid i ti gwympo i'r fagl yna?' Gwyddwn ei fod o'n hollol gywir, ac y dylwn i fod wedi cadw fy urddas. Er na chollais fy nhymer, cofiais am John Rowley a geiriau Gandhi, a theimlo'n waeth, ar unwaith. Treuliodd John Roberts a minnau'r siwrnau adref yn rhyfeddu at ddigwyddiadau'r noson. Ar yr ochr gadarnhaol, roeddwn wrth fy modd gyda'r gŵr ifanc dawnus a benodwyd i'm holynu. Roeddwn wedi nabod Deian Creunant ers blynyddoedd lawer, a chefais y fraint o gydweithio ag ef yn Radio Ceredigion a dod i feddwl yn uchel am ei allu.

Ymhen ychydig wythnosau, roeddwn â 'nhraed yn rhydd unwaith eto, 'yn treulio mwy o amser gyda nheulu', chwedl y gwleidyddion, a'r dyfodol yn edrych yn ansicr arnaf. Roedd fy mherthynas ffurfiol â'r Urdd wedi dod i ben. Er 'mod i'n fwy na pharod i fod ar gael petai angen unrhyw gymorth neu gymwynas ar yr Eisteddfod ac y byddwn i'n dragwyddol ddiolchgar i'r mudiad am y cyfle ardderchog a roes i mi cyhyd, eto i gyd rown yn benderfynol o beidio â cheisio am unrhyw rôl swyddogol o fewn y gyfundrefn. Doeddwn i erioed wedi bod yn rhan o'r sefydliad Cymreig, dim mwy nag y gall unrhyw was ufudd fod.

Gan mai bychan oedd fy mhensiwn byddai'n rhaid i mi wneud rhywbeth i ddod o hyd i ffynhonnell incwm arall. Er bod Delyth newydd dderbyn swydd Pennaeth Ysgol Gynradd Llanfarian, ni fyddai modd i ni fyw ar ei chyflog hi'n unig. Tybed a oeddwn i wedi symud yn rhy frysiog?

20

Bellach

N I CHOLLAIS ERIOED FY niddordeb mewn pêl-droed ond daeth galwadau eraill ar fy amser personol tua dechrau'r 1990au i'm rhwystro rhag dilyn tîm tref Aberystwyth fel roeddwn i wedi'i wneud mor deyrngar yn nyddiau chwaraewyr megis Dias, Dai Pugh a Tomi Morgan. Roeddwn wedi dilyn timau Ysgol Gymraeg Aberystwyth, wrth i'r bechgyn raddio o'r naill i'r llall, ac wedi rhedeg yr Hebogiaid, un o dimau Ysgol Gyfun Penweddig, a enillodd ddwy bencampwriaeth dros gyfnod o bedair blynedd. Teimlai rhai fod ffafriaeth honedig y dyfarnwyr o blaid y timau eraill. Clywodd y diweddar Meirion Davies, rhiant un o'r Hebogiaid, y sgwrs rhwng un o chwaraewyr y tîm arall a'r dyfarnwr: "Dan ni wedi bod yn anlwcus,' achwynodd y cyntaf. 'Bydd angen gwyrth arnoch,' atebodd y dyfarnwr. 'Byddwn ni'n colli'r gêm, 'te?' holodd yr hogyn yn bryderus. 'Dim peryg,' sicrhaodd y dyfarnwr!

Gofynnodd Meirion yn ofer am eglurhad, ond efallai i'w ymyrraeth gael rhywfaint o ddylanwad, oherwydd cyfartal oedd y sgôr. Roedd gêm derfynol Cwpan y Gynghrair ar gaeau Plascrug y flwyddyn honno wedi gorffen yn gyfartal felly bu'n rhaid ei hailchwarae y nos Fercher ganlynol. Gan 'mod i'n gweithio yn y gogledd gwyddwn y medrwn gyrraedd 'nôl gydag ychydig funudau i'w sbario. Â 'ngwynt yn fy nwrn, cyrhaeddais i weld yr ystafelloedd newid ynghau a neb ond yr Hebogiaid yn cicio pêl yn eu dillad ysgol. Tybed oedd y gêm wedi'i gohirio a'r ysgrifennydd wedi anghofio dweud wrthyf? Yna, cyrhaeddodd yntau gan ddweud bod pawb yn aros amdanom ar gaeau Blaendolau ers chwech o'r gloch. Rhedodd y bechgyn ar y cae ar unwaith, heb amser i gael sgwrs na chynhesu. Collwyd y gêm 3-1; y trydedd gôl yn gic gosb am drosedd amheus.

Er gwaethaf enghreifftiau fel y rhain, rhoes y Mini-minor flynyddoedd o fwynhad ardderchog i chwaraewyr, rhieni a hyfforddwyr fel ei gilydd. Er 'mod i'n swp sâl mewn ffliw ar ddiwrnod yr arholiad, derbyniais dystysgrif Hyfforddwr Cymdeithas Pêl-droed Cymru am ddilyn cwrs! Aeth Tomi Morgan, un o eilunod Rhodfa'r Parc oedd ar yr un cwrs, ymlaen i gymhwyso'i hun ymhellach, gan ddilyn gyrfa liwgar fel hyfforddwr nifer o dimau Cynghrair Genedlaethol Cymru.

Bellach, daeth pob math o alwadau eraill, teuluol yn bennaf, i fynd â 'mryd ac ni fyddaf yn mynychu caeau pêl-droed ac eithrio gêmau cartref tîm cenedlaethol Cymru yng nghwmni'r bechgyn. Yn amlach na pheidio, byddaf hefyd yn gwylio gêmau ar y teledu ar nos Sadwrn. Erbyn hyn, dyna ben draw fy ymlyniad i'r 'gêm brydferth'.

Roedd twf gorsafoedd radio bychain anghyfreithlon, rhad i'w rhedeg, wedi achosi cur pen i lywodraethau'r Deyrnas Gyfunol am flynyddoedd. Methodd pob ymgais i'w gwahardd a pherswadiwyd llywodraeth Margaret Thatcher yn 1985 mai'r ffordd orau i'w rheoli oedd eu cyfreithloni drwy drwyddedu gorsafoedd radio cymunedol. Cyflwynwyd papur gwyrdd a lledaenwyd gwybodaeth. Trawyd fi fod hyn yn gyfle i greu gwasanaeth ar gyfer Ceredigion, i adlewyrchu ei gweithgaredd a'i thalentau. Yn ogystal â bod yn feithrinfa ar gyfer darlledwyr cenedlaethol y dyfodol, medrai hefyd gynnig dewis i wrandawyr Cymraeg oedd tan hynny'n gorfod dibynnu ar ddarpariaeth un orsaf. O gael y bobl iawn wrth y llyw, gellid sicrhau blaenoriaeth i'r Gymraeg ar y donfedd newydd.

Cyflwynais y syniad i 'nghyd-aelodau ar Fwrdd Golygyddol *Y Ddolen*, ein papur bro lleol, ac awgrymais Radio Ceredigion fel enw. Er gwaethaf rhai amheuon cytunwyd i ofyn i Ann Ffrancon Jenkins a minnau ddechrau ymholi a fyddai cefnogaeth i fenter o'r fath. Ein cam cyntaf oedd ymweld ag Alun Creunant

Davies, Cyfarwyddwr y Cyngor Llyfrau Cymraeg, gŵr blaengar a welai fanteision sefydlu gorsaf leol. Awgrymodd mai'r person gorau i arwain unrhyw ymgyrch fyddai Hywel Heulyn Roberts, gwleidydd hirben, dylanwadol ac uchel ei barch oedd wedi rhoi blynyddoedd o wasanaeth ar reng uchaf Cyngor Sir Dyfed ac fe gytunodd yntau i gadeirio'r Pwyllgor Llywio; ond byrhoedlog fu hanes hwnnw. Yn sgil ofnau am dueddiadau gwleidyddol darpar ymgeiswyr am drwyddedau, penderfynodd y llywodraeth ollwng y cynllun yn ddistaw bach, ac ni welwyd erioed mo'r papur gwyn.

Yna, un noson yn 1990, daeth Meleri Mair (aelod o'r Diliau gynt) a Phil Williams i 'ngweld i drafod cynllun newydd y llywodraeth i drwyddedu gorsafoedd cymunedol. Er bod yr amodau'n llymach a'r gofynion technegol yn sicr o gynyddu'r costau, aildaniwyd fy mrwdfrydedd i sicrhau fod o leiaf un cais am drwydded i ddarlledu yng Ngheredigion yn cael ei gyflwyno gan griw o garedigion yr iaith. Yr Awdurdod Radio, corff newydd sbon a sefydlwyd at y pwrpas o reoleiddio'r gorsafoedd masnachol a chymunedol, fyddai'n trwyddedu'r ymgeiswyr llwyddiannus.

Y tro hwn, sefydlwyd Pwyllgor Gwaith, a gadeiriwyd gan Ainsleigh Davies, a minnau'n ysgrifennydd. Ein bwriad oedd sefydlu perchnogaeth yr orsaf ar sail aelodaeth yn hytrach na chyfranddaliadau, a gobeithiem ddenu cefnogaeth gref cyn y deuai'r alwad i gystadlu am y drwydded. Câi perchnogion y cwmni, sef yr aelodau, ethol y prif fforwm llywodraethol, sef y Cyngor, a'r Cyngor yn ei dro fyddai'n ethol aelodau'r Bwrdd, a'r rheiny'n penodi Cadeirydd, sef system byramid ar batrwm yr Urdd a nifer o fudiadau eraill. Byddai unrhyw elw yn cael ei ail fuddsoddi yn yr orsaf. Er ein penderfyniad i gadw'r orsaf yn eiddo i'r gymuned, roeddem yn ymwybodol o'r angen i ennill cefnogaeth pobl fusnes y sir. Llugoer oedd ymateb y rhai y bûm i'n trafod â hwy. Credent na fedrai gorsaf radio lwyddo yn Aberystwyth oherwydd amrywiaeth o ffactorau. Yn 1991, cyhoeddwyd bwriad yr Awdurdod Radio i wahodd ceisiadau am drwydded i ddarlledu yng Ngheredigion ac i'w dyfarnu i'r ymgeisydd llwyddiannus yn gynnar yn 1992. Roedd angen symud ar frys.

Cyflwynais y syniad i Prys Edwards gan ofyn ar yr un anadl a fyddai'n fodlon cadeirio'r Bwrdd. Cytunodd yn y fan a'r lle. Roedd o'n perthyn i'r garfan o bobl brin hynny sy'n credu nad oes dim yn amhosibl, dim ond i chi ymdrechu i'w gyflawni. Y Cynghorydd Sir Eric Hughes; Dai Jones, Llanilar; Gerallt Davies; Simon Thomas; Ellen ap Gwynn; Martin Davies (Cyfreithiwr y cwmni) a minnau oedd yr aelodau eraill.

Roedd Wynfford James, Prif Weithredwr Antur Teifi (AT), eisoes wedi dangos parodrwydd mawr i gefnogi'r cynllun a rhoddodd lawer iawn o'i amser i'w hyrwyddo, a chwaraeodd AT ran allweddol yn y paratoadau. I lunio'r cais, cyflogwyd Osian Wyn Jones, cyn-Drefnydd yr Eisteddfod Genedlaethol yn y Gogledd, i fod yn gyfrifol am y dasg honno. Amlygodd egni a gallu i gyflawni gwyrthiau mewn amser byr, a mwynheais gydweithio ag ef a Prys. Yn ystod y cyfnod hwn sicrhawyd cefnogaeth ariannol Cyngor Sir Dyfed a Chyngor Dosbarth Ceredigion ynghyd â nawdd oddi wrth gyrff eraill, megis British Telecom.

Bu dathlu mawr pan gyrhaeddodd neges yr Awdurdod Radio ar ffacs i Swyddfa'r Urdd yn dyfarnu'r drwydded am yr wyth mlynedd nesaf i Radio Ceredigion. Penodwyd Peter Bowen, a dreuliasai gyfnod fel ymgynghorydd busnes i Antur Teifi, yn Rheolwr yr Orsaf. Cytunodd Teleri Bevan i dderbyn rôl ymgynghorol ac i osod patrwm safonol ar y rhaglenni. Roedd ei henw hi'n ddigon i sicrhau hygrededd y gwasanaeth ac roedd y ffaith ei bod yn frodor o'r sir yn fonws ardderchog. Rhoddodd Catrin M. S. Davies a Meleri Mair, dwy brofiadol ym maes y cyfryngau a gyfetholwyd ar y Bwrdd, eu cefnogaeth barod iddi. Ymunodd Mike Price (o Goleg Prifysgol Aberystwyth) hefyd, a chyfrannodd yn hael o'i wybodaeth dechnegol.

Agorwyd swyddfa dros dro ym Mharc Gwyddoniaeth Aberystwyth a phenodwyd staff bychan hanfodol. Ray Jones fyddai'n gyfrifol am yr agweddau technegol; Alun Thomas a Deian Creunant fyddai'r prif gyflwynwyr; a Morys Gruffydd fyddai'r Swyddog Datblygu. Penodwyd Buddug Walsh yn Swyddog Gweinyddol, a Lynn Jones a Susie Smith yn gynhyrchwyr rhaglenni Saesneg. Siân Prydderch Huws a Dafydd Hopcyns a gynhyrchai'r rhaglenni Cymraeg. Recriwtiwyd nifer mawr o wirfoddolwyr hefyd a fyddai'n allweddol i'r orsaf fel cyflwynwyr, cynhyrchwyr, golygyddion, technegwyr, atebwyr ffôn, ac yn y blaen.

Ymhen amser, penderfynwyd sefydlu'r stiwdio mewn rhan o hen adeilad Ysgol Gymraeg Aberystwyth yng nghanol y dref, oedd bellach yn eiddo i Fwrdd Datblygu Cymru Wledig (BDCW). Gan fod llawer o waith diogelu sylfeini'r adeilad, bu'n rhaid i ni hurio cabanau ar gyfer y swyddfa, yr ardal gynhyrchu, a'r adran newyddion, a'u gosod yn y maes parcio. Yna mewn hen stiwdio symudol a fenthycwyd i ni gan orsaf annibynnol o Loegr, gosodwyd ein prif stiwdio a'r offer newydd sbon a safonol a ddarparwyd gan gwmni arbenigol o Gaerdydd. Un gofid mawr a wynebem oedd bod llawer o'r arian a gasglwyd at wariant cyfalaf yn cael ei lyncu ar redeg y cwmni, heb fod yr orsaf yn cynhyrchu incwm newydd.

Yna dim ond ychydig wythnosau cyn dechrau darlledu, derbyniais newyddion brawychus: ni fyddai'r trosglwyddyddion yn eu lle ar fastiau Blaenplwyf a Phencarreg mewn pryd i ddechrau darlledu fore Llun 16 Tachwedd, gan nad oedd y sawl oedd yn gyfrifol am eu harchebu wedi gwneud hynny mewn pryd. Ffrwynais fy nheimladau. Os yw'r awyren yn disgyn, does dim pwrpas edliw i'r peilot. Gwell plygu gwar i chwilio am y parasiwt neu, yn yr achos hwn, hysbysu'r Awdurdod Radio ar frys. Cytunwyd mai 14 Rhagfyr fyddai'r dyddiad newydd, ond golygai'r oedi hwn ein bod yn dwysáu'n gofidiau ariannol. Cyrhaeddodd y trosglwyddyddion a chwblhawyd y profion technegol ar ras dros y penwythnos olaf un. Yn ffodus, derbyniwyd llu o negeseuon cefnogol gan wrandawyr eiddgar o'r sir a thu hwnt oedd wedi treulio oriau'n gwrando ar ein tâp cychwynnol o sŵn y tonnau'n torri ar draeth Aberystwyth yn troi a throi'n ddi-daw.

Roeddwn wedi bod yn benderfynol o'r dechrau y gwnâi Radio Ceredigion gyflwyno gwasanaeth chwaraeon eang a gwelais ar unwaith, gyda rhyddhad, nad oedd angen i mi gynhyrchu'r rhaglenni fy hun. Roedd Geraint Davies, cyn-ddyfarnwr pêl-droed, yn ei elfen gyda'r gwaith, a gadewais iddo yntau redeg y sioe. Geraint fyddai'n cyflwyno hefyd, yn bur afieithus. Cofiaf Emyr Jones, Dai Alun Jones, Glyn Jones, a Ritchie Jenkins ymhlith y cyfranwyr cynnar, a'r brodyr Geraint a Gwyn Jenkins, a Trefor Jones – sylwebwyr o'r radd flaenaf. Yn y rhaglen hon hefyd y dechreuodd Oliver Hides ei yrfa lwyddiannus fel sylwebydd a chyflwynydd rhaglenni chwaraeon.

Yn hwyr iawn yn y dydd, Lynn Owen-Rees a gafodd y cyfrifoldeb nid bychan o sefydlu Adran Newyddion. Ein breuddwyd yn y tymor hir oedd perswadio holl orsafoedd annibynnol Cymru i ddod at ei gilydd i ffurfio gwasanaeth newyddion cenedlaethol dwyieithog. Yn y cyfamser, byddai'n rhaid bodloni ar yr hyn y medrai Lynn ei gynhyrchu gyda chymorth Alun Thomas, oedd hefyd yn darllen y newyddion. Daeth un o'r cwynion cyntaf oddi wrth wrandawr na welai bwrpas mewn gwrando ar y newyddion gan ei bod hi eisoes wedi'u ddarllen air am air y bore hwnnw yn y *Western Mail*! Yn hwyr hefyd, penodwyd Tia Jones yn Swyddog Hysbysebion.

Pan benodwyd Prys Edwards yn gadeirydd S4C, bu'n rhaid iddo ymddiswyddo o gadair Radio Ceredigion, a throsglwyddodd yr awenau i mi ar noson dathlu ein diwrnod cyntaf ar yr awyr. Erbyn hynny, roedd sefyllfa ariannol y cwmni'n hynod fregus. Gwyddwn mai un o 'ngorchwylion cyntaf fyddai hogi'r siswrn i dorri'r got yn ôl y brethyn. Gwrthododd y banc ymestyn ein gorddrafft a bu'n rhaid troi at fanc arall. Roedd yr ymgyrch i gasglu hysbysebion wedi dechrau'n rhy hwyr a'r derbyniadau yn isel. Doedd dim ffydd gan y busnesau lleol yn ein gallu i gyrraedd y gwrandawyr nac yn ein dyfodol fel cwmni. Yna, yn dilyn adroddiad digalon a gyflwynwyd i'r Bwrdd ychydig wythnosau wedi i ni ddechrau darlledu, bu'n rhaid i Gerallt

Davies a minnau hysbysu deiliaid rhai o'r swyddi uchaf nad oedd digon o arian ar gael i dalu'u cyflogau. Roedd y rhain yn bobl oedd wedi gweithio'n eithriadol o galed i geisio sicrhau ein llwyddiant ac ni chymerwyd y cam ar chwarae bach.

Yn ystod y mis oedd yn rhagflaenu'r darllediad cyntaf, roeddwn wedi bod yn cyfarfod yn rheolaidd â Catrin M. S. a Meleri Mair a deuthum i ddibynnu fwy-fwy arnynt, ac ar eu hymroddiad a'u dyfeisgarwch. Credaf yn ddiffuant na fyddai Radio Ceredigion wedi goroesi eu hawr dduaf yn Ionawr 1993 oni bai amdanynt hwy. Cytunodd yr ail i reoli'r orsaf dros gyfnod o fis. Yn ystod y cyfnod hwn, gydag argyfwng ar ôl argyfwng yn codi fel cymylau duon uwch ein pennau, byddai'r tri ohonom yn cwrdd bob dydd, i astudio'n cynlluniau busnes, ac adolygu'r gwariant ac ymunai Ellen ap Gwynn â ni'n aml, yn ogystal â Gerallt, pan fyddai eu prysurdeb yn caniatáu. Gan fod yr aelod o'r staff a fu'n gyfrifol am baratoi'r amcangyfrifon bellach wedi'n gadael, roedd angen chwilio am farn ariannol arbenigol, a gofynnais i'r cyfrifydd Donald Patterson ein cynghori.

Hysbysais Wynfford James o'r penderfyniad i derfynu cyflogaeth y staff rheoli a gweinyddu, a gofynnais am ei gymorth i oruchwylio'r orsaf. Roeddem eisoes mewn dyled o ychydig dros £12,000 i AT am eu gwaith yn datblygu'r cais am y drwydded a'r Antur oedd ein credydwr mwyaf. Wedi cyfnod Meleri Mair, gwirfoddolodd Teleri i gymryd drosodd am dri mis, a dilynwyd hi gan hogyn o'r sir a fu ar y staff ers y dechrau, sef Dafydd Hopcyns. Pan ddaeth ei gyfnod yntau i ben, cymerodd Wynfford reolaeth o'r orsaf a defnyddiodd ei sgiliau sylweddol i'r eithaf mewn ymdrech i'w sefydlogi. Nid yn annisgwyl, o dan yr amgylchiadau, codai achosion o wahaniaeth barn rhyngom. Fel pob cadeirydd gwerth ei halen, teimlwn mai 'nghyfrifoldeb i oedd cefnogi'i ymdrechion a chadw pob dadl o olwg y cyhoedd. Yn y cyfamser, ymddiswyddodd Morys a Tia. Marilyn James a'i holynodd hithau fel Swyddog Hysbysebion. Bu llawer o fynd a dod, wrth i nifer o gyfarwyddwyr ymddiswyddo ac etholwyd eraill yn eu lle. Maes o law, ymunodd pobl fel Elin Jones (AC

Ceredigion wedi hynny) ac Euros Lewis. Enwebais Geraint Davies hefyd gan y teimlwn y gallai gario cefnogaeth y llu o wirfoddolwyr a gyfrannai i'w raglen Sadwrn – yn union fel y llwyddodd Euros ddenu ymlyniad criw gweithgar Felinfach.

Er gwaetha'r ffigurau gwrando rhagorol a bod canmoliaeth i'r gwasanaeth yn dod o bob cwr o'r sir a thu hwnt, dal i amau oedd y sector fusnes. Trwy gydol y cyfnod stormus hwn, serch hynny, roedd yn rhaid i'r orsaf barhau i ddarlledu, a chyflawnodd Teleri a'i thîm bychan o staff proffesiynol galluog ryfeddodau gyda chefnogaeth degau o wirfoddolwyr dihafal.

Cafwyd ambell dro trwstan pan nad oedd Alun Thomas ar ddyletswydd fel darllenydd newyddion. Am resymau technegol nid oedd modd ciwio'r darllenwyr yn yr ail stiwdio, a chan fod un darllenydd swil a dibrofiad yn amddifad o gyfarwyddyd cafwyd eiliadau hir o ddistawrwydd ar ddechrau un bwletin yn cael eu torri gan lais yn galw'n betrus: 'Alun … Alun, dydw i ddim yn clywed dim byd… Alun …'

Cryfhawyd y tîm pan ychwanegwyd Rhian Jones ato. Bellach, roedd gennym ddau ddarllenydd newyddion o'r safon uchaf. Un noson o aeaf, diffoddodd rhywun difeddwl y golau, tra oedd Rhian yn darllen y newyddion. Oherwydd mai hi ei hun oedd wedi ysgrifennu'r bwletin, llwyddodd gyda'i phroffesiynoldeb arferol i oresgyn y broblem drwy adrodd nifer o'r eitemau o'i chof! Er na chafwyd bwletin cyflawn y tro hwnnw, doedd neb ond Alun a hithau wedi sylwi.

Cafwyd llawer iawn o ddifyrrwch gyda'r rhaglenni hefyd. Pan gyfwelwyd yr hynod annwyl John Fitzgerald un bore, aeth rhan o'r sgwrs rhyngddo a'r holwraig ar linellau tebyg i hyn:

JF: … ac ymaelodais ag Urdd y Carmeliaid.
H: A fu'n rhaid i chi gymryd llw o ddistawrwydd, 'te?
JF: Na, na. Y Sistersiaid sy'n gwneud hynny.
H: O? O'n i'n meddwl bod y dynion yn gorfod 'neud hefyd!

Ond dylwn bwysleisio mai perlau bach prin oedd y llithriadau hynny ynghanol stôr o raglenni'n llawn gwybodaeth a diddanwch, a lwyddodd i greu ffigurau gwrando a achosai gur pen i reolwyr Radio Cymru. Roeddwn i wedi ceisio dod i ryw fath o ddealltwriaeth gyda'r BBC a fyddai'n galluogi'r ddwy orsaf i gydweithio â'i gilydd, ond methiant fu pob ymdrech. Aed mor bell â rhybuddio rhai cyflwynwyr na fedrent wneud gwaith i Radio Ceredigion a chadw'u rhaglenni ar Radio Cymru. Ac, wrth reswm, gan mai dim ond ar fara'r BBC roedd menyn, doedd y canlyniad ddim yn annisgwyl, a chollwyd nifer o enwau cryf iawn.

Wrth i 1994 dynnu at ei therfyn, gorchmynnodd BDCW ni i symud o'r cabanau ond nid oedd arian gennym i dalu am addasu'r adeilad i greu stiwdios. Yn dilyn penderfyniad i wneud cais am grant ariannol o gronfa Ewropeaidd, gwahoddwyd fi i swyddfeydd AT yn Aberarad i gydweithio â'r sawl fyddai'n ei baratoi. Ymhen y rhawg, cyrhaeddodd y newyddion da fod y grant ar ei ffordd. Y newyddion drwg oedd mai i gronfeydd AT y telid y grant, nid i gronfa Radio Ceredigion. O ganlyniad, cynyddodd y bil am adeiladu'r stiwdio ein dyled i AT gan greu testun dadl ychwanegol.

Gorfododd yr amgylchiadau ariannol y Bwrdd i lofnodi cytundeb gydag AT a oedd yn gosod cyfrifoldeb ar y cyfarwyddwyr i gasglu nawdd masnachol. Yr unig gyfarwyddwyr a wyddai rywbeth am nawdd ar y pryd oedd Catrin M. S. a minnau, ac fe leisiodd y ddau ohonom ein barn fod y dasg yn amhosib i wirfoddolwyr oedd eisoes mewn swyddi prysur. Er nad oedd gen i'r profiad uniongyrchol na'r cymwysterau, ymdaflais i'r dasg gan gysylltu gyda phob cwmni mawr y gwyddem rywbeth amdanynt, a gwnaeth Catrin yr un modd. Dehonglwyd methiant y cynllun hwn fel arwydd o ddiffyg cymhwyster aelodau'r bwrdd, a minnau'n benodol, i fod yn ein swyddi.

Ychwanegwyd at y tyndra pan grybwyllodd Wynfford y syniad o benodi is-gadeirydd AT yn gadeirydd ar Fwrdd RC.

Tynnais ei sylw at y ffaith nad oedd darpariaeth ar gyfer cam o'r fath yng nghyfansoddiad y cwmni, ond cytunais i gyfarfod â'r is-gadeirydd, John Jones, y dyn busnes llwyddiannus a sefydlodd gwmni cyfieithu Trosol. Bu'r cyfarfod hwnnw'n un ffrwythlon a daethom i ddealltwriaeth parthed y ffordd ymlaen. Tua'r un cyfnod, rhybuddiwyd fi gan gyfrannwr cyson fod ymgais wedi cael ei wneud, yn ystod fy absenoldeb o'r wlad, i gasglu cefnogaeth i 'nisodli. Serch hynny, yng nghyfarfod nesaf y Bwrdd, etholwyd fi'n gadeirydd yn unfrydol am y drydedd flwyddyn yn olynol. Cytunwyd hefyd i sefydlu Bwrdd Gweithredol oedd yn cynnwys Wynfford, Geraint Davies a John Jones (a benodwyd yn Gyfarwyddwr Cyllid). Hwy bellach fyddai'n rheoli'r orsaf. Sefydlodd John berthynas waith gyfeillgar â'r staff a'r Bwrdd ac, yn bwysicach, efallai, â'r banc, a gwelwyd cynnydd yn ein hincwm. Teimlais i ni sefydlu perthynas waith hynod esmwyth ac effeithiol, ac roeddwn yn flin o glywed, o fewn ryw bedwar mis, na fedrai John barhau yn ei rôl oherwydd amgylchiadau nad oedd yn gysylltiedig â'i berthynas â'r orsaf.

Yn weddol fuan ar ôl ymddiswyddiad John Jones, cyhoeddodd Wynfford fod Bwrdd AT yn bwriadu comisiynu cyfrifwyr i adrodd ar statws cyllidol Radio Ceredigion. AT fyddai'n dewis y cwmni, yn eu briffio, ac yn negodi'r pris. Byddai unrhyw adroddiad ysgrifenedig gan RC, felly, yn gorfod mynd gyntaf i AT ac, er mai AT fyddai'n talu am wasanaeth y cyfrifwyr yn y lle cyntaf, disgwylid i RC ad-dalu'r bil yn llawn.

Yng Nghaerfyrddin y cynhaliwyd y cyfarfod gyda chynrychiolydd Coopers & Lybrand. Rhybuddiodd yntau ni fod y cwmni eisoes yn fethdalwr yn dechnegol ac y dylid mynd ati i chwilio am 'brif bartner'. Gair mwys oedd hwnnw am berchennog masnachol newydd i'r orsaf. Clywn ei lais fel cnul yn cyhoeddi diwedd oes yr orsaf fel radio gymunedol.

Yna, yn annisgwyl, daeth perthynas uniongyrchol AT â RC i ben. Y gred ar y pryd oedd mai'r hyn a oedd wrth wraidd y penderfyniad oedd pryder aelodau Bwrdd AT eu bod mewn peryg o gael eu gweld yn gyfarwyddwyr cysgodol Radio Ceredigion (sefyllfa a fedrai fod yn niweidiol iddynt, wrth reswm, petai'r orsaf yn mynd i'r wal).

Er gwaethaf pob math o sibrydion, teimlwn yn weddol ffyddiog y medrwn gwblhau fy nhymor fel Cadeirydd. Er nad fy newis i oedd cymryd y gadair roeddwn i'n benderfynol o'i gadael ar fy nhelerau fy hun. Mewn cyfweliad gydag Elin Mair o faes Eisteddfod Crymych, cyfeiriais at y ffaith na fyddwn yn parhau yn y swydd ar ddiwedd fy nhymor. Ar yr adeg gywir felly, enwebais Geraint Davies yn gadeirydd ac Euros Lewis yn is-gadeirydd. Fy ngobaith oedd y gellid dechrau o'r newydd heb rwygiadau niweidiol i ddelwedd yr orsaf.

Ychydig fisoedd ynghynt hysbysebwyd am Reolwr a phenodwyd Gwendoline Davies, Rheolwraig cangen Aberystwyth o Gymdeithas Adeiladu y Principality. Siaradai pawb yn uchel amdani a llenwyd yr orsaf â gobaith newydd. Creodd argraff ffafriol ar bawb o'r dechrau, a rheolai â llaw gadarn. Sefydlodd berthynas dda gyda'r banciau ac ymdaflodd ei hun gyda chryn lwyddiant i'r gwaith o gynyddu'r incwm. Ond pan ddechreuodd durio i wraidd rhai dyledion a chytundebau, dechreuodd y llanw droi yn ei herbyn, a dirywiodd ei pherthynas â swyddogion newydd y Bwrdd. Ar y llaw arall, gydag un eithriad, ochrodd y staff gyda hi.

Yn dilyn y cyngor i chwilio am 'brif bartner' rhannwyd y dyletswydd hwnnw rhwng y cyfarwyddwyr. Adroddodd Elin Jones am ddiddordeb cwmni *Premiere* mewn cymryd yr orsaf drosodd, a Wynfford am ei drafodaeth gyda Sain y Gororau (*Marcher Sound*). Bu Martin a minnau, yng nghwmni Donald, yn cyfarfod â pherchnogion y *Cambrian News*. Er bod rheolau'r Awdurdod Radio wedi nacáu'r hawl i bapurau lleol fod yn berchen ar orsafoedd radio o fewn eu dalgylch, fy nheimlad i oedd mai'r cwmni lleol hwn oedd yr un tebycaf o barchu amcanion Radio Ceredigion. Yna, gofynnwyd i mi drafod gyda thair gorsaf radio, sef Sain y Gororau, Sain Abertawe, a G. W. Radio. Nododd Geraint hyn yn ei ddogfen *Y Ffordd Ymlaen*. Pan drefnais i gyfarfod â Godfrey Williams ac Eira Davies, Prif

Weithredwr a Phennaeth Rhaglenni Cymraeg Sain y Gororau, daeth Gwendoline gyda mi. Gadawsom y cyfarfod yn fodlon iawn fod y mwyafrif o'n hamodau wedi cael eu derbyn: ni fyddai gostyngiad ar nifer yr oriau Cymraeg ac ni chaent eu symud o'r oriau brig; cedwid y staff a byddai gan Radio Ceredigion gynrychiolaeth ar Fwrdd y cwmni newydd. Fodd bynnag, ni chaniataodd rhuthr digwyddiadau'r wythnosau canlynol i'r cyfarfodydd gyda'r gorsafoedd eraill ddigwydd byth.

Yn ei gyfarfod nesaf, penderfynodd y Bwrdd wahodd Godfrey Williams ac Eira Davies atom i drafod eu cynnig. Er gwaetha'r siarad cadarnhaol a'r gwenu a'r chwerthin, penderfyniad y Bwrdd yn ein cyfarfod nesaf oedd gwrthod eu cynnig. Yn rhyfeddol, taenwyd stori'n ddiweddarach fod Gwendoline a minnau wedi dod i gytundeb â Sain y Gororau heb yn wybod i'r Bwrdd llawn! Cyflwynodd Geraint restr hir o gwynion yn erbyn Gwendoline a oedd, yn fy marn i'n amrywio o'r di-sail i'r afresymol, ac yn ymgais i berswadio'r Bwrdd i'w diswyddo. Yn sgil y diffyg ymddiriedaeth hyn, teimlais nad oedd modd i mi barhau'n aelod o'r Bwrdd, ac ymddiswyddais. Fy ngobaith oedd y gwnâi hynny ddeffro'r Bwrdd i ddifrifoldeb y sefyllfa a'u hatal rhag cymryd cam a fedrai ansefydlogi'r cwmni eto fyth.

Ymatebodd rhai o aelodau'r cwmni drwy ofyn am gyfarfod gor-gyffredinol i drafod fy rhesymau, a theimlais fod ganddynt yr hawl i hynny. Ymwelais â Martin Dafis, y gŵr hawddgar a weithredai fel cyfreithiwr y cwmni, i sicrhau fod pob cam a gymerid yn unol â rheolau'r cwmni a Thŷ'r Cwmnïau. Hwn oedd y cyfarfod cyntaf o'i fath yn ein hanes. Y sioc gyntaf oedd darganfod mai dim ond dyrnaid o gefnogwr oedd wedi parhau i dalu'u tâl aelodaeth. Yn wir, wedi fy ymddiswyddiad i, doedd dim un o aelodau'r Bwrdd hyd yn oed yn aelod o'r cwmni, er bod y rheolau'n dweud yn glir bod yn rhaid i bob cyfarwyddwr ymaelodi o leiaf fis wedi'i apwyntiad. Serch hynny, gwahoddwyd y pump ohonynt i fod yn bresennol a gofynnwyd i Geraint gadeirio. Gwrthodwyd y ddau wahoddiad.

Yna, derbyniais alwad ffôn oddi wrth Martin, a llythyr

dyddiedig 25 Mehefin 1996 yn cadarnhau'r alwad, yn fy ngwahodd i a pherson o 'newis i gyfarfod â Geraint ac Euros (Cadeirydd ac is-gadeirydd y Bwrdd) gyda Martin fel canolwr. Yn ogystal, roedd Geraint wedi gofyn i Martin wneud tri phwynt yn eglur i mi: bod tystiolaeth ganddo nad oedd y rhestr aelodaeth a ddefnyddiwyd i wahodd yr aelodau yn gyflawn; bod ffeil aelodaeth y cwmni wedi diflannu o'r orsaf a bod yn rhaid felly ystyried rhoi'r mater yn nwylo'r heddlu; ac, yn drydydd, bod ganddo dâp o sgwrs rhwng Meleri (MacDonald) ac aelod arall o staff y cwmni yn dangos eu bod yn cynllwynio yn erbyn y Bwrdd ac na fyddai'n oedi rhag ei ddefnyddio pe byddai rhaid. Atebais nad oeddwn yn fodlon ymateb i fygythiadau. Hefyd, ni welwn ddiben mewn cyfarfod â nhw. Mater i'r cyfarfod gor-gyffredinol a neb arall fyddai penderfynu'r ffordd ymlaen.

Yn unol â'r cyfansoddiad, cynhaliwyd y cyfarfod gor-gyffredinol ar noson braf o Fehefin 1996 yn Swyddfa'r Urdd. Yno, cyhoeddais mewn datganiad roeddwn i wedi'i baratoi ymlaen llaw, fy mod i'n torri fy nghysylltiad â rheolaeth yr orsaf yn derfynol ond, gan 'mod i wedi ymaelodi am oes, arhosais ymlaen yn y cyfarfod fel aelod cyffredin.

Tynnwyd fy sylw at y ffaith fod llond bws wedi cyrraedd. Roedd tri o'r cyfarwyddwyr wedi bod wrthi'n brysur yn casglu tua hanner cant o aelodau newydd ac wedi'u cludo i Aberystwyth gyda'r bwriad o droi'r cyfarfod o'u plaid. Doedd rheolau Tŷ'r Cwmnïau ddim yn caniatáu i hyn ddigwydd. Byddai gadael iddynt ddod i'r cyfarfod yn difetha'i bwrpas yn ogystal â pheryglu'i statws cyfreithiol. Yn ffodus, roedd yn ddigon hawdd rheoli mynediad i'r cyfarfod ac aelodau dilys yn unig gafodd ddod i mewn, er bod dau neu dri aelod heb fentro drwy'r dyrfa gan sefyll ar ei chyrion. Gan fod cynifer o bobl wedi ymgasglu ar dir yr Urdd heb ganiatâd a'r lleisiau'n codi, teimlais ddyletswydd tuag at fy nghyflogwyr i alw'r heddlu i gadw trefn.

Wrth reswm, caniatawyd mynediad i'r cyfarwyddwyr a gwahoddwyd Geraint Davies i annerch yr aelodau. Y tu allan, clywyd anerchiadau ymfflamychol yn beirniadu'r hyn oedd yn digwydd yn yr adeilad – a rhai sylwadau digon sarhaus amdanaf i'n ennyn bonllefau o gymeradwyaeth frwd. Yn y cyfarfod swyddogol, etholwyd Bwrdd newydd, o dan gadeiryddiaeth Emyr James, cyn-reolwr banc y Midland a swyddog blaenllaw gydag Undeb Amaethwyr Cymru, a chadarnhaodd yr aelodau eu cefnogaeth lawn i'r Rheolwraig, sef Gwendoline Davies. Lluniwyd datganiad swyddogol a gwahoddwyd John Meredith i fyny i'w recordio ar gyfer y BBC. Darllenodd y Cadeirydd newydd yr un datganiad i'r dorf y tu allan.

Byrhoedlog fu bywyd y Bwrdd. Yn dilyn cyfarfod cyhoeddus a gynhaliwyd yn Felinfach, deallwyd fod y banc wedi rhewi cyfrifon y cwmni ac, yn y dybiaeth y medrai gwrthdaro cyfreithiol digyfaddawd a drud rhwng y ddwy garfan beryglu einioes yr orsaf, penderfynodd y cyfarwyddwyr newydd ildio'u hawliau.

Yna, liw nos, taflwyd llythyr drwy ddrws Gwendoline Davies yn ei diswyddo (oherwydd nad oedd ei hymweliad gyda mi â Sain y Gororau 'yn dderbyniol', meddir yng nghais Radio Ceredigion 2000 am drwydded 2000–08). Ac wedi i Meleri dreulio blwyddyn ar y staff yn hollol ddi-dâl cyn cael ei phenodi'n gynhyrchydd/ gyflwynydd amser llawn, ymddiswyddodd hi, ynghyd â Siân Evans a Stephen Fairclough. Fore Llun, honnodd Geraint Davies ar *Stondin Sulwyn* ei fod wedi fy nisodli. A dyna'r argraff y ceisiwyd ei chreu byth oddi ar hynny fel y dengys y cymal canlynol allan o'r un ddogfen; *By the AGM in 1995, the membership had lost confidence in the chairman and Geraint Davies was elected in his place ... In June 1996 the past chairman convened a meeting of some memberts of the company in an attempt to regain power.* Dyna'r argraff a grëwyd felly er bod cofnodion y cwmni'n profi'n wahanol. Cliriwyd pob darn o bapur a phob neges a gariai fy enw o waliau'r orsaf – yn eu plith y polisi iaith. Pan holwyd Rheolwraig newydd Radio Ceredigion ar *Wedi 3* ychydig yn ddiweddarach pwy gafodd y syniad o sefydlu'r orsaf, ni chrybwyllwyd fy enw o gwbl. Hen iawn yw'r arfer o glirio'r cof am arweinwyr sy'n colli'u dylanwad.

Bellach, aeth dros ddegawd heibio ac, erbyn hyn, Syr Ray

Tindle, a'i gwmni Tindle Newspapers Group, o Surrey yw perchennog Radio Ceredigion. Crebachodd yr oriau Cymraeg ers dyddiau Radio Ceredigion Cyf., a chynyddodd nifer yr hysbysebion a ddarlledir yn uniaith Saesneg. O Loegr daw'r bwletinau 'cenedlaethol'.

Dydy'r digwyddiadau a amlinellais uchod yn ddim mwy nag atgof, a hoffwn feddwl fod pawb wedi maddau i'w gilydd fel rwyf finnau wedi ei wneud, er na allaf lwyr anghofio amdanynt. Cedwais lu o ddogfennau a all gynorthwyo hanesydd rywdro i adrodd y stori'n fanylach. Cyfeiriais atynt yma rhag creu'r argraff gyfeiliornus fod gennyf gywilydd o'r bennod hon yn fy hanes.

Oherwydd diffyg cyfle, anaml iawn y bûm i'n cystadlu gyda fy marddoniaeth ers i mi adael fy arddegau a daeth fy ngyrfa yn y maes hwnnw i ben am gyfnod hir. Gan fod y cyfnod byr y treuliais wedi hynny yn yr Ariannin wedi'i lyncu gan y gwasanaeth milwrol a'r nosweithiau diwylliannol lleol traddodiadol wedi peidio â bod, ni ddaeth cyfle wedyn nes i mi fentro ysgrifennu cerdd go uchelgeisiol yn Sbaeneg ar gyfer cystadleuaeth Coron Eisteddfod y Wladfa yn 1966. Ni chafwyd teilyngdod ond fy nghynnig i oedd agosaf at y nod, yn ôl y beirniaid.

Wedi dod i fyw i Gymru, anfonais gerdd fer i gystadleuaeth yn Eisteddfod Rhydaman 1970, pan nad oedd gennyf hawl i wneud y fath beth mewn gwirionedd a minnau'n aelod o'r staff, ac roedd y feirniadaeth garedig wedi creu awydd ynof i ysgrifennu mwy. Eithr cyfunodd prysurdeb y gwaith gyda fy niffyg hyder yng nghywirdeb fy iaith i'm rhwystro rhag mentro. Anfonais gasgliad o gerddi i gystadleuaeth Cadair Eisteddfod y Wladfa yn 1971 a disgrifiodd y beirniad, y Prifardd Gwilym R. Tilsley, un ohonynt fel 'perl fach', gan roi hwb bach arall i 'malchder. Cynigiais eto yn 1972 a 1973 ar destunau yn ymwneud â hanes y Wladfa a dirywiad y Gymraeg. Gwridaf wrth ddarllen y cynigion hyn heddiw, ond rwy'n falch bod yr Athro Gareth Alban Davies a'r Prifardd Dafydd Owen wedi gweld digon o rinweddau ynddynt ar y pryd i'w gwobrwyo. Ni fûm yn bresennol yn y naill

Eisteddfod na'r llall a dirprwyodd fy nhad drosof.

Y tro cyntaf i mi ennill, siomwyd fy nhad pan ddarganfu'n ddamweiniol ychydig ddyddiau cyn yr Eisteddfod mai rhywun arall fyddai'n cyfarch y bardd ar gân (swyddogaeth roedd o wedi'i chyflawni ers ail sefydlu'r Eisteddfod). Ieuan Arnold oedd y Cadeirydd ac ni ddywedodd air wrtho nes bod y seremoni ar fin dechrau. Arweiniodd Ieuan ef i sedd yng nghefn y neuadd a'i gyfarwyddo i godi pan gâi ffugenw'r enillydd ei alw. Roedd o'n barod erbyn yr ail dro ac efallai iddo gael ei siomi na chafodd gyfle arall wedi hynny.

Wedi darllen mai 'Hil' oedd testun y goron yn Wrecsam (1977), mentrais addasu'r ddwy a'u cyfuno gan obeithio ffurfio cyfanwaith synhwyrol, yn cymharu delfrydiaeth yr ymfudwyr â diflaniad yr iaith ymhlith yr ifanc. Deuddydd cyn y dyddiad cau, dangosais hi i Islwyn Jones, ymwelydd cyson â Swyddfa'r Eisteddfod yn y Barri ac anogodd fi i'w hanfon i'r gystadleuaeth. Gwn fod ôl brys mawr ar y copi a anfonais ar y dyddiad olaf un. Rhedai afon Paith wrth waelod gardd ein cartref yn Rhydyfelin, a meddyliais y gwnâi *Rhydypaith* ffugenw addas (ychwanegais *Yr Olaf*, rhwng cromfachau, i gyfleu'r syniad mai siaradwr Cymraeg olaf y Wladfa oedd yn llefaru). Arhosais adref ar ddiwrnod y Coroni ac aeth Delyth a'r plant am dro er mwyn i mi gael gwrando ar y feirniadaeth mewn tawelwch. Euthum drwy rychwant o deimladau wrth glywed llais Bryan Martin Davies yn ei thraddodi. Teimlais ryddhad pan ddeallais nad oeddwn yn y trydydd dosbarth. Yna teimlo cyffro wrth iddo fynd drwy gynigion yr ail (lle'r oeddwn i'n ddigon o ben bach i ddisgwyl bod) a gorfoledd pan na enwodd fy ffugenw. Roedd fy ngherdd felly yn y Dosbarth Cyntaf! Yna'r siom o glywed am ei gwendidau ond wedyn teimlad o foddhad wrth iddo gloi drwy ddweud mai 'bardd addawol yw *Rhydypaith*'. Darllen y cyfansoddiadau, wedyn, a gweld bod Dyfnallt Morgan wedi'i gosod gyda'r pedair cerdd orau, ac Alun Llywelyn-Williams gyda'r 'tair neu bedair o gerddi [sydd] yn amlwg yn well na'r rhelyw'. Er bod tabl goreuon y beirniaid i gyd yn wahanol iawn i'w gilydd, *Rhydypaith* oedd yr unig un i gadw cwmni i'r bardd buddugol ar bob un ohonynt. Wedi dweud hynny, roedd yn amlwg na fyddai coroni wedi bod yn Wrecsam pe na bai Donald Evans wedi cystadlu. Ond doedd dim ots, roedd cyrraedd y lefel stratosfferig hon yn dilysu'r ddwy fuddugoliaeth a gawswn yn Eisteddfod y Wladfa. Teimlwn fel cath wedi dal llygoden ac wedi yfed dwy fowlenaid o laeth.

'Addawol' neu beidio, ni wireddwyd yr addewid ac ni ysgrifennais gerdd erioed wedyn ac eithrio i gefnogi Eisteddfod y Capel tua'r un cyfnod, a chael y drydedd wobr gan Alun Jones! Treuliais y ddau ddegawd nesaf yn ysgrifennu cynlluniau ac adroddiadau hynod ddiflas nad oedd fawr neb yn eu darllen ac sy'n casglu llwch mewn rhyw archif yn rhywle, gan ddatblygu arddull ffeithiol ac anystwyth sy'n anodd cael gwared arni. Ni fûm yn cystadlu wedyn, er i rywun ddefnyddio *Rhydypaith* yn ffugenw ar destun yn ymwneud â'r Wladfa mewn cystadleuaeth yn yr Adran Ryddiaith eisteddfod neu ddwy yn ddiweddarach. Gwn hefyd fod llawer yn tybio mai eiddof i oedd nofel hanesyddol a anfonwyd i gystadleuaeth rai blynyddoedd yn ôl, ond y gwir yw mai awdur sydd erbyn hyn wedi cyhoeddi'r un nofel yn Sbaeneg oedd hwnnw.

Gwobr Goffa Daniel Owen

Os nad enillais wobr am gystadlu yn yr Eisteddfod Genedlaethol, cyrhaeddodd llawer o 'ngeiriau i'r ymgais y dyfarnwyd Gwobr Goffa Daniel Owen iddi yn Eisteddfod Eryri. Wedi i mi dreulio diwrnod llawn ym mhabell Cymdeithas Cymru-Ariannin yn ôl fy arfer, eisteddwn yn amyneddgar yn fy nghar yn gwylio llif traffig trwm y ffodusion oedd yn mynd i fwynhau cyngerdd Bryn Terfel, gan obeithio am gyfle i yrru i'r cyfeiriad arall. Canodd fy ffôn a chlywais lais Ceris Gruffudd yn dweud wrthyf fod enillydd Gwobr Goffa Daniel Owen wedi ysgrifennu am Edwin Roberts. Roeddwn wedi adrodd am gampau'r arwr mawr hwnnw yn *Yr Hirdaith*, fy nghofiant iddo a gyhoeddwyd yn 1999, ac edrychwn ymlaen yn eiddgar at gael darllen ymdriniaeth o'i fywyd a'i waith mewn ffuglen.

Am y tro cyntaf drwy'r wythnos, roeddwn yn cael cyfle i wrando ar *Tocyn Wythnos*, a chlywais leisiau Siân Eirian Rees Davies, awdur y gyfrol arobryn, a Bethan Mair, un o feirniaid y gystadleuaeth, yn cael eu holi gan Beti George. Sôn am siom. Fedrwn i ddim coelio 'nghlustiau pan ddaeth yn amlwg bod y nofel newydd yn croes-ddweud pob ffaith oedd yn hysbys am fenter mintai'r *Mimosa*. Roedd hi am chwalu'r myth am y Wladfa, meddai'n ymhongar, honiad y medrwn ei dderbyn oddi wrth hanesydd wedi'i arfogi â thystiolaeth gredadwy, ond daeth yn amlwg i mi wrth ddarllen y nofel y diwrnod wedyn, nad oedd sail hanesyddol o unrhyw fath ganddi i'w chefnogi.

Ond trawyd fi gan ffaith arall, un amlwg a rhyfeddol iawn. Ar wahân i'r dyfyniadau a gydnabuwyd uwchben y penodau (ac 'areithio' wedi troi'n 'arteithio' yn un ohonynt, gan newid ei ystyr!), roedd y gyfrol yn frith o gymalau a godwyd yn uniongyrchol o drydedd bennod *Yr Hirdaith* ynghyd â manion o benodau eraill, naill ai yn fy ngeiriau i neu wedi'u haralleirio, ac a blethwyd yn gelfydd gan yr awdur i'w pharagraffau ei hun. Cododd hefyd gymalau o waith awduron eraill roeddwn i wedi'u dyfynnu. Teimlwn fod hynny'n profi gweithred fwriadol. Roeddwn yn syfrdan.

Gwelais hefyd fod nifer o straeon yn dilyn yr un drefn yn y ddwy gyfrol. Ac yna perthynas Edwin Cynrig Roberts â Lewis Jones, nas trafodwyd mewn manylder erioed tan *Yr Hirdaith*. Yr unig wahaniaeth, wrth gwrs, oedd bod ei darlun hi o'r berthynas honno, yn ystod mordaith y *Mimosa* a'r glanio ar draethau'r Bae Newydd yn un hollol i'r gwrthwyneb i'r un a dynnais i. Popeth da a dyrchafol yn edrych yn ddrwg ac yn salw.

Doedd yr un o'r cyfrolau eraill a restrir yn y llyfryddiaeth wreiddiol (a hepgorwyd gan y Wasg) wedi diodde'r un driniaeth yn y nofel ag y cafodd *yr Hirdaith*, a chodwyd y mwyafrif llethol o'r 'atgofion a hanesion' sy'n sail i'r nofel o'r cofiant ond gan newid ychydig ar eu geiriad, megis yn yr enghreifftiau canlynol:

'Pe câi Patagoniad ond lwmpyn o fenyn ar dy ben, fe'th lyncai o'r golwg ar unwaith. Dywedais innau mai nid mor hawdd â hynny y gellid llyncu Cymro.'

'Pe câi Patagoniad lwmpyn o siwgwr ar dy ben, fe'th lyncai o'r golwg mewn dim!' Atebais innau nad mor hawdd â hynny y gellid llyncu Cymro!'

'Llogwyd ail long – y *Mary Helen* – i gludo coed, i gasglu *guano* i'w allforio, ac i symud yr ymfudwyr... '

'Llogwyd llong ychwanegol o'r enw Mary Ellen, *i gario coed, i gasglu guano i'w allforio, ac i symud ymfudwyr...'*

'Codasant wersyll wrth droed penrhyn yng nghilfach ddeheuol y traeth

'... codi gwersyll wrth droed y penrhyn... yng nghilfach ddeheuol y traeth...'

'Tyllai'r gweision bob yn ail, ac wrth i'r pydew ddyfnhau safai un ar y lan i godi'r pridd â bwcedi a rhaffau tra byddai'r llall yn tyllu.'

'Dysgais y gweision i dyllu bob yn ail, ac wedi i'r twll ddyfnhau ... un o'r gweision sefyll wrth y lan ... i godi'r pridd â bwced a rhaff tra bo'r llall yn dal i dyllu'.

Neu'r addasiad hwn i'r Saesneg:

'Nid oedd neb i ddringo ato byth eto, beth bynnag yr amgylchiadau... '

'None of you, in any circumstance, is allowed on the upper deck!...'

Cynhwyswyd y pennill isod yn y nofel heb newid yr un gair ohono:

'O Edwin, O Edwin, amdanat mae sôn

O waelod Sir Benfro i ben ucha' Sir Fôn;

Dy lais sydd fel trydan, a'th araith fel tân –

Mae trais ac mae gormes yn crynu o'th flâ'n.

Medraf brofi i sicrwydd na allai'r awdur fod wedi gweld y fersiwn hon – sydd mewn gwirionedd yn fesiwn wallus – nac unrhyw un o'r cymalau niferus eraill a gopïodd, yn unman arall.

Penderfynais dynnu sylw pob un o'r sefydliadau oedd wedi ymwneud â'r nofel. Ychydig a feddyliais fy mod i'n cychwyn, nid o 'newis fy hun, ar lwybr y byddwn yn ei droedio am ymron i ddwy flynedd wrth i mi geisio cyfiawnder gan Eisteddfod Genedlaethol Cymru, Gwasg Gomer, Coleg Prifysgol Bangor a Phrifysgol Cymru. Llwybr nad oedd yn arwain i unman.

Ymateb yr Eisteddfod Genedlaethol

Yn unol â'r cyfarwyddyd a dderbyniais gan Elfed Roberts ac Emyr Byron Hughes, un o gyfreithwyr mygedol yr Eisteddfod a ddigwyddai fod yn bresennol ar y pryd, cyflwynais dystiolaeth ysgrifenedig fanwl erbyn 31 Awst. Doeddwn i ddim wedi diffinio'r drosedd, dim ond disgrifio'r hyn a welswn, gan adael i'r arbenigwyr farnu. Dywedodd Elfed y gwnâi darllenydd annibynnol ddarllen y nofel a'r cofiant a chyflwyno adroddiad i Banel Llên sefydlog yr Eisteddfod, y corff fyddai'n trafod y gŵyn mewn proses agored, dryloyw a theg.

Pan ddywedodd yn ddiweddarach mai panel annibynnol fyddai'n ystyried yr achos, gofynnais iddo hysbysu'r aelodau 'mod i'n dymuno cyfyngu'r gŵyn i un o godi gwybodaeth heb ei chydnabod. Teimlwn fod mwy o obaith am lwyddiant wrth fynd am drothwy is na chyhuddiad o lên-ladrad. Ond daeth ataf wedyn i ddweud fod Emyr Lewis, cyfreithiwr mygedol arall yr Eisteddfod, wedi dyfarnu mai'r unig un o reolau'r Eisteddfod Genedlaethol oedd yn berthnasol yn yr achos dan sylw oedd rheol 10 o'r Rheolau ac Amodau Cyffredinol. Os oeddwn i'n honni fod yr awdur wedi torri'r rheol hon, byddai'r Eisteddfod yn penderfynu beth i'w wneud yn sgil hynny, ac yn cynnull panel i ystyried y gŵyn ynghyd ag ymateb yr awdur, ac i ddyfarnu ar y cwestiynau uchod. Byddai cyfle i'r ddau ohonom gyflwyno tystiolaeth lafar. Mewn mater o ychydig ddyddiau felly, roedd yr

Eisteddfod wedi cyflwyno tair trefn wahanol i mi.

Pwysleisiais fy awydd i gwblhau'r broses yn fuan oherwydd na fyddai modd cadw'r stori rhag y wasg lawer yn hirach. Roedd y newyddiadurwraig Non Tudur eisoes wedi holi a oeddwn yn bwriadu cynnal achos cyfreithiol ac, oherwydd na fyddwn yn y wlad am fis rhwng canol Hydref a chanol Tachwedd, roeddwn eisiau setlo'r mater cyn gadael. Doedd gen i ddim syniad sut y medrai hi fod wedi cael gafael yn y stori gan i mi fod yn hynod o ofalus rhag ei datgelu.

Pan roddwyd tan bump o'r gloch prynhawn Mercher 14 Medi i mi gadarnhau fy mod i am ddwyn cyhuddiad, anfonais fy nhystiolaeth yn brydlon. Holais beth oedd cyfansoddiad y panel, ei ddyletswyddau, y briff byddai'n ei dderbyn, a beth oedd ffurf y broses a gymerid. Awgrymais mai syniad da fyddai i'r awdur a minnau dderbyn copi o drefn cwynion yr Eisteddfod, er mwyn i ni ymgyfarwyddo â'r canllawiau fyddai'n cael eu dilyn. Rwy'n dal i aros am y wybodaeth honno. Holais hefyd pa mor sydyn y gallwn dderbyn y dyfarniad.

Daeth llythyr oddi wrth Elfed yn nodi ei fod hefyd wedi derbyn tystiolaeth oddi wrth yr awdur, Trefnydd yr Eisteddfod a Bethan Mair. Dyfynnodd hefyd sylwadau Emyr Lewis. 'Yn fy marn i,' meddai, 'dydi'r elfen hanfodol o anonestrwydd ynghlwm wrth lên-ladrad ddim yn bresennol yn yr achos yma. Mae hi'n eglur fod y cystadleuydd wedi gwneud yn glir wrth yr Eisteddfod a'r beirniaid ei bod hi wedi dibynnu ar ffynonellau, gan gynnwys gwaith Elvey MacDonald. Yn wyneb hyn, fyddai hi ddim yn briodol nac yn deg i fynd â'r mater ymhellach, oni bai bod yna dalpiau helaeth iawn (pennod gyfan, dyweder) sydd air am air yr un fath, a does dim.' Roedd o hefyd o'r farn fod y ffynonellau wedi cael eu cydnabod ac '...na fyddai'n briodol i gynnal ymchwiliad i'r cwestiwn a dorrwyd y rheol ai peidio.' A dyna'r drefn wedi newid eto.

Atgoffais Elfed y diwrnod hwnnw na ddywedwyd wrthyf ar unrhyw adeg fod y penderfyniad i gynnal ymchwiliad ai peidio yn amodol ar farn cyfreithiwr y brifwyl. Apeliais yn erbyn y dyfarniad a gofynnais am gael copi o'r deipysgrif a anfonodd Siân Eirian Rees Davies i'r gystadleuaeth, yn cynnwys y llyfryddiaeth, er mwyn gweld sut y profwyd fod y ddibyniaeth ar y gwahanol ffynonellau wedi cael ei chydnabod. Cyrhaeddodd yn y post y diwrnod canlynol. Roedd y llyfryddiaeth yn cadarnhau fy nghwyn. Dim ond rhestr o'r llyfrau a ddarllenodd yr awdur oedd hi. Doedd dim nodiadau yn dangos o ble y codwyd y benthyciadau, a gafodd eu defnyddio yn y nofel fel petaent yn eiriau'r awdur ei hun.

Daeth y pumed newid yn y drefn pan ddywedodd Elfed y gwnâi'r Eisteddfod anfon fy apêl at ddau o swyddogion yr Eisteddfod. Gan 'mod i'n gwybod nad yw swyddogion unrhyw gyfundrefn yn debygol o anwybyddu barn ei chyfreithiwr, gofynnais iddo ddwyn y mater i sylw'r panel annibynnol roedd o wedi'i grybwyll ynghynt.

Ailgysylltodd Non Tudur, a daeth yn amlwg yn ystod y sgwrs fy mod i wedi camddeall ei chwestiwn y tro cyntaf ac nad cyfeirio at y benthyciadau a wnaeth yn ei galwad ond at fy ymateb i driniaeth y nofel o hanes fy hen-daid! Cytunais i siarad â *Golwg,* ond nid ar unwaith. Roeddwn am roi cyfle tan yr wythnos ganlynol i awdurdodau'r Eisteddfod gadw at eu gair. Oherwydd fod y mater yn llusgo, roedd perygl i'r stori dorri yn fy absenoldeb. O fynd yn gyhoeddus, roeddwn yn benderfynol y dylai hynny ddigwydd pan fyddwn yng Nghymru i ateb drosof fy hun, a rhybuddiais Elfed am fy mwriad. Mynegodd yntau ei ofid y medrai trafod y mater yn gyhoeddus 'ei gwneud yn anodd i sicrhau fod Siân Eirian Rees Davies yn cael ei thrin yn deg pe câi ymchwiliad ei gynnal'. Achosodd y gosodiad hwn i mi amau oedd yr Eisteddfod yn gweithredu'n ddiduedd.

Penderfynais gyflwyno'r stori i Dylan Iorwerth, ac fe'i cyhoeddwyd hi yn *Golwg.* Dilynwyd hynny gan wahoddiad i ymddangos ar *Wythnos Gwilym Owen.* Roeddwn yn dal i aros am ateb i 'nghais am wrandawiad gan y panel ond, yn ystod y rhaglen, darllenodd Gwilym ddatganiad yn nodi bod swyddogion yr Eisteddfod Genedlaethol wedi penderfynu nad oedd gan awdur y nofel achos i'w ateb. Pan gyrhaeddais adref, roedd copi ohono ynghlwm wrth neges e-bost oddi wrth bencadlys yr Eisteddfod.

Ysgrifennais unwaith eto at Elfed ddechrau Mawrth yn nodi fy anfodlonrwydd ag atebion yr Eisteddfod gan holi pa bwyllgor neu banel a fu'n trafod cyngor y cyfreithiwr cyn fy hysbysu o'r dyfarniad. Nodais hefyd nad oeddwn yn fodlon gyda'r penderfyniad o ffurfio panel mewnol o bedwar swyddog. Gan na dderbyniais ateb, daeth y broses 'agored, tryloyw a theg' i ben, wedi iddi newid gyda bron bob cam ar hyd ffordd go droellog.

Gwasg Gomer

Bu'n rhaid i mi anfon deirgwaith at y wasg cyn derbyn ateb deuddydd cyn y Nadolig. Gan mai hwy oedd cyhoeddwyr *Yr Hirdaith* ac *I Fyd Sy Well*, holais sut yr aethant ati i ddiogelu fy hawliau, a beth ddigwyddai petai rhywun arall yn defnyddio cymalau o'r nofel oedd eisoes wedi'u cyhoeddi yn y cofiant.

Cytunai Gomer fod gan awdur *I Fyd Sy Well* 'ddyled amlwg i'ch cyfrol chi, *Yr Hirdaith*'. Hefyd, 'ei bod yn amlwg i Siân Eirian Rees Davies ddefnyddio'r gyfrol honno wrth iddi ymchwilio i hanes y Wladfa... a chael ei hysbrydoli ganddi, er iddi ddefnyddio llawer o ffynonellau eraill yn ogystal'. Deallai fy 'anhapusrwydd gyda'r ffaith fod... [*Yr Hirdaith*] wedi cael ei defnyddio gan awdur sydd wedi ysgrifennu gwaith mor wrthwynebus i'ch profiad chi o'r Wladfa... ', ond, nid yn annisgwyl, cytunai gyda barn yr Eisteddfod Genedlaethol. Er ei bod yn derbyn mai cyfrifoldeb y wasg oedd sicrhau bod ffynonellau'r dyfyniadau'n cael eu cydnabod, cyfeiriai yn unig at y rhai a osodwyd ar ddechrau pob pennod, gan anwybyddu fy nghwestiwn am dros drideg o ddyfyniadau yng nghorff y nofel oedd heb eu cydnabod. Dewis Gwasg Gomer oedd hepgor y llyfryddiaeth, meddai, 'ar y sail ei fod yn anaddas i'w gynnwys mewn nofel ac y byddai cynnwys rhestr hir o ffynonellau'n creu'r argraff 'bod seiliau hanesyddol cryfion i holl ddigwyddiadau'r nofel'.

Atebais nad oedd fy mhrofiad o'r Wladfa'n berthnasol i'r

ddadl. Mae'n wir 'mod i'n drybeilig o anhapus ac anfodlon gyda phortread cwbl gyfeiliornus yr awdur o Edwin Cynrig Roberts a'i ddarlun o'r berthynas garwriaethol hollol ddychmygol a di-sail rhwng fy hen-daid â Lewis Jones. Nodais fy nheimlad y dylai fod Gomer yn rhannu'r cyfrifoldeb am hyn. Wedi'r cyfan, hoffwn gredu y gwnaent wrthod cyhoeddi nofel yn portreadu un o'n hemynwyr mawr fel *gigolo* a gamblwr, neu rai o wragedd amlwg byd addysg ein gorffennol agos fel menywod llac eu moesau.

Os penderfynwyd peidio cynnwys y llyfryddiaeth rhag creu camargraff, pam bod y broliant ar y clawr cefn yn hawlio bod y nofel 'yn adrodd un fersiwn o stori ryfeddol sefydlu Gwladfa Patagonia yn 1865', a pham bod y 'Nodyn' ar flaen y gyfrol yn dweud bod 'nifer o brif ddigwyddiadau'r nofel hon wedi eu seilio ar atgofion a hanesion gwir'. Holais felly: 'At atgofion pwy y cyfeirir, tybed, o ble y'u codwyd, a phwy fu wrthi'n ddyfal am flynyddoedd yn eu casglu?' Ychwanegais: 'Rydych chi a minnau'n gwybod yr ateb i'r cwestiynau hyn ond mae'r cymalau uchod yn rhoi'r argraff gyfeiliornus mai ffrwyth ymchwil yr awdur ydynt a *bod* sail hanesyddol i'r nofel.'

Dychwelais y siec a anfonwyd ataf 'am y tâl hawlfraint priodol' gan ofyn iddynt drosglwyddo'r taliad, ynghyd ag unrhyw ddaliadau ychwanegol a ddeilliai i mi o'r nofel, i gronfa unrhyw achos dyngarol o'u dewis yn y Trydydd Byd – gan bwysleisio nad oedd hynny gyfystyr â gollwng fy ngafael ar fy hawliau. Ni dderbyniais unrhyw ateb i 'nghwestiynau, na chwaith air i'm hysbysu i ba gronfa neu elusen y talwyd y siec nac unrhyw ddaliadau eraill a'i dilynodd.

Serch hynny, anfonwyd datganiad at Gwilym Owen ar gyfer *Manylu*, yn tristáu fod yr anghytuno'n parhau 'a neb yn medru newid trefn y digwyddiadau bellach... Mae saith mlynedd ers cyhoeddi *Yr Hirdaith*, a golygyddion gwahanol fu'n gweithio ar y ddau lyfr beth bynnag'. Roedd y cymal olaf yn anwybyddu'r ffaith mai Bethan Mair (beirniad y gystadleuaeth a golygydd y nofel) fu'n gyfrifol am lywio'r cofiant drwy'r wasg. Roedd hwn yn ddatganiad fwy dadlennol nag y bwriadwyd, efallai.

Coleg Prifysgol Bangor

Gan fod y nofel, o dan y teitl *Stori Hon*, wedi ennill gradd MA i'w hawdur, teimlwn ei bod yn bwysig i'r Coleg fod yn ymwybodol o'r broblem, ac ysgrifennais at Peredur Lynch, Pennaeth Adran y Gymraeg, Prifysgol Cymru, Bangor. Nodais ei bod yn amlwg nad ffrwyth ymchwil yr awdur oedd yr 'atgofion a hanesion' gwladfaol.

Yn ei ateb dyddiedig 23 Tachwedd, dywedodd Peredur Lynch fod Dr Nesta Lloyd, arholwr allanol Adran y Gymraeg, a'r Athro Emeritws John Rowlands, 'y tiwtor a fu'n gyfrifol am gyfarwyddo'r gwaith o dan sylw... bellach wedi ymateb yn llawn', wedi cyflwyno adroddiad ac, yn annibynnol ar ei gilydd, wedi dod i'r casgliad nad oedd sail o gwbl i 'nghwyn. Roedd yntau hefyd wedi darllen y cofiant a'r nofel ac yn cytuno â'r dyfarniad. Ond, nid oedd modd i mi weld eu hadroddiad 'hynod o fanwl'. Dyma ni eto, meddwn wrthyf fy hun – y sefydliad unwaith yn rhagor yn bodloni ar ymchwiliad mewnol, lle medrai pawb gyfiawnhau eu gweithredoedd heb i neb o'r tu allan fedru'u herio nac ymchwilio i'r dystiolaeth oedd o'u blaen.

Hoffwn fod wedi cael ateb i'r cwestiynau canlynol gan yr Athro Emeritws a'r Arholwr Allanol: 1) Os dywedodd yr ymgeisydd wrthynt fod yr 'atgofion a hanesion gwir' wedi'u codi o *Yr Hirdaith*, pam na fyddent wedi'i chynghori i'w cydnabod? 2) Os na ddywedodd wrthynt, sut roeddent yn medru sicrhau dilysrwydd y testun a gwirio'r ffynonellau? 3) A ydynt yn gwadu mai 'ngwaith i yw'r dilyniant o wyth deg a chwech o ddigwyddiadau neu sefyllfaoedd oedd yn codi bron i gyd o un bennod, heb sôn am dros dri deg o enghreifftiau o gymalau lle cymerwyd fy ngeiriau hefyd? Os nad ydynt, ar ba sail y diystyrir fy nhystiolaeth?

Prifysgol Cymru

Derbyniais ateb ddechrau Rhagfyr 2006 oddi wrth Gyfarwyddwr Materion Academaidd Prifysgol Cymru, John McInally. 'Ystyrir ymarfer annheg yn fater difrifol gan Brifysgol Cymru', meddai, ac addawodd anfon canlyniad yr ymchwiliad erbyn y gwanwyn canlynol. Oherwydd blerwch gweinyddol o fewn y Brifysgol, ni ddaeth y dyfarniad terfynol i 'nwylo tan ganol Gorffennaf 2008. Roedd yn ddiddorol sylwi nad oedd y Brifysgol yn gwadu fod gan yr ymgeisydd achos i'w ateb. Y cyfan a ddywedai oedd bod yr achos wedi'i ddilyn a'i gwblhau (yn fewnol, fel y gellid disgwyl), a bod y canlyniad i'w gadw'n gyfrinachol. Ond roedd croeso i mi ddwyn achos cyfreithiol yn erbyn yr ymgeisydd.

Anogwyd fi droeon i gysylltu'n uniongyrchol neu drwy gyfreithiwr â'r awdur ifanc ond doeddwn i ddim am gael fy ngweld yn gweithredu fel bwli. Rwyf o'r farn iddi wneud penderfyniad annoeth wrth lunio trywydd ei stori, ac iddi hefyd fod yn annoeth drwy ei hanfon i gystadleuaeth. Credaf hefyd iddi ddioddef oherwydd diffyg cyfarwyddyd a thrylwyredd ar ran y brifysgol a'i bod, yn yr ystyr hwnnw, yn gymaint o ddioddefwr ag rwyf fi. Mae'n drueni iddi gael ei harwain i gymryd cam mor wag ar lwyfan cyhoeddus.

Credaf i mi ddangos y tu hwnt i bob amheuaeth fod yma brawf o weithred fwriadol. Ond doedd neb am wrando. Fel yr ysgrifennodd academydd amlwg ataf: 'Y mae amddiffyn ei bethau a'i bobl o'r pwys mwyaf i bob sefydliad.' Ac roeddwn newydd ddarganfod bod systemau ar waith i sicrhau bod hynny'n digwydd. Y teimlad a gawn oedd bod pawb eisiau i mi gael fy llyncu gan y ddaear. Codwyd yr un muriau pan geisiodd Gwilym Owen yntau gael ateb i'r cwestiynau uchod a rhai llawer mwy treiddgar o'i eiddo'i hun a luniodd ar gyfer y rhaglen *Manylu* ar Radio Cymru.

Wedi i mi dreulio pymtheg mlynedd yn Rhydyfelin yn aelodau yng Nghapel Gosen, symudodd Delyth a minnau i Aberystwyth yn 1988, er mwyn lleihau'r oriau a dreuliem yn chwarae tacsi i alluogi'r plant i fynychu pob math o alwadau addysgol ac adloniadol yn y dref. Roeddem eisiau tŷ mwy, hefyd, yn y gobaith o gael Alun Thomas – tad Delyth – i ddod atom i fyw. Gwaetha'r modd, bu yntau farw ychydig ddyddiau wedi i ni symud i'n cartref newydd. Gan ein bod bellach yn byw gerllaw Swyddfa'r Urdd, doedd dim angen car arnaf i fynd i'r gwaith bob bore. Cyn symud, roeddwn i wedi bod yn weithgar gyda gwaith y capel ac wedi cytuno i fod yn gyfrifol am weinyddu'r cynllun cyfamodi ac i geisio ychwanegu at y nifer. Cefnogodd ein teulu'r Ysgol Sul, hefyd, er gwaethaf protestiadau achlysurol o du'r plant. Tra oedd pawb arall yn y capel, treuliais un prynhawn yn yr ardd yn ymbil ar Camwy i ddisgyn o'r goeden lle roedd yn llechu ymhell o 'ngafael, a gwyddai yntau na ddringwn ato yn fy siwt! Chwiliai'r ddau arall hefyd am ffyrdd i'w hesgusodi'u hunain o'r ymrwymiad wythnosol hwn. Yn raddol, daeth yn amlwg nad oedd modd eu gorfodi, a thrwy berswâd yn unig yr enillwyd eu cydweithrediad am gyfnod pellach. Mynd, er gwaethaf eu dymuniadau i beidio, a wnaent. Wedi i ni fod yn mynychu capel bach, efallai mai anos fyddai ymgartrefu mewn capel mawr, a phenderfynodd Delyth a minnau beidio ymaelodi â chapel arall.

Ond yna bu Delyth a Geraint yn mynychu Capel y Morfa am gyfnod ac arhoswn innau gartref i warchod y ddau arall. Manteisiais ar y cyfle hwnnw i wneud ychydig o waith personol ac, o dipyn i beth, daeth yn haws i mi ddefnyddio'r esgus hwnnw dros beidio â mynychu addoldy. Galwodd y Parchedig Pryderi Llwyd Jones, gweinidog newydd y Morfa, heibio i'n gweld ac, er na phwysodd arnom, rhaid i mi gyfaddef i mi feddwl o'r newydd am batrwm fy Sul. Ni chollai fy nghyfaill John Roberts gyfle i holi pryd byddwn i'n ailddechrau mynychu capel gan bwysleisio rhagoriaethau y Morfa a'i weinidog blaengar. Ond er gwaethaf fy nghydwybod pigog, dim ond gwenu arno a wnawn. Roedd y gwaith dyddiol yn drwm ac roedd cael aros adref am un diwrnod yr wythnos yn cynnig cyfle i mi ymlacio a meddwl am bethau eraill. Doedd dim symud arnaf – roeddwn wedi styfnigo.

Ym 1997, priododd Meleri â Morys Gruffydd, bachgen ifanc nid anadnabyddus mewn rhai cylchoedd yng Nghymru; roedd y ddau ohonynt wedi cydweithio yn Radio Ceredigion, Radio Cymru ac S4C ac un nodwedd gyffredin arall a rannent oedd iddynt, yn eu tro, orfod mynd o flaen eu gwell am dorri'r gyfraith fel rhan o ymgyrchoedd Cymdeithas yr Iaith. Teimlai'r teulu'n falch iawn ohonynt ac yn llawen drostynt, ac mae diwrnod eu priodas yn dal i sefyll yn fy nghof fel un o ddiwrnodau hapusaf fy mywyd. Gwnaethant eu cartref yng Nghaerdydd, ac yno y ganed Erin Mared ar yr unfed ar ddeg o Chwefror 1999. O ganlyniad, cynyddodd ymweliadau mynych Delyth a minnau â'r brifddinas. Wrth i Erin dyfu, dechreuodd Meleri fynd â hi i Ysgol Sul Capel y Crwys. Gydol y cyfnod hwnnw, pan fyddem yn aros gyda hwy, byddwn yn gyrru'r ddwy i'r capel. Er mwyn cael bod allan o olwg pawb, awn i eistedd i'r oriel. Ond roeddwn yn nabod cynifer o'r aelodau, ac yn cael cymaint o groeso ganddynt hwy a'u gweinidog, y Parchedig Glyn Tudwal Jones, nes ei bod hi'n anochel i mi ddod i deimlo'n gartrefol iawn yno, a dechreuais fwynhau mynychu gwasanaethau unwaith eto. Ddwy flynedd yn ddiweddarach, bron i'r diwrnod ond ar drothwy canrif wahanol, sef 12 Chwefror 2001, ganwyd Owain Hedd.

Daeth yn amlwg yn ystod ei gyfnod cyntaf yn Ysgol Melin Gruffydd nad oedd Erin yn hapus a gofynnai am gael dod adref – yn wahanol i Owain, a oedd yn crio am na châi aros yno. Er ei bod, fel pob plentyn afieithus arall, yn siarad yn ei chartref ac yng nghwmni aelodau eraill ein teulu, ni ddywedai air ym mhresenoldeb neb arall. Dehonglodd yr ysgol hyn fel arwydd o styfnigrwydd ac fe'i disgyblid hi'n rheolaidd gan rai athrawon, gan anwybyddu barn arbenigwr a ddywedodd ei bod yn dioddef o gyflwr cwbl ddieithr i ni: Mudandod Dethol, ac na ddylid ei gwthio na rhoi pwysau o unrhyw fath arni. Ond i'r gwrthwyneb, anogai un o'r athrawesau Meleri i'w disgyblu yn y cartref hefyd. Gwnaeth hyn fywyd Erin yn yr ysgol yn gwbl annioddefol. Hwn oedd yr hwb roedd ei angen ar ei rhieni i benderfynu dychwelyd i ardal Aberystwyth. Ers hynny, mae Erin yn mynychu Ysgol Llanfarian, lle cafodd bob croeso, cydymdeimlad a chymorth gan holl aelodau'r staff (gan gynnwys Mam-gu!).

Cytunwyd ar raglen i'w hannog yn raddol ac yn amyneddgar i siarad â phlant eraill. Wedi iddi ddechrau siarad â'i chyfeillion agosaf, mae'r cylch hwnnw'n ehangu'n gyson, os yn araf. Mae hi hefyd yn mynychu gwersi dawnsio lle mae'n siarad â'r athrawes a rhai o'i chyd-ddisgyblion, ac yn cyfathrebu â'i hathrawon piano a chlarinét, ac â rhai o'r cerddorion ifainc eraill yn ogystal. Caiff gyfle i fod yn aelod o fand chwyth y sir a cherddorfa'r sir, i ddawnsio mewn sioeau yn y Neuadd Fawr a Theatr y Werin, ac i wneud ffrindiau newydd. Mae Owain hefyd yn ymddiddori mewn cerddoriaeth ac yn cael gwersi trwmped, piano a dawnsio. Yn ogystal, caiff y ddau wersi dringo! Diddordeb mawr Erin yw ysgrifennu storïau, a llunio cartwnau sy'n mynd â bryd Owain ac mae'r ddau'n treulio oriau di-ben-draw gyda'r Nintendo, wrth gwrs. Mae'n hyfryd o braf eu cael i aros gyda Delyth a minnau ar benwythnosau.

Wrth ymchwilio, daeth Meleri a Morys ar draws SMIRA, cymdeithas a sefydlwyd i ddarparu gwybodaeth, ymchwil, cefnogaeth a chyngor i rieni plant sy'n dioddef o'r cyflwr dan sylw. Awgrymodd Rhuannedd Richards, ffrind agos ers eu dyddiau yn Radio Ceredigion, y gallent drefnu cynhadledd yn adeilad y Senedd i dynnu sylw at y cyflwr, y mudiad a'i waith, a chafwyd cefnogaeth ymarferol Elin Jones, AC Ceredigion (a Gweinidog Amaeth bellach), i sicrhau ei llwyddiant. Dangosodd Jane Hutt AC, y Gweinidog Addysg, ddiddordeb hefyd ac addawodd ei phresenoldeb. Cylchlythyrwyd adrannau addysg siroedd Cymru ac anfonodd nifer ohonynt gynrychiolwyr i'r bae. Cafwyd sylw'r wasg hefyd ond siomwyd y *Daily Mirror*, oedd yn awyddus i gael 'ecscliwsif' ar gyfer eu tudalen flaen, pan wrthododd Morys a Meleri eu cynnig, rhag tynnu sylw amhriodol at Erin. Roedd cywair pob erthygl ac adroddiad newyddion radio a theledu'n hollol ffeithiol a hynod gadarnhaol. Syndod oedd darganfod bod y cyflwr ymhell o fod yn anghyffredin a chysylltodd nifer o rieni plant o bob rhan o'r wlad a thros Glawdd Offa â Morys a Meleri wedi hynny. Cytunodd y ddau i fod yn gynrychiolwyr SMIRA yng Nghymru.

Er y cyntaf o Fedi 2001, mae Delyth a minnau'n byw yn Llanrhystud. Yn Bow Street mae cartref Camwy, Catrin a'u mab Glyn, ac maent hwythau yn galw heibio i'n gweld yn rheolaidd, gan amlaf ar nos Sul. Mae Geraint a Vicky ac ychwanegiad diweddaraf y teulu, Eira Fflur, a aned ar y chweched o Chwefror 2009 yn byw yng Nghaerdydd. Does dim amser hapusach ar ein haelwyd na phan ddaw'r tri theulu bach atom gyda'i gilydd i lenwi'n bywydau â'u siarad a'u sŵn, eu chwerthin a'u chwarae.

Roedd genedigaeth ein hwyres ddiweddaraf yn destun dathlu dwbwl, oherwydd daeth hi i'r byd chwe blynedd wedi i Geraint ddioddef llawdriniaeth frys rhag canser ar un o'i geilliau yn Ionawr 2003, ychydig ddyddiau wedi iddo ddathlu ei ben-blwydd yn saith ar hugain. Clywir llawer o feirniadu ar y gwasanaeth iechyd cenedlaethol ond ein profiad ni fel teulu oedd bod Geraint wedi derbyn y gofal gorau posib gan Feddygfa'r Llan, ac ysbytai Bronglais a Singleton. Gwelwyd ef gan Dr Andrew Moon ar fore Sadwrn a chysylltodd yntau ar unwaith â'r ysbyty i nodi fod ganddo achos brys ac, er bod y Feddygfa ar fin cau, arhosodd tan i ni ddychwelyd y prynhawn hwnnw gyda'r canlyniadau. O fewn munudau, roedd ar y ffôn gyda'r llawfeddyg John Edwards yn trefnu ymweliad i Geraint y dydd Llun canlynol. Wythnos yn union wedyn, derbyniwyd ef i Fronglais i gael llawdriniaeth y bore canlynol. Rhoddwyd profion rheolaidd iddo wedyn am fisoedd lawer yn Singleton nes iddo glywed fod angen triniaeth cemotherapi arno.

Wynebodd Geraint y cyfnod hwn yn rhyfeddol o gadarnhaol. Pan fyddwn i'n torri 'nghalon, byddai o'n fy nghofleidio a 'nghysuro i! Trafodai'r frwydr oedd o'i flaen a'r rhagolygon yn hollol ffeithiol. Darllenodd bob llyfr y medrai gael gafael arno, er mwyn dysgu am ei gyflwr, a chafodd ysbrydoliaeth wrth ddod i wybod am brofiadau'r beiciwr Lance Armstrong. Effeithiodd y profiad yn gadarnhaol ar ei agwedd tuag at fywyd, at ein planed ac at yr hyn rydym yn ei fwyta. Ac yntau wedi bod yn llysfwytawr ers ei flwyddyn gyntaf ym Mhenweddig, ac wedi'n darbwyllo ni i gyd yn ein tro i ddilyn ei esiampl, roedd o bellach yn ymwrthod hefyd â holl gynhyrchion llaeth – gan osod her newydd i ni. Er nad wyf wedi bwyta cig am y rhan fwyaf o'r ganrif ifanc hon, caf drafferth i roi'r gorau hefyd i fwyta rhai bwydydd sy'n cynnwys wyau. Prin iawn, hefyd, yw'r bwytai sy'n darparu ar gyfer feganiaid.

Wedi iddynt symud i Flaenplwyf, dechreuais fynychu Capel y Morfa ar foreau Sul gyda Meleri a'r plant. Erbyn hyn, doedd dim rheswm yn y byd pam na ddylai Meleri a minnau ymaelodi. Cawsom yr un croeso cynnes yno ag yn y Crwys a phawb yn ymdrechu i'n gwneud i deimlo'n gartrefol. Pan fyddaf oddi cartref, gwelaf eisiau'r gwmnïaeth ardderchog sydd yna, yn arbennig selogion seddi'r pechaduriaid, yng nghefn y capel, lle eisteddaf yn rheolaidd. Wrth i mi ysgrifennu'r geiriau hyn, rydym yn dal i hiraethu am Pryderi ac Eirwen, sydd wedi ymddeol a symud i Gricieth ers rhyw ddwy flynedd, ond edrychwn ymlaen at groesawu'n bugail newydd, y Parchedig Eifion Roberts, a'i deulu ifanc yn y dyfodol agos.

Rhaid i mi ddiolch i John Roberts hefyd am fy mherswadio i ymuno â thîm Papur Sain Ceredigion. Caf bleser digymysg yn dod i mewn i Aberystwyth ambell fore Iau i gopïo tapiau a recordiwyd y noson flaenorol gan y darllenwyr. Nid yw'r gwaith yn cymryd llawer mwy na rhyw awr, a chaf gyfle i siarad â phwy bynnag yw 'mhartner y bore hwnnw a chyfnewid gair neu ddau â'r gwragedd sy'n pacio'r tapiau yn yr ystafell drws nesaf. John hefyd a ofalodd 'mod i'n ymuno â Chlwb Cinio '95, ail glwb cinio Aberystwyth, a'r un lleiaf – tua phum aelod ar hugain. Ar wahân i'r pryd o fwyd a baratoir gan Richard a'i staff yn y Richmond, cawn wrando ar siaradwr gwadd a mwynhau'r gwmnïaeth.

Yn dilyn blynyddoedd o ansefydlogrwydd yn yr Ariannin, a welodd lywodraethau milwrol yn disodli rhai democrataidd yn rheolaidd, cyrhaeddodd y broses hon ei hanterth pan ddiorseddwyd María Estela Perón ym Mawrth 1976 gan y *junta* a enillodd enwogrwydd byd-eang am y rhesymau mwyaf ffiaidd. Diflannodd miloedd o wŷr, gwragedd a phlant cyffredin yn ogystal ag arweinwyr undebol a gwleidyddol. Gorfu i Sra Mulhall, athrawes alluog a brwd a ddeffrodd fy niddordeb ym manylion cyfundrefn lywodraethol yr Ariannin a'i chyfansoddiad eangfrydig, ddianc am ei bywyd ac ni ddychwelodd trwy gydol y cyfnod arswydus hwnnw.

Bob dydd Iau yn y Plaza de Mayo, y parc sy'n wynebu'r Tŷ Pinc, swyddfa'r Arlywydd, ac sydd wedi bod yn llwyfan i brotestiadau ar draws y degawdau, gorymdeithiai mamau a neiniau â hancesi gwyn am eu pennau yn cario posteri yn gofyn ble roedd eu plant a'u hwyrion diflanedig. Carcharwyd ac arteithiwyd Elvio Bell, yr hogyn ifanc delfrydgar a weithiodd mor egnïol dros gael sefydliad addysg uwch yn Nhrelew. Fe'i cludwyd mewn awyren uwchben y môr mawr a'i ollwng yn fyw i'r eigion. Edrychid yn amheus ar bopeth 'estron' ac, yn yr hinsawdd hwnnw, prysurwyd dirywiad y Gymraeg yn Nyffryn Camwy.

Ynghanol y tywyllwch hwn, daeth un llygedyn bach o oleuni. Cynigiwyd ysgoloriaeth i Edith ddilyn cwrs prifysgol yn Buenos Aires. O gael ei hanfon yno, atebodd, byddai'r dalaith ond yn hyfforddi un athrawes gerdd. Ond tybed a fyddai'r llywodraeth yn barod i ystyried cynllun a fyddai'n hyfforddi degau a channoedd o rai eraill? Beth am sefydlu ysgol i hyfforddi athrawon cerdd yn Nhrelew? Ymatebodd y llywodraeth yn gadarnhaol, a gwahoddwyd hi i lunio dogfen yn amlinellu'r angen, natur yr ysgol a'i chwricwlwm, ac awgrymu hefyd athrawon cymwys a phennaeth. Ei hen eilun, Clydwyn ap Aeron Jones, oedd ei dewis amlwg a chytunodd yntau i gymryd swydd y pennaeth, gydag Alicia (ei wraig) ac Edith yn ddirprwyon iddo. Ar ddechrau'r 1980au, agorwyd Ysgol Gerdd y Gaiman sydd, ers ei sefydlu, wedi rhedeg nifer o gorau sy'n canu yn Gymraeg yn bennaf. Edith sy'n arwain y côr merched o hyd, ond trosglwyddodd y gweddill i ofal rhai o'i disgyblion. Marli Pugh a gymerodd at y corau cymysg a meibion, Mirna Jones, prifathrawes yr ysgol, at y côr ieuenctid, a Gladys Thomas at y côr plant.

Mae corau, partïon a grwpiau dawns Ysgol Gerdd y Gaiman

wedi bod ymhlith prif gyfranwyr Eisteddfod y Wladfa (a gynhelir yn Nhrelew) ac Eisteddfod yr Ifanc (a gynhelir yn y Gaiman), yn ogystal â chyfrannu i eisteddfodau llai. Trwy gyfrwng cerddoriaeth a dawns, mae'r sefydliad hwn erbyn hyn yn un o gonglfeini cyfundrefn eisteddfodol y dalaith. Mae'n rhyfeddod bod y weithred o'i sefydlu wedi cael ei chaniatáu o gwbl yn ystod cyfnod mor hunllefus a digalon, a'i bod wedi goroesi sawl argyfwng economaidd, tra bod y fam ysgol yn Nhrelew, wedi cael ei llyncu ers blynyddoedd gan Ysgol y Celfyddydau. Pan ddaw'r dydd i benodi olynydd i Mirna yn 2010, gobeithiaf y dewisir rhywun fydd yn cadw'r ysgol yn dynn wrth draddodiadau cerddorol Cymreig nodedig Dyffryn Camwy.

Daeth yr hunllef wleidyddol i ben wedi i lywodraethau amhoblogaidd Galtieri a Thatcher fynd benben â'i gilydd dros y *Malvinas* ac i luoedd proffesiynol y Deyrnas Gyfunol orchfygu consgriptiaid ifanc dibrofiad yr Ariannin. Gorfu i'r rhain ymladd tra bod y lluoedd proffesiynol yn gwarchod y ffin â Chile yn y dybiaeth y medrai Pinochet, yr unig wladweinydd yn Ne'r Amerig i gefnogi Prydain, fanteisio ar y sefyllfa i oresgyn Patagonia. Gwobrwywyd Thatcher â blynyddoedd hir o rym ac enillodd yr Ariannin ei democratiaeth fregus sydd, er gwaetha'i gwendidau enbyd, yn llawer mwy derbyniol i'r boblogaeth na'r drefn a'i rhagflaenodd.

Ni ellir anwybyddu'r dylanwad a gafodd y rhyfel a chwymp llywodraeth y *Junta* ar feddylfryd yr Archentwyr. Bellach, prin iawn, os o gwbl, yw'r rhai sy'n hiraethu am ddychweliad y llywodraeth filwrol, a chollodd y lluoedd arfog eu parch a'u safle breintiedig. Cofleidiodd y bobl ifanc yn arbennig y syniad eu bod yn perthyn i gymuned fyd-eang sy'n cynnwys ieithoedd a diwylliannau eraill. Cyfrannodd y newid yn yr hinsawdd gwleidyddol tuag at adfywiad graddol yr iaith Gymraeg yn ystod y degawd nesaf, ac roedd pethau gwell i ddyfod. Yn araf, camodd y wlad allan o'r tywyllwch.

Sefydlwyd Cymdeithas Cymry Ariannin yn ystod Eisteddfod Dinbych 1939, sy'n golygu ei bod yn dathlu ei phen-blwydd yn ddeg a thrigain pan gyhoeddir y gyfrol hon. Rwyf wedi cael y fraint o ymwneud â hi er 1965, yn aelod ohoni er 1968 ac yn aelod o'r Pwyllgor Gwaith er 1973. Bûm yn gadeirydd ar y pwyllgor hwnnw dros ddau dymor, ond bu blynyddoedd hir rhwng y ddau gyfnod. Roeddwn yn dal i fod yn ddyn ifanc y tro cyntaf, ac ychydig yn aeddfetach yr eildro, ond heb feddu'r amser i ymgymryd â'r dasg y naill dro na'r llall. Ar y pryd, roeddwn dros fy mhen a 'nghlustiau mewn swydd oedd yn llyncu pob awr o'r dydd a'r nos ac yn ceisio magu teulu o dan amgylchiadau nad oedd bob amser yn ffafriol.

Roedd tuedd hefyd, yn fy marn i, i'r pwyllgor fod yn fwy o glwb cymdeithasol. Gan 'mod i gyda'r ifancaf yno am gyfnod hir, teimlwn ar brydiau fod gennyf bethau gwell i'w gwneud â'm hamser. Ond sut gallwn i beidio â mynychu'r cyfarfodydd? Y Gymdeithas oedd yr unig gorff a oedd yn cydnabod ein perthynas ni yng Nghymru â gwlad fy mebyd. Yna, daeth tro ar fyd ar ddechrau'r 1990au, a chwistrellwyd pwrpas newydd i wythiennau'r pwyllgor. Bellach, mae'r rhaglen waith yn llwythog ac mae ein rhengoedd yn cynnwys llawer o bobl ifainc, rhai'n athrawon a fu yno'n dysgu ac eraill yn ddysgwyr a ddaeth drosodd ac aros, fel y gwnes i.

Tua diwedd y 1980au ymwelodd Susan Hughes, athrawes ifanc o Gymru, â Dyffryn Camwy am gyfnod o rai misoedd, mewn ymgais i adfer ei hiechyd. Daeth yn gyfeillgar â nifer o'i chyfoedion gwladfaol nad oedd wedi cyfarfod â Chymry ifainc o'r blaen. Denwyd hwy gan ei phersonoliaeth hawddgar a'i hasbri. Yn eu hawydd i ddod i gyfathrebu â hi, gofynasant iddi ddysgu Cymraeg iddynt mewn gwersi anffurfiol. Yn fuan wedyn, cynhaliodd Cathrin Williams, cyn-ddarlithydd yn y Coleg Normal, Bangor, y cwrs Cymraeg gwirfoddol cyntaf yn Nhrelew a'r Gaiman dros gyfnod o flwyddyn, a denwyd nifer dda o ddisgyblion brwd i'w dosbarthiadau. Cymaint fu eu llwyddiant, daeth galw am gyrsiau tebyg yn Nolavon, a chytunodd hithau i'w darparu. Dyma'r tro cyntaf i bobl y Wladfa gael cyfle o'r fath ers dyddiau'r hen Ysgol Ganolraddol. Adroddodd hithau ei phrofiadau yno yn ei chyfrol hynod ddiddorol, *Haul ac Awyr Las*. Dilynwyd hi gan athrawon megis Gwilym Roberts (a fu yno deirgwaith fel athro a sawl gwaith wedyn fel ymwelydd), Gruff ac Eifiona Roberts (sydd hefyd yn ymwelwyr cyson) a Phedr MacMullen (un arall sy'n cadw'i gysylltiadau â Dyffryn Camwy), a anfonwyd yno gyda chefnogaeth ariannol Cymdeithas Cymru-Ariannin. Sefydlwyd bellach ddosbarthiadau ledled Dyffryn Camwy a Phorth Madryn. Fel yna y dechreuodd trefn sydd bellach wedi'i ffurfioli.

Pan deithiodd Rod Richards, Ysgrifennydd Gwladol yn y Swyddfa Gymreig ar y pryd, i Buenos Aires mewn ymgais i ailsefydlu masnach rhwng yr Ariannin a Phrydain, manteisiodd ar y cyfle i ymweld â'r Wladfa. Adroddodd Gruff ac Eifiona wrthyf am drafodaeth anffurfiol rhwng y Gweinidog a chriw o bobl y Gaiman. Pan ofynnodd yntau beth y medrai ef ei wneud i'w helpu, ymddengys i Edith ddweud o dan ei hanadl, 'Anfonwch athrawon cyflogedig yma'. Anogodd Gruff hi i ailadrodd ei sylw. Ufuddhaodd hithau, ac addawodd Rod wneud hynny. Cadwodd at ei air. Ymhen llai na dwy flynedd, sefydlwyd partneriaeth rhwng y Swyddfa Gymreig (Llywodraeth Cynulliad Cymru, bellach), y Cyngor Prydeinig, Canolfan Dysgu Cymraeg Caerdydd, a Chymdeithas Cymru-Ariannin i gyllido, gweinyddu, arolygu a hybu'r broses o anfon athrawon drosodd i Batagonia. Ymestynnwyd y cynllun i gynnwys yr Andes yn ogystal â'r Wladfa.

Ers tua degawd, fi sy'n cynrychioli Cymdeithas Cymru-Ariannin a'r Athro Robert Owen Jones yw'r Cyfarwyddwr. Nid oes modd amau ei lwyddiant, a gwelwyd cynnydd aruthrol yn y diddordeb ym mhopeth Cymreig yn ogystal ag mewn dysgu'r iaith. Siaredir hi erbyn hyn gan nifer o bobl nad oes defnyn o waed Cymraeg yn eu gwythiennau. Mae llawer yn ystyried bod y Gymraeg yn iaith sy'n perthyn iddynt, er nad ydynt hwy'n perthyn i'r genedl Gymreig. Yng nghyffiniau'r Gaiman, ystyrir ei bod hi'n un o ddwy iaith naturiol yr ardal. O ganlyniad, gwelwyd cynnydd yn nifer y gweithgareddau Cymraeg, mwy o lewyrch ar yr eitemau a lwyfennir yn yr Eisteddfod a chaiff yr iaith ei gweld ar arwyddion y siopau, yn ogystal â chael ei chlywed yn amlach ar y strydoedd.

Mae'r Gymraeg ychydig yn amlycach erbyn hyn yn Nhrelew a Rawson ac ym Madryn, hefyd, lle sefydlwyd canolfan i gofio glanio'r *Mimosa*, nid nepell o safle'r glaniad. Rhoddwyd cymaint o hwb i'r cynllun yn yr Andes nes cyffroi'r trigolion i ail-ddarganfod eu gallu i siarad yr iaith ac i fynd ati i godi Canolfan Gymraeg yr Andes yn Esquel, er mwyn iddi fod yn safle i ddysgu'r iaith a chynnal cyfarfodydd cymdeithasol a diwylliannol. Rhoes yr athrawes gyflogedig gyntaf i fynd yno, Hazel Charles Evans, lawer o'i hamser a'i hegni i sicrhau llwyddiant y cynllun, a phrin fu'r eisteddfodwyr a lwyddodd i adael y maes y flwyddyn honno heb brynu bricsen neu fwy i gyfrannu ato. Sbardunwyd pobl yn Nhrevelin hefyd i adfer y Capel a'r Tŷ Capel, a ddefnyddir unwaith eto ar ôl dioddef o ddiffyg sylw a gofal am flynyddoedd.

Erbyn hyn, mae tua 600 o ddysgwyr yn dilyn y dosbarthiadau. Gan fod y cynllun ar ei wedd bresennol yn bodoli er 1997, a bod llawer o'r rhai a ddechreuodd wedi hen adael a chanddynt ryw fath o afael ar yr iaith, mae'n anodd credu nad yw eu cyfanswm (beth bynnag am eu safon) wedi hen gyrraedd pedwar digid. Mae dau neu dri o deuluoedd ifainc Dyffryn Camwy yn ymdrechu i siarad Cymraeg ar yr aelwyd. Clywir hefyd nifer bychan o blant sy'n siaradwyr Cymraeg naturiol ac maent yn cario enwau Cymraeg megis Nia a Hefin. I'r graddau y gwelir cynnydd yn eu niferoedd ac yn yr ewyllys i drosglwyddo'r iaith i'r genhedlaeth nesaf mae gobaith am oroesiad y Gymraeg yn nhalaith Chubut. Yn 2015, byddwn yn dathlu pen-blwydd y Wladfa yn gant a hanner. Nod Cynllun yr Iaith Gymraeg yn Chubut ar hyn o bryd yw sicrhau, erbyn y flwyddyn honno, fod nifer o athrawon trwyddedig brodorol wedi dysgu'r iaith i'r fath safon fel y medrant ddod drosodd wedyn i gymhwyso'u hunain yma ar gyfer dysgu drwy gyfrwng y Gymraeg. Gwn fod honno'n dasg heriol, ond mae gennym yr hawl i freuddwyd os ydym hefyd yn derbyn y cyfrifoldeb o geisio'i gwireddu.

Byddai'r fath freuddwyd yn amhosibl oni bai am yr hedyn a blannwyd yn 1990. Does modd yn y byd i mi orbwysleisio pwysigrwydd cyfraniad Cathrin a'r rhai a'i dilynodd i'r broses o adfywio'r Gymraeg yn Nyffryn Camwy. Oni bai iddi hi gymryd y penderfyniad gwreiddiol a phe na bai'r lleill wedi dilyn ei chamau, credaf y byddai proffwydoliaeth W. R. Owen wedi'i hen wireddu erbyn hyn.

Atgyfnerthir yr adfywiad ieithyddol hwn yn y capeli hefyd drwy bresenoldeb achlysurol gweinidogion yr efengyl a anfonir drwy drefniant â Chymdeithas Cymru-Ariannin i wasanaethu capeli'r Undeb. Cwyn y rhain, serch hynny, yw bod y to ifanc sy'n cynnal gwasanaethau drwy gyfrwng yr iaith genedlaethol hefyd yn mynnu canu emynau yn Sbaeneg oherwydd nad ydynt yn deall geiriau'r emynau Cymraeg.

Ychydig fisoedd cyn ei marwolaeth annhymig, ymwelodd y dywysoges Diana â Gweriniaeth Ariannin a theithiodd i lawr i'r Wladfa. Roedd y croeso swyddogol yn gynnes a diffuant ond darllenwyd yn y wasg am wrthwynebiad o du rhai disgynyddion i wladfawyr, fy hen gyfaill ysgol John Humphreys yn eu plith. Dadleuai ef ei bod hi'n cynrychioli'r Goron yn hytrach na Chymru ac na fedrai ef anghofio pam y bu'n rhaid i'w hynafiaid ymfudo. Arhosodd llawer yn eu cartrefi pan ymwelodd hi â'r Gaiman, a theithiodd Edith a'i chôr merched yr holl ffordd i'r Andes rhag bod yn rhan o'r trefniadau lleol i'w chroesawu.

Yn 2001, derbyniodd y Wladfa ddau ymweliad na welwyd eu tebyg erioed cyn hynny. Y cyntaf gan Rhodri Morgan, Prif Weinidog Cymru, ac yntau'n ceisio sefydlu cysylltiadau masnachol yn Ne'r Amerig, a'r ail gan Meirion, Archdderwydd Cymru, a aeth allan yng nghwmni dirprwyaeth niferus o aelodau Gorsedd y Beirdd i ailsefydlu Gorsedd y Wladfa. Rhoddwyd croeso twymgalon iddynt mewn digwyddiadau niferus ledled y dalaith, a chafodd y ddau ymweliad sylw mawr yn y wasg a'r cyfryngau. Cerddodd un hen frawd at Rhodri â dagrau yn ei lygaid ond â gwên ar ei wefusau gan ddweud: 'Feddyliais i erioed y cawn fyw i ysgwyd llaw â Phrif Weinidog Cymru yma!' Rhoddwyd croeso i'r ddwy ddirprwyaeth hefyd yn y brifddinas ffederal. Dichon bod ymweliadau o'r fath yn gyfrwng i borthi Cymreictod y Wladfa ac i gryfhau'r cysylltiad rhwng Chubut a Chymru.

Efallai mai yn ei chadarnle yn y Gaiman a'r cyffiniau mae'r gobaith gorau i'r Gymraeg oroesi dros y ddau neu dri degawd nesaf. Mae hynny'n wir heddiw fwy nag erioed, fel y dengys yr arwyddion dwyieithog (Sbaeneg–Cymraeg) a godwyd gan weinyddiaeth Gabriel Restucha. Nid yw'n amhosibl iddi chwaith adfer llawer o'r tir a gollwyd mewn mannau eraill o Ddyffryn Camwy, nac yn yr Andes chwaith.

Nid yw Gwladfa breuddwydion Michael D., Llew Plas Hedd ac Edwin yn bodoli mwyach ers degawdau. Stad o feddwl yw'r Wladfa a welwn ni'r dyddiau hyn. Wrth glywed y Gymraeg yn cael ei siarad yno a'i gweld yn fyw ar enwau trefi ac ardaloedd ac yn atsain mewn Eisteddfod a Chymanfa, gallwn berswadio ein hunain fod y gornel bellennig hon o Dde Amerig yn dal i fod mor berthnasol i ni â phe bai'n ddarn o dir Cymru. Sŵn yr iaith a'r bobl sy'n ei siarad yno sy'n ein swyno – prawf bod dyfodol y Wladfa ynghlwm wrth dynged y Gymraeg ar dir Patagonia. Pe gwawriai dydd pan na fyddai'r iaith mwyach ar wefusau plant y paith, ni fyddai'r Wladfa wedyn yn fwy nag atgof.

Un o'r pethau bach sydd wedi 'nghadw i'n brysur ers fy ymddeoliad yw arwain grwpiau o Gymry i ymweld â'r Wladfa, gan roi cyfle i'r sawl sy'n dymuno hynny, deithio hefyd i rannau eraill o Dde'r Amerig. Mae wedi bod yn hwyl, yn ogystal â bod yn gyfrwng i minnau gadw cyswllt â'r lle ac i gyfarfod â phobl ddiddorol a difyr iawn o bob cwr o Gymru ac o wledydd eraill megis y Taleithiau Unedig, De Affrica, Lloegr, yr Alban, Canada a Seland Newydd – y cyfan ohonynt yn cael eu denu gan un atyniad mawr sef y cyfle i gyfarfod â siaradwyr Cymraeg Patagonia.

Yn 1992, priododd Edith ag Oscar Arnold, nai i fy hen gyfaill Ieuan, a gwnaeth y ddau eu cartref gyda Mam a oedd, bellach, yn fregus ac yn gorfod derbyn gofal cyson. Bu Oscar fel ail fab ac yn gymorth mawr iddi, a gofalodd amdani yn llawer gwell nag y gwnes i erioed. Bu farw Mam yn Ebrill 2002 a bûm yn ddigon ffodus i gyrraedd y Gaiman mewn da bryd i gael siarad â hi. Cynhaliwyd y gwasanaeth angladdol yn Eglwys Fethodistaidd y Gaiman cyn cludo'i gweddillion i fynwent y dref, lle rhoddwyd hi i orffwys gyda Nhad a 'mrodyr. Does dim yr un atyniad i mi yn y Gaiman, bellach, er mor hoff rwyf o dreulio ychydig amser yno bob blwyddyn yng nghwmni Edith, Oscar, a Héctor Ariel. Yma yr adeiladodd Hector ei stiwdio ddigidol brysur.

Gofynnir yn aml i mi ymhle mae 'nghartref – ai yng Nghymru ynteu yn y Wladfa? Fy ateb bob tro yw: 'Ymhle bynnag mae Delyth yn byw'. Nid ymgais i fod yn glyfar neu'n siwgwraidd yw hyn. Y gwir yw credaf y medrwn fyw yn unrhyw ran o'r ddaear hon dim ond i mi gael fy nghymar ac anwyliaid eraill yno gyda mi. Bonws amhrisiadwy fyddai cael cymdeithas Gymraeg ei hiaith o'n cwmpas. Hyd yn hyn, mae hynny'n dal i fod yn rhannol bosibl yn yr ardal hyfryd lle caf y fraint o fyw ynddi ar hyn o bryd. Ac, er gwaethaf yr adegau o dristwch dwys a ddaw i ran y mwyafrif ohonom yn ein tro, cefais fywyd hapus iawn yma.

Cymru oedd gwlad breuddwydion fy mhlentyndod a'r wlad a gynigiodd i mi gyfleoedd na fyddwn wedi'u cael yn unman arall. Bellach mae gennym ein system lywodraethol (annigonol, mae'n wir) a all ein cynorthwyo i greu gwlad fwy hyderus a blaengar, tecach a Chymreiciach. Ac er nad yma mae beddrodau 'nhadau, yma mae fy mhlant, a'u plant hwythau'n byw – hyd yn hyn, beth bynnag. Gobeithiaf na fydd angen iddynt hwy na'u disgynyddion byth orfod meddwl am gefnu ar eu gwlad a'u hiaith, eu hanes a'u diwylliant. Byddai eu cael hwy i gyd o 'nghwmpas am weddill fy oes yn cynnal fy llawenydd tan yr anadl olaf.

Bûm yn ddigon ffodus i fedru dilyn gyrfa yn y maes roeddwn wedi ymhyfrydu ynddo ers fy mhlentyndod ond teimlaf ambell dro, erbyn hyn, nad hwnnw oedd y cyfrwng i wneud y defnydd gorau o 'noniau prin, efallai. Bellach, wrth sylwi nad yw annhegwch ac anghydraddoldeb, a thrais a gorthrwm yn diflannu o'r tir, efallai y medrwn (ac y dylwn) fod wedi sianelu f'ymdrechion at bwrpas uwch, a chynorthwyo gwaith mudiadau dyngarol. Er gwaetha'r torcalon a all fod ynghlwm wrth swyddi o'r fath, credaf eu bod hefyd yn cynnig llawer mwy o foddhad a gwobrau llawer gwell. Ac eto, 'Man gwyn, man draw', clywaf rybudd Mam yn sibrwd yn fy nghlustiau.

Yn anochel – ond nid yn rhy fuan, gobeithio – daw dydd pan fydd yn rhaid i rywun arall benderfynu beth i'w wneud â 'ngweddillion marwol. Er cymaint yr hoffwn iddynt gael eu rhoi i orffwys yng nghwmni anwyliaid a aeth o 'mlaen, sylweddolaf na ellir llenwi'r ddaear hon â mynwentydd sy'n lluosogi ac yn mynd yn gynyddol ddrutach i'w cadw. Llosger hwy'n ulw, felly, gan obeithio y bydd fy enaid wedi cyrraedd erbyn hynny i hinsawdd mwynach. Gwasgared fy llwch ar wyneb y cefnfor, gan erfyn ar y tonnau i'w daflu o bryd i'w gilydd ar draethau'r ddwy wlad a garaf, a'i adael i orffwys yno am ennyd cyn ei gipio ymaith eto ar daith ddiderfyn tra pery'r ddaear i droi.

DIOLCH

John Japheth, Pennaeth Gwersyll Llangrannog ar y pryd, oedd y cyntaf i awgrymu tua dechrau'r 1980au y dylwn ysgrifennu fy atgofion am y Wladfa, 'cyn iddi fynd yn rhy hwyr'. Derbyniais yr un cyngor droeon wedyn, heb i mi wneud dim yn ei gylch. Tua 1995, dechreuais gofnodi hanesion teuluol, er mwyn diwallu syched fy mhlant am wybodaeth am eu tras yn fwy na dim. Yn araf iawn, daeth y rheiny'n sail i'r wyth bennod gyntaf a gyflwynais i sylw Alun Jones ychydig cyn Eisteddfod Genedlaethol yr Urdd, Conwy 2008. Ei anogaeth ddyfal ef fu'n gyfrifol am fy ymdrech ers hynny i orffen y dwsin o benodau ychwanegol sy'n cwblhau'r gyfrol hon.

Dibynnais yn drwm ar Edith i sicrhau cywirdeb nifer o'r storïau a chyfrannodd hithau'n hael o'i hatgofion ei hun i'w cyfoethogi. Mae gennyf ddyled hefyd i fy modryb Eryl MacDonald de Hughes, i'w merch Ada Cristina (Didw i ni) ac i 'nghyfnither Elda Jones de Ocampo am drafod y rhan o'r bedwaredd bennod sy'n cyfeirio at hanes teulu Nhad. Awgrymodd Rebecca Williams rai gwelliannau yn yr adran sy'n delio â hanes Radio Ceredigion.

Atgofion Mam sy'n bennaf cyfrifol am hanes ei hochr hi o'r teulu, a chlywais hi'n eu hadrodd droeon. Rwy'n ffodus o fod wedi cael copi ganddi o fanylion pob cangen o deuluoedd niferus ei dau daid dros bum cenhedlaeth. Yn 1982, derbyniais wybodaeth ychwanegol werthfawr am gefndir y teulu oddi wrth D. Leslie Davies, sy'n gwybod fwy na neb am y fintai a ymfudodd o Gwmaman, Aberdâr.

Bydd darllenwyr craff yn cofio iddynt ddarllen am rai o 'mhrofiadau eisteddfodol cynharaf yn *Steddfota*, cyhoeddiad Cymdeithas Eisteddfodau Cymru, a rhai sylwadau ar y Wladfa a'u rhagolygon mewn erthygl a gyhoeddais yn rhifyn Gorffennaf

2006 o'r *Traethodydd*. Dibynnais yn bennaf ar fy atgofion a 'mhrofiadau personol wrth lunio'r adrannau sy'n cyfeirio at ddigwyddiadau gwleidyddol ond manteisiais hefyd ar ran o'r deunydd a baratois ar gyfer y gyfres deledu *Cof Patagonia*, a gynhyrchwyd yn 1992 ar gyfer S4C gan gwmni Teliesyn.

Alun Jones a Dewi Morris Jones a fu'n gofalu am gywirdeb ieithyddol a gramadegol pob brawddeg o'm heiddo.

Ni fyddwn wedi cwblhau'r dasg hon heb gymorth, amynedd a chefnogaeth Delyth. Derbyniais luniau hefyd drwy law Camwy a Catrin, Morys a Meleri, a Geraint a Vicky.

Sylwadau gan y Parchedig Pryderi Llwyd Jones yng Nghapel y Morfa ar Salm 103, ac addasrwydd adnod 14 a roddodd y syniad i mi am y teitl: 'Canys efe a edwyn ein defnydd ni: cofia mai llwch ydym'.

Hefyd o'r Lolfa:
Hanes y fordaith gyntaf…

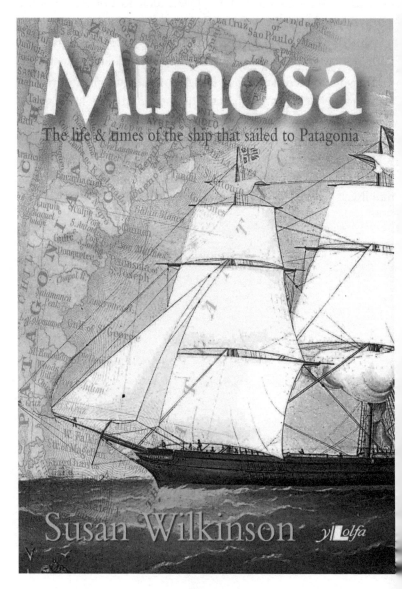

Mimosa

The life & times of the ship that sailed to Patagonia

Susan Wilkinson

y Lolfa

£12.95

…a'r unigolion ar ei bwrdd

£6.95

Am restr gyflawn o lyfrau'r Lolfa, mynnwch gopi
o'n catalog newydd, rhad
neu hwyliwch i mewn i'n gwefan

www.ylolfa.com

lle gallwch archebu llyfrau ar lein.

TALYBONT CEREDIGION CYMRU SY24 5HE
ebost ylolfa@ylolfa.com
gwefan www.ylolfa.com
ffôn 01970 832 304
ffacs 832 782